PÄPSTE UND PAPSTTUM

ISSN 0340–7993

PÄPSTE UND PAPSTTUM

IN VERBINDUNG MIT
REINHARD ELZE · ODILO ENGELS · WILHELM GESSEL
RAOUL MANSELLI · GERHARD MÜLLER · TORE NYBERG
WALTER ULLMANN · ERIKA WEINZIERL · PETER WIRTH
UND HARALD ZIMMERMANN HERAUSGEGEBEN
VON
GEORG DENZLER

BAND 11

ANTON HIERSEMANN STUTTGART
1977

ALEXANDER II. (1061–1073) UND DIE RÖMISCHE REFORMGRUPPE SEINER ZEIT

VON

TILMANN SCHMIDT

ANTON HIERSEMANN STUTTGART
1977

CIP-Kurztitelaufnahme der Deutschen Bibliothek

Schmidt, Tilmann

Alexander II. (1061–1073) und die römische
Reformgruppe seiner Zeit. – 1. Aufl. –
Stuttgart : Hiersemann 1977.
  (Päpste und Papsttum ; Bd. 11)
  ISBN 3-7772-7704-5

Schrift: Sabon Antiqua, Linotype. Satz und Druck: Sulzberg-Druck GmbH, Sulzberg im Allgäu.
Bindearbeit: Großbuchbinderei Ernst Riethmüller, Stuttgart. Einbandgestaltung von Alfred
Finsterer, Stuttgart.

Printed in Germany

INHALTSVERZEICHNIS

VORWORT

Vorliegende Studien sollen nicht als Biographie verstanden werden, obwohl sie unternommen wurden in der Absicht, eine historische Persönlichkeit in ihrer Eigenart zu erfassen. Es ist eine allbekannte Tatsache, daß eine Biographie nur in engster Verbindung mit der allgemeinen Geschichte geschrieben werden kann; diese hat den Rahmen zu liefern, innerhalb dessen die Entwicklung einer Persönlichkeit und deren Stellungnahme zu den Problemen ihrer Zeit darzustellen ist. Durch die mittelalterliche Quellenlage und ihre Lücken bedingt, ist eine Biographie innerhalb dieser Epoche erheblich erschwert. Die Gefahr besteht, daß der historische Rahmen das eigentlich biographische Anliegen überdeckt. Dieser Gefahr, nämlich statt der Persönlichkeit Alexanders II. seinen Pontifikat zu beschreiben, suchen unsere Studien zu entgehen.

Die Aufgabe ist, zu prüfen, ob Alexander II. tatsächlich ganz im Schatten des Archidiakons Hildebrand, des späteren Papstes Gregor VII., stand oder ob ihm doch einige schärfere Konturen zu verleihen sind. Da von Alexander kein literarisches Werk, kein Briefkorpus – vergleichbar dem Register Gregors VII. – überliefert sind, wird von seinem individuellen Denken, seinem geistigen Habitus nicht gesprochen werden können. Zur Biographie fehlt also die entscheidende Voraussetzung: die persönliche und damit interpretierbare Äußerung. Was festzustellen ist, sind einige Fakten und Daten, aus deren Verknüpfung miteinander und mit anderen bekannten und erforschten Begebenheiten in begrenztem Maße ein Persönlichkeitsbild Anselms von Baggio, des späteren Papstes Alexander II., gewonnen werden kann.

Nach den lokalen Bezugspunkten in der Vita Anselms als Kleriker–Bischof–Papst ist unsere Arbeit gegliedert durch die Namen Mailand, Lucca, Rom. Zum ersten Kapitel hat das Beste Cinzio Violante geliefert, der sich hauptsächlich um die Klärung der vorpontifikalen Lebensdaten Anselms bemüht hat[1]. Er untersuchte den Anteil Anselms am Entstehen der Mailänder Pataria; Violantes Ergebnisse werden hier zugrunde gelegt. Da die Pataria Mailands weder im

---

1 CINZIO VIOLANTE: *La pataria milanese e la riforma ecclesiastica I: Le premesse (1045–1057)* (Istituto storico italiano per il medio evo. Studi storici, 11–13). Rom 1955, bes. 147–173; vgl. auch DENS.: *Alessandro II.* In: Dizionario biografico degli Italiani 2. Rom 1960, 176–183. Das schmale Büchlein von MAURIZIO MAROCCO: *Storia di Alessandro II sommo pontefice Romano e di Sant' Anselmo vescovo di Lucca e cardinale di S.M.C., patrono di Mantova, zio e nipote dell'illustre famiglia italiana Baggio da Baggio di Lombardia.* 1856, ist ohne selbständigen Wert.

eigentlichen noch im weiteren Sinne Geschöpf Anselms ist – was übrigens schon vor Violante bekannt war –, wird diese laikal-religiöse Bewegung hier nur am Rande behandelt, obwohl es als sicher gelten muß, daß sie mit ihren sozialen und religiösen Anliegen den jungen Anselm beeinflußt hat. Doch wird auf weiterreichende Spekulationen in dieser Richtung verzichtet. Sie müßten angesichts der Quellenlage im Unverbindlichen stecken bleiben.

Vielleicht ist es nicht Zufall, daß die Historiographie sich bei der etwas farblos gebliebenen Gestalt des Papstes um zusätzliches Kolorit bemüht hat, das ihr tatsächlich nicht zukommt. Ein nicht geringer Teil unserer Arbeit muß deshalb darauf verwendet werden, in dieser Farbskala die vermutlich echten Töne von den Übermalungen zu trennen. Insofern wird im ersten Kapitel der kritische Ansatz Violantes fortgesetzt.

Erst seit der Zeit seines Luccheser Bistums sind für Anselm klare biographische Daten überliefert. Im zweiten und dritten Kapitel soll deshalb versucht werden, die Gruppen und Träger der vorgregorianischen römischen Reformpolitik zu erfassen, um Anselm-Alexander als Bischof von Lucca und als Papst in diese Umgebung zu stellen. Diesem Vorhaben entsprechend ist keine zusammenhängende und erschöpfende Darstellung seines Pontifikats zu erwarten, wie auch einzelne Themen der Zeit nicht ausgeführt werden: z. B. die beginnende Lehnsabhängigkeit weltlicher Staaten vom römischen Bischof[2] oder der sich in der Vorbehaltsklausel »salva sedis apostolicae auctoritate« ankündigende Wandel im Verständnis päpstlicher Dekretalengesetzgebung[3]. Für die Ausgangsfrage, nämlich wo individuelle Züge Alexanders II. von der beherrschenden Gestalt Hildebrands abzuheben sind, schien eine Behandlung dieser Probleme kaum ertragreich zu sein.

Die vorliegende Arbeit, in den Grundzügen am 21. April 1973, dem 900. Todestag Papst Alexanders II. abgeschlossen, wurde im Sommersemester 1973

---

2 Vgl. KARL ·JORDAN: *Das Eindringen des Lehnswesens in das Rechtsleben der römischen Kurie*. In: AUF 12 (1931) 13–110; Nachdruck Darmstadt 1971; DERS.: *Das Reformpapsttum und die abendländische Staatenwelt*. In: Die Welt als Geschichte 18 (1958) 122–137; GERD TELLENBACH: *Die Bedeutung des Reformpapsttums für die Einigung des Abendlandes*. In: Studi Gregoriani 2 (1947) 125–149.

3 FRIEDRICH THANER: *Ueber Entstehung und Bedeutung der Formel: »Salva sedis apostolicae auctoritate« in den päpstlichen Privilegien*. In: Sitzungsberichte der kaiserl. Akademie der Wissenschaften in Wien, 71. Wien 1872, 807–851; JOHANNES BAPTIST SÄGMÜLLER: *Die Entstehung und Bedeutung der Formel ›Salva Sedis Apostolicae auctoritate‹ in den päpstlichen Privilegien um die Mitte des 12. Jhs*. In: Acta Congressus Iuridici internationalis VII saeculo a Decretalibus Gregorii IX et XIV a Codice Iustiniano promulgatis III. Rom 1936, 155–171; DERS.: *Zur Geschichte der Entwicklung des päpstlichen Gesetzgebungsrechtes. Die Entstehung und Bedeutung der Formel »Salva Sedis Apostolicae auctoritate« in den päpstlichen Privilegien um die Mitte des 12. Jhs.* ²Rottenburg a.N. 1937.

unter dem Titel »Papst Alexander II. und seine Zeit« vom Fachbereich Geschichte der Universität Tübingen als Dissertation angenommen. Danach wurde sie für den Druck stellenweise überarbeitet.

Die Anregung zu dieser Arbeit verdanke ich meinem Lehrer Prof. Horst Fuhrmann, welcher mit förderlichem Rat ihr Entstehen begleitete. Zu danken habe ich ferner den Professoren Gerd Tellenbach und Reinhard Elze, die mir die Arbeitsmöglichkeiten am Deutschen Historischen Institut in Rom erschlossen.

Für die Aufnahme des Buches in die Reihe »Päpste und Papsttum« danke ich Prof. Georg Denzler und dem Verlag Anton Hiersemann.

Tübingen, im Juli 1976

A. MAILAND

1. Anselm von Baggio. Familie und Jugend

An der westlichen Peripherie des heutigen Mailand liegt Baggio, ein Ort, der im Mittelalter zur Pfarrgemeinde Cesano Boscone gehörte. Nach ihm wird eine Mailänder Adelsfamilie benannt, die sich vom 9. bis ins 13. Jahrhundert nachweisen läßt[1]. Ihr berühmtestes Mitglied war Anselm, Bischof von Lucca (1056–1073) und Papst unter dem Namen Alexander II. (1061–1073). Wie bei vielen bedeutenden Persönlichkeiten der mittelalterlichen Geschichte ist das Geburtsjahr Anselms unbekannt: Altersangaben fehlen für ihn völlig. Anhand der von Maria Luisa Corsi zusammengestellten Stammtafel der Familie da Baggio kann man sein Geburtsjahr etwa im Zeitraum von 1010 bis 1015 ansetzen. Aber nicht nur Geburtsjahr und Alter waren den Chronisten der Zeit uninteressant, auch die engere Familie Anselms tritt kaum in das Licht der historischen Überlieferung. Selbst der Name des Vaters wird in den Papstkatalogen nicht einhellig überliefert. In den Verzeichnissen von Farfa[2] und Pomposa[3] vom Ausgang des 11. Jahrhunderts heißt er Arde-

---

1 Maria Luisa Corsi: *Note sulla famiglia da Baggio (secoli IX–XIII).* In: Raccolta di studi in memoria di Giovanni Soranzo I. Mailand 1968, 166–205. Vgl. auch Cinzio Violante: *Alessandro II.* In: Dizionario biografico degli Italiani 2. Rom 1960, 176–183. Neue Ergebnisse hat Hagen Keller: *Pataria und Stadtverfassung, Stadtgemeinde und Reform: Mailand im »Investiturstreit«.* In: Vorträge und Forschungen, 17. Sigmaringen 1973, 342 Anm. 62, angekündigt.

2 Rom, Biblioteca Casanatense, Cod. 2010 (früher B.V. 17); dazu Ignazio Giorgi: *Appunti intorno ad alcuni manoscritti del »Liber Pontificalis«.* In: ASRom 20 (1897) 278 ff. mit Edition 295–312. Ferner Pietro Fedele: *Ricerche per la storia di Roma e del papato nel secolo X.* In: ASRom 33 (1910) 227 ff.; Louis Duchesne: *Serge III et Jean XI.* In: Mélanges d'Arch. et d'Hist. 33 (1913) 27 u. ö.; I. Giorgi: *Biografie farfensi di papi del X e dell'XI secolo.* In: ASRom 39 (1916) 513 ff. L. Duchesne: *Le »Liber Pontificalis« aux mains des Guibertistes et des Pierleonistes.* In: Mélanges d'Arch. et d'Hist. 38 (1920) 165–180; I. Giorgi: *Ancora delle biografie farfensi di papi del X e dell'XI secolo.* In: ASRom 44 (1921) 257 ff. Zur Farfenser Schreibschule Enrico Carusi: *Cenni storici sull'abbazia di Farfa.* In: Wallace Martin Lindsay: *Palaeographia Latina* III. Oxford 1924, 52–59.

3 Modena, Biblioteca Estense, Cod. H. 4,6 (lat. 390), früher VI. F. 5; Edition bei Duchesne: *Serge III et Jean XI,* 56–64. Dazu Duchesne: *Liber Pontificalis* I. Paris 1886, CXCIX, und II. Paris 1892, XVII; Theodor Mommsen: *Liber Pontificalis,* pars prior (MG Gesta Pontifi-

ricus[4]; die etwas späteren Liber-Pontificalis-Redaktionen Pandulphs (1133/38) und Petrus Guillermis (1142) nennen Vater und Sohn gleichermaßen Anselmus[5]. Die ältere Version der Papstkataloge, außerdem die lectio difficilior, ist

cum Romanorum I). Berlin 1898, XCVII; GIOVANNI MERCATI: *Il catalogo della biblioteca di Pomposa*. In: Studi e documenti di storia e diritto 17 (1896) 151 = Studi e testi, 76. Città del Vaticano 1937, 365 f.; DUCHESNE: *Serge III et Jean XI*, 36 ff.; GIORGI: *Biografie farfensi*, 519, 529 ff.; DANTE BALBONI: *Le fonti storiche di Pomposa*. In: Analecta Pomposiana I (1965) 340 ff.; CORSI: *Note sulla famiglia da Baggio*, 173 Anm. 27. Der Papstkatalog reicht bis Gregor VII. (»Gregorius, nacione ... sedit annos VIIII. Hic fuit electus anno XVIII Heinrici tertii, indictione X, anno Domini MLXXII«, DUCHESNE: *Serge III et Jean XI*, 64), aber nicht bis 1082, wie durchweg angenommen wird, sondern nur bis 1080/81, da Gregors VII. Pontifikatsbeginn mit 1072 ein Jahr zu früh angesetzt ist (die Regierungsjahre Heinrichs IV. zählen, wie in seinen Diplomen gebräuchlich, ab seiner Ordination am 17. Juli 1054; zehnte Indiktion = 1. Sept. 1071 bis 31. Aug. 1072; Weihe Gregors VII. 30. Juni 1073). Da in DH IV 322 (Brixen, 26. Juni 1080; DIETRICH VON GLADISS: *Die Urkunden Heinrichs IV.*, 422) die kaiserliche Abtei Pomposa von Heinrich IV. dem am Vortag zum (Gegen-)Papst gewählten Wibert-Clemens III. übertragen wurde und sie später tatsächlich auf dessen Seite zu finden ist (die Urkunden sind datiert nach Gregor VII. bis 21. Nov. 1081: ANTONIO SAMARITANI: *Regesta Pomposiae* I [Deputazione provinciale ferrarese di storia patria, Serie Monumenti, V]. Rovigo 1963, 133 Nr. 317; nach Clemens III. mit erstem Pontifikatsjahr [Weihe 24. März 1084] am 9. Juli 1084: ebd. Nr. 319; vgl. auch A. SAMARITANI: *Contributi di Pomposa alla storia del sec. XI*. In: Analecta Pomposiana I [1965] 59 f. und LUDOVICO GATTO: *Studi mainardeschi e pomposiani* [Collana di saggi e ricerche, 4]. Pescara 1969, 194 f.), folgt der Kompilator des Katalogs offensichtlich der wibertinischen Parteiauffassung von einer Absetzung Gregors VII. im Jahr 1080, nennt aber noch keinen Nachfolger (von DUCHESNE: *Le »Liber Pontificalis« aux mains des Guibertistes*, 165 ff., ist dieser Zusammenhang nicht beachtet worden, vgl. bes. 172 mit Anm. 1). Das Abfassungsdatum dürfte demnach zwischen 1080 und 1084, der Weihe Clemens' III. anzusetzen sein. – Zur Abhängigkeit des Cod. Est. vom Cod. Casan. vgl. GIORGI: *Biografie farfensi*, bes. 531, und DERS.: *Ancora delle biografie farfensi*, 257 ff.

4 Cod. Casan. 2010 (GIORGI. ASRom 20, 312): »Alexander natione Mediolanensis de patre Arderico. Sedit annos XI. Menses VII. Dies XXI.« Cod. Est. H. 4,6 (DUCHESNE. Mélanges d'Arch. et d'Hist. 33, 64; *Lib. Pont.* II, 281): »Alexander, nacione Mediolanensis, de patre Arderico. Sedit annos XI. Menses VII. Dies XXI.« Cod. Est. H. 4,6 (DUCHESNE. Mélanges in seinem in einer Handschrift überlieferten *Liber de temporibus* (MG SS 31, 427) Alexanders Vatersnamen aus dem mit großer Wahrscheinlichkeit von ihm benutzten Liber Pontificalis des Cod. Est. H. 4,6 übernommen, vgl. das Vorwort zur Edition von OSWALD HOLDER-EGGER, a.a.O., 343.

5 *Liber Pontificalis* (DUCHESNE, II, 281; mit Lesefehler: ex patre Anselino); richtig »ex patre Anselmo« schon bei JOHANN MATTHIAS WATTERICH: *Pontificum Romanorum vitae* I, 235, der hier nicht nachdruckt, sondern das Autograph des Petrus Guillermi Cod. Vat. lat. 3762 benutzt hat. Vgl. auch CORSI: *Note sulla famiglia da Baggio*, 174 Anm. 29. Zur Redaktion Pandulphs vgl. JOSEPH-MARIE MARCH: *Liber Pontificalis prout exstat in codice Dertusensi textum genuinum complectens hactenus ex parte ineditum Pandulphi scriptoris pontificii*. Barcelona 1925, 37 ff., 128; CYRILLE VOGEL: *Le Liber Pontificalis* III. Paris 1957, 13 ff. Zur Redaktion Petrus Guillermis vgl. DUCHESNE: *Liber Pontificalis* II, XXIV f.; MOMMSEN: *Liber*

hier sicher als die richtige anzusehen. Eine Wiederholung desselben Namens erscheint als Schreiberirrtum eher denkbar als die Einsetzung eines neuen Namens[6]. Auch ist ein Arderico da Baggio in den Jahren 1022 und 1031 lebend und 1040 als verstorben in Mailand bezeugt[7]. Dieser ist mit Recht als der Vater Anselms angesprochen worden.

Die Familie da Baggio gehörte zu der sozial und politisch führenden Schicht der meist nach langobardischem Recht lebenden Mailänder Capitanen, der großen Lehensträger des Erzbischofs, in dessen engster Umgebung sie auch bei ihrem ersten Auftreten im letzten Drittel des 9. Jahrhunderts erscheint[8]. Sie war ausgestattet mit der von der Mailänder Kirche lehnsabhängigen Pieve von Cesano Boscone, dem unmittelbar westlich an Mailand anschließenden Pfarrbezirk, bei dessen Orten Baggio und Assiano die Hauptmasse des Familiengutes gelegen haben dürfte. Hinzu kam einiger Streubesitz im übrigen Mailänder Gebiet. Neben dem Lehnsbesitz an der Taufkirche von Cesano hatte die Familie Rechte über die Kirche in Baggio selbst, S. Apollinare, die Anselm mit reichen Einkünften ausgestattet haben soll[9]. Von größerer Bedeutung allerdings ist die Tatsache, daß die Familie da Baggio, wie auch die anderen Capitanen, in Mailand ihren Wohnsitz hatte[10]. Im Stadtteil der Porta Comasina neben S. Giovanni alle quattro face, über welche Kirche sie wahrscheinlich ebenfalls das Patronat ausübte, war sie begütert; 1097 wird diese Kirche als

---

Pontificalis, CIII; Giuseppe Billanovich: Gli umanisti e le cronache medioevali. Il »Liber Pontificalis«, le »Decadi« di Tito Livio e il primo umanesimo a Roma. In: Italia medioevale e umanistica 1 (1958) bes. 108 ff. Ottorino Bertolini: Il »Liber Pontificalis«. In: Settimane di Studio del Centro italiano di studi sull'alto medioevo, 17/I. Spoleto 1970, 390 ff.; Odilo Engels: Kardinal Boso als Geschichtsschreiber. In: Konzil und Papst. Festgabe für Hermann Tüchle. München 1975, 147 ff.

6 So schon Giorgio Giulini: Memorie spettanti alla storia, al governo ed alla descrizione della città e della campagna di Milano ne' secoli bassi III², 487. Vgl. auch Cinzio Violante: La pataria milanese e la riforma ecclesiastica I: Le premesse (1045–1057), Rom 1955, 39 f. Anm. 1. Die Lösung von Corsi: Note sulla famiglia da Baggio, 174, »Ardericus qui et Anselmus dicitur« ist aus der Luft gegriffen.

7 Corsi: Note sulla famiglia da Baggio, 171 f.

8 Codex diplomaticus Langobardiae (Historiae patriae monumenta, 13). Turin 1873, 432 Nr. 256; Corsi: Note sulla famiglia da Baggio, 166 f.

9 Giulini: Memorie III², 495; Fedele Savio: Gli antichi vescovi d'Italia dalle origini al 1300 II/1. Florenz 1913, 414 Anm. 1.

10 Hagen Keller: Die soziale und politische Verfassung Mailands in den Anfängen des kommunalen Lebens. In: HZ 211 (1970) 34–64, bes. 38 ff., weist gegen Gerhard Dilcher: Die Entstehung der lombardischen Stadtkommune (Untersuchungen zur deutschen Staats- und Rechtsgeschichte, N.F. 7). Aalen 1967, darauf hin, daß die ständischen Schichtungen sich keineswegs mit dem Gegensatz Stadt und Land verbinden lassen.

»domestica ecclesia« Landulfs da Baggio bezeichnet[11]. Anselm soll außerdem die Kirche S. Ilario gegründet haben (1055 oder 1056)[12].

Die personelle Verflechtung der Familie Anselms mit Kreisen des hohen Adels und des sich daraus rekrutierenden hohen Klerus ist – da sich Familienzusammenhänge in dieser Zeit kaum erkennen lassen – im einzelnen nicht zu belegen, aber als sicher anzunehmen. Die Namen Tazo, Ariald, Adelard, Arderich und seit dem 11. Jahrhundert noch Anselm und Landulf, außer denen die Stammtafel bis gegen 1100 keine anderen aufweist[13], tauchen wiederholt im hohen Mailänder Klerus und in der Erzbischofsreihe auf, doch ist in all diesen Fällen bei fehlender Herkunftsbezeichnung angesichts der Häufigkeit dieser Namen eine Zuordnung zu einzelnen Familien nicht möglich. Anselm ist der erste Kleriker, übrigens auch der erste Träger dieses Namens, der bisher für diese seine Familie gesichert werden konnte. In anderen öffentlichen Ämtern, als Königsboten, werden dagegen mehrfach Familienmitglieder genannt[14]. Doch in keiner Notiz über die von M. L. Corsi der Familie da Baggio zugeordneten Mailänder Personen ist eine Konsanguinitätsbezeichnung überliefert, weder hinsichtlich Alexanders II. noch anderer Kirchenfürsten. Ein schriftstellerisch tätiger Gelehrter wie Anselm von Besate, der sich im Glanze seiner einflußreichen Verwandtschaft sonnt und uns damit einen Eindruck von der engen Verflechtung der führenden lombardischen Adelsschicht gibt[15], ist aus der Sippe Alexanders II. nicht hervorgegangen. Während anderswo das Bewußtsein vorhanden war, daß mit Alexander II. erstmalig ein Mailänder den Stuhl Petri bestieg[16], ist an seiner Heimat und an seiner Familie dieses Ereignis offenbar ohne nachhaltige Erinnerungsspuren, ausgenommen polemischer Art[17], vorübergegangen. Erst später, als der Vorrang der römischen Kirche nicht mehr bezweifelt wurde, werden die frühen Päpste aus Mailand der Stadt zum Ruhm angerechnet[18].

---

11   LANDULF DER JÜNGERE VON MAILAND (von S. Paolo): *Historia Mediolanensis* c. 2 (RIS 5/III, 4); dazu auch CORSI: *Note sulla famiglia da Baggio*, 180 f. mit Anm. 70.

12   CORSI: *Note sulla famiglia da Baggio*, 178 mit Anm. 56. Vgl. z. B. den Stadtplan bei PAOLO ROTTA: *Passegiate storiche ossia le chiese di Milano dalla loro origine fino al secolo XIX*. Mailand 1891, nach 8.

13   CORSI: *Note sulla famiglia da Baggio*, 205 Stammtafel.

14   CORSI: *Note sulla famiglia da Baggio*, 170, 171, 173.

15   ANSELM VON BESATE (der Peripatetiker): *Rhetorimachia* (MG Quellen zur Geistesgeschichte des Mittelalters, 2). Weimar 1958.

16   Z. B. *Annales Romani* (MG SS 5, 472), und die Papstkataloge DUCHESNE: *Liber Pontificalis* II, 281; CORSI: *Note sulla famiglia da Baggio*, 174.

17   Dazu unten 10.

18   Z. B. BONVESIN DE LA RIVA († 1313/15): *De magnalibus urbis Mediolani* VIII, 8 (FRANCESCO NOVATI. In: BISI 20 [1898] 166); zum Verf. D'ARCO SILVIO AVALLE. In: Dizionario biografico degli Italiani 12. Rom 1970, 465–469.

Die frühen Jahre Anselms in Mailand waren geprägt von der Gestalt des Erzbischofs Aribert (1018–1045)[19], der bei wechselnder Stellungnahme zum Kaisertum seine Position im kirchlichen und politischen Bereich vor allem auf Kosten der Grafen zur überragenden oberitalienischen Macht ausbauen konnte. Als Kirchenfürst mit starkem politischen Ehrgeiz war er auf die Wahrung und Erweiterung der Rechte und Privilegien seiner Mailänder Kirche bedacht, wobei er das Bemühen erkennen läßt, seine Aufmerksamkeit dem Zug der Zeit folgend auch dem disziplinären Stand des Klerus zuzuwenden. Den Ausbau der bischöflichen Stadtherrschaft betreibend, hatte er nicht die Absicht, überkommene Herrschaftsstrukturen in der Stadt oder durch langen Gebrauch verfestigte Gewohnheiten und Freiheiten des Mailänder Klerus grundsätzlich in Frage stellen zu lassen. Ausgeprägte Zuordnung der abgestuften Klerikerkollegien zu den sozialen Schichtungen[20], starkes Bewußtsein von der Unabhängigkeit der ambrosianischen Kirche – in der Liturgie und der traditionellen Erlaubnis der Priesterehe am deutlichsten greifbar –, dazu ein hoher Bildungsstand der adligen Kleriker, das sind die hervorstechenden Merkmale der Mailänder Kirche[21].

Das gesellschaftliche System spiegelte sich in der kirchlichen Hierarchie wider. Die Capitanen stellten auch in der Mailänder Domgeistlichkeit die ranghöchste Schicht der Ordinarien, aus deren Kollegium der Erzbischof zu wählen war. Damit war das gemeinsame Interesse in Fragen der städtischen Führung gewährleistet. Den Valvassoren, dem von den Capitanen lehnsabhängigen niederen Adel, entsprachen in der Hierarchie die Dekumanen[22]. Dieses System war jedoch im 11. Jahrhundert nicht mehr elastisch genug, um die beim Rückgang der gräflichen Gewalt und beim Vordringen der bischöflich-capitanalen Herrschaft auftretenden Spannungen auszugleichen. Nach dem Valvassorenaufstand von 1035 und dem Reichsgesetz Konrads II. vom 28. Mai 1037, das die Erblichkeit auch der Valvassorenlehen absicherte[23], und damit die rechtliche und soziale Stellung des niederen Adels verbesserte, war der

19 Vgl. Cinzio Violante: *La società milanese nell'età precomunale.* Bari 1953, 169 ff. Eugenio Cazzani: *Vescovi e arcivescovi di Milano.* Mailand 1955, 108–117; Maria Luisa Marzorati: *Ariberto.* In: Dizionario biografico degli Italiani 4. Rom 1962, 144–151; Herbert Edward John Cowdrey: *Archbishop Aribert II of Milan.* In: History 51 (1966) 1–15.

20 Vgl. Keller: *Die Verfassung Mailands,* 39 ff., und über die Durchlässigkeit der ständischen Gliederungen ebd., 38.

21 Vgl. Landulf von Mailand: *Historia Mediolanensis* II 35 (MG SS 8, 70 f.). Zur Situation in der Mailänder Kirche vgl. auch Violante: *La società,* 214 ff.

22 Keller: *Die Verfassung Mailands,* 52 ff.; vgl. auch Carl Gerold Fürst: *Cardinalis. Prolegomena zu einer Rechtsgeschichte des römischen Kardinalskollegiums.* München 1967, 151–155.

23 DK II 244. Dazu Keller: *Die Verfassung Mailands,* 49.

Zusammenhalt im Mailänder Adel immerhin noch stark genug[24], daß 1045 in der Frage der Nachfolge Erzbischof Ariberts zunächst keine größeren Erschütterungen eintraten. Nach dem Tod Ariberts – so berichtet der ältere Landulf – präsentierten die Mailänder, das heißt die in Stadt und Kirche herrschende Adelsschicht, dem Kaiser vier Kandidaten aus dem Stand der Ordinarien[25]. An dieser Nachricht ist kaum zu zweifeln, abwegig dagegen ist die erheblich spätere Identifizierung dieser vier Bewerber mit bekannten Mailänder Persönlichkeiten späterer Jahre: Landulf Cotta, dem adligen Vorkämpfer der Pataria, Anselm von Baggio, Ariald von Carimate und dem Mailänder Kardinal Atto. Es ist offensichtlich, daß man Namen von Männern, die später irgendwie berühmt wurden, hier interpoliert hat[26]. Die Vorschlagsliste der Mailänder,

---

24   1044 hatten die Capitane die Valvassoren gegen die Plebs unterstützt, vgl. VIOLANTE: *La società*, 204 ff.

25   Gesandte bei Heinrich III.: »ordinarii et capitanei ceterique per iussum civitatis qui cum ipsis iverant«, LANDULF: *Historia Mediolanensis* III 3 (MG SS 8, 74); dazu ERNST STEINDORFF: *Jahrbücher Heinrichs III.* I, 246 f.

26   GALVANEO FIAMMA († ca. 1344): *Chronicon maius* c. 763 (ANTONIO CERUTI: *Miscellanea di Storia Italiana* VII [1869] 618; MURATORI 4, 96 Anm. **): »Tunc vacante archiepiscopatu, Hernebaldus dominus populi procuravit cum clero, quod eligerentur quatuor et imperator quem vellet in archiepiscopum confirmaret; et fuerunt electi Landulfus Cotta sacri palatii notarius, frater carnalis ipsius Hernebaldi; alter dictus est Anselmus de Badagio ecclexie Mediolanensis cardinalis; tertius dictus est Arialdus ex capitaneis de Carimate; quartus dictus est Atho ecclexie Mediolanensis cardinalis. Ex alia parte pars nobilium de Mediolano elegit Guidonem de Velate imperatoris secretarium.« Ähnlich auch im *Manipulus florum* FIAMMAS (MURATORI 11, 623 f.; abweichend: »Arialdus canonicae decumanorum diaconus«); die sicher falsche Zuordnung Arialds († 1066) zu den Capitanen im Chronicon maius dürfte durch Landulfs Bezeichnung der Kandidaten als »quatuor maioris ordinis viros« (s. Anm. 25) beeinflußt sein – zutreffend dagegen die Standesbezeichnung im Manipulus florum, vgl. COSIMO DAMIANO FONSEGA. In: Dizionario biografico degli Italiani 4. Rom 1962, 135–139; ANTONIO RIMOLDI. In: Bibliotheca Sanctorum 2. Rom 1962, 408–410. Zu Arialds und Landulf Cottas Rolle in der Pataria VIOLANTE: *La pataria*, passim; GIOVANNI MICCOLI: *Per la storia della pataria milanese*. In: DERS.: *Chiesa gregoriana. Ricerche sulla Riforma del secolo XI* (Storici antichi e moderni, N.S. 17). Florenz 1966, 101 ff. Zu Atto, Kardinal der mailändischen und der römischen Kirche (Titel S. Marco), 1072 Elekt von Mailand, vgl. KLAUS GANZER: *Die Entwicklung des auswärtigen Kardinalats im hohen Mittelalter*. Tübingen 1963, 37 f.; ROBERTO ABBONDANZA. In: Dizionario biografico degli Italiani 4. Rom 1962, 564 f.; HORST FUHRMANN: *Einfluß und Verbreitung der pseudoisidorischen Fälschungen* II (Schriften der MGh, 24/II). Stuttgart 1973, 529 f., zu seinem kanonistischen Werk; zum Mailänder Kardinalat FÜRST: *Cardinalis*, 151 f. – Zweifel an den Identifikationen schon bei GIULINI: *Memorie* III, 412 f. Fiammas Quelle konnte nicht ermittelt werden; in demselben c. 763 des *Chronicon maius* benutzt er die »Cronica Datii« (= Landulf der Ältere von Mailand, vgl. MURATORI 4, 51 ff.; LEONIDA GRAZIOLI: *Di alcuni fonti storiche citate ed usate da fra Galvaneo Fiamma*. In: Rivista di scienze storiche 4/1 [1907] 142; LUIGI ALBERTO FERRAI: *Gli annali di Dazio e i Patarini*. In: ASL 19 [1892] 509–548, wollte die Annali Daziani von Landulf abheben), doch kennt Landulf die Namen

deren Namen also unbekannt bleiben, wurde von Heinrich III. verworfen zugunsten Widos, eines nicht dem hohen Adel entstammenden Klerikers[27]. Heinrichs III. Rechnung mag dabei gewesen sein, durch die Übergehung des hohen Klerus und seiner Kandidaten die auf dem engen Bündnis zwischen Capitanen und Erzbischof ruhende Selbständigkeit eines Aribert gegenüber dem König in Zukunft zu unterbinden. In den Äußerungen der Mailänder Geschichtsschreiber Arnulf und Landulf des Älteren spiegelt sich die Ablehnung wider, die Wido aus den führenden Kreisen entgegenschlug.

Der Nachfolger Ariberts, der seine Stellung dem König verdankte, konnte im Parteienstreit seine Position wohl festigen, war aber angesichts einer andauernden kühlen Zurückhaltung der Capitanen[28] auf die Stütze des deutschen Hofes auch weiterhin angewiesen. Im Gegenzug wurde er zu einem der zuverlässigsten Sachwalter der deutschen Italienpolitik. Die Verbindung Widos zum deutschen Hof war dementsprechend eng. Sie läßt sich verfolgen von seiner Erhebung an, die Mitte Juli 1045 stattfand[29], über seine Begleitung der kaiserlichen Italienzüge 1046/47 und 1055 bis hin zu wiederholtem Aufenthalt des Erzbischofs nördlich der Alpen. Anfang 1054 nahm er mit einer Reihe lombardischer Bischöfe an einem Hoftag in Zürich teil[30] und im Spätsommer 1056, kurz vor dem Tod Heinrichs III. († 5. Okt. 1056), ist er wiederum an dessen Hof anzutreffen mit allerdings nicht recht durchsichtiger Absicht. Auf diesen Aufenthalt am kaiserlichen Hof wird noch zurückzukommen sein, weil bei dieser Gelegenheit Anselm von Baggio zum ersten Mal auf der politischen Bühne erkennbar wird[31]. Im folgenden Jahr, 1057, scheint Wido seine letzte Reise nach Deutschland unternommen zu haben[32]: Mit des Kaisers Tod war jenes Machtzentrum ausgefallen und damit auch die Möglichkeit und Notwendigkeit, dort Anlehnung zu suchen.

---

noch nicht, s. vorige Anm. – Zu Fiamma vgl. MARTIN BERTRAM. In: DHGE 16. Paris 1967, 1389–1391; VOLKER HUNECKE: *Die kirchenpolitischen Exkurse in den Chroniken des Galvaneus Flamma O.P. (1283 – ca. 1344).* In: DA 25 (1969) 111–208, zum Chron. mai. 124 ff., zum Man. flor. 127 f.

27 ARNULF VON MAILAND: *Gesta archiepiscoporum Mediolanensium* III 21 (MG SS 8, 23) erwähnt das Ernennungsrecht des italienischen Königs; vgl. auch PAUL KEHR: *Vier Kapitel aus der Geschichte Heinrichs III.*, 38, 40. CAVAZZI: *Vescovi e arcivescovi di Milano*, 117–122; ARLY H. ALLAN: *The Family of Archbishop Guido da Velate of Milan (1045–1071).* In: Raccolta di studi in memoria di Giovanni Soranzo I. Mailand 1968, 1–9.

28 LANDULF: *Historia Mediolanensis* III 3 (MG SS 8, 75); VIOLANTE: *La pataria*, 85 ff.

29 ERNST MÜLLER: *Itinerar Heinrichs III.*, 54; VIOLANTE: *La pataria*, 5.

30 STEINDORFF: *Jahrbücher Heinrichs III.* II 260; KEHR: *Vier Kapitel aus der Geschichte Heinrichs III.*, 32.

31 S. unten 55 f.

32 MEYER VON KNONAU: *Jahrbücher* I, 44, 46.

Über den Lebensabschnitt Anselms bis zu seinem Luccheser Pontifikat 1056/57 liegen nur dürftige Nachrichten vor: ein weites Feld für Vermutungen. In der Wahlanzeige als Papst an seine Heimatstadt bezeichnet er sich mit dem Stolz des Mailänder Klerikers als Sohn dieser Kirche »Ambrosianis uberibus sublactatus«[33]. Und an anderer Stelle erinnert er Abt Landulf von Nonantola daran, daß »in Mediolanensi ecclesia, naturali videlicet matre nostra, unicam et specialem ab ipso primeve etatis tyrocinio caritatem invicem servaverimus«[34]. Damit ist gesichert, daß er schon seit früher Jugend der Mailänder Kirche angehört und in ihrer Domschule seine theologische Bildung erworben hat.

Die Zahl der Bischöfe, die aus dieser Schule hervorgingen, war beträchtlich; vielen von ihnen wird besondere Klugheit und Eignung für ihr Amt nachgesagt. Beides ist auch Anselm bescheinigt worden[35]. Trotz des exklusiv feudal-aristokratischen Charakters der Domschule bildeten sich im Kreis des darin geprägten Mailänder Klerus aber durchaus unterschiedliche kirchenpolitische Haltungen aus. Unproblematisch sind in dieser Umgebung Gestalten wie die Geschichtsschreiber Mailands[36]: Arnulf, der als Vertreter der Altmailänder Ordnung, doch mit deutlichem Empfinden für ihr Versinken, in erstaunlicher Unabhängigkeit des Urteils auch der Gegenseite gerecht zu werden versuchte und sich schließlich sogar den von Rom aus vorgetragenen neuen Ideen näherte; anders der ältere Landulf, ein glühender Anwalt der ambrosianischen Freiheiten, oder die Mailänder Kleriker und späteren Bischöfe Arderich von Vercelli (1024–1041/44), der eng an der Seite seines Metropoliten Aribert stand, Ambrosius von Lodi (1037–1051), der auf Grund eines Mailänder Investiturrechts zu seinem Bistum gelangte, dann auch die Mailänder Gegenbischöfe Gottfried (1070–1075) und Tedald (1075–1085) sowie Arnulf von Cremona (1066–1091), Heribert von Piacenza (um 1086) und Landulf von Como (vor 1098– ca. 1119). Sie alle vertreten die Tradition der lombardischen

33   JL 4469 (PL 146, 1279). Zum honor Ambrosii KELLER: Pataria und Stadtverfassung, 340 mit Anm. 59. Die Pietas der Päpste ihrer Heimat gegenüber untersuchte WOLFGANG REINHARD: Papa Pius. Prolegomena zu einer Sozialgeschichte des Papsttums. In: Von Konstanz nach Trient. Festschrift August Franzen. München 1972, bes. 297. Zum Eigendiktat des Papstes OTTO BLAUL: Studien zum Register Gregors VII. In: AUF 4 (1942) 118 Anm. 1; DIETRICH LOHRMANN: Das Register Papst Johannes' VIII. Tübingen 1968, 296.

34   JL 4634 (TIRABOSCHI: Storia di Nonantola II, 196 Nr. 179; PL 146, 1333); zur Datierung unten 173.

35   MEYER VON KNONAU: Jahrbücher I, 223, und unten 185 f.

36   Vgl. MAX MANITIUS: Geschichte der lateinischen Literatur des Mittelalters III. München 1931, 509 f.

Reichskirche, die späteren in enger Anlehnung an die kaiserliche Partei zur Zeit des Investiturstreits [37].

Von dieser Gruppe des Mailänder Weltklerus ist eine andere zu unterscheiden, die – zum Teil dem monastischen Leben zuneigend – ihren Weg zu den römischen Kirchenreformern fand. Neben Anselm gehört dazu Ambrosius, der als Mönch in das Kloster von Montecassino eintrat und später auf Hildebrands Rat von Alexander II. zum Bischof von Terracina ernannt wurde [38]; dann Abt Landulf von Nonantola, Adressat jener bereits erwähnten Worte Alexanders II., mit denen der Papst an die enge Verbundenheit während ihrer gemeinsamen Ausbildung in der Mailänder Kirche erinnert. Aufgrund gewisser, an anderer Stelle darzulegender Indizien kann mit diesem Landulf der gleichnamige Bischof von Pisa (1077–1079) identifiziert werden, dessen Mailänder Herkunft feststeht und der, von Gregor VII. eingesetzt, ein entschiedener Anhänger der Reformpartei war [39]. Auch der gebürtige Mailänder Anselm II. von Lucca mag hier Erwähnung finden, der gleichfalls Mönch war, bevor er sein Bistum erhielt. Ihm ist die wichtigste gregorianische Kanonessammlung zu verdanken [40].

Soviel ist also erkennbar: Im Schoße der Mailänder Kirche hatten sich Gruppierungen gebildet, die bei der Beantwortung der politisch-religiösen Fragen der Zeit in unterschiedliche Richtungen tendierten. Wie weit allerdings dieser Dissens ging, der ja erst aus späterem Verhalten erschlossen werden kann, ist kaum zu präzisieren, sicher aber nicht so weit, daß ein Anselm zum Initiator der Pataria wurde, wie Landulf glauben machen will [41]. Hugo Paech, Gerold Meyer von Knonau, Cinzio Violante und Giovanni Miccoli haben in detaillierten Untersuchungen Landulfs Behauptung geprüft und zurückgewiesen [42]. Die Mailänder Bewegung, die mit der Verschwörung Arialds von Carimate zur Pataria wurde, vereinigte in sich – soweit es sich erkennen läßt – sozialpolitische, kirchenreformerische und religiös-sektiererische Tendenzen. Wie sich zeigen läßt, berührt sich Anselm-Alexanders II. Haltung mit diesen Strömun-

---

37 GERHARD SCHWARTZ: *Die Besetzung der Bistümer Reichsitaliens unter den sächsischen und salischen Kaisern.* Leipzig 1913, 137, 120, 80 ff., 112, 192, 50.

38 S. unten 169 f.

39 Dazu ausführlich unten 173 ff.

40 CINZIO VIOLANTE. In: Dizionario biografico degli Italiani 3. Rom 1961, 399–407; FUHRMANN: *Einfluß* II, 509 ff.

41 LANDULF: *Historia Mediolanensis* III 5 (MG SS 8, 76 f.).

42 HUGO PAECH: *Die Pataria in Mailand.* Sondershausen 1872, 19 ff.; MEYER VON KNONAU: *Jahrbücher* I, Exkurs V, 669–673; VIOLANTE: *La pataria,* 164; MICCOLI: *Per la storia della pataria milanese.* In: BISI 70 (1958) 44 Anm. 2 (*Chiesa gregoriana,* 102 Anm. 5).

gen lediglich im reformerischen Bereich, während ein Hildebrand in der Parteinahme für die Pataria eindeutig weitergeht.

Zwar gab es im hohen Adel und Klerus gelegentlich Überläufer, die sich an die Spitze der Pataria setzten; aber für Anselm von Baggio lassen sich keinerlei Anzeichen dafür erkennen, daß er jemals den Bruch mit seiner sozialen Herkunft vollzogen hätte. Um ihn als Abtrünnigen und Unruhestifter hinzustellen, reichte es dem Mailänder Geschichtsschreiber Landulf aus, daß Anselm offenbar in verinnerlichter Religiosität sich von den verweltlichten Sitten seiner Standesgenossen abgesetzt hatte, später als römischer Legat und dann als Papst sich die römischen Forderungen nach Einheit und einheitlicher Führung der Kirche[43] zu eigen machte und damit die Hand zum Abbau der Sonderstellung der Mailänder Kirche bot. Daß er bei den diesbezüglichen Aktionen niemals im Vordergrund stand, sondern eher auf Ausgleich und Mäßigung radikaler Forderungen bedacht war, konnte ihn in den Augen Landulfs nicht entschuldigen. Wenn Anselm in seiner Mailänder Zeit auch nicht die Überwindung seiner Standesschranken unterstellt werden kann, so ist doch offenkundig, daß er die Zeichen der Zeit erkannt hatte, die auf der Grundlage verstärkter religiös-spiritualistischer Bedürfnisse der Menschen auf eine ihrem spirituellen Auftrag besser entsprechende Kirche abzielten.

2. LE BEC

Zwei biographisch-chronologische Probleme, die mit Anselms Lebensabschnitt bis zum Luccheser Episkopat verknüpft sind, müssen hier erörtert werden, obwohl sie für das Verständnis des Papstes letztlich wenig einbringen. Es geht um die Frage, ob Anselm seine Studien in der Klosterschule von Le Bec in der Normandie unter der Leitung seines Landsmannes Lanfrank von Pavia, des späteren Erzbischofs von Canterbury (1070–1089), fortgeführt hat und ob er ferner Kapellan am deutschen Königshof gewesen ist.

Zunächst sei das Problem ›Le Bec‹ behandelt. Lange Zeit hat die Forschung eine Studienzeit Anselms in Bec[44] einhellig angenommen. Berücksichtigt man

---

43 GERHARD LADNER: *Theologie und Politik vor dem Investiturstreit*, 42; HERBERT EDWARD JOHN COWDREY: *The Papacy, the Paterens and the Church of Milan.* In: Transactions of the Royal Historical Society, 5. ser. 18. London 1968, bes. 25 ff.

44 ÉMILE LESNE: *Les écoles de la fin du VIIIe siècle à la fin du XIIe (Histoire de la propriété ecclésiastique en France* V). Lille 1940, 116 ff.; RAYMONDE FOREVILLE: *L'école du Bec et le »studium« de Canterbury aux XIe et XIIe siècles.* In: Bulletin philologique et historique du

dabei, daß Lanfrank wie auch Anselm aus Oberitalien stammt[45], so erscheint es durchaus nicht verwunderlich, eher naheliegend, daß der Mailänder die berühmte Schule seines Landsmannes in der Normandie aufgesucht haben soll. Er hätte damit tatsächlich in einer dichten Reihe von Italienern gestanden, die den Spuren Lanfranks gefolgt sind. Anselm von Aosta ist darunter, der Nachfolger Lanfranks in der Leitung der Abtei von Bec und später auch im Erzbistum Canterbury (1093–1109)[46], dann ein jüngerer Verwandter Lanfranks gleichen Namens, zuerst Mönch in Bec, später Abt von Fontenelle (Diöz. Rouen)[47]. Doch sind diese Schüler um mindestens eine Generation jünger als ihr Lehrer. Anselm von Aosta, um 1033/34 geboren, schloß sich 1059 Lanfrank an; der jüngere Lanfrank folgte um einiges später[48]. Nimmt man nun auch für Anselm da Baggio ein Schülerverhältnis und einen Aufenthalt in der Normandie an, so müßte man ihn zeitlich ganz vorn in der Schülerschar einreihen; ihm fiele damit unmittelbar nach Lanfrank selbst die nächst wichtige Rolle zu,

Comité des travaux historiques et scientifiques 1955/56. Paris 1957, 259; JÜRGEN PETERSOHN: *Normannische Bildungsreform im hochmittelalterlichen England.* In: HZ 213 (1971) 272; ferner auch DAVID KNOWLES: *The Monastic Order in England*[2]. Cambridge 1966, 113 ff.; THIBAUD MAZE: *L'abbaye du Bec au XI*[e] *siècle.* In: La Normandie bénédictine au temps de Guillaume le Conquérant (XIe siècle). Lille 1967, 229–247, bes. 234. Zu Caen vgl. HENRI PRENTOUT: *Introduction à l'histoire de Caen.* Caen 1904, 32.

45 ALLAN JOHN MACDONALD: *Lanfranc. A Study of his Life, Work and Writing*[2]. London 1944, 1 ff.

46 Prior in Bec 1063, Abt 1078, Erzbischof von Canterbury 1093–1109; FRANZISKUS S. SCHMITT: *Anselmo d'Aosta.* In: Dizionario biografico degli Italiani 3. Rom 1961, 387–398, mit Lit.; ferner RICHARD WILLIAM SOUTHERN: *Saint Anselm and his Biographer.* Cambridge 1963, bes. Kap. II und IV.

47 Lanfrank der Jüngere, um 1091 Abt von St. Wandrille gegen den Willen seines Abtes Anselm, vgl. *Epistolae Anselmi* 4, 25, 31, 75, 137, 138 (SCHMITT III, 105, 132, 139, 197, 281, 283). Dazu MACDONALD: *Lanfranc,* 26. Ein anderer Neffe Lanfranks war Paul, Mönch in Caen, 1077–1093 Abt von St. Albans, ein entschiedener Vertreter der Kirchenreform in England; seine Abstammung ist etwas dubios, vgl. die *Gesta abbatum S. Albani* des MATTHAEUS PARIS (RS 28/4/I, 51 f.): »natione Neuster, consanguinitate archiepiscopo Lanfranco propinquus, et ut quidam autumant, filius«; ebd., 62: »humili progenie oriundus«; ebd., 64, wo von den »parentibus suis Normannis ... indignis et litteraturae ignaris, et origine ac moribus ignobilibus« die Rede ist; das Gerücht auch bei MATTHAEUS PARIS: *Historia Anglorum* a. 1077 (RS 44/I, 23); PETERSOHN: *Normannische Bildungsreform,* 281, hält ihn gleichwohl für einen Italiener. Paul begleitete 1071 Lanfrank nach Rom, *Gesta abbatum S. Albani* (RS 28/4/I, 46). Weiterhin wäre zu nennen »Michahel natione Italicus«, Bischof von Avranches (ca. 1068 – ca. 1094), ORDERICUS VITALIS: *Historia ecclesiastica* IV (CHIBNALL II, 200). Vgl. auch H. E. J. COWDREY: *Anselm of Besate and some North-Italian Scholars of the Eleventh Century.* In: JEH 23 (1972) 115, 123.

48 SOUTHERN: *Saint Anselm,* 16 Anm. 1, berechnet Lanfranks d. J. Eintritt in Bec für Ostern 1072.

nämlich die von jenem erst nach einigen Zwischenstationen erreichte Normandie als einer der ersten in direkte Verbindung mit Oberitalien gebracht zu haben.

Charles Porée, der Historiograph des Klosters Le Bec, A. J. Macdonald und ihnen folgend viele andere zählen Anselm ohne Zögern zu den Schülern Lanfranks[49]. Die daraus sich ergebenden Konsequenzen für den späteren Papst sind allerdings weniger einhellig gezogen worden. Gewöhnlich meint man, Alexander II. wegen der Lanfrankschen Schule eine cluniazensische Geisteshaltung zuschreiben zu können; Cinzio Violante, der freilich an Anselms Aufenthalt in dem normannischen Kloster nicht zweifelt, glaubt allerdings einen Einfluß der Schule von Le Bec nicht zu erkennen[50]. Grundsätzliche Bedenken gegen ein Schülerverhältnis Anselms äußerte dann erstmals Frank Barlow, ohne aber seinen kritischen Ansatz näher auszuführen[51]. An dieser Stelle ist das nun notwendig.

Eadmer von Canterbury und Milo Crispinus

Es liegen tatsächlich zwei, wie es scheint, voneinander unabhängige Quellen vor, die den späteren Papst ausdrücklich einen Schüler Lanfranks nennen: die Historia novorum in Anglia des in Canterbury schreibenden Klerikers Eadmer, eine besonders in den späteren Partien kenntnisreiche Darstellung der englischen Geschichte, die wahrscheinlich bald nach dem Tode Erzbischof Anselms von Canterbury († 1109) begonnen und in erster Redaktion bis 1115 fertiggestellt worden ist[52]. Dann die Vita Lanfranci, vermutlich von dem Beccer Mönch Milo Crispinus nach 1136 verfaßt[53]. Die hier interessierenden Stellen

---

49   CHARLES PORÉE: *Histoire de l'abbaye du Bec* I. Evreux 1901, 102; MARTIN GRABMANN: *Die Geschichte der scholastischen Methode* I. Freiburg i. Br. 1909, 229; JOSEPH GOETZ: *Kritische Beiträge zur Geschichte der Pataria.* In: AKG 12 (1916) 20; MACDONALD: *Lanfranc,* 26; FOREVILLE: *L'école du Bec,* 361; GENEVIÈVE NORTIER: *Les bibliothèques médiévales des abbayes bénédictines de Normandie* (Bibl. d'Histoire et d'Archéologie chretiennes, 9). Paris 1971, 34; PETERSOHN: *Normannische Bildungsreform,* 272.

50   VIOLANTE: *La pataria,* 152 mit Anm. 2.

51   FRANK BARLOW: *A View of Archbishop Lanfranc.* In: JEH 16 (1965) 170 mit Anm. 4 und 5; ähnlich dann COWDREY: *Anselm of Besate,* 123.

52   EADMER: *Historia novorum in Anglia* (RS 81). London 1884. Vgl. dazu ALLAN JOHN MACDONALD: *Eadmer and the Canterbury Privileges.* In: The Journal of Theological Studies 32 (1931) 39 ff.; SOUTHERN: *Saint Anselm,* 229 ff.; CHRISTOPHER N. L. BROOKE: *Historical Writing in England between 850 and 1150.* In: Atti della settimana di Studio del Centro italiano di studi sull'alto medioevo, 17/I. Spoleto 1970, 241 ff.

53   MILO: *Vita Lanfranci* (PL 150, 29–58). Dazu noch immer grundlegend HEINRICH BÖHMER: *Die Fälschungen Erzbischof Lanfranks von Canterbury.* Leipzig 1902, 135 f. Anm. 1.

aus beiden Werken beziehen sich auf die auch anderweitig bezeugte Reise Lanfranks nach Rom, die er im Jahre 1071, also kurz nach seiner Investitur mit dem Erzbistum Canterbury, in Begleitung dreier englischer Prälaten unternommen hat. Zweck der Reise war, aus der Hand des Papstes das Pallium, das Abzeichen der erzbischöflichen Würde, entgegenzunehmen und bei dieser Gelegenheit im Primatsstreit zwischen Canterbury und York, auf den hier nicht näher einzugehen ist[54], eine päpstliche Entscheidung zu erhalten. Die Reise war notwendig geworden, nachdem Hildebrand, der Archidiakon der römischen Kirche und Leiter der päpstlichen Politik, es abgelehnt hatte, das Pallium zu übersenden[55], eine Weigerung, die aus der seit Alexander II. vertretenen Politik resultiert, durch solche Besuche ad limina apostolorum die kirchliche Hierarchie stärker an das Papsttum zu binden[56]. Bezeichnend ist, will man die Bearbeitung dieser Angelegenheit durch Hildebrand nicht ganz äußerlich als durch eine der häufigen Abwesenheiten des Papstes von Rom verursacht ansehen, daß der Archidiakon gerade an diesem Punkt in Erscheinung tritt[57].

Reisen englischer Bischöfe nach Rom – sei es zur Entgegennahme des Palliums im Falle eines Erzbischofs oder sei es aus anderen Gründen – waren nichts Ungewöhnliches[58]. Auch Lanfrank hatte mehrmals in Rom geweilt[59]. Der Aufenthalt von 1071 erhält aber durch die Detailschilderungen Eadmers und Milos seine problematische Note. Eadmer berichtet nämlich, beim Eintritt Lanfranks in den Audienzsaal habe sich Papst Alexander zur Verwunderung der Kenner des römischen Zeremoniells erhoben und den Erzbischof mit

---

54 Vgl. R. W. SOUTHERN: *The Canterbury Forgeries*. In: EHR 73 (1958) 193–226, mit der älteren Lit.; HELEN CLOVER: *Alexander II's Letter ›Accepimus a quibusdam‹ ant its Relationship with the Canterbury Forgeries*. In: La Normandie bénédictine au temps de Guillaume le Conquérant (XIe siècle). Lille 1967, 417–442.

55 Das geht aus der Epistola Lanfranci 8 hervor (GILES: *Opera Lanfranci* I, 29 f.); vgl. MACDONALD: *Lanfranc*, 81 Anm. 2. Zusammenfassend H. E. J. COWDREY: *Pope Gregory VII and the Anglo-Norman Church and Kingdom*. In: Studi Gregoriani 9 (1972) 79–114, bes. 83 ff.

56 Vgl. Alexander II. an Ravenger von Aquileia JL 4504, an Anno von Köln JL 4507, an Hugo von Cluny JL 4529. Dazu LEO F. J. MEULENBERG: *Der Primat der römischen Kirche im Denken und Handeln Gregors VII.* 's Gravenhage 1965, 64 ff.; DERS.: *Gregor VII. und die Bischöfe: Zentralisierung der Macht*. In: Concilium 9 (1972) 28–34.

57 Dazu unten 195 ff.

58 Vgl. dazu den Sammelband *The English Church and the Papacy in the Middle Ages*, hg. von C. H. LAWRENCE und DAVID KNOWLES. London 1965; darin bes. MARGARET DEANESLY: *The Anglo-Saxon Church and the Papacy*, 29–62, und CHARLES DUGGAN: *From the Conquest to the Death of John*, 63–115. Eine Übersicht über die Romfahrten englischer Könige seit dem 7. Jh. bei WILHELM SMIDT: *Deutsches Königtum und deutscher Staat des Hochmittelalters*. Wiesbaden 1964, 113 f. Beilage 1 b.

59 BARLOW: *Archbishop Lanfranc*, 170.

freundlichen Worten aufgefordert, sich nicht zum Fußkuß hinabzubeugen, sondern stehen zu bleiben. Dann läßt Eadmer den Papst selbst sprechen: »Honorem, inquit, exhibuimus, non quem archiepiscopatui tuo, sed quem magistro, cuius studio sumus in illis, quae scimus imbuti, debuimus. Hinc quod ad te pertinet ob reverentiam beati Petri te exequi par est.« Nach diesem Zwischenspiel erst habe sich Lanfrank zu Füßen des Papstes hingeworfen, um sogleich von ihm zum Kuß erhoben zu werden[60].

Die Aussage ist klar. Bei Eadmer bezeichnet der Papst Lanfrank als den Lehrer, in dessen Schule er seine Kenntnisse erworben habe[61]. Milo präzisiert: Bei ihm werden als Grund der besonderen Ehrung des Erzbischofs zuerst dessen außerordentliche Frömmigkeit und Klugheit, ferner die Bereitwilligkeit genannt, mit der er römische Boten in seinem normannischen Kloster aufgenommen und Anverwandte des Papstes unterrichtet habe. Und auch hier werden Worte Alexanders eingeschaltet, die aber nicht an Lanfrank direkt gerichtet sind, sondern so klingen, als wollte er sein Verhalten nachträglich gegen jemanden rechtfertigen: »Non ideo assurrexi ei, quia archiepiscopus Cantuariae est, sed quia Becci ad scholam eius fui, et ad pedes eius cum aliis auditor consedi.« Darauf habe Lanfrank, so fährt Milo fort, vom Papst zwei Pallien erhalten[62].

---

60   EADMER: *Historia novorum* I (RS 81, 10 f.): »Hic (sc. Lanfrancus) Romam pro debito sibi pallio iens, Thomam archiepiscopum Eboracensem, quem ipse, facta sibi de subiectione sua canonica professione, Cantuariae consecraverat, et Remigium Lincoliensem episcopum comites itineris habuit. Qui Romam simul pervenientes urbane suscepti sunt honore singulis congruo. Post quae, statuto die pater Lanfrancus apostolicae sedis pontifici Alexandro praesentatur. Cui, quod Romanam scientibus consuetudinem forte mirum videatur, ipse papa ad se intranti assurgens eum ut gressum figeret dulciter hortatus est. Ac deinde subdens, ›Honorem‹, inquit, ›exhibuimus, non quem archiepiscopatui tuo, sed quem magistro cuius studio sumus in illis quae scimus imbuti, debuimus. Hinc quod ad te pertinet ob reverentiam Beati Petri te exequi par est.‹ Residente igitur illo, Lanfrancus progressus humiliat se ad pedes eius sed mox ab eo erigitur ad osculum eius. Consident, et laete inter eos agitur dies ille.« Zur Sache MACDONALD: *Lanfranc,* 81.

61   Zur Bedeutung von ›studium‹ HEINRICH DENIFLE: *Die Entstehung der Universitäten des Mittelalters bis 1400.* Berlin 1885, 5 ff.

62   MILO: *Vita Lanfranci* § 24 (PL 150, 48 f.): »*Sequenti anno* (Lanfrancus) *cum praefato archiepiscopo* (Thoma) *Romam ivit et honorifice a sede apostolica susceptus* est, siquidem venienti papa assurrexisse dicitur, tum pro sua magna religione et eminenti scientia, tum quia, dum esset in Normannis, venientes Romanae ecclesiae ministros honorifice suscipiebat, et quosdam papae consanguineos studiose docuerat. Fertur etiam papa dixisse: ›Non ideo assurrexi ei quia archiepiscopus Cantuariae est, sed quia Becci ad scholam eius fui, et ad pedes eius cum aliis auditor consedi.‹ Itaque duo pallia illi dedit: *unum quod de altari Romano more accepit, alterum vero in indicium videlicet sui amoris, cum quo missam celebrare solebat, Alexander ei papa sua manu porrexit.*« Die kursiv gedruckten Stellen sind dem Scriptum Lanfranci de primatu entnommen, s. unten Anm. 72 und 100.

Läßt die Fassung Eadmers noch offen, an welchem Ort der zahlreichen Stationen von Lanfranks Lehrtätigkeit der spätere Papst ihn gehört haben soll, so findet sich bei Milo die entscheidende Zuspitzung auf dessen eigenes Kloster Bec, verständlich und verdächtig zugleich.

Die Qualität beider Quellen ist recht gut. Wenn Eadmer auch bereits zwei Generationen jünger ist als Alexander II. und Lanfrank, so kann ihm doch eine gewisse Nähe zu den Ereignissen, die er beschreibt, nicht abgesprochen werden. Seit 1067 in jugendlichem Alter im Domkloster von Canterbury nachweisbar, hat er Lanfrank aus nächster Nähe noch erlebt und gehörte später zum engsten Beraterkreis Erzbischof Anselms in dessen Auseinandersetzung mit dem englischen Königtum und unternahm in seinem Auftrag zwei Italienreisen. Über den Zeitraum der Jahre seit 1066 zeigt sich Eadmer dementsprechend gut informiert. Er konnte sich auf mündliche Tradition stützen, die im Domklerus lebendig war und die er in anderem Zusammenhang als Quelle nennt, sowie für die spätere Zeit auf eigenes Erleben [63].

Lanfranks Verbindung mit Bec war auch nach seinem Fortgang als Abt nach Caen (1063) und dann als Erzbischof nach Canterbury (1070–1089) eng geblieben; aus der Normandie holte er sich seine Helfer bei der Neuordnung der englischen Kirche [64]. Nach mehreren Besuchen wohnte er zuletzt der Weihe des von ihm angeregten Neubaus der Klosterkirche im Jahre 1077 bei [65]. Milo Crispinus, der als Autor der Vita Lanfranci allgemein angenommen wird, konnte sich bei deren Abfassung neben einer Briefsammlung Lanfranks demnach gleichfalls auf eine zweifellos starke mündliche Überlieferung in Bec stützen, wo er vermutlich kurz nach 1093 als Mönch eingetreten war. Setzt man ihn in Verbindung mit der normannischen Adelsfamilie der Crispin, deren Mitglied Gilbert Crispin – um 1060 ebenfalls Mönch in Bec und später Abt von Westminster in England – sich mit der Vita Herluins, des Gründers von Bec,

---

63 Nach SOUTHERN: *Saint Anselm*, 231 mit Anm. 1, war Eadmer um 1060 geboren. Ein Beispiel mündlicher Tradition *Historia novorum* II (RS 81, 107). Vgl. auch MANITIUS: *Lateinische Literatur* III, 581 ff.

64 PETERSOHN: *Normannische Bildungsreform*, 276 ff. Zur Diskussion um die Böhmersche These vom Verfall des staatlichen und kirchlichen Lebens im vornormannischen England (*Kirche und Staat in England und in der Normandie im XI. und XII. Jh.* Leipzig 1899; und vor ihm schon englische Historiker, vgl. PETERSOHN: *Normannische Bildungsreform*, 265) RAYMOND WILSON CHAMBERS: *On the Continuity of English Prose from Alfred to More and his School.* London 1932; REGINALD RALPH DARLINGTON: *Ecclesiastical Reform in the Late Old English Period.* In: EHR 51 (1936) 385–428; DERS.: *The Last Phase of Anglo-Saxon History.* In: History 22 (1938) bes. S. 13; DERS.: *The Norman Conquest.* London 1963, 21; KARL SCHNITH: *Die Wende der englischen Geschichte im 11. Jh.* In: HJb 86 (1966) 1–53.

65 MACDONALD: *Lanfranc*, 183.

bereits biographisch betätigt hatte – Milo benutzte sie sehr stark für sein Werk –, so steht dieser nicht nur in einer literarischen, sondern auch in einer diese erläuternden familienmäßigen Tradition[66].

Epistola Lanfranci und Scriptum de primatu

Eadmers und Milos Nachrichten über Anselm-Alexanders Schülerschaft bei Lanfrank erfordern aber eine genauere Prüfung, in welchem Maße sie Vertrauen verdienen. Zunächst seien diejenigen Quellen durchgesehen, die ebenfalls über Lanfranks Romaufenthalt im Jahr 1071 berichten. An erster Stelle steht ein Brief Lanfranks an Alexander II. vom Mai oder Anfang Juni 1072 und davon abhängig das sogenannte »Scriptum Lanfranci de primatu«, das gleichfalls, zwischen 1075 und 1087 entstanden, als Werk Lanfranks zu gelten hat und von ihm selbst zur Belehrung seiner Nachwelt in seine Briefsammlung aufgenommen wurde[67]. In dem Brief gibt er dem Papst einen Bericht über die seit seinem Rombesuch 1071 stattgefundenen Ereignisse, vor allem die Verhandlungen auf den Hoftagen in Winchester zu Ostern und in Windsor zu Pfingsten 1072; auf ihnen war der Primatsstreit schließlich zu seinen Gunsten entschieden worden[68]. Im Scriptum de primatu werden Gegenstand und gesamter Verlauf des Streits mit Thomas von York um den Primat in der englischen Kirche knapp resümiert.

In die Briefsammlung Lanfranks sind neben dem Brief und dem Scriptum weitere Schriftstücke aufgenommen, die den auf der Synode von Windsor (Pfingsten, 27. Mai 1072) in Anwesenheit König Wilhelms I. und eines päpstlichen Legaten errungenen Sieg Lanfranks dokumentieren sollen: das Obödienz-

---

66 BÖHMER: *Fälschungen Lanfranks,* 135 f. VIOLANTE: *La pataria,* 152 Anm. 2, hält Milo ohne Grund für einen Zeitgenossen Lanfranks. Dagegen ist Böhmers Datierung der Vorzug zu geben, wonach Milo erst seit der Jahrhundertwende dem Beccer Konvent angehörte und die Vita nach 1136 schrieb. Zur Familie J. ARMITAGE ROBINSON: *Gilbert Crispin abbot of Westminster.* London 1911; WALTHER HOLTZMANN: *Zur Geschichte des Investiturstreites.* In: NA 50 (1935) 246 ff.; GILBERT DÉCULTOT: *La Seigneurie du Bec – Crespin. Notes historiques.* Fécamp 1970.

67 LANFRANK: Ep. 5 (GILES: *Opera Lanfranci* I, 23; BÖHMER: *Fälschungen Lanfranks,* 169–173); das Scriptum Lanfranci ist analysiert und ediert bei BÖHMER: *Fälschungen Lanfranks,* 141 f., 165 ff. Eine Neuedition der Briefe Lanfranks ist zu erwarten von Helen Clover, vgl. M. CHIBNALL: *Ordericus Vitalis* II, 248 Anm. 2.

68 BÖHMER: *Fälschungen Lanfranks,* 20 ff.; MARGARETE DUEBALL: *Der Suprematstreit zwischen den Erzdiözesen Canterbury und York 1070–1126* (Historische Studien, 184). Berlin 1929, 24 f.; HELENE TILLMANN: *Legaten in England bis zur Beendigung der Legation Gualas (1218).* Diss. Bonn 1926, 15 f.; FRANK MERRY STENTON: *Anglo-Saxon England* (The Oxford History of England, 2). ³Oxford 1971, 665 f.

versprechen des Yorker Erzbischofs (professio Thomae) und das Synodaldekret selbst, das aufgrund einiger von Lanfrank vorgelegter Beweisstücke den Ehrenvorrang von Canterbury bestätigt (constitutio Windlesorensis)[69]. Aus dem Brief an den Papst ist ersichtlich, daß die Synodalakten[70] nach Rom geschickt worden sind mit der Absicht, den Synodalbeschluß dem Papst zur Kenntnis zu bringen und von ihm bestätigen zu lassen[71].

Hier ist nun die Darstellung[72] des Briefes und des Scriptum de primatu über die Romreise der beiden konkurrierenden Erzbischöfe näher zu betrachten. Im Schlußabschnitt des Briefes erinnert Lanfrank den Papst an seine freundliche Aufnahme in Rom und das Wohlwollen, das er ihm durch die Überreichung zweier Pallien erwiesen habe. Die Absicht des Briefschreibers ist dabei offenbar die, mit dem Anknüpfen an jene Szene für die erbetene Bestätigung der Synodalsentenz Stimmung zu machen. An dieser Stelle wie auch in der zusammenfassenden Darstellung des Scriptum wird die Begegnung in Rom mit der diesen Schriftstücken eigenen Kürze behandelt. Im Vordergrund steht dabei die ungewöhnliche Übergabe der beiden Pallien, im Scriptum finden noch die römischen Verhandlungen über die Primatsfrage Erwähnung; im Brief fehlt das natürlich, da der Adressat ja selbst daran beteiligt gewesen war und diese Vorgänge kennen mußte.

In Lanfranks Brief und in seinem Scriptum wird auf ein früheres Lehrer-Schüler-Verhältnis zwischen Erzbischof und Papst mit keinem Wort angespielt; dabei wäre im Brief durchaus ein geeigneter Ort dafür gewesen, ist der Autor

---

69   Professio Thomae (BÖHMER: *Fälschungen Lanfranks*, 167); Constitutio Windlesorensis (ebd., 167–169).

70   SOUTHERN: *The Canterbury Forgeries*, 193 ff., und CLOVER: *Alexander II's Letter ›Accepimus a quibusdam‹*, bes. 420 ff., haben wahrscheinlich gemacht, daß Lanfrank die Fälschungen der Primatsprivilegien noch nicht zur Verfügung standen. Vgl. auch MARION GIBBS: *The Decrees of Agatho and the Gregorian Plan for York*. In: Speculum 48 (1973) 213–246.

71   Ep. 5, gegen Schluß (BÖHMER: *Fälschungen Lanfranks*, 172). Eine päpstliche Bestätigung folgte nicht, was zum späteren Aufleben des Streites führte, vgl. BÖHMER: *Fälschungen Lanfranks*, 37; DUEBALL: *Suprematstreit*, 35 f.; COWDREY: *Pope Gregory VII*, 88.

72   Ep. 5 (BÖHMER, 172):   Scriptum Lanfranci (BÖHMER, 166):

Numquam enim res quaelibet de archa mei pectoris eicere quavis occasione poterit inauditam illam humanitatem, quam mihi, extremo hominum, tantis indigno honoribus, Rome exhibuistis, quodque duo pallia, unum de altari ex more, alterum, quo sanctitas vestra missas celebrare consueverat, ad ostendendam circa me benevolentiam vestram mihi impendistis.

Sequenti anno (Lanfrancus) cum praefato archiepiscopo Romam ivit et honorifice a sede apostolica susceptus, unum quidem pallium ab altari Romano more accepit, alterum vero in indicium videlicet sui amoris, cum quo missam celebrare solebat, Alexander ei papa sua manu porrexit.

doch bei seiner Bitte um Bestätigung des Schlußurteils von Windsor auf die Bereitwilligkeit und das Wohlwollen des Papstes angewiesen. Wenn er dabei gute Beziehungen als Lehrer zu seinem früheren Schüler als leichten Druck hätte einsetzen können, aus welchem Grunde sollte er sie hier mit Schweigen übergangen haben? Eine Bestätigung der Synodalsentenz ist jedenfalls niemals erfolgt.

Auf das Scriptum Lanfranci stützen sich Wilhelm von Malmesbury in seinen Gesta pontificum Anglorum, der es als Werk Lanfranks ausdrücklich kennzeichnet[73], und Milo Crispinus[74]. Beide haben es wörtlich übernommen, beide haben aber noch zusätzliche Quellen benutzt. Milo war die knappe Darstellung der Vorlage offenbar zu dürftig; er fügte den bereits behandelten Passus ein, ohne daß die subsidiäre Quelle deutlich zu erkennen ist[75]. Die Verwendung von dicitur und fertur weist allerdings auf mündliche Tradition hin.

---

73 WILHELM VON MALMESBURY: *Gesta pontificum Anglorum* I 24 (RS 52, 38 f.): »... quod ipse (sc. Lanfrancus) melius scripto suo insinuabit, quod de ordinatione sua et de controversia inter se et Thomam Eboracensem commota et sedata ita scripsit.« *Gesta* I 42 (ebd., 65): »Emicat Lanfrancus tripudio, et victrici causa fretus gesta scripto excepit, ne si praeterirent et laberentur recentia, rerum necessariarum posteri fraudarentur notitia.«

74 S. oben Anm. 62.

75 BARLOW: *Archbishop Lanfranc*, 170 Anm. 4, will wie schon MANITIUS: *Lateinische Literatur* III, 80, Milo auf Wilhelm von Malmesbury zurückführen; BÖHMER: *Fälschungen Lanfranks*, 135 Anm. 1, zählt Wilhelms Gesta jedoch nicht zu den Quellen der Vita Lanfranci Milos. Die Frage ist gegen Manitius und Barlow zu entscheiden, wie durch folgende Übersicht deutlich wird:

	Lanfrank (BÖHMER: *Fälschungen*)	Milo (PL 150)	Wilhelm (RS 52)
Scriptum de primatu	(165–167)	c. 22 Mitte – c. 25 Mitte (47 C – 49 C)	I 25 (39–42)
Professio Thomae	(167)	c. 25 Mitte – Schluß (49 D – 50 A)	I 26 (42)
Constitutio Windlesoren.	(167–169)	c. 26 (50 A – 51 A)	I 27 Schluß fehlt (42–43) I 28 Zwischenbem.
Epistola ad Alexandrum	(169–173)	c. 27 (in PL nicht abgedruckt)	I 29 Anfang verkürzt in knapper Zusammenfassung; Schluß fehlt (44–46)

Milo verwendete also eine Sammlung der Briefe Lanfranks, die die Stücke vollständig enthielt, während Wilhelm teilweise verkürzte Texte bietet.

Wilhelm von Malmesbury

Der englische Kleriker Wilhelm von Malmesbury († nach 1142)[76] hat sein Material anders verarbeitet als Milo von Bec. Er übernahm das Scriptum und die anhängenden Aktenstücke im Unterschied zu Milo mit einigen Kürzungen in seinen Text. Daran schloß er die zur Untermauerung des Primats gefälschten Papstprivilegien, im ganzen die nach ihm benannte Malmesbury-Serie, sowie zwei weitere Kapitel mit einer Darlegung Lanfranks über das Ende des Streites an[77]. Dann behandelt Wilhelm noch einmal Lanfranks Romreise, hier nun etwas ausführlicher[78]. Er läßt auch seinerseits den Papst die Erklärung abgeben, daß die Ehrung Lanfrank nicht wegen seines Erzbistums zukomme, sondern seinem »magisterium litterarum« gelte. Die anschließende Sentenz über die Ehrenrechte des Vikars Petri findet sich ähnlich auch bei Eadmer[79]. Die Schülerschaft des Papstes wird von Wilhelm mit keinem Wort angedeutet, Alexander ehrte in Lanfrank allein den berühmtesten Lehrer der Zeit. Dieser Bericht ist insofern bemerkenswert, als dem Autor für die zweite Redaktion die Darstellung Eadmers vorgelegen hat[80]. Es ist immerhin erstaunlich, daß Wilhelm sich den persönlichen Zug, der bei Eadmer in den Worten über das Lehrer-Schüler-Verhältnis zum Ausdruck kommt, hat entgehen lassen. Aus welchem Grunde das geschah, warum Wilhelm – wenn er anfangs nichts davon gewußt haben sollte – diese Szene nicht in die zweite Redaktion eingebaut hat, ist nicht ersichtlich.

Spätere Quellen

Die späteren Quellen stützen sich hauptsächlich auf Eadmer und Wilhelm von Malmesbury[81]. Den Hinweis auf ein Lehrer-Schüler-Verhältnis ohne lokale

---

76   HUGH FARMER: *William of Malmesbury's Life and Works*. In: JEH 13 (1962) 39–54; RODNEY M. THOMSON: *The Reading of William of Malmesbury*. In: Revue Bénédictine 85 (1975) 362–402.

77   Papstprivilegien *Gesta* I 30–39 (RS 52, 46–62); vgl. auch BÖHMER: *Fälschungen Lanfranks*, 145–161. Lanfranks Schlußwort *Gesta* I 41 (ebd., 63–65).

78   *Gesta* I 42 (ebd., 65): »(Lanfrancus) erat enim tunc temporis in doctrina et mundi sapientia famosissimus, et quem venerabiliter suspiceret(!, statt susciperet, s. Anm. 72) Alexander apostolicus. Honoris maximum fuit inditium, cum Romam venienti, sequestrato illo Romani supercilii fastu, dignanter assurgeret; professus, hanc venerationem non se illius archiepiscopatui, sed magisterio litterarum deferre. Quapropter se fecisse quod esset honoris, illum debere facere quod esset iustitiae, ut, pro more omnium archiepiscoporum, sancti Petri vicarii vestigiis advolveretur.«

79   Zu EADMER s. oben Anm. 52.

80   Verweise darauf finden sich *Gesta* I 45, I 59 (RS 52, 74, 113).

81   RADULF VON DICETO: *Abbreviationes Chronicorum* (RS 68/I, 203); MATTHAEUS PARIS: *De gestis abbatum s. Albani* (MG SS 28, 434; RS 28/4/I, 46); GERVASIUS VON CANTERBURY: *Actus pontificum* (RS 73/II, 365); *Saxon Chronicle* einer Handschrift aus Canterbury (London,

Festlegung auf den Schulort bringen mit Eadmer Radulf von Diceto († 1202)
und Matthaeus Paris († um 1259); die Erwähnung des Schülerverhältnisses
Anselms fehlt wie bei Wilhelm so unter anderem bei Gervasius von Canterbury
und dem Saxon Chronicle, einer Handschrift ebenfalls aus Canterbury. Beziehungen Alexanders zu Bec kennen sie nicht. Damit steht Milo allein. Nur in
Bec scheint man gewußt oder wenigstens geglaubt zu haben, daß der spätere
Papst dort zu den Schülern Lanfranks gezählt hat, eine Ansicht, die nicht völlig
abwegig scheint, da wiederholt Lombarden in die Normandie gezogen sind,
um den bekannten Lehrer zu hören. Außerdem stand Bec durch häufigen
Legatenbesuch mit Rom in enger Verbindung[82], was Milo zutreffend berichtet.
Im Mitgliederverzeichnis des Beccer Konvents wird ein Anselm nicht genannt[83].

Der Briefwechsel Lanfranks mit Alexander II.

Hier kommt es aber nicht so sehr darauf an, ob man in Bec am Anfang des
12. Jahrhunderts an Alexanders II. Aufenthalt in der Klosterschule geglaubt
hat, sondern ob er tatsächlich dort gewesen ist. Und dagegen gibt es ein Argu-

---

British Museum, Cotton Domitian A. VIII; CHARLES PLUMMER: *Two of the Saxon Chronicles
parallel* I. Oxford 1892, 288).

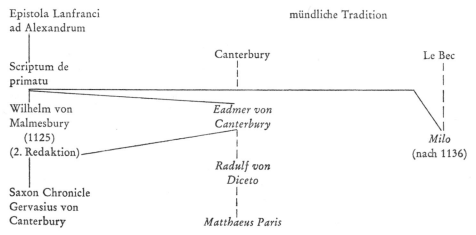

82   Z.B. stand der römische Subdiakon Hubert, Legat Gregors VII. für England, mit Abt
Anselm von Bec in freundschaftlichen Beziehungen und starb in Bec, vgl. TILLMANN: *Legaten
in England*, 17, 62; SCHIEFFER: *Legaten in Frankreich*, 107 f.

83   Catalogus Beccensis, Cod. Vat. Reg. 499 f. 8 (PORÉE: *Histoire de l'abbaye du Bec* I,
629). Anselm-Alexander fehlt auch im Verzeichnis bedeutender Schüler Lanfranks bei GILBERT
CRISPIN: *Vita Herluini* (ROBINSON: *Gilbert Crispin*, 103), und danach bei MILO: *Vita Lanfranci* c. 7 (PL 150, 44).

ment, das mehr ist als ein Argumentum e silentio. Dazu ist der Briefwechsel zwischen dem Papst und Lanfrank zu untersuchen, denn darin sollte gleichfalls, so wird man vermuten dürfen, das achtungsvolle Verhältnis, das der Papst 1071 durch Wort und Tat dokumentiert hat, in irgendeiner Form seinen Niederschlag gefunden haben. Wir kennen drei Schreiben[84] Alexanders an Lanfrank und drei des Erzbischofs an den Papst. Ungefähr in die Mitte des Jahres 1063, kurz bevor Lanfrank als Abt nach Caen ging, fällt ein persönlich gehaltener Brief des Papstes, in dem er für seinen »fratruelis« um Aufnahme in die Schule Lanfranks bittet[85]. Mit lobenden Worten hebt er hervor, daß Lanfrank nicht nur in der Grammatik, der »mundana sapientia«, bewandert sei, sondern sich auch dem Studium der Theologie zugewandt habe, die die einzig wahre »sapientia« sei[86]. Hiermit dürfte Alexander auf den Umbruch im Leben Lanfranks anspielen, der ihn nach seinem unsteten Leben als Wanderlehrer der Artes liberales in Frankreich zum Eintritt in das Kloster Le Bec getrieben hatte, wo er offenbar erst nach einer Zeit der Besinnung den Schulbetrieb wieder aufnahm. Deshalb umstrahle ihn, so fährt Alexander fort, heller Ruhm, und aus allen Ländern komme man herbei, um ihn zu hören. An dieser Stelle erwartet man nun die Bemerkung des Briefschreibers, daß auch er einst zu Lanfranks Schülern gezählt habe und aufgrund dieser alten persönlichen Beziehung nun seinen Verwandten empfehle. Doch es findet sich nichts dergleichen. Vielmehr wendet sich Alexander sofort der Charakterisierung seines Schützlings zu, dessen grammatische und dialektische Fähigkeiten er unterstreicht. Am Schluß des Briefes kommt noch die »geschäftliche« Seite zur Sprache in der Versicherung des Papstes, daß er, wenn Lanfrank seinem Wunsche entspreche, ihn reichlich belohnen werde[87]. Was aus dieser Angelegenheit geworden ist,

---

84   JL 4761 (EADMER: *Historia novorum*, 19–21; GILES I, 27 Nr. 6; PL 146, 1415 Nr. 142) hat CLOVER: *Alexander II's Letter ›Accepimus a quibusdam‹*, bes. 430 ff., als Fälschung wahrscheinlich gemacht.

85   JL 4669 (PL 146, 1353 Nr. 70). In der Inscriptio wird Lanfrank noch nicht Abt genannt, was er 1063 wurde; zur Datierung auch unten Anm. 108.

86   Über die Ablehnung der artes liberales als »caeca philosophorum sapientia« und »humana/mundana sapientia« auch PETRUS DAMIANI: op. 45 *De sancta simplicitate* (PL 145, 695–704), der c. 6 einen Gualterus als Beispiel für einen ähnlichen Wanderlehrer nennt; dazu OWEN J. BLUM: *St. Peter Damian: His Teaching on the Spiritual Life*. Washington 1947, bes. Kap. III und 129 f.

87   Ein ähnlicher Brief ist von Nikolaus II. bekannt (JL 4446; PL 143, 1349 Nr. 30), der eine Empfehlung für päpstliche und kaiserliche Kapelläne und die Aufforderung an Lanfrank enthält, nach Rom zu reisen; dazu MACDONALD: *Lanfranc*, 27, der vermutet, daß damit zwei Kapelläne Heinrichs IV. und zwei Neffen Nikolaus' II. gemeint waren. Vgl. auch REINHARD ELZE: *Das »Sacrum Palatium Lateranense« im 10. und 11. Jh.* In: Studi Gregoriani 4 (1952) 48.

bleibt ungewiß. Lanfrank ging noch im selben Jahr als Abt nach Caen. Doch auch dort hat er wieder Schüler um sich versammelt[88]. Von Verwandten des Papstes, die er unterrichtet habe, spricht er später selbst einmal[89]; auch Milo weiß, wie wir sahen, davon zu berichten.

Hätte jemals zwischen Lanfrank und Alexander ein Lehrer-Schüler-Verhältnis bestanden, so wäre es verwunderlich, wenn der Papst diese Tatsache in seinem Brief mit keinem Wort erwähnte. Aber nicht nur das: Sogleich im ersten Satz berührt der Papst die Wende Lanfranks zur Theologie, wofür Gott Dank gebühre. Es ist unwahrscheinlich, daß Alexander II. auf diese weit zurückliegende Konversion in seinem Brief eingegangen wäre – und noch dazu an so ausgezeichneter Stelle –, wenn er mit dem Angesprochenen bereits früher, und zwar nach diesem Ereignis, in nahen persönlichen Beziehungen gestanden hätte. Das Fehlen jeder diesbezüglichen Bemerkung ist um so schwerwiegender, als Alexander bei anderer Gelegenheit an weit zurückliegende Bekanntschaften anknüpft. So fügte er sogar in das sonst ganz formelhafte Schutzprivileg für Nonantola, das auf Bitten des Abtes Landulf ausgestellt wurde, einen persönlich gefärbten Passus ein, in dem er an die gemeinsam mit Landulf verlebte Jugendzeit in der Mailänder Kirche erinnert[90].

Auch im zweiten Schreiben des Papstes an Lanfrank[91], einem vom Empfänger erbetenen Privileg für das neuerrichtete Kloster St-Etienne in Caen, dessen Abt Lanfrank war, findet sich keine solche Anspielung. Die darin verfügte weitgehende Neutralisierung des bischöflichen Einflusses dadurch, daß das Kloster sein Gerichtsforum vor dem Metropoliten von Rouen haben soll, ist aus dem gespannten Verhältnis Lanfranks zu dem Diözesanbischof Odo von Bayeux (1049/50–1090), einem Halbbruder Wilhelms des Eroberers, sowie Lanfranks und Wilhelms guten Beziehungen zum römischen Stuhl zu erklären.

Es folgt ein Brief Lanfranks[92], in dem er den Papst mit allen Mitteln zu bestimmen sucht, die ihm 1070 auferlegte Last des Erzbistums von Canterbury

---

88   In Canterbury setzte Lanfrank den Schulbetrieb offenbar nicht mehr fort, vgl. PETERSOHN: *Normannische Bildungsreform*, 278 mit Anm. 45, gegen FOREVILLE: *L'école du Bec*, 364 f.

89   Ep. Lanfranci 3 (GILES I, 20).

90   S. oben 8.

91   JL 4644; zur Überlieferung ausführlich unten 234 f. Zur Sache JEAN-FRANÇOIS LEMARIGNIER: *Étude sur les privilèges d'exemption et de juridiction ecclésiastique des abbayes normandes depuis les origines jusqu'en 1140* (Archives de la France monastique, 44). Paris 1937, 141–146, allerdings mit dem aus JL entnommenen falschen Datum, 160–171 (Verhältnis zum Diözesanbischof), 270 f. (Weihedatum); vgl. auch DAVID R. BATES: *The Character and Career of Odo, Bishop of Bayeux (1049/50–1097)*. In: Speculum 50 (1975) 1–20. – Zum Rückgriff Alexanders II. auf Arengen Gregors d. Gr. – so auch in JL 4644 – FICHTENAU: *Arenga*, 106 f.

92   Ep. Lanfranci 3 (GILES I, 19).

wieder abzunehmen. Der Sprache und des Volkes unkundig, habe er seinerzeit dieses Amt auf Befehl des Papstes übernommen, doch reichten seine schwachen Kräfte nicht aus, all der Mißstände, die er in der englischen Kirche angetroffen habe, Herr zu werden. Er ziehe deshalb bei weitem das Klosterleben vor[93]. Seiner Bitte verleiht Lanfrank besonderen Nachdruck dadurch, daß er Alexander an ihre persönlichen Beziehungen erinnert. »Ihr solltet euch nämlich erinnern und nicht der Vergessenheit anheimfallen lassen, wie bereitwillig ich eure Verwandten und andere, die aus Rom Briefe überbrachten, im Kloster aufgenommen habe, wie eifrig ich sie meinem Wissen und ihrer Begabung gemäß in der heiligen und auch der weltlichen Wissenschaft unterrichtet habe, ganz zu schweigen von allem, womit ich euch und euren Vorgängern den Umständen und der Zeit entsprechend gedient habe«[94]. Dessen wolle er sich freilich nicht rühmen noch dadurch Gunst erlangen, sondern er suche darin nur eine angemessene Unterstützung für seine Bitte.

In der Aussage berührt sich der Brief eng mit der Vita Lanfranci; hier wie dort ist von Verwandten und Boten des Papstes die Rede, die in Le Bec Aufnahme gefunden haben. Die Benutzung des Briefkorpus Lanfranks durch den Verfasser seiner Vita kann durch weitere Stellen belegt werden[95]. Aber auch in diesem Brief sucht man vergeblich einen Hinweis auf ein Lehrer-Schüler-Verhältnis. Hier – wie schon bei dem Alexanderbrief (JL 4669) – wäre das Verschweigen eines solchen Verhältnisses, hätte es tatsächlich einmal bestanden, unverständlich. Sucht doch Lanfrank gerade dadurch, daß er alle seine Verdienste gegenüber Kirche und Papst in die Waagschale wirft, Alexander II. für seine Resignation zu gewinnen. Zu jenen Dingen aber, über die er schweigen will, gerade diesen fraglos gewichtigsten Punkt zu zählen, dürfte auszuschließen sein.

---

93 Lanfrank hatte bereits 1067 die Erhebung zum Erzbischof von Rouen mit päpstlicher Erlaubnis abgelehnt, vgl. ORDERICUS VITALIS: *Historia ecclesiastica* IV (CHIBNALL II, 200). Die Absicht zu resignieren hatte auch Petrus Damiani (s. unten 180) und Erzbischof Siegfried von Mainz (JOHANN FRIEDRICH BÖHMER: *Regesta archiepiscoporum Moguntinensium*, bearb. von C. WILL I. Innsbruck 1877, 193 Nr. 60). Zur Resignation vgl. PIER GIOVANNI CARON: *La rinuncia all'ufficio ecclesiastico nella storia del diritto canonico dalla età apostolica alla riforma cattolica* (Università Cattolica del Sacro Cuore. Saggi e ricerche, N.S. 2). Mailand 1946, 107.
94 Ep. Lanfranci 3 (D'ACHERY, 300 = GILES I, 2): »Meminisse siquidem debetis, nec tradi oblivioni oportet, quam benigne vestros consanguineos aliosque a Roma scripta deferentes in praefatis adhuc coenobiis constitutus saepe recepi, quam studiose eos pro captu meo, ingeniique ipsorum tam in sacris quam in saecularibus literis erudivi, ut taceam multa alia, in quibus vobis vestrisque antecessoribus pro rerum ac temporum qualitate nonnunquam servivi.«
95 BÖHMER: *Fälschungen Lanfranks*, 136 Anm.

Durch die übrigen Briefe ändert sich das Bild nicht. In einem Brief fragt Lanfrank um Rat, wie er sich in einigen den englischen Episkopat betreffenden Angelegenheiten verhalten solle[96]. Es bleibt noch ein Schreiben Alexanders II., in dem er den Erzbischof ermahnt, nicht zuzulassen, daß das Domkloster von Winchester aufgehoben werde[97]. Abschließend sei noch eine Bemerkung Alexanders II. gegenüber König Wilhelm von England erwähnt, dieser solle den Mahnungen und dem Rat Lanfranks folgen, »quem carissimum membrum et unum ex primis Romanae ecclesiae filiis lateri nostro assidue non adiunctum esse dolemus«[98]. Seit der Zeit Nikolaus' II. war Lanfrank mehrfach aufgefordert worden, sich in den Dienst der römischen Kirche zu stellen[99]; gegen dessen beständige Ablehnung richtet sich hier Alexanders Bedauern.

Aus dem Briefwechsel, der unmittelbaren Quelle für die Beurteilung des Verhältnisses zwischen Alexander II. und Lanfrank von Canterbury, erhalten wir somit keinerlei Hinweis auf ein Schülerverhältnis Anselms, des späteren Pap-

---

96   Ep. Lanfranci 4 (GILES I, 21).

97   JL 4762 (PL 146, 1416 Nr. 143). Zur Sache BÖHMER: *Fälschungen Lanfranks*, 98; ZACHARIAS N. BROOKE: *The English Church and the Papacy*. Cambridge 1931, 120; CHRISTOPHER N. L. BROOKE: *Archbishop Lanfranc, the English Bishops and the Council of London of 1075*. In: Studia Gratiana 12 (1967) 39–59.

98   JL 4695 (PL 146, 1365), und ähnlich Hildebrand an Lanfrank »charissimum sanctae Romanae ecclesiae filium« (PL 148, 734). Die von PAUL SCHMID: *Die Entstehung des Marseiller Kirchenstaates*. In: AUF 11 (1930) 140 f., vertretene und nach anfänglichem Widerspruch von CARL ERDMANN: *Gregor VII. und Berengar von Tours*. In: QFIAB 28 (1937/38) 51 mit Anm. 4, akzeptierte Einschränkung der Bezeichnung »filius Romanae ecclesiae« auf Angehörige des römischen Klerus wird durch die Anwendung auf Lanfrank aufgehoben. Vgl. auch Alexander II. über Wido von Pisa, seinen Legaten nach Frankreich: »hoc negotium legato nostro, Pisano videlicet episcopo, commisimus, qui noster karissimus filius de sinu Romanę ecclesię probatur existere« (JL 4716; JOHANNES RAMACKERS: *Analekten zur Geschichte des Papsttums und der Cluniazenser*. In: QFIAB 23 [1931/32] 35 f.); zu Wido vgl. SCHWARTZ: *Besetzung*, 217; CINZIO VIOLANTE: *Cronotassi dei vescovi e degli arcivescovi di Pisa dalle origini all'inizio del secolo XIII* (Miscellanea Gilles Gerard Meersseman I = Italia sacra, 15). Padua 1970, 26, der diese Erwähnung Widos aber übersehen hat; ferner Gregor VII. an Rainald von Como, »quem sanctę Romanę ecclesię primum membrorum numero collocavimus« (*Reg.* I 20; CASPAR, 33), dessen Zugehörigkeit zum römischen Klerus nicht nachzuweisen ist; dazu WERNER GOEZ: *Rainald von Como. Ein Bischof des 11. Jhs. zwischen Kurie und Krone*. In: Historische Forschungen für Walter Schlesinger. Köln 1974, 465, 474 f. Die Bedeutungen der filius-Formel werden untersucht von OVIDIO CAPITANI: *Per la storia dei rapporti tra Gregorio VII e Berengario di Tours*. In: Studi Gregoriani 6 (1959/61) 133 ff.; ferner PIERO ZERBI: *Il termine »fidelitas« nelle lettere di Gregorio VII*. In: Studi Gregoriani 3 (1948) 129–148.

99   Nikolaus II. JL 4446. ORDERICUS VITALIS: *Historia ecclesiastica* IV 10 (CHIBNALL II, 252): »Multae aecclesiae abbatem vel pontificem incredibili desiderio sibi Lanfrancum petierunt, quem etiam Roma Christiani orbis caput sollicitavit epistolis, et precatu retinere conata est et vi.« Vgl. auch Hildebrands Brief an Lanfrank (PL 148, 734).

stes. Wie aber lassen sich die Differenzen zwischen den Quellengruppen erklären und welches Gewicht ist ihnen jeweils zuzumessen?

Sämtliche Nachrichten stimmen darin überein, daß der Papst außerordentliche Hochschätzung und Freundschaft für Lanfrank hegte, die von diesem
entsprechend beantwortet wurde. Ausdruck dessen ist die Überreichung zweier
Pallien; so wird dieser Akt von den Quellen übereinstimmend interpretiert[100].
Eines steht ihm als Abzeichen seiner erzbischöflichen Würde zu, das zweite war
das Stück, das der Papst selbst zu tragen pflegte. Eine liturgische Bedeutung
konnte es in den Händen Lanfranks nicht mehr haben, da Pallien ad personam
verliehen werden und nicht übertragbar sind[101]. Es wird an dieser Stelle also
aus einem Insigne zum Freundschaftsgeschenk. Die Zurückführung dieser Geste
auf ein früheres Schülerverhältnis ist jedoch in den Briefen an keiner Stelle
erkennbar, obwohl dazu, wie gezeigt wurde, wiederholt die thematische Gelegenheit geboten war. Dieses Thema ist vielmehr ausgespart, eine Tatsache,
die nur darin eine befriedigende Erklärung findet, daß sich die engen Beziehungen zwischen Papst Alexander II. und Lanfrank nicht auf ein solches Verhältnis
gegründet haben. Die Zuspitzung in den beiden erzählenden Quellen dürfte
das Ergebnis einer Kombination sein, deren Elemente noch deutlich zu erkennen sind: die außerordentliche Verehrung des Papstes für den gelehrten Landsmann, die in der ungewöhnlichen Begrüßung gipfelt, einer Szene, die besonderer
Erklärung bedurfte und die von sich aus geeignet ist, die Phantasie der Geschichtsschreiber anzuregen; ferner die Erwähnung von »consanguinei papae«,
die von Lanfrank unterrichtet wurden, und der illustre Schülerkreis dieses berühmten Lehrers, zu dem ein Anselm von Aosta – möglicherweise stellt die
Namensgleichheit den Schlüssel zu dem ganzen Problem dar – und ein Ivo von
Chartres gehört haben. Aus der Vermengung dieser Elemente ist dann die
Erzählung entstanden. In Le Bec, dem ältesten Ort der Lanfrankschen Schule,
wird die Geschichte dann in verständlichem Lokalpatriotismus auf das eigene
Kloster bezogen.

---

100   Die Verleihung zweier Pallien ist ohne Beispiel, vgl. CURT-BOGISLAW VON HACKE: *Die
Palliumsverleihungen bis 1143*. Diss. Göttingen 1898.
101   JOSEPH BRAUN: *Die liturgische Gewandung im Occident und Orient*. Freiburg i. Br.
1907, 620 ff., 626; J. WEBER: *The Sacred Pallium and its History*. In: Liturgical Arts 30 (1962)
91, 106. Irrig DUEBALL: *Suprematstreit*, 23, die das zweite Pallium für Lanfranks Gebrauch bei
dessen Meßfeier bestimmt sein läßt.

Exkurs:
Der »fratruelis« Alexanders II.

Gewöhnlich sieht man in Alexanders II. »fratruelis«, der nach Le Bec geschickt werden sollte, trotz fehlender direkter Hinweise Anselm den Jüngeren († 1086), den zweiten Bischof dieses Namens in Lucca. Cinzio Violante[102] hat die Quellen zusammengestellt, die für diese Identifikation sprechen könnten. Dabei ist seine Absicht, den im Empfehlungsbrief des Papstes beschriebenen Bildungsumfang des »fratruelis« mit den Bildungscharakteristiken Anselms II. von Lucca zur Deckung zu bringen. Der Papst hatte seinen Verwandten empfohlen als einen Schüler, »qui tamen Deo gratias grammaticae artis peritia bene instructus, dialecticae omnino non est alienus.« Er war also bereits in die Anfangsgründe der Gelehrsamkeit – zwei Fächer des Triviums als der »mundana sapientia« – eingeführt und sollte nun bei Lanfrank Theologie studieren[103].

Was wird dagegen an Anselm II. gerühmt? Seine Prosabiographie meint, »studiosum tamen iam tunc (sc. in seiner Jugend) in scholasticis etiam legendis libris fuisse«, und wenig später nennt sie ihn »in arte grammatica et dialectica ... peritus«[104], wobei auf den Anklang an den Papstbrief hinzuweisen ist. Gregor VII. schreibt über Anselm II., »quod in eo tantam divinarum litterarum scientiam et rationem discretionis esse percepimus«[105]. In der ersten Quelle ist seine philosophische, in der zweiten seine theologische Bildung angesprochen; zu ergänzen wären kanonistische Kenntnisse, die Anselms Collectio canonum zur bedeutendsten Kirchenrechtssammlung der gregorianischen Reform werden ließen[106].

Diese beiderseitigen Charakteristiken erwecken den Eindruck, als ob sie alle auf denselben Mann zielen, eben Anselm II. von Lucca. Doch zu behaupten,

---

102 VIOLANTE. In: Diz. biogr. degli Italiani 3. Rom 1961, 399–406, mit Lit.; GIAN MICHELE FUSCONI. In: Bibliotheca Sanctorum 2. Rom 1962, 26–36.

103 JL 4669 (PL 146, 1353 Nr. 70). S. auch oben 21 und unten Anm. 108.

104 *Vita Anselmi* c. 2 (MG SS 12, 13). Dazu BERNHARD SCHMEIDLER – GERHARD SCHWARTZ: *Kleine Studien zu den Viten des Bischofs Anselm und zur Geschichte des Investiturstreits in Lucca.* In: NA 43 (1922) 515 ff.; PIETRO GUIDI: *Il primicerio lucchese Bardo non è l'autore della »Vita s. Anselmi episcopi Lucensis«.* In: Miscellanea lucchese di studi storici e letterari in memoria di Salvatore Bongi. Lucca 1931, 11–29; EDITH PÁSZTOR: *Una fonte per la storia dell'età gregoriana: La »Vita Anselmi episcopi Lucensis«.* In: BISI 72 (1972) 1–33.

105 *Greg. Reg.* I 11 (CASPAR, 18).

106 FUHRMANN: *Einfluß* II, 509 ff.

daß es so sein muß, geht nicht an. Im Gegenteil: Die Stellensammlung Violantes beweist im Grunde nichts, wird doch damit allein der durchweg übliche Bildungsgang jedes gelehrten Klerikers des 11. Jahrhunderts beschrieben. Über Grammatik, Dialektik, Rhetorik stieg man auf zum Studium der höheren Wissenschaften, der Theologie oder Jurisprudenz. Anselm II. hat diesen Weg fraglos beschritten – jener »fratruelis« ebenfalls, weil es einen anderen Bildungsweg nicht gab. Individuelle Züge sind darin nirgends enthalten. Eine Identifikation der beiden Verwandten des Papstes ist auf diesem Wege nicht möglich[107].

Berengar († 1086), Scholaster an St. Martin in Tours und Archidiakon in Angers, eine der bedeutendsten geistigen Erscheinungen des 11. Jahrhunderts, hatte von der Absicht des Papstes gehört, einen Verwandten (suum cognatum) in jene Gegend zum Studium zu schicken. In einem undatierten Brief schreibt er dem »domno St.«, in dem der Kardinal Stephan von S. Grisogono gesehen wird, er solle den Papst zur baldigen Ausführung des Planes anhalten[108]. Wie erwähnt, hatte Alexander II. diese Absicht tatsächlich. Nur hatte Berengars Informant, der Propst Rahardus von Orléans, in Rom offenbar nur die eine Hälfte des Planes gehört. Der »fratruelis« sollte nicht zu Berengar, sondern zu Lanfrank geschickt werden, ein peinliches Mißverständnis, bedenkt man, daß die beiden Schulhäupter erbitterte Gegner waren[109]. Ob der »fratruelis«, wie immer er geheißen hat, tatsächlich in die Normandie gereist ist, läßt sich nicht nachweisen. Die Namensliste des Catalogus Beccensis gibt keinen Aufschluß

---

107 GIOVANNI BATTISTA BORINO: *Il monacato e l'investitura di Anselmo vescovo di Lucca.* In: Studi Gregoriani 5 (1956) 367, hält es für wahrscheinlich, daß im Papstbrief JL 4669 wohl der jüngere Anselm gemeint sei, dieser aber statt nach Bec in das lombardische Kloster S. Benedetto di Polirone gegangen sei; kritisch dazu VIOLANTE. In: Diz. biogr. degli Italiani 3, 399 f.

108 Hannoversche Briefsammlung Nr. 100 (CARL ERDMANN – NORBERT FICKERMANN: *Briefsammlungen der Zeit Heinrichs IV.* [MG Die Briefe der deutschen Kaiserzeit, 5]. Weimar 1950, 167 f.). Zu Kardinal Stephan, 1060 Legat in Frankreich, SCHIEFFER: *Legaten in Frankreich,* 63, und unten 109 f. – Da in JL 4669, dem Empfehlungsbrief Alexanders II., Lanfrank noch nicht als Abt angeredet wird und der Brief deshalb 1061/63 zu datieren ist, Berengars Brief von M. Cappuyns (In: DHGE 8. Paris 1935, 398 f.) zu 1063 Ende – 1065 gestellt wird, wären beide genauer zu 1063 einzureihen, der erste gegen Jahresmitte, der zweite gegen Jahresende; vgl. auch LOUIS HALPHEN: *Le comté d'Anjou au XIe siècle.* Paris 1906, 138 f. Anm. 2.

109 Lit. zu Berengar bei FRIEDRICH KEMPF. In: Handbuch der Kirchengeschichte III/1. Freiburg i. Br. 1966, 531; dazu R. W. SOUTHERN: *Lanfranc of Bec and Berengar of Tours.* In: Studies in Medieval History presented to F. M. Powicke. Oxford 1948, 27–48; JEAN DE MONTCLOS: *Lanfranc et Bérenger. La controverse eucharistique du XIe siècle.* Löwen 1971; ROBERT SOMERVILLE: *The Case against Berengar of Tours – A New Text.* In: Studi Gregoriani 9 (1972) 55–75; SCHMIDT: *Zu Hildebrands Eid vor Kaiser Heinrich III.* In: AHPont 11 (1973) 379 f.

über die Herkunft der Konventsmitglieder[110]. Lanfrank ging jedenfalls zum Jahresende 1063 als Abt nach Caen, wo er gleichfalls lehrend tätig war. Die Ankunft des »fratruelis« würde somit gerade in die Zeit des Umzugs der Lanfrankschen Schule fallen. Eine Stütze erhält dieses Schülerverhältnis durch eine spätere Äußerung Lanfranks gegenüber dem Papst, daß er sogar mehrere Verwandte in der heiligen und der weltlichen Wissenschaft unterrichtet habe[111].

Alexanders II. Verwandtschaft war sicher zahlreich. Jede Nachricht von einem Neffen, Vetter oder einfach Verwandten auf den einen, genauer bekannten Anselm II. von Lucca zu beziehen, dürfte nicht ratsam sein, zumal überhaupt nicht eindeutig gesichert ist, daß Anselm II., der nicht ein einziges Mal in der Umgebung des Papstes nachzuweisen ist, ein Neffe Alexanders II. war[112]. Ein anderer Neffe stand dem Papst offenbar näher als Anselm der Jüngere. Um das Jahr 1072 schrieb nämlich der Konvent von St-Aubin in Angers dem »domno P. papae nepoti« und beklagte sich über ungerechtes Verhalten des päpstlichen Legaten Girald von Ostia im Streit zwischen St-Aubin und Ste-Trinité in Vendôme[113]. Anlaß und Verlauf des langwierigen Prozesses brauchen hier nicht dargestellt zu werden[114]; interessant ist für uns nur die Erwähnung des Papstneffen. In der Anrede wird er »Domine, vir nobilissime« genannt; weiterhin erinnern die Mönche daran, daß »sagacitate vestra interveniente« der Papst die Untersuchung des Streitfalles angeordnet habe. Die Kritik am Legaten mündet schließlich in die düstere Drohung, daß in Zukunft

---

110   Cod. Vat. Reg. 499 f. 8. Unter dem ersten Abt Herluin wird nur ein Anselm, und zwar mit dem Zusatz »abbas et archiepiscopus«, also der spätere Erzbischof von Canterbury, verzeichnet (PORÉE: Histoire de l'abbaye du Bec I, 629). VIOLANTE. Diz. biogr. degli Italiani 2, 176, nimmt für Anselm d. J. deshalb nur die Mitgliedschaft in einer äußeren Schule an.

111   S. Anm. 94.

112   Die gleichzeitigen Quellen wissen von einer Verwandtschaft zwischen Alexander II. und Anselm II. nichts. Erst der Luccheser Bischof Rangerius (1098–1112) nennt Anselm II. in dessen Vita I 3 f. »dignus Alexandri successor eique propinquus« (MG SS 30/II, 1157) und I 49 »Quae (sc. Luca) tulerat patruum (= Alexander II.), tulit et gavisa nepotem (= Anselm II.)« (ebd., 1158); dazu BORINO: Il monacato di Anselmo, 365 mit Anm. 19. – ERNST DÜMMLER: Anselm der Peripatetiker nebst anderen Beiträgen zur Literaturgeschichte Italiens im eilften Jh. Halle 1872, 12, erwägt eine Identifikation Anselms II. mit Anselm von Besate, der ein Neffe Bischof Johanns II. von Lucca, des Vorgängers Anselms I., war: »eine Verwechslung wäre also möglich«; dazu aber KARL MANITIUS in der Ausgabe der Rhetorimachia Anselms von Besate, 74.

113   BERTRAND DE BROUSSILLON: Cartulaire de l'abbaye de Saint-Aubin d'Angers II. Angers 1903, 215 ff. Die übrigen Akten zur Kontroverse um das Priorat St-Clément de Craon sind ed. bei ETIENNE BALUZE: Miscellanea II. Paris 1679 163 ff., ²III. Lucca 1762, 50 ff. – Zum päpstlichen Nepotismus vgl. WOLFGANG REINHARD: Nepotismus. Der Funktionswandel einer papstgeschichtlichen Konstanten. In: ZKG 86 (1975) 145–185, wo 152 nur knapp auf die Zeit des Reformpapsttums eingegangen wird.

114   Vgl. SCHIEFFER: Legaten in Frankreich, 52, 77 f., 82, 148.

niemand mehr den Papst um Gerechtigkeit anrufen werde, und schließt mit den bitteren Worten Jugurthas von der Käuflichkeit Roms. »Quare, vir prudentissime, tanti morbi pullulatione resistite, ne rata remaneat, elaborate. Hoc apostolici vigilantiae suggerite, ut ad nihilum redigatur.«

Aus diesem Text ergibt sich folgendes: Der Papstneffe hielt sich im Umkreis Alexanders II. auf; man wußte in Angers, daß er bei seinem Oheim Einfluß hatte. Deshalb war er bereits früher als Intervenient gebeten worden und auch jetzt war er wieder für die erbitterten Mönche Adressat ihrer wenig ehrerbietigen Vorwürfe. Die Anreden: vir nobilissimus, vir prudentissimus, sagacitas vestra, dignitas vestra, vestra benignitas bewegen sich im Rahmen des üblichen Stils, von besonderer Devotion gegenüber der römischen Kirche ist nichts zu spüren. Nobilissimus findet sich als Anrede eher bei hochgestellten Laien als bei Klerikern. Doch ist der mittelalterliche Gebrauch dieses Ehrentitels, der in der Antike kaiserlichen Prinzen vorbehalten war, nicht mehr ganz einheitlich. Häufig wird er Angehörigen der Königshäuser, aber auch anderen hochstehenden Persönlichkeiten beigelegt. Vereinzelt taucht er auch bei Geistlichen auf, für die sonst »venerabilis« die übliche Anredeform ist[115].

Der einflußreiche Papstneffe dürfte zweifellos ein Kleriker gewesen sein, und eine gewisse Bildung hat man bei einem Mann an der Seite des Papstes als sicher anzunehmen; die Ausdrücke prudentissimus und sagacitas sind also nicht auffällig. Bemerkenswert ist aber die Verbindung P.s mit dem nordfranzösischen Raum. Sieht man in ihm den Lanfrank angekündigten »fratruelis«, wäre diese Beziehung immerhin erklärlich; in diesem Falle würde nicht einmal der Catalogus Beccensis dagegen sprechen, denn unter dem ersten Abt von Le Bec ist ein Mönch Petrus verzeichnet[116]. Ein anderer Einwand, daß in Angers Berengar als Archidiakon wirkte und deshalb eher eine Feindschaft zwischen den Mönchen von St-Aubin und einem Schüler Lanfranks anzunehmen wäre, sticht nicht, da Berengar in seiner engsten lokalen Umgebung keineswegs nur Anhänger und Freunde hatte[117]. Sucht man andererseits in dem bekannten Umkreis des Papstes einen Mann P, der Beziehungen zu Frankreich hatte, stößt man auf den Kanzler Petrus, seit 1063 am päpstlichen Hof nachweisbar,

---

115 *Novum Glossarium mediae latinitatis*, hg. von Franz Blatt. Kopenhagen 1967, 1286; vgl. ferner Helmut Dahm: *Die Ehrenprädikate der geistlichen und weltlichen Stände des Mittelalters*. Diss. (masch.schr.) Marburg 1943, bes. 63–66; J. Svennung: *Anredeformen. Vergleichende Forschungen zur indirekten Anrede in der dritten Person und zum Nominativ für den Vokativ* (Acta Societatis Litterarum Humaniorum Regiae Upsaliensis, 42). Uppsala 1958; Ernst Jerg: *Vir venerabilis. Untersuchungen zur Titulatur der Bischöfe in außerkirchlichen Texten* (Wiener Beiträge zur Theologie, 26). Wien 1970.

116 Porée: *Histoire de l'abbaye du Bec* I, 629.

117 Halphen: *Le comté d'Anjou*, 138.

1066/67 als Legat mit unbekanntem Auftrag in Frankreich; in Reims ist ein Aufenthalt belegt[118]. Jedoch ist der Kanzler Petrus nicht als Verwandter des Papstes erkennbar, und ihn weiterhin mit dem erwähnten Studienplan von 1063 in Verbindung zu bringen, stößt auf chronologische Schwierigkeiten.

Zu beachten ist schließlich, daß fratruelis im strengen Sinne nicht den Neffen bezeichnet. Nach Isidor von Sevilla werden die Söhne zweier Schwestern als fratrueles bezeichnet[119], doch dürfte im späteren Sprachgebrauch die differenzierte Terminologie von Isidors Arbor consanguinitatis kaum exakt angewendet worden sein, wenn auch die lebhafte Diskussion um die Verwandtschaftsgrade die begriffliche Schärfe gefördert haben mag. Petrus Damiani und auch Alexander II. haben sich nachweislich mit solchen Fragen, die in der Ehegesetzgebung relevant wurden, beschäftigt[120]. Es muß deshalb zu denken geben, daß Alexander nicht von einem »nepos« als der gängigen Bezeichnung des Neffen spricht[121]. Da in dem Brief für ausgefallene Wortwahl kein Grund vorliegt, könnte »fratruelis« hier durchaus auch einen anderen, nicht mehr näher bestimmbaren Verwandtschaftsgrad bezeichnen. Die Verwandtschaft Alexanders II. – natürlich käme auch die mütterliche Seite in Betracht – ist so wenig bekannt, daß die Frage nach dem »fratruelis« offenbleiben muß.

3. Kapellanat am deutschen Hof

Der zweite, für die »Vorgeschichte« Alexanders II. nicht unwichtige Punkt ist die in der Literatur vorgetragene Ansicht, daß Anselm vor seinem Luccheser Episkopat Kapellan am deutschen Königshof war[122], eine Stellung, die in der Tat für einen lombardischen adligen Kleriker vor seiner Promotion auf ein

---

118 Schieffer: *Legaten in Frankreich*, 72; Leo Santifaller: *Saggio di un elenco dei funzionari, impiegati e scrittori della cancelleria pontificia dall'inizio all'anno 1099* (BISI 56). Rom 1940, 183 ff., mit erster Erwähnung am 23. März 1063.

119 Isidor von Sevilla: *Etymologiae* IX 6, 15 (PL 82, 358; Lindsay I).

120 Petrus Damiani: op. 8 *De parentelae gradibus* (PL 145, 191–208); Alexander II. JL 4500 an den italienischen Klerus (PL 146, 1379–1383), von Gratian aufgenommen C. 35 qu. 5 c. 2.

121 Natürlich kann »nepos« auch einen Verwandten nicht genau bestimmbaren Grades bezeichnen; ein Beispiel dazu bei Peter Classen: *Zur Geschichte Papst Anastasius' IV.* In: QFIAB 48 (1968) 59.

122 Violante: *La pataria*, 153 ff.; ders. In: Diz. biogr. degli Italiani 2, 176; und vorher Krüger: *Die Pataria* II, 11; Martens: *Besetzung des päpstlichen Stuhls*, 155; Meyer von Knonau: *Jahrbücher* I, 223, 299 Anm. 123; Goetz: *Beiträge*, 171 f., 177 f.

italienisches Reichsbistum nichts Ungewöhnliches war. Anselm von Besate, der dann allerdings kein Bistum erhielt, der Mailänder Gegenbischof Ambrosius (1037) sowie einige Bischöfe oberitalienischer Diözesen sind als königliche Kapelläne lombardischer Herkunft bekannt[123]. Anselm von Baggio hat man in die königliche Kapelle versetzt aufgrund einer Bemerkung des Petrus Damiani in seiner Disceptatio synodalis von 1062[124]. In dieser Schrift hatte Damiani sich die Aufgabe gestellt, die ohne Wissen des Königs erfolgte Wahl Alexanders II. zu rechtfertigen. Dabei steht das Königsrecht, das im Papstwahldekret von 1059 garantiert war, im Mittelpunkt der Auseinandersetzungen zwischen Kronanwalt (Regius advocatus) und Verteidiger der römischen Kirche (Defensor Romanae ecclesiae), den beiden Gesprächspartnern, denen der Autor die Kontroverse in den Mund legte[125].

Dem ausgedehnten fingierten Argumentationsweg[126] braucht hier nicht nachgegangen zu werden; sein Schluß allein wird in unserem Zusammenhang wichtig. Er mündet nämlich in der Behauptung, daß die Wahl Alexanders II. 1061 gar nicht im Gegensatz zum deutschen König stattgefunden habe. Als Beweis dafür dient der Umstand, daß der Gewählte ein »regi tamquam domesticus et familiaris« gewesen sei, obwohl doch der römische Klerus zu dieser Zeit selbst reich an frommen und klugen Männern war. Dieser Bemerkung kann der Advocatus seine Anerkennung nicht versagen. In überraschender Kehrtwendung betont er nun ebenfalls, das Königsrecht sei in der Tat nicht verletzt, eher bekräftigt worden, weil das Volk keinen Angehörigen der römischen Kirche, sondern einen Priester »ex aula regia« auf den Papstthron erhoben habe[127].

---

123 Vgl. Josef Fleckenstein: Die Hofkapelle der deutschen Könige (Schriften der MGh, 16/II). Stuttgart 1966, 257 f.; Siegfried Görlitz: Beiträge zur Geschichte der königlichen Hofkapelle. Weimar 1936, 119 Nr. 2, 125 Nr. 12, 13, 136 Nr. 1, 145 Nr. 14, 153 Nr. 4, 155 Nr. 7.

124 Petrus Damiani: Disceptatio synodalis (MG Ldl 1, 76–94). Dazu kritische Bemerkungen von Paul Scheffer-Boichorst. In: MIÖG 13 (1892) 129–137. Zur Datierung vgl. Dressler: Petrus Damiani, 239 (Sommer 1062); Lucchesi: Per una vita II, 29 f. (Herbstende 1062); ders.: Per una vita I, 133 (Sept.–Okt. 1062). Vgl. auch Walther Holtzmann. In: Wattenbach-Holtzmann: Deutschlands Geschichtsquellen im Mittelalter. Die Zeit der Sachsen und Salier III, hg. von Franz-Josef Schmale. Darmstadt 1971, 866.

125 Vgl. Hans-Georg Krause: Das Papstwahldekret von 1059, 128 ff., 152 ff.; Friedrich Kempf: Pier Damiani und das Papstwahldekret von 1059. In: AHPont 2 (1964) 73 f.; Hanna Vollrath: Kaisertum und Patriziat. In: ZKG 85 (1974) 26 ff., dazu Horst Fuhrmann. In: DA 31 (1975) 284 f.; Ovidio Capitani: Problematica della Disceptatio synodalis. In: Studi Gregoriani 10 (1975) 143–174.

126 Meyer von Knonau: Jahrbücher I, 297 ff.; Dressler: Petrus Damiani, 151 ff.

127 Disc. synod. (MG Ldl 1, 92 f.): »(Defensor) Porro autem, quia in constituendo pontifice Romana aecclesia a karitate regia non recessit, hoc etiam indicio est, quia, cum in clero

Diese Feststellung Damianis hat zu vielfältigen Kombinationen Anlaß gegeben, da mit ihr gewöhnlich die Lösung eines anderen Problems versucht wird, nämlich das der Priesterweihe Anselms. Nach Landulfs Bericht[128] hat Erzbischof Wido (1045–1070) sie vollzogen und ist wenig später mit Anselm, der inzwischen einige Unruhe im Mailänder Klerus erregt habe, an den deutschen Hof gereist[129]. Um für die Chronologie eine klare Basis zu schaffen, muß untersucht werden, was unter den Worten Damianis zu verstehen ist.

Die Urteile über den Quellenwert der Disceptatio synodalis waren in der älteren Literatur sehr ungünstig ausgefallen[130], neuerdings wird eine Rehabilitierung des Werks als einer klar gegliederten »rechtskundlichen Belehrung über die Rechte des deutschen Königs gegenüber dem Heiligen Stuhl« versucht[131]. Eine entsprechende Wandlung hat auch die Kritik des hier interessierenden Passus durchgemacht. Wilhelm Martens[132] hält den Versuch, »Anselm als persona gratissima zu proclamiren und den Römern, die mit den Feinden des Königs verbündet waren, eine zarte Rücksichtnahme auf Heinrich's Wünsche zuzuschreiben«, für eine »armselige Spielerei«. Fetzer[133] findet noch stärkere Worte, mit denen er Damianis Bemerkungen jede Glaubwürdigkeit abspricht. Meyer von Knonau[134] fiel die eigentümliche Wendung Damianis auf, wenn er auch an ihrer Richtigkeit nicht zweifelte, da der Inhalt seiner Meinung nach sich dem früheren Leben Anselms gut anpasse. Zuletzt hat Violante[135] diese Frage untersucht. Er vertritt die Ansicht, daß Anselm nach seinem Studienaufenthalt in Bec bis 1053 oder 1055 als Diakon am kaiserlichen Hof geweilt habe, wobei Damianis Bemerkung, daß der Papstkandidat »sacerdos« gewesen sei, übergangen werden muß, da zwischen die von ihm noch angenommenen Stationen Le Bec und Hofkapelle schwerlich ein Mailänder Auf-

---

suo religiosis viris et sapientibus habundaret, non de propriis, sed eum, qui regi tamquam domesticus et familiaris erat, elegit.« »(Advocatus) ... populus Romanus ... maiestati regiae potissimum ministravit, nec ei, sicut dicebatur, privilegium tulit, sed potius roboravit, dum non de Romana aecclesia, sed ex aula regia sacerdotem ad apostolicae sedis culmen evexit.«

128   Landulf: *Historia Mediolanensis* III 5 (MG SS 8, 76).

129   Dazu s. oben 7.

130   Vgl. Dressler: *Petrus Damiani*, 152 Anm. 300; die ältere Diskussion wird von Meyer von Knonau: *Jahrbücher* I, 688–694 Exkurs IX, resümiert.

131   Vollrath: *Kaisertum und Patriziat*, 26 f.; Krause: *Das Papstwahldekret von 1059*, 128 f.; der domesticus-et-familiaris-Satz wird hier nicht behandelt.

132   Martens: *Besetzung des päpstlichen Stuhls*, 155.

133   Carl Adolf Fetzer: *Voruntersuchungen zu einer Geschichte des Pontifikats Alexanders II.* Diss. Straßburg 1887, 53.

134   Meyer von Knonau: *Jahrbücher* I, 299 Anm. 123.

135   Violante: *La pataria*, 153 ff.

enthalt mit Empfang der Priesterweihe eingeschoben werden kann. Daran schließt Violante den Bericht Landulfs an: Nach Mailand zurückgekehrt, habe Anselm erst um 1055 die Priesterweihe erhalten und sei dann im Spätsommer 1056 mit Wido nach Deutschland gereist, bei welcher Gelegenheit ihm das Bistum Lucca übertragen wurde. Bei Violante fallen damit die Schwierigkeiten der Datierung weg, die bei den älteren Autoren wegen der aus Landulfs Historia Mediolanensis übernommenen Führerschaft Anselms in der Pataria-Bewegung zu komplizierten Konstruktionen geführt hatten. Landulfs Bericht wurde inzwischen als Tendenzfabel erkannt; Damianis Äußerung dagegen ist nicht in gleicher Weise geprüft worden. Doch Zweifel sind angebracht.

Der Defensor ecclesiae hatte den römischen Papstkandidaten noch einen »regi tamquam domesticus et familiaris« genannt, wobei die Abschwächung der Aussage durch tamquam zu beachten ist. Dieser Ausdruck für sich genommen berechtigt noch keineswegs zu der Annahme, Anselm sei für eine längere Zeit und gar als Kapellan am Königshof gewesen. Familiaris hat bekanntlich eine weitreichende Bedeutung[136]. Es kann im engeren Sinn das Mitglied der familia regis, des königlichen Haushalts, bezeichnen, wie zum Beispiel die fünf Räte Heinrichs IV., die Alexander II. 1072 exkommunizierte[137]. Weniger spezifisch gefaßt, steht es für eine engere oder lockere freundschaftliche Verbindung[138]; jeder Gast am Königshof kann familiaris sein. Domesticus hat

---

136 DuCange: *Glossarium mediae et infimae latinitatis* III. Niort 1884, 410; J. F. Nier-meyer: *Mediae latinitatis lexicon minus* V. Leiden 1957, 409.

137 Meyer von Knonau: *Jahrbücher* II, 697 Anm. 121. *Greg. Reg.* II 52 a (Caspar, 196): »quinque de familia regis Teutonicorum, quorum consilio ecclesię venduntur, a liminibus sanctę ecclesię separavit«; ähnlich auch JL 4999 (Cowdrey: *Epistolae vagantes*, 34 Nr. 14). Bonizo von Sutri: *Liber ad amicum* VII (MG Ldl 1, 601): »(Rex) V suos familiares, quos ante beatus excommunicaverat Alexander, a suo prohibuit colloquio«; ebd. VI (600): dieselben »quosdam regis consiliarios«; bei Petrus Damiani: *Disc. synod.* (MG Ldl 1, 87) heißen sie »rectores enim aulae regiae«, (88): »aulici amministratores«, »amministratores aulae publicae«. Identifizieren läßt sich nur Graf Eberhart im Bart, vgl. Meyer von Knonau: *Jahrbücher* II, 198 f. mit Anm. 20; ob im übrigen Kapelläne betroffen waren, die gelegentlich als politische Berater in besonderem Verhältnis zum König standen (Fleckenstein: *Hofkapelle* II, 267), ist nicht zu erkennen, doch dürften eher Fürsten und Bischöfe unter die »familiares« bzw. »consiliarios« zu zählen sein. Zur Sache vgl. Christian Schneider: *Prophetisches Sacerdotium und heilsgeschichtliches Regnum im Dialog 1073–1077* (Münstersche Mittelalter-Schriften, 9). München 1972, 50, u. ö.; G. B. Borino: *Perchè Gregorio VII non annunziò la sua elezione ad Enrico IV.* In: Studi Gregoriani 5 (1956) 313 ff.

138 Alexander II. an Burchard von Halberstadt, JL 4498 (PL 146, 1287 A): »itaque et locum et nomen filii spiritualis singulari ac familiari affectu tibi concedimus.« Anno von Köln über Gregor von Vercelli (Benzo von Alba: *Libri ad Heinricum IV imp.* III 27 [MG SS 11, 632]): »... cui se Alexander familiarius credebat.«

ein weniger breites Bedeutungsspektrum; es bezeichnet aber gleichfalls den Mann am Königshof[139].

Einmal mag das tamquam eine uneigentliche Wortbedeutung bei Damiani anzeigen, zum anderen werden königliche Kapelläne in der Regel auch als solche bezeichnet. Auch die Worte des Advocatus können nicht im präzisen Sinn ausgelegt werden, da unverkennbar ist, welche Funktion das Argument der familiaritas in der Frage des königlichen Konsenses zur Papstwahl erfüllt[140]. Damiani verwendet es, um das schließlich widerspruchslose Einschwenken des Advocatus auf die römische Linie glaubhaft zu machen: Im Grunde habe man ja einen Mann des Königs gewählt. Und der Advocatus führt diesen Gedanken aus, wenn er anerkennt, daß gar nicht im Widerspruch zum König und seinem Konsensrecht gehandelt wurde, dieses vielmehr mit dem ex aula regia Gewählten gewahrt worden sei. Das grenzt freilich an sophistische Dialektik. Dabei kamen Damiani die nachweislichen Beziehungen Anselms zum Hof zustatten, aufgrund deren er ihn in überspitzter Formulierung zu jenem sacerdos ex aula regia macht, freilich ein dehnbarer, vieldeutiger Begriff, der aber gerade deshalb als Kompromißformel an dieser Stelle so überaus passend steht. Die Präzisierung als capellanus regis ist gerade nicht erfolgt; sie wäre, hätte die Möglichkeit dazu bestanden, in der Argumentation wohl kaum ausgelassen worden. Mit Recht haben ihn deshalb Görlitz und Fleckenstein nicht unter die Mitglieder der Hofkapelle gezählt[141].

Da somit das Kapellanat Anselms auszuscheiden ist, kann seine Priesterweihe mit Landulf vor die erste Reise nach Deutschland (Herbst 1056) problemlos angesetzt werden.

---

139 DuCange III, 160 f.; Niermeyer IV, 347.
140 Zum Gliederungsschema der Disc. synod. Vollrath: *Kaisertum und Patriziat*, 27.
141 Bei Görlitz: *Hofkapelle*, und Fleckenstein: *Hofkapelle*, wird die Stelle der Disc. synod. überhaupt nicht erwähnt.

B. LUCCA

1. Bischof von Lucca

In Lucca[1] war am 28. Mai 1056 Bischof Johannes II. gestorben. Angehöriger einer einflußreichen Mailänder Familie, hatte er das Bistum wahrscheinlich aus der Hand des Kaisers empfangen und war dann ganz im Sinne der frühen Reform um die Vertiefung der Frömmigkeit und die Erneuerung des kanonischen Lebens der Geistlichkeit bemüht gewesen. Daneben hatte er sich in gutem Einvernehmen mit der weltlichen Obrigkeit mit Eifer dem Ausbau des Kirchengutes zugewandt[2]. Nach Benzo von Alba und Landulf ist Anselm da Baggio noch zu Lebzeiten Kaiser Heinrichs III. († 5. Okt. 1056) Johannes' Nachfolger geworden[3]. Seine Promotion wäre demnach in der Zeit zwischen dem 28. Mai und dem 5. Oktober 1056 einzuordnen. Wenn man weiterhin Landulf folgt, hat der Mailänder Erzbischof Wido den Priester Anselm auf seiner Reise an den deutschen Hof mitgenommen[4]. Ob es allein Besitzstreitigkeiten der Familie Anselms mit der Mailänder Kirche waren, die diese Reise veranlaßt hatten[5], dürfte zumindest für Wido zweifelhaft sein: Hier ist ein größerer, jetzt nicht mehr erkennbarer Rahmen zu vermuten. Ist die Zuschreibung der Führerschaft Anselms in der Pataria mit Recht ausgeschieden, so entfällt auch ein politischer Gegensatz zwischen ihm und seinem Erzbischof; entsprechend kann von einem »Abschieben« eines unruhigen Klerikers auf den

---

1 Grundlegend ist das Buch von HANSMARTIN SCHWARZMAIER: *Lucca und das Reich bis zum Ende des 11. Jhs.* Tübingen 1972.

2 ALMERICO GUERRA: *Compendio di storia ecclesiastica lucchese dalle origini a tutto il secolo XII.* Opera postuma, con appendice e note di PIETRO GUIDI. Lucca 1924, 134–142; SCHWARTZ: *Besetzung,* 212; ERICH KITTEL: *Der Kampf um die Reform des Domkapitels in Lucca im 11. Jh.* In: Festschrift Albert Brackmann. Weimar 1931, 213 ff.; HANS ERICH FEINE: *Kirchenreform und Niederkirchenwesen. Rechtsgeschichtliche Beiträge zur Reformfrage vornehmlich im Bistum Lucca im 11. Jh.* In: Studi Gregoriani 2 (1947) 512 ff.; SCHWARZMAIER: *Lucca,* 133 ff.

3 BENZO VON ALBA II 2 (MG SS 11, 613); LANDULF VON MAILAND III 5 (MG SS 8, 76); dazu SCHWARZMAIER: *Lucca,* 137.

4 SCHWARZMAIER: *Lucca,* 137 f.

5 VIOLANTE: *La pataria,* 156 ff.; CORSI: *Note sulla famiglia da Baggio,* 173 ff.

Luccheser Bischofsstuhl keine Rede sein. Zudem war das nicht der Ort, wo man einen Mann mit heißem Blut kaltstellen konnte. Vielmehr war hier in jenen Jahren ein besonnener Kirchenfürst mit der Fähigkeit zum Ausgleich vonnöten.

Gottfried von Lothringen, der mit seiner Gemahlin Beatrix von Tuszien, der Erbin des Canusiner Markgrafenhauses, weite Teile Mittelitaliens mit den Kerngebieten um Lucca und Florenz beherrschte, stand seit Jahren mit Heinrich III. in wechselvollem Kampf um das Herzogtum Lothringen[6]. Durch seine Heirat mit Beatrix (1054) waren die in der Toskana vorhandenen Ansätze zur Opposition gegen die Reichsregierung mit den niederlothringischen Oppositionszentren der Anhänger Gottfrieds verbunden worden[7], eine für Heinrich III. bedrohliche Situation, die er aber durch energischen Zugriff, der Gefangennahme der Beatrix, wenigstens in Italien zu seinen Gunsten klärte[8]. Es scheint, daß Gottfried sich dem Kaiser kurz vor dessen Tod noch unterworfen hat[9]. Sichere Nachricht über eine Aussöhnung zwischen der lothringischen Oppositionspartei und der Regierung des jungen Heinrich IV. gibt es aber erst für einen Hoftag in Köln am 5./6. Dezember 1056[10].

In diese Zeit der Beilegung der Kontroverse zwischen Gottfried und Heinrich III., die für Gottfried übrigens der Beginn starken politischen Einflusses auf die Reichsregierung war[11], fällt die Berufung Anselms auf den Luccheser Bischofsstuhl, die für den Hoftag in Goslar Mitte September 1056 angenommen wird[12]. Offenbar war sie ein Ergebnis des zwischen den Fürsten geschlossenen Friedens. Denn nicht aus politischem Gegensatz zu Gottfried ist Anselm

---

6   RUDOLF JUNG: *Herzog Gottfried der Bärtige unter Heinrich IV. Ein Beitrag zur Geschichte des deutschen Reichs und besonders Italiens im elften Jh.* Marburg 1884, 7 f.; EUGÈNE DUPRÉEL: *Histoire critique de Godefroid le barbu duc de Lotharingie, marquis de Toscane.* Uccle 1904, 21 ff.; HENRI GLAESENER: *Les démêlés de Godefroid le barbu avec Henri III et d'évêque Wazon.* In: RHE 40 (1944/45) 141 ff.; DERS.: *Un mariage fertile en conséquences (Godefroid le barbu et Béatrice de Toscane).* In: RHE 42 (1947) 379 ff.; GEORG JENAL: *Erzbischof Anno II. von Köln (1056–75) und sein politisches Wirken.* Stuttgart 1974, 9 ff.

7   HANS HUBERT ANTON: *Bonifaz von Canossa, Markgraf von Tuszien, und die Italienpolitik der frühen Salier.* In: HZ 214 (1972) 552 ff.

8   STEINDORFF: *Jahrbücher Heinrichs III.* II, 303 f.; KEHR: *Vier Kapitel aus der Geschichte Heinrichs III.,* 34 f.

9   Gottfried wird im Diplom Heinrichs III. DH III 372 B, Trier 30. Juni 1056, als Intervenient genannt; vgl. dazu die Vorbemerkung bei BRESSLAU-KEHR: *Die Urkunden Heinrichs III.,* 505 f.; ferner GLAESENER: *Un mariage fertile,* 397 f.

10   JENAL: *Anno von Köln,* 11 mit Anm. 14 und S. 216.

11   R. JUNG: *Gottfried der Bärtige,* 29 ff.; DUPRÉEL: *Godefroid le barbu,* 73 ff.; GLAESENER: *Un mariage fertile,* 398 ff.

12   STEINDORFF: *Jahrbücher Heinrichs III.* II, 350 f.; VIOLANTE: *La pataria,* 161.

vom Kaiser erhoben worden, was aus den späteren guten Beziehungen, die zwischen ihnen herrschten, zu ersehen ist. Da aber andererseits keine vorausgegangenen Kontakte zwischen Herzog Gottfried und Anselm zu erkennen sind, kann man ihn auch nicht als dessen Kandidaten bezeichnen. Man gewinnt eher den Eindruck, daß der Mailänder Kleriker, zufällig mit seinem Erzbischof am Hofe anwesend, nach älteren Beispielen für das soeben vakant gewordene toskanische Bistum bestimmt wurde.

Urkundlich tritt Anselm in Lucca zuerst am 24. und 25. März 1057 auf[13]. Als er 1061 auf den Papstthron erhoben wurde, folgte er dem Vorbild seiner Vorgänger und behielt sein Bistum bis zu seinem Tod am 21. April 1073[14]. Einen erheblichen Teil der rund 26 Jahre, die er somit Bischof von Lucca war, brachte er nicht in dieser Stadt zu. In den ersten fünf Jahren bis 1061 unternahm er drei Reisen nach Deutschland; von den damit verbundenen Aufenthalten in Mailand abgesehen, besuchte er mindestens noch zweimal seine Vaterstadt, dreimal ist er in Rom nachweisbar. In den Jahren seines Papsttums hielt Anselm-Alexander II. sich dagegen verhältnismäßig lange in Lucca auf. Mit einiger Regelmäßigkeit waren es die Sommer- und Herbstmonate, die er dort zubrachte[15].

a) Förderung von Heiligenkulten

In ähnlicher Weise wie sein Vorgänger Johannes II. bemühte sich Anselm um die Hebung des religiösen Lebens in Lucca und um die Steigerung des bischöflichen Einflusses. Ebenso hat er die Klerikerreform, allerdings wenig erfolg-

---

13 SCHWARZMAIER: *Lucca*, 136 mit Anm. 324.

14 Einen Versuch zur Deutung der Kumulationen unternahm WERNER GOEZ: *Papa qui et episcopus. Zum Selbstverständnis des Reformpapsttums im 11. Jh.* In: AHPont 8 (1970) 27–59, zu Alexander II. bes. 51. Dagegen ist zu beachten, daß Alexander II. Anselm d. J., seinen Nachfolger im Bistum von Lucca, bereits 1072/73 zum deutschen König schickte »ut in honorem sublimaretur episcopatus« (*Vita Anselmi* des Anonymus, c. 2 [MG SS 12, 13 f.]), doch ist nicht sicher, daß Anselm schon jetzt für Lucca vorgesehen war, vgl. GIOVANNI BATTISTA BORINO: *L'investitura laica dal decreto di Nicolò II al decreto di Gregorio VII.* In: Studi Gregoriani 5 (1956) 350 f., und DERS.: *Il monacato e l'investitura di Anselmo vescovo di Lucca.* Ebd., 367 ff.

15 Nachweisliche Mindestgrenzen: 6. Juni – 19. Dez. 1062; 6. Juni 1063 – 4. Jan. 1064; Juli – Sept. 1064; Aug. – Nov. 1066 (bei JL 4596 und 4597, Lateran 30. Okt. bzw. 7. Nov. 1066, ist die Datierung nicht gesichert); Juli – Dez. 1068; Aug. – Dez. 1070; Mai 1071; Juni – Nov. 1072. Zu 1067 s. unten 173. In den Jahren 1065 und 1069 fehlen für die entsprechenden Jahresabschnitte jegliche Nachrichten.

reich, fortgesetzt[16]. Das in die Augen fallende Ereignis während seines Luccheser Episkopats ist der Neubau der Kathedrale St. Martin in den Jahren 1060 bis 1070. In seinem Beisein wurde die Kirche am 6. Oktober 1070 in einem feierlichen Akt, an dem zahlreiche Prälaten teilnahmen, konsekriert[17]. Mit dieser Bautätigkeit steht Anselm-Alexander in der Reihe jener Männer, die um dieselbe Zeit ihre Kirchen durch größere Neubauten ersetzten oder umfangreiche Renovierungsarbeiten vornahmen. Hier seien nur einige erwähnt: Wido von Pisa, Petrus von Anagni, Desiderius von Montecassino, Dominicus von S. Biagio in Rom, Odimund von S. Cosimato in Trastevere, Benedikt von S. Pudenziana in Rom[18]. Man kann geradezu von einer Bauleidenschaft sprechen als sichtbares Ergebnis der Reorganisation des Kirchengutes und des kirchlichen Lebens überhaupt[19]. Anselm konnte bei seinem Bauvorhaben die Früchte der Arbeit seines Vorgängers ernten, auch in der Intensivierung des kultischen Lebens entwickelte er Ansätze Johannes' II. fort. Die gebräuchlichen Mittel sind dabei Erwerb oder erneute Ausstellung von Reliquien, wozu sich vor allem anläßlich des Neubaus der Kathedrale Gelegenheit bot[20].

Die Gebeine des afrikanischen Martyrerbischofs Regulus, seit dem 8. Jahrhundert als Nebenpatron der Kathedrale verehrt, erhielten einen neuen Platz in der Krypta[21]. Reliquien der hl. Lucina waren schon von Anselms Vorgänger aus Rom nach Lucca transferiert worden; sie bekamen im Neubau einen eigenen Altar, an dem am Dedikationsfest des Domes nach der Missa maior eine zweite Messe gefeiert werden sollte, weil er als einziger an jenem Tag von Alexander II. geweiht worden war[22]. Aber auch Alexander hat den Reliquienschatz Luccas bereichert. Außer den Gebeinen des frühchristlichen Martyrer-

---

16   KITTEL: *Reform des Domkapitels in Lucca*, 217.

17   Konsekrationsbericht bei GUIDI: *Per la storia della cattedrale*, 182–184; vgl. SCHWARZMAIER: *Lucca*, 66 mit Anm. 220.

18   Pisa: VIOLANTE: *Cronotassi*, 26 f.; Anagni: s. unten 166; Montecassino: LEO MARSICANUS: *Chronica Casinensis* III 29 ff. (MG SS 7, 719 ff.); S. Biagio: SCHMIDT: *Kanonikerreform in Rom*, 217 Anm. 58; S. Cosimato: s. unten 152; S. Pudenziana: FORCELLA: *Iscrizioni* X, 182.

19   Eine zweite Welle verstärkter Bautätigkeit folgte nach den Wirren der Zeit Gregors VII. und seiner nächsten Nachfolger unter Paschalis II., vgl. SCHMIDT: *Kanonikerreform in Rom*, 220 Anm. 64.

20   Verzeichnis der Altäre und Reliquien bei GUERRA – GUIDI: *Compendio*, 54*, und GUIDI: *Per la storia della cattedrale*, 169 f.

21   GUERRA – GUIDI: *Compendio*, 86 ff. Über die liturgischen Feiern an seinem Festtag vgl. GIUSTI: *L'ordo officiorum*, 563 f.

22   GIUSTI: *L'ordo officiorum*, 565. Zur hl. Lucina vgl. FILIPPO CARAFFA. In: Bibliotheca Sanctorum 8. Rom 1967, 277 f.; GUERRA – GUIDI: *Compendio*, 140; GUIDI: *Per la storia della cattedrale*, 176, und der Translationsbericht ebd., 183; SCHWARZMAIER: *Lucca*, 397.

papstes Alexander (ca. 105–115) soll er die römischen Martyrer Jason, Maurus und Hilaria in Lucca heimisch gemacht haben[23]. Schließlich wird ihm noch die Elevation des hl. Davinus zugeschrieben, eines frommen Armeniers, der angeblich 1051 in Lucca gestorben ist. Nachdem an seinem Grab wunderbare Heilungen beobachtet worden waren, soll Anselm dessen Gebeine in die Pfarrkirche S. Michele in foro überführt haben[24]. Die Nachricht, daß Alexander II. S. Davino auf einer Synode am 9. Dezember 1062 in Lucca förmlich kanonisiert habe, wie die Vita des Heiligen meint, läßt sich nicht nachprüfen; eine Synode ist jedenfalls für diese Zeit bezeugt[25].

Im Bild des Volto Santo hat die im 11. Jahrhundert nachdrücklich einsetzende Kreuzesverehrung ihre besondere Luccheser Ausprägung gefunden. Durch Anselm-Alexander wurde Lucca in diese breite kultische Bewegung einbezogen[26]. Dagegen ist die Reliquienstiftung des Abtes Balduin von Bury St. Edmunds wohl schon als Bestätigung der Luccheser Bemühungen zu verstehen, die kultische Bedeutung der Stadt auszuweiten. Auf die Niederlegung von Reliquien des angelsächsischen Martyrerkönigs Edmund († 870) sei kurz eingegangen.

Im Jahr 1071 reiste eine Gruppe englischer Prälaten nach Rom, darunter Lanfrank von Canterbury, dessen römischer Aufenthalt oben schon behandelt wurde, ferner Thomas von York und auch Balduin von Bury St. Edmunds[27].

---

23 GUIDI: *Per la storia della cattedrale*, 173 f.; zur Translation der Reliquien Alexanders I. s. unten 99 f.

24 PIETRO LAZZARINI: *Davino*. In: Bibliotheca Sanctorum 4. Rom 1964, 520.

25 HEFELE – LECLERCQ: *Histoire des conciles* IV/2, 1227.

26 SCHWARZMAIER: *Lucca*, 338 ff., bes. 353; dazu ferner ANDRÉ WILMART: *Les prières de saint Pierre Damien pour l'adoration de la croix*. In: Revue des sciences religieuses 9 (1929) 513 f.; DERS.: *Prières médiévales pour l'adoration de la croix*. In: Ephemerides liturgicae 46 (1932) 22 ff.; GASTON LAURION: *Essai de groupement des hymnes médiévales à la croix*. In: Cahiers de la civilisation médiévale 6 (1963) 330; JOSEPH SZÖVÉRFFY: ›*Cux fidelis...*‹ Prolegomena to a History of the Holy Cross Hymns. In: Traditio 22 (1966) 1–41. Zum Kreuzwunder bei der Geburt Leos IX. Vita Leonis (WATTERICH: *Vitae* I, 129, 132) und dazu JL 4201, vgl. CYRIACUS HEINRICH BRAKEL: *Die vom Reformpapsttum geförderten Heiligenkulte*. In: Studi Gregoriani 9 (1972) 263 f.; sonst auch ERNST WERNER: *Pauperes Christi. Studien zu sozial-religiösen Bewegungen im Zeitalter des Reformpapsttums*. Leipzig 1956, 82 mit Anm. 344; SCHWARZMAIER: *Lucca*, 397 mit Anm. 84; Gottfried der Bärtige erwarb 1056(?) eine Kreuzpartikel für Lüttich, *Gesta episcoporum Leodiensium* III 8 (MG SS 25, 86); dazu GLAESENER: *Un mariage fertile*, 399. – Alexander II. eine spezifische »Kreuzesidee« zuzuschreiben, wie SCHWARZMAIER: *Lucca*, 411, u. ö. es tut, sehe ich keinen Grund.

27 EADMER: *Historia novorum* III (RS 81, 132); Hermanni *Liber de miraculis sancti Eadmundi* c. 25 (RS 96/I, 61); Marginalien (1. Hälfte 12. Jh.) zu Florenz von Worcester (RS 96/I, 344 f.); ORDERICUS VITALIS: *Historia ecclesiastica* V 2 (CHIBNALL III, 10).

Des letzteren Besuch beim Heiligen Stuhl wird durch ein Diplom bezeugt, das Alexander II. am 27. Oktober 1071 für den Abt ausstellte; seine Anwesenheit wird dadurch üblicherweise angezeigt[28]. An dem Reiseweg der englischen Prälaten lag Lucca, Ausgangspunkt der Via Francigena, der wichtigsten Romstraße im Mittelalter[29]. Die vielbenutzte Route führte über den Großen St. Bernhard, die La Cisa-Straße nach Lucca und weiter durch Tuszien nach Rom. Lucca, wegen seiner Hospitalitas berühmt, bildete eine der wichtigsten Stationen auf diesem Weg[30].

Unter Abt Balduin (1065–1097) hatte durch Vermehrung des materiellen Besitzes und der geistlichen Rechte die Abtei von St. Edmund einen gewaltigen Aufstieg genommen und war bald einer der reichsten Konvente in England geworden, nachdrücklich gefördert durch die normannischen Eroberer[31]. Ergänzend dazu suchte der Abt das Ansehen seines Patrons, des hl. Königs Edmund von Westanglien[32], zu erhöhen, indem er frommen Besuchern der Abtei oder auch anderen Orten Reliquien überließ. Auf seine Italienreise hatte er ebenfalls solche mitgenommen und zwar ein Stück vom Gewand des Heiligen, das er dann in Lucca der Martinskirche stiftete[33]. Von dem dafür »in

---

28   JL 4692 (PL 146, 1363).

29   KONRAD SCHROD: *Reichsstrassen und Reichsverwaltung im Königreich Italien,* 27.

30   JULIUS JUNG: *Das Itinerar des Erzbischofs Sigeric von Canterbury und die Strasse von Rom über Siena nach Lucca.* In: MIÖG 25 (1904) 81; B. PESCI: *L'itinerario Romano di Sigerico arcivescovo di Canterbury e la lista dei papi da lui portata in Inghilterra (anno 990).* In: Rivista di Archeologia cristiana 13 (1936) 43 ff.; SCHROD: *Reichsstrassen,* 111 ff. Zu den Hospitälern, die in den 70er Jahren in Lucca in großer Zahl entstanden, vgl. SCHWARZMAIER: *Lucca,* 65, 397.

31   Nach dem Domesdaybook besaß Bury St. Edmunds etwa 300 manors; als nächstgrößtes Kloster folgte Ely mit circa 200 manors. Die Kathedralen von Canterbury, York und Thetford besaßen etwa je 100 manors (BÖHMER: *Kirche und Staat,* 54 Anm. 5); vgl. auch A. GOODWIN: *The Abbey of St. Edmundsbury.* 1931, 5; KNOWLES – HADCOCK: *Medieval Religious Houses,* 61; PETERSOHN: *Normannische Bildungsreform,* 279; R. M. THOMSON: *The Library of Bury St. Edmunds Abbey in the Eleventh and Twelfth Centuries.* In: Speculum 47 (1972) 617–645; weitere Lit. bei SCHWARZMAIER: *Lucca,* 398 Anm. 86.

32   JOACHIM DOLAN: *Edmondo, re dell'Anglia Orientale.* In: Bibliotheca Sanctorum 4. Rom 1964, 917 f.

33   Hermanni *Liber de miraculis sancti Eadmundi* c. 30 (RS 96/I, 67 f.); Samsonis abbatis *opus de miraculis s. Aedmundi* c. 10 (RS 96/I, 137 ff.). Vgl. auch J. JUNG: *Das Itinerar Erzbischofs Sigeric,* 26. Ein Luccheser Kathedralinventar von 1239 verzeichnet ein Reliquiar mit dem »capud sancti Almondi« und einen »liber epistole passionis s. Almundi«, PIETRO GUIDI – ERMENEGILDO PELLEGRINETTI: *Inventari del vescovato, della cattedrale e di altre chiese di Lucca* (Studi e testi, 34). Rom 1921, 120, 124. In den Kalendarien wird der hl. Edmund seit dem späten 11. Jh. verzeichnet, vgl. GUIDI: *Per la storia della cattedrale,* 171 Anm. 2; SCHWARZMAIER: *Lucca,* 398 f. mit Lit.

porticu«[34] errichteten Altar ging alsbald eine wunderbare Heilung aus, die dazu führte, daß das Volk von Lucca am Tag des angelsächsischen Martyrers (20. November) in großer Zahl zu seinem Altar strömte. Der Bericht über die Verehrung des hl. Edmund in Lucca, von dem englischen Archidiakon Hermann[35], einem jüngeren Zeitgenossen Balduins, und dem ihm folgenden Abt Samson von St. Edmundsbury[36] überliefert, stützt sich nach deren Angabe auf die Erzählung zweier Kleriker, die auf einer Pilgerfahrt nach Rom in Lucca von der Wundertat und der Verehrung ihres Patrons gehört hatten[37]. Die 1071 geknüpfte Verbindung zwischen Bury St. Edmunds und Lucca ist auch im Luccheser Domnekrolog faßbar, der mit 18 angelsächsischen Namen, teilweise mit Angabe der Herkunft aus St. Edmundsbury, den Hinweis auf eine förmliche Verbrüderung der beiden Konvente gibt[38].

Die Anziehungskraft der Kirche wurde einmal durch ihre reichere Ausstattung mit Reliquien und zum anderen durch die Gewährung von Indulgenzen gesteigert. Anläßlich der Kirchweihe hat Alexander II. einige Bestimmungen dazu erlassen: Während der Festoktav sollen in der Stadt täglich Gottesdienste stattfinden, in den Landpfarrkirchen soll die Dedikation wenigstens an einem Tag gefeiert werden; für diese Zeit wurde einer der frühesten Kirchenbesuchsablässe gewährt[39]. Die damit verfolgte Absicht ist unschwer zu erkennen. Die Kathedrale als die Hauptkirche der Diözese sollte stärker in das Zentrum des religiösen Lebens gerückt werden; an sie und damit an den Bischof wurden die anderen Pfarrkirchen auf diese Weise enger gebunden. Die materielle Reorganisation des Kirchengutes, das heißt in erster Linie des Kathedral- und

---

34   Der Ort des Altars »supra porticum« bzw. »in porticu« wird von dem Altarverzeichnis (s. oben Anm. 20) und Hermanns *Liber de miraculis s. Eadmundi* c. 30 (RS 96/I, 68) übereinstimmend genannt, was eine erstaunliche Detailkenntnis der englischen Quelle erweist.

35   Sein Werk, zu dem er von Abt Balduin angeregt wurde, endet 1095, vgl. TH. ARNOLD (RS 96/I, XXIX Einl.).

36   Zu Samson (1182–1211) vgl. ebd., XXXIX ff.

37   PIETRO GUIDI – ORESTE PARENTI: *Regesto del capitolo di Lucca* II, 75 Nr. 1127 (1154 Nov. 23): Zur »festivitas s. Almundi«: An diesem Tag hatte das Kapitel Anspruch auf eine Darreichung vom Kaplan von S. Concordio, die allerdings zeitweise unterblieben war (GUIDI – PARENTI: *Regesto* II, 344 Nr. 1530). Dazu FEINE: *Studien zum langobardisch-italischen Eigenkirchenrecht* Teil 3. In: ZRG Kan.Abt. 32 (1943) 119. Zu weiteren »honorificae refectiones« des Kathedralklerus – u. a. von S. Alessandro Maggiore – GIUSTI: *L'ordo officiorum*, 559.

38   SCHWARZMAIER: *Lucca*, 398 mit Anm. 86.

39   NIKOLAUS PAULUS: *Geschichte des Ablasses im Mittelalter* I, 151 f.; BERNHARD POSCHMANN: *Der Ablass im Lichte der Bussgeschichte*, 52; vgl. auch GIUSTI: *L'ordo officiorum*, 564 f. Über die 1071 bei der Weihe von Montecassino von Alexander II. erteilte Absolution vgl. PAULUS: *Geschichte des Ablasses* I, 76.

Bischofsgutes, wurde begleitet von dem zentralistischen Gedanken im kirchlichen Leben.

b) Sorge um den Klerus

Die enge persönliche Bindung Alexanders an sein toskanisches Bistum, die er zeit seines römischen Pontifikats bewahrte, wird schon äußerlich durch seine nahezu alljährlichen Aufenthalte in Lucca deutlich[40]. Im Sommer, wenn in Rom das Klima unerträglich wurde, zog er sich nach Lucca zurück. Das hat sich nicht allein im kultischen Bereich für die Stadt belebend ausgewirkt. Seine Sorge umschloß auch den Klerus und das Kirchengut. In den Diplomen für Lucca betont er nachdrücklich sein besonderes Verhältnis zu dieser Stadt. Nur ganz vereinzelt erheben sich sonst die Arengen seiner Urkunden über den Stil des über geringe Variationsbreite verfügenden Kanzleiformulars; die der Luccheser Stücke aber fallen alle aus diesem gleichmäßig unpersönlichen Rahmen heraus[41]. In sich jedoch folgen sie wiederum dem gleichen Aufbauschema: Die sprachliche und gedankliche Verwandtschaft der Arengen von JL 4722, 4723 und 4724 ist sofort ersichtlich. Zuerst wird auf die Sorge des Papstes verwiesen, ihm von Gott über alle Kirchen des Erdkreises anvertraut. Dieser generelle Auftrag wird aber gesteigert besonders den Kirchen gegenüber, »die uns durch besondere Liebe verbunden sind«[42]; »vor allem muß der Eifer unse-

---

40 S. oben 37.

41 Lediglich JL 4681 (Lucca, 1070 Dez. 3) für den Luccheser Klerus trägt als Nachurkunde von JL 4373 Stephans IX. keine persönlichen Züge. Zu den Arengen MARIA KOPCZYNSKI: *Die Arengen der Papsturkunden nach ihrer Bedeutung und Verwendung bis zu Gregor VII.* Diss. Berlin 1936, 67 f.; HEINRICH FICHTENAU: *Arenga. Spätantike und Mittelalter im Spiegel von Urkundenformeln,* 106, ohne Hinweis auf die Luccheser Stücke, und 101 ff. über die Neugestaltung der Arengen seit der Mitte des 11. Jhs.; dort auch zu persönlichen Formulierungen Clemens' II. für Bamberg und Leos IX. für seine Familienstiftungen. In Urkunden Nikolaus' II. für Florentiner Kirchen, alle um die Jahreswende 1059/60 in Florenz oder Umgebung ausgestellt, treten zwei persönlich stilisierte Arengenformulare auf (Licet ex universalitate JL 4415, 4417, 4418; Quoniam omnipotentis JL 4426, 4428, 4429, JL 4425 mit Auslassung des persönlichen Bezuges), die die Doppelstellung als Papst und Diözesanbischof betonen; vgl. CINZIO VIOLANTE: *Il vescovo Gerardo – papa Nicolò II e le comunità canonicali di pieve nella diocesi di Firenze.* In: Bollettino storico pisano 40/41 (1971/72) 17–22. WERNER GOEZ: *Papa qui et episcopus,* 51 f.

42 JL 4680 (PL 146, 1360 Nr. 77), Lucca, 1070 Dez. 3: »nos conveniat providere precipue tamen illis, quae nobis speciali et peculiari amore devinctae sunt«.

rer Zuneigung jener Kirche stärker zugutekommen, in der wir vor Übernahme der universalen Gewalt das Amt kirchlichen Dienstes versehen und der wir vorher in gleichsam persönlicher Liebe zu dienen uns bemüht haben«[43]. Dieser Gedanke wird dann sprachlich variiert: »Auf alle Kirchen, auf diese aber doppelt müssen wir das Auge unserer Wachsamkeit richten«[44]. »Es gebührt sich also für uns, über die Luccheser Kirche besonders aufmerksam zu wachen, weil wir wegen der bischöflichen Gewalt und in Anbetracht des umfassenden apostolischen Amtes gleichsam doppelt für sie zu sorgen veranlaßt werden«[45]. Dieser zweifache Ursprung der geistlichen Gewalt Alexanders II. über Lucca findet seinen Ausdruck auch in der in allen drei Diplomen auftretenden eigenhändigen Subskription des Papstes[46], worin er sich »allein durch Gottes Gnade Papst der heiligen römischen und apostolischen Kirche und Bischof von Lucca« nennt[47]. In Urkunden für S. Frediano und S. Donato in Lucca setzt er an den Anfang des dispositiven Teils eine zweite Papst-Bischofsintitulatio (Binnenintitulatio), eine nicht kanzleimäßige Erscheinung, die nur in Alexanderdiplomen festzustellen ist[48]. Wenn diese Formulierungen auch nicht unbedingt auf ein Diktat des Papstes zurückzugehen brauchen, so ist doch anzunehmen, daß er zu einer Gedankenführung, wie sie in den Luccheser Arengen begegnet, den Anstoß gegeben hat. Die sonstigen Eigentümlichkeiten dieser Stücke sind daraus zu erklären, daß der Papst Luccheser Pfalznotare verwendete und nicht die

---

43 JL 4722 (PL 146, 1388 Nr. 105), 1061–1073: »maxime illi ecclesiae studium nostrae devotioni sollicitus est exhibendum, in qua ante susceptum universalis regiminis opus ecclesiastici officii necessitate laboravimus et cui privata quodammodo dilectione prius deservire studuimus. Circa Lucensem itaque ecclesiam tanto specialius nostrae devotionis studium desideramus impendere, quanto et illi privata eius et publica omnium cura compellimur providere«.

44 JL 4723 (PL 146, 1391 Nr. 106), 1061–1073: »unde cum omnibus simpliciter, huic tamen dupliciter oculum nostrae speculationis intendere oportet«.

45 JL 4724 (PL 146, 1393 Nr. 107), 1061–1073: »praecipue tamen erga Lucanam ecclesiam attentissime vigilare nos convenit, quia ei et per (propter) episcopatus suscepti administrationem et pro universalis apostolicae (curae) consideratione dupliciter quodammodo providere compellimur«.

46 Sonst tritt die Ankündigung der Unterschrift nur noch in JL 4491 (1062 Dez. 19) für den Luccheser Priester Gaudius auf; zu Gaudius s. unten 50.

47 JL 4722, 4723, 4724.

48 JL 4654 (PL 146, 1346 Nr. 62), Lucca, 1068 Okt. 13; JL 4497 (PL 146, 1294 Nr. 9), In comitatu Senensi, 1063 Jan. 7. Binnenintitulatio auch in JL 4595 (PFLUGK-HARTTUNG: *Acta* II, 102 Nr. 137) und JL 4722 (PL 146, 1390). – Der Doppeltitel in den zahlreichen Luccheser Libellarverträgen ist lediglich ein vertragsrechtliches Erfordernis, da Alexander II. darin als Bischof von Lucca und nicht als Papst Vertragspartner ist; vgl. dazu auch GOEZ: *Papa qui et episcopus*, 51.

routinierten römischen Skriniar-Notare, die ortsansässig waren und den Papst auf seinen Reisen nicht begleiteten[49].

Mißstände, gegen die Alexander II. in diesen Urkunden angeht, gab es »in vielen Kirchen, besonders schwere aber in der Luccheser«. Vor allem war es dort die Simonie, die »wir auszurotten und von der Wurzel auf völlig zu beseitigen beschlossen haben«[50]. Bei der Neuordnung des kanonikalen Lebens konnte er wiederum auf der Grundlage, die sein Vorgänger mit Unterstützung Leos IX. gelegt hatte, weiterbauen. Durch »Zellenbildung« hatte Johannes II. versucht, am Dom das gemeinsame Leben der Kleriker einzuführen[51]. Zur Zeit Anselm-Alexanders lag Amts- und Lebensführung des Kathedralklerus aber immer noch im argen, und gegen eine Reihe von Mißständen wandte sich der Papst in einem seiner Schreiben[52]. Daraus ist zu ersehen, daß völlig ungeeignete Kleriker Kanonikate erhalten konnten und ohne die höheren Weihen zu besitzen, priesterliche Funktionen ausübten. Ungeistlicher Lebenswandel und Unkenntnis wurden dabei durch reichliche Geldgeschenke ausgeglichen, – alles in allem ein Bild kirchlicher Zustände, das nicht nur in Lucca begegnet. Um diesen Übelständen, die geradezu als die typischen der Zeit bezeichnet werden können, abzuhelfen, erließ Alexander II. eine Ordnung, nach der die 30 bestehenden Kapitelstellen in Zukunft zu besetzen seien: Zwölf werden Presbytern für die tägliche Meßfeier und andere priesterliche Aufgaben vorbehalten. Je sieben sollen mit Diakonen und Subdiakonen für die ihrem Stande gemäßen Dienste besetzt werden; die restlichen vier Kanonikate sind allein für den Chordienst bestimmt. Bei Vakanzen soll streng nach dieser Ordnung verfahren werden. Nur Kleriker mit einwandfreiem Lebenswandel und geistlicher Bildung sind in die Stellen zu befördern unter Vermeidung jeglicher Geldzahlung. Daran schloß sich die Bestimmung an, daß täglich – wie es in einer Bischofskirche zu geschehen hat – eine Messe zelebriert werden soll[53]. Mit Nachdruck wandte sich der Papst sodann gegen die Instabilitas einiger Geistlicher, die sich aus Habsucht an mehreren Kirchen zum Dienst verpflichtet hätten, obwohl sie ihn an keiner Kirche »canonice et iuste« ausüben könnten. Vielmehr sollen

---

49 Kehr: *Scrinium und Palatium*, 94 f.; und zuletzt Leo Santifaller: *Über die Neugestaltung der äußeren Form der Papstprivilegien unter Leo IX*. In: Festschrift Hermann Wiesflecker. Graz 1973, 29–38, mit Lit.

50 JL 4722 (PL 146, 1390 D): »tot et tanta mala in multis ecclesiis et maxima in Lucensi ecclesia ex iniqua concupiscentia fieri conspiciens, ne sanguis iniquorum a districto iudice de manu nostra requiratur, illa exstirpare et penitus eradicare decrevimus«.

51 Kittel: *Reform des Domkapitels in Lucca*, 213 ff.; Luigi Nanni: *La parrocchia studiata nei documenti lucchesi dei sec. VIII–XIII*, 122.

52 JL 4723 (PL 146, 1391); dazu Kittel: *Reform des Domkapitels in Lucca*, 217 f.; Nanni: *La parrocchia*, 124.

53 Vgl. auch die Anordnungen des Papstes anläßlich der Kirchweihe oben 41.

sie mit der einen Pfründe zufrieden sein, für die sie ordiniert worden waren. Pfründenkumulation wird hier also noch entschieden abgelehnt. An anderer Stelle verurteilte Alexander in gleicher Weise die simonistischen Bräuche bei der Vergabe von Ordinationen und Benefizien[54]. Zudem schärfte er die offensichtlich außer Gebrauch gekommenen Bestimmungen über die Verteilung der kirchlichen Einkünfte ein: Je ein Viertel sollen die Armen, die Fabrica (Kirchenbau), der Bischof und die Kanoniker erhalten[55]; die Teile der Armen und der Fabrica sollen diesen aber ohne Abzug und Bedingungen zugute kommen. Als die schwächsten Empfänger war ihr Teil verständlicherweise am meisten gefährdet.

Die Bestimmungen zur Reform des Luccheser Domklerus müssen in Zusammenhang mit ähnlichen Bemühungen Alexanders II. in Rom gesehen werden. Wie sie in Lucca die Kathedrale des Bischofs betrafen, so in Rom die des Papstes, die Laterankirche. In beiden Fällen konnte er sich auf Vorarbeiten seiner jeweiligen Vorgänger stützen, hier Leos IX., dort Johannes' II.[56]. Doch ist festzuhalten, daß in Rom und Lucca unterschiedliche Gruppen betroffen waren. Die Zielgruppe am Lateran war nicht der hohe Klerus, der zur Assistenz des Papstes bei dessen liturgischen Funktionen herangezogen wurde oder den Papst in seiner Abwesenheit vertreten mußte. Diese Gruppe bildeten hier nämlich die Kardinalbischöfe als Hebdomadare und, zusammen mit Kardinalpriestern und -diakonen, als Assistenten des Papstes[57]. Alexanders II. Reform betraf in Rom den nichtkardinalizischen Klerus des Laterans, die Kanoniker,

---

54   JL 4722; NANNI: *La parrocchia*, 120.

55   Ebenso in Chiusi JL 4657 (PL 146, 1347). Dazu ULRICH STUTZ: *Geschichte des kirchlichen Benefizialwesens* I/1, hg. von HANS ERICH FEINE. Aalen 1972, 24 ff., und FEINE: *Kirchliche Rechtsgeschichte*[4], 132.

56   Zu Johannes II. vgl. SCHMIDT: *Kanonikerreform in Rom*, 204; SCHWARZMAIER: *Lucca*, 133 ff. Zu Leo IX. JL 4320, KEHR: *IP* I, 25 Nr. 6; PFLUGK-HARTTUNG: *Acta* II, 70 Nr. 105 (zur Echtheitsfrage KEHR: *Römische Analekten*. In: QFIAB 14 [1911] 3 f.), wo bereits in ersten Ansätzen eine Neuordnung des Lateranklerus mit vita communis zu erkennen ist; beim Aufgeben des gemeinsamen Lebens sollen die als Grundlage dazu verliehenen Güter und Einkünfte an das Sacrum Palatium zurückfallen. Damit sind die Ausführungen bei SCHMIDT: *Kanonikerreform in Rom*, 205 f., über Hildebrands Bemerkungen auf der Lateransynode 1059 zu konkretisieren (Verhandlungsprotokoll, ed. WERMINGHOFF. In: NA 27, 669: »nonnulli ex clericali ordine ... iam dudum in hac Romana urbe et in provinciis atque parrochiis eidem specialius pertinentibus seu cohaerentibus noscuntur communem vitam, exemplo primitivae aecclesiae, amplexi simul et professi«).

57   Vgl. KLEWITZ: *Reformpapsttum*, 24 ff., 47 ff., wobei natürlich anzunehmen ist, daß die Bestimmungen über den Hebdomadardienst bei der häufigen Abwesenheit der Kardinäle kaum mit irgendeiner Regelmäßigkeit durchgeführt wurden; dazu auch KLAUS GANZER: *Das roemische Kardinalkollegium*. In: Atti della quinta Settimana internaz. di studio, Mendola 1971 (Miscellanea del Centro di studi medioevali, 7). Mailand 1974, 153–181.

die die mannigfachen Hilfsdienste während und außerhalb des Gottesdienstes zu erledigen hatten. In Alexanders Laterandiplom[58], das die »vita communis« vorschreibt und Einkünfte sowie liturgische Pflichten der Kanoniker neu ordnet oder in Erinnerung ruft, werden einige Aufgaben genannt: Die Kanoniker sollen die Altargeräte und -tücher und alles, was zur Messe gebraucht wird, versorgen, damit es nicht von ungeweihten Händen berührt oder gar entwendet wird; ebenso haben sie die Oblationen vom Altar zu nehmen. Die Notwendigkeit für derartige Bestimmungen erhellt aus den Zuständen an St. Peter im Vatikan, wo laikale Mansionarii die Altaroblationen zu plündern pflegten und anderen Unfug in der ihnen anvertrauten Kirche trieben[59]. Weiterhin sollen die lateranensischen Kanoniker bei der Meßfeier der Kardinalbischöfe in ihren geistlichen Gewändern anwesend sein und die Responsorien singen und zwar Mitglieder aller Ordines: Priester, Diakone, Subdiakone und Akolyten. Mindestens vier Kanoniker müssen an jeder Messe, auch an Werktagen, teilnehmen; an Sonn- und Feiertagen aber soll, soweit möglich, der gesamte Konvent erscheinen.

Der lateranensische Konvent, der Mitglieder aller Weihegrade bis zur Priesterweihe umfaßte, bewohnte das Monasterium Lateranense, das rechts an die Lateranbasilika anschloß[60]. Seine Kapelle S. Pancrazio diente zugleich als Sakristei zur Aufbewahrung des Chrisam und der Altargerätschaften[61], die die Kanoniker nach der Bestimmung Alexanders II. in Verwahrung hatten.

In Lucca dagegen war es der hohe Kathedralklerus, für den Alexander seine Ordnung erließ. Deshalb enthielt sie auch Bestimmungen über die Regelmäßigkeit des Gottesdienstes im Unterschied zum Diplom für die Lateranenser,

---

58 KEHR: *IP* I, 25 Nr. *7. Die Bestimmungen des verlorenen Alexanderdiploms sind in eine Urkunde Anastasius' IV. vom 30. Dez. 1153 übernommen worden (JL 9793, KEHR: *IP* I, 28 Nr. 19); dazu SCHMIDT: *Kanonikerreform in Rom*, 207, u. ö.

59 BONIZO VON SUTRI: *Liber ad amicum* VII (MG Ldl 1, 603). Ähnlich in Turin nach der *Vita abbatis Benedicti* c. 10 (MG SS 12, 204); zu Arezzo vgl. URSULA LEWALD: *Domkapitel und Custodie in Arezzo* (Studi di storia e diritto in onore di Carlo Calisse II). Mailand 1940, 478 ff.

60 *Descriptio Lateranensis ecclesiae* c. 10 (FSI 90, 347); zur Datierung CYRILLE VOGEL: *La Descriptio Lateranensis du diacre Jean. Histoire du texte manuscript*. In: Mélanges au l'honneur de Msgr. M. Andrieu. Straßburg 1956, 457 ff. Vgl. auch GUY FERRARI: *Early Roman Monasteries*, 242, bes. 253 mit den älteren Erwähnungen; dazu ALESSANDRO CALANDRO: *Fu il monastero di S. Pancrazio al Laterano una fondazione di Montecassino?* In: Benedictina 22 (1975) 329–333. Über das vom Monasterium Lateranense zu trennende Palatium Lateranense vgl. REINHARD ELZE: *Das »Sacrum Palatium Lateranense« im 10. und 11. Jh*. In: Studi Gregoriani 4 (1952) bes. 40 f. Die liturgischen Aufgaben des Palastklerus werden beschrieben von der *Descriptio* c. 9 (FSI 90, 345); dazu ELZE: *Das »Sacrum Palatium Lateranense«*, 41.

61 BERNHARD VON PORTO: *Ordo officiorum ecclesiae Lateranensis* c. 128–129 (FISCHER, 50 f., und Sachregister s.v. claustrum).

denen eine Kontrolle oder Verantwortlichkeit für die Einhaltung der Gottesdienstordnung nicht zustand. Die sonstigen Clerici werden in der Luccheser
Urkunde nicht erwähnt; so viele wie am Lateran hat es sicher nicht gegeben.
Für einen Basilikalkonvent, wie er dort unter einem Archipresbyter und ab
etwa 1110 unter einem Prior bestanden hat[62], war hier kein Bedarf. Seine Maßnahmen traf Alexander II. in Lucca wie in Rom ohne rigorose Eingriffe, ohne
Vertreibung widerspenstiger Kleriker. Die in der älteren Literatur vielfach
vertretene Übersiedlung von Reformkanonikern des Luccheser Konvents von
S. Frediano an den Lateran zur Zeit Alexanders, die nur unter Beseitigung der
ansässigen Geistlichen hätte geschehen können, ist unhistorisch[63].

Die in Lucca und Rom gleichzeitig in Angriff genommenen Reformen hatten
nur in Rom einigen Erfolg. Im Jahr 1078 machte Gregor VII. den Lucchesen
Vorhaltungen wegen ihres jahrzehntelangen Widerstandes gegen die Vita communis; er konnte dabei die Situation in der römischen Kirche als Vorbild hin-
stellen[64].

Es bleibt die zahlenmäßige Strukturierung des Luccheser Kathedralklerus
zu betrachten[65]. In der römischen Kirche war für die Gottesdienstordnung die
Siebenzahl grundlegend, nicht nur im Ordo der Diakone[66] – hier ist ein Sie-
benerkollegium nach biblischem und frühchristlichem Vorbild[67] und nach
liturgischen Bestimmungen des Pontificale Romano-Germanicum (ca. 950)[68]
üblicherweise eingerichtet –, sondern auch im Ordo der Kardinalbischöfe und
der Kardinalpresbyter, die am Lateran beziehungsweise an den Patriarchal-
basiliken in wöchentlichem Wechsel den Hebdomadardienst zu versehen hatten[69]. Mit zwölf Priestern ist in Lucca demnach nicht der »mos Romanus«
eingeführt worden; vielmehr war auch hier das neutestamentliche Vorbild

---

62 SCHMIDT: *Kanonikerreform in Rom*, 220 f.; zum Archipresbyter Petrus s. unten 153.
Zu den römischen Basilikalklöstern FERRARI: *Early Roman Monasteries*, 365.
63 SCHMIDT: *Kanonikerreform in Rom*, 214 ff.
64 *Greg. Reg.* VI 11 (CASPAR, 412 f.); dazu SCHMIDT: *Kanonikerreform in Rom*, 219.
65 Zu JL 4723 s. oben 44 Anm. 52.
66 Vgl. KLEWITZ: *Reformpapsttum*, 79 ff.; STEPHAN KUTTNER: *Cardinalis: The History of
a Canonical Concept*. In: Traditio 3 (1945) 178 ff.; ELZE: *Das »Sacrum Palatium Lateranense«*,
42 ff. Neue Ergebnisse sind zu erwarten von RUDOLF HÜLS: *Kardinäle, Klerus und Kirchen
Roms 1049–1130* (Bibliothek des Deutschen Historischen Instituts in Rom, 48). Tübingen 1977.
67 *Ac.* 6, 1 ff.; vgl. auch PAUL HINSCHIUS: *System des katholischen Kirchenrechts* I. Berlin
1869, 2 f.; PAUL AUGUST LEDER: *Die Diakonen der Bischöfe und Presbyter*. Stuttgart 1905, 7 ff.
68 *Pontificale Romano-Germanicum* XCIX 252 (VOGEL – ELZE II, 67); dort auch sieben
Subdiakone. Zur Bedeutung der Siebenzahl ebd. XCIV 5 (VOGEL – ELZE I, 331) und anders
BERNHARD VON PORTO: *Ordo officiorum ecclesiae Lateranensis* c. 128 (FISCHER, 50).
69 KLEWITZ: *Reformpapsttum*, bes. 24 ff., 51 ff.

wirksam, indem das Priesterkollegium den zwölf Jüngern Jesu, das heißt dem Apostelkollegium nachgebildet ist. Diese Zahl wie auch die der Diakone bekommt am Gründonnerstag liturgische Relevanz, wenn bei der Chrisamweihe in Nachbildung des letzten Herrenmahles zwölf Priester sowie je sieben Diakone und Subdiakone dem Bischof zur Seite stehen müssen[70]. Ebenfalls am Gründonnerstag haben bei einer Exkommunikation wiederum zwölf Priester mit dem Bischof zu fungieren[71]. Dieselben Zahlen finden sich in Alexanders Statut für Lucca; von dem frühchristlichen Vorbild abzuweichen, bestand hier kein Grund. Die Ursprünge der römischen Siebenerkollegien der Bischöfe und Priester brauchen hier nicht erörtert zu werden[72]; es gab dort jedenfalls Priester in genügender Zahl, so daß am Gründonnerstag die zwölf geforderten zur Verfügung standen. Allerdings wird in den Ordines betont, daß mindestens zwölf beteiligt sein müssen[73]; offenbar traten gelegentlich Schwierigkeiten auf, die nötige Anzahl zu versammeln, oder es herrschte Unklarheit über die kanonische Zahl. Nach dem Pontificale des Wilhelm Duranti nehmen zwar am Anfang des Weiheritus nur sieben Priester teil, sie werden aber dann durch fünf weitere zur Vollzähligkeit ergänzt[74].

Es bleibt zu erwähnen, daß bei der Einrichtung oder Anerkennung auswärtiger Kardinalskollegien – wenigstens dann, wenn der Papst sie gewährte – durchweg je sieben Kardinalpriester und -diakone »secundum Romanae ecclesiae« vorgeschrieben wurden[75]. An den privilegierten Kirchen existierten noch

---

70 *Pontificale Romano-Germanicum* XCIX 268, 271 (VOGEL – ELZE II, 71, 73); BERNHARD VON PORTO: *Ordo officiorum* c. 127 (FISCHER, 50); *Pontificale Romanum saec. XII* XXX A 27, 44 (ANDRIEU I, 219, 222), XXX C 11 (ANDRIEU I, 231); im *Pontificale Romanae Curiae saec. XIII* XLII (ANDRIEU II, 455) wird über die Zahl der Priester nichts gesagt, doch sind jetzt auch die Kardinalbischöfe beteiligt, vgl. auch HARTMANN GRISAR: *Das Missale im Lichte römischer Stadtgeschichte.* Freiburg 1925, 103. – Seit dem 12. Jh. wird an den Anfang des Chrisamweiheordo die bezügliche Dekretale Ps.-Fabian ep. II, 9–10 (HINSCHIUS: *Decretales Pseudoisidorianae,* 160 f.) gesetzt: BERNHARD VON PORTO: *Ordo officiorum* c. 126 (FISCHER, 49), *Pontificale* des WILHELM DURANTI III, 2, 45 (ANDRIEU III, 569). – Zu 12-Priester-Kollegien vgl. KUTTNER: *Cardinalis,* 168 f. und FÜRST: *Cardinalis,* Kap. II 1.

71 *Pontificale Romano-Germanicum saec. X* LXXXV 5 (VOGEL – ELZE I, 310).

72 Vgl. die Lit. in Anm. 66.

73 BERNHARD VON PORTO: *Ordo officiorum* c. 127 (FISCHER, 50) und *Pontificale Romanum saec. XII* XXX C 11 (ANDRIEU I, 231).

74 WILHELM DURANTI: *Pontificale* III, 2, 49 (dazu die Lesart: duodecim), 63, 64, 86 (ANDRIEU III, 570, 573, 579).

75 Benedikt VII. 975 für Trier (JL 3784) ohne Zahlen, vgl. FÜRST: *Cardinalis,* 186 f.; Gregor V. 997 für Aachen (JL 3875); Leo IX. 1052 für Köln (JL 4271), 1049 für St-Remi (JL 4177), 1051 für Besançon (JL 4249); Wibert-Clemens III. nach römischem Vorbild für Ravenna, vgl. AUGUSTO VASINA: *Lineamenti di vita comune del clero presso la cattedrale*

weitere Priester, so daß mit ihnen – wie es Wilhelm Duranti vorsieht – die Zwölfzahl hergestellt werden konnte.

Nimmt man die Anordnungen Alexanders II. anläßlich der Luccheser Kirchweihe hinzu[76], ist damit eine Fülle organisatorischer Maßnahmen belegt, die den Eindruck erweckt, daß in der vorausgehenden Zeit vieles im argen gelegen hatte, so daß eine stetige Versorgung der Kirchen und des Kirchenvolkes kaum anzunehmen ist[77]. Faßt man allein diese Seite von Alexanders Tätigkeit ins Auge, so zeigt sich der Papst als umsichtiger Organisator, der es nicht bei dem materiellen Kirchenneubau bewenden ließ, sondern auch den Klerus neu zu formieren suchte[78]. Ergänzend dazu sind Diplome für andere Bistümer zu sehen, beispielsweise für Populonia (JL 4595) und Chiusi (JL 4657), mit denen er sich gleichfalls um die Neuordnung der wirtschaftlichen Verhältnisse in diesen Kirchen bemühte[79].

Es ist auffällig, daß Alexander in den Luccheser Urkunden an keiner Stelle etwas über die Vita communis et regularis des Domklerus verlauten läßt. Auch auf die Diplome, die seine Vorgänger Leo IX. und Viktor II. auf Bitten der Reformgruppe unter den Kanonikern ausgestellt hatten und in denen die Vita

---

ravennate nei secoli XI e XII. In: La vita comune del clero II, 219 f.; FÜRST: *Cardinalis,* 166 ff.; Paschalis II. 1108 für Compostela (JL 6208), vgl. die *Historia Compostellana* II 3 (PL 170, 1034): »Prius (vor Bischof Diego Gelmirez, 1100–1140) septem aut duodecim hebdomadarii erant«; zu vermuten sind eher zwölf – mit dem Kardinalsprivileg wurde die Zahl nach römischem Vorbild auf sieben herabgesetzt, vgl. auch KUTTNER: *Cardinalis,* 165 ff. – Das nach echten Vorlagen gefälschte Diplom Johannes' XIII. für Magdeburg von 968 (JL 3730, 3729; HARALD ZIMMERMANN: *Papstregesten 911–1024,* 179 Nr. 451) läßt »more Romanę ecclesię« zwölf Kardinalpriester, sieben Kardinaldiakone und 24 Kardinalsubdiakone zu; ebenso JL 3989 Benedikts VIII. (ZIMMERMANN: *Papstregesten,* 432 Nr. 1100). Der Fälscher hat offenbar in Unkenntnis der römischen Verhältnisse, und da bei dem Trierer Vorbild keine Zahlen genannt waren (s. oben), die ihm vertrauten Magdeburger Zahlen eingesetzt. Zu diesen Fälschungen die Lit. bei ZIMMERMANN: *Papstregesten,* Nr. 450, 451, 1100; dazu HELMUT BEUMANN: *Die Bedeutung Lotharingiens für die ottonische Missionspolitik im Mittelalter.* In: Rheinische Vierteljahrsblätter 33 (1968) bes. 32 ff., 35; DIETRICH CLAUDE: *Geschichte des Erzbistums Magdeburg bis in das 12. Jh.* I (Mitteldeutsche Forschungen, 67/I). Köln 1972, 146 f., 196; ODILO ENGELS: *Die Gründung der Kirchenprovinz Magdeburg und die Ravennater »Synode« von 968.* In: Annuarium Historiae Conciliorum 7 (1975) 136–158; ferner C. G. FÜRST: *I cardinali non romani.* In: Atti della quinta Settimana internaz. di studio, Mendola 1971 (Miscellanea del Centro di studi medioevali, 7). Mailand 1974, 185–198.

76 S. oben Anm. 39.

77 SCHWARZMAIER: *Lucca,* 129 ff., erkennt seit Bischof Grimizo von Lucca (1014–1022) eine wirtschaftliche Regeneration des Bistums.

78 Vgl. auch MARTINO GIUSTI: *Le canoniche della città e diocesi di Lucca al tempo della Riforma Gregoriana.* In: Studi Gregoriani 3 (1948) 324.

79 JL 4595 (PFLUGK-HARTTUNG: *Acta* II, 102); JL 4657 (PL 146, 1347).

communis mit Gütergemeinschaft angeordnet war[80], nimmt er nicht Bezug. Lediglich beim Simonieverbot beruft er sich auf Dekrete seiner Vorgänger[81]. Die Reformgruppe im Luccheser Klerus wird deshalb außerordentlich klein gewesen sein, gleichwohl hatte sie sich behaupten können, wenn auch Nachrichten über die Verwirklichung ihrer Reformbereitschaft nahezu gänzlich fehlen[82]. Nur für den Priester und Kantor Gaudius, der noch zu den Reformwilligen der ersten Stunde zählte, wurde am 19. Dezember 1062 eine Besitzbestätigung vom Papst ausgestellt[83]. Die in der Arenga verwendete Bibelassonanz »assidue in dei vinea cooperator«[84] kann dahingehend interpretiert werden, daß es die Parteinahme für die päpstlich-bischöflichen Reformbemühungen war, die ihm dieses Diplom eingebracht hat. Außer Gaudius sind es vornehmlich zwei Brüder, der Archidiakon Blancardus und der Archipresbyter Lambertus, dazu der Primicerius Bardo, die gelegentlich in Alexanders Umgebung genannt werden (JL 4595) und als Reformgruppe zu fassen sind; später begleiteten sie ihren Bischof, den entschiedenen Gregorianer Anselm II., ins Exil[85].

Außerhalb des Kathedralklerus begegnet an S. Reparata, der einzigen Taufkirche Luccas, ein Kleriker Paganus, der 1071 dem Papst versprach, »canonice et legitime« zu leben[86]; von den sonstigen Kanonikern dieser Kirche ist aus der Zeit Anselm-Alexanders nichts bekannt. Wie auch anderswo, waren es nicht die Geistlichen der Bischofskirche, sondern eher die Kanoniker von weniger vornehmen Konventen, die bereit waren, die kanonischen Bestimmungen des gemeinsamen Lebens zu befolgen, in Lucca die Konvente von S. Donato und S. Frediano[87]. Sie standen dem Volke näher und waren für dessen geistliche Bedürfnisse eher aufgeschlossen. Beide erfreuten sich der besonderen Aufmerksamkeit Alexanders II. S. Frediano entwickelte sich in der Folgezeit zu einem der einflußreichsten Reformkanonikerkonvente Italiens, der unter der Gunst der Päpste im 12. Jahrhundert seine höchste Blüte erlebte[88].

---

80 KEHR: *IP* III, 397 f. Nr. 1–3.

81 JL 4722 (PL 146, 1390).

82 KITTEL: *Reform des Domkapitels in Lucca*, 237–240.

83 JL 4491 (PFLUGK-HARTTUNG: *Acta* II, 95 Nr. 130); dazu KITTEL: *Reform des Domkapitels in Lucca*, 213, und NANNI: *La parrocchia*, 122.

84 Mit geringen Abweichungen ist dieselbe Arenga für JL 4497 (PL 146, 1284) verwendet worden, wo Alexander II. den Ordinarien von S. Donato in Lucca, seinen »cooperatores«, Grundstücke schenkt »ad vivendum regulariter«.

85 Zu Bardo vgl. EDITH PÁSZTOR. In: Dizionario biografico degli Italiani 6, 315; ferner SCHWARZMAIER: *Lucca*, 388, 403.

86 GIUSTI: *Le canoniche di Lucca*, 338.

87 GIUSTI: *Le canoniche di Lucca*, 345 ff., 348 ff.

88 Vgl. vorläufig SCHMIDT: *Kanonikerreform in Rom*, bes. 209 f. mit Anm. 31.

Wie überlegt Alexander in Lucca taktierte, die reformfreundliche Partei wohl stärkte, ohne aber den Anspruch auf rigorose Durchsetzung des Reformprogramms zu erheben, mag daraus zu erkennen sein, daß zu seiner Zeit Lucca ruhig blieb. Die Schwierigkeiten seines gregorianisch gesinnten Nachfolgers im Bistum, die bis zu dessen Vertreibung führten, zeigen einerseits, daß Alexander II. offenbar eine maßvolle, die Möglichkeiten richtig einschätzende Haltung eingenommen hatte, andererseits aber auch, wie wenig er vor allem im disziplinarischen Bereich schließlich erreicht hatte.

Eine kurze Bemerkung ist noch zur Nachricht des Tolomeo von Lucca zu machen, Alexander II. habe den Luccheser Kanonikern die Mitra verliehen und sie damit wie Kardinäle ausgestattet[89]. Ohne auf das Problem der frühen Mitrenverleihungen im einzelnen einzugehen[90], sei nur soviel gesagt, daß der Kontext dieser Tolomeostelle eher auf Alexander III. hinweist als auf Alexander II.[91]. Denn unmittelbar vorher ist davon die Rede, daß ein Papst Alexander der Luccheser Communitas ein Bleisiegel nach dem Vorbild des venezianischen Dogen verliehen habe. In die Zeit Alexanders II. könnten aber bestenfalls die allerersten Anfänge einer städtischen Kommune fallen; für eine Siegelführung gibt es in diesem Stadium noch keine institutionelle Grundlage[92]. In den Annalen des Tolomeo an anderer Stelle, in seiner Historia ecclesiastica unmittelbar auf die Nachricht von der Siegel- und Mitrenverleihung folgend[93], wird demselben Papst Alexander die Gewährung des Vortragekreuzes an den Luccheser Bischof zugeschrieben; in den Annalen ist es dazu noch als primatiales Insigne bezeichnet. Die Einführung des Vortragekreuzes dürfte jedoch durch eine Urkunde Lucius' III. für 1181 gesichert sein[94]. Da nach einer ganzen Reihe von Bestätigungen früherer Papstprivilegien am Schluß des Luciusdiploms die Verleihung des Vortragekreuzes ausgesprochen wird, und zwar

---

89 TOLOMEO VON LUCCA: *Annalen* a. 1064 (SCHMEIDLER, 5); *Historia ecclesiastica* XIX 2 (MURATORI 11, 1071 f.).

90 FÜRST: *Cardinalis*, 144 ff., kann nicht befriedigen. Zur Mitra im allg. PERCY ERNST SCHRAMM: *Herrschaftszeichen und Staatssymbolik* I (Schriften der MGh, 13/I). Stuttgart 1954, bes. 60 ff.

91 So auch KEHR: *IP* III, 398 Nr. †*5 und 405 Nr. *41. Als Quelle gibt Tolomeo in der *Historia ecclesiastica* XIX 2 (MURATORI 11, 1071) ein von ihm häufig benutztes nur mehr in Ableitungen erhaltenes Registrum Lucanum an; dazu HANS HIRSCH: *Erläuterungen zu den Kaiserurkunden für Stadt und Kathedralkirche zu Lucca*. In: Schlern-Schriften 9. Innsbruck 1925, 342–353.

92 SCHWARZMAIER: *Lucca*, 330 f., über die Anfänge der Kommune Ende des 11. Jhs.

93 TOLOMEO: *Annalen* a. 1070 (SCHMEIDLER, 10); *Historia ecclesiastica* XIX 2 (MURATORI 11, 1071).

94 JL 14515 (PL 201, 1074); KEHR: *IP* III, 395 Nr. 45. In JL 7266 für Pisa (Honorius II., 1126 Juli 21; KEHR: *IP* III, 323 Nr. 22), das lediglich eine Bestätigung des Vortragekreuzes enthält, ist der Passus entsprechend knapp.

auf Bitten der Luccheser Bevölkerung und sanktioniert durch einen Konsistorialbeschluß, wird es sich hier um eine erstmalige Verleihung und nicht um eine bloße Bestätigung handeln. Dabei steht außer Frage, daß die Rivalität mit Pisa, das mit seinem erzbischöflichen und primatialen Rang Lucca weit überrundet hatte, Anlaß zu dieser Bitte war[95]. In Lucca wird nun vor dem Bischof wie vor einem Primas das Kreuz einhergetragen: In diesen Worten Tolomeos klingt der ganze Anspruch der Stadt an, der sich verständlicherweise mit dem Stolz auf jenen Bischof mischt, der von Lucca aus den päpstlichen Stuhl bestiegen hatte. Mit der Rückdatierung der Verleihung von Mitra und Vortragekreuz erhalten diese Privilegien nicht zuletzt gegenüber der erfolgreicheren Rivalin Pisa, die tatsächlich früher in deren Genuß gekommen war[96], eine höhere Würde.

c) Neuordnung des Kirchengutes

Weiterhin galt die Aufmerksamkeit des Papstes der Sicherung des Kirchengutes im Bistum Lucca[97]. Die in der Toskana übliche Form der Verpachtung von Gütern, aber auch der vom Bischof abhängigen Taufkirchen mit ihrem Besitz ist die des Großlivells oder Ordinationslivells[98], das der römischen Emphyteuse entspricht und wie diese ursprünglich auf Melioration den Nachdruck legte. Die Gefahr einer derartigen livellarischen Großpacht bestand für die Bischofskirche darin, daß das Pachtgut aus ihrem Wirtschaftsverband ausschied, vielfach sogar ganz entfremdet wurde, da es zumeist an die großen Familien des Landes, den Stiftsadel, gelangte. Der Pachtvertrag, der mit Herren-

---

95 In ähnlichem Lichte ist schon die Pallienverleihung Calixts II. an den Bischof von Lucca zu sehen (JL 7091, mit der Datumskorrektur bei ROBERT DAVIDSOHN: *Forschungen zur älteren Geschichte von Florenz* I. Berlin 1896, 178 Nr. 33; vgl. KEHR: *IP* III, 391 f. Nr. 23). Zu Pisa ALFRED FELBINGER: *Die Primatialprivilegien für Italien*. In: ZRG Kan.Abt. 37 (1951) 99 ff.

96 Pisa hatte das Vortragekreuz bereits 1118 von Gelasius II. erhalten, KEHR: *IP* III, 321 Nr. *12; FELBINGER: *Primatialprivilegien*, 103.

97 CINZIO VIOLANTE: *I vescovi dell'Italia centro-settentrionale e lo sviluppo dell'economia monetaria*. In: Atti del II Convegno di storia della chiesa in Italia. Padua 1964, 205 f.

98 ROBERT ENDRES: *Das Kirchengut im Bistum Lucca*. In: VSWG 14 (1918) 240 ff., bes. 267 ff.; FEINE: *Studien zum langobardisch-italischen Eigenkirchenrecht* Teil 3. In: ZRG Kan. Abt. 32 (1943) 91 ff., 106; DERS.: *Kirchenreform und Niederkirchenwesen*. In: Studi Gregoriani 2 (1947) 505 ff.; vgl. auch FEINES Besprechung von L. NANNI: *La parrocchia*. In: ZRG Kan. Abt. 36 (1950) 436 f.; FEINE: *Kirchleihe und kirchliches Benefizium*. In: HJb 72 (1952) 101–111; Nachdruck in DESS.: *Reich und Kirche. Ausgewählte Abhandlungen zur deutschen und kirchlichen Rechtsgeschichte*. Aalen 1966, 171–181.

fall erlosch, vom Nachfolger aber gewöhnlich erneuert wurde, begründete, von einem mäßigen Zins abgesehen, keine wirtschaftliche Abhängigkeit des Groß-pächters. Ausdruck seiner Unabhängigkeit sind das Fehlen der Residenzpflicht, die vielmehr den Kleinpächter charakterisierte, die Gerichtshoheit und die Freiheit, das Gut weiterzuverleihen.

Schon frühzeitig wurden von der Kirche zusammen mit der Staatsgewalt Schritte unternommen, um der Gefahr der dauernden Entfremdung des Pacht-gutes zu begegnen. War der Grundbesitz des Bistums oder Klosters verschleu-dert, wurden kurzerhand alle Großpachten annulliert und für die Zukunft verboten[99]. Der Erfolg war aber jedesmal nur von kurzer Dauer, da das Institut der Großpacht die Grundlage der Wirtschaftsorganisation des Landes bildete und die Interessenverflechtung in der Oberschicht[100] rigorose Eingriffe unmöglich machte.

Vor Anselm-Alexander gab es mehrere Versuche der Revindikation[101]. Seine eigenen Maßnahmen gegen die Verschleuderung des bischöflichen Besitzes stehen damit in einer Reihe mit ähnlichen Maßnahmen einiger seiner Vor-gänger. Mit Nachdruck verurteilte er in der Konstitution zur Neuordnung des Kathedralklerus[102] jene Bischöfe, die ihre Angehörigen begünstigt und aus Habgier oder auf Drängen anderer Leute die Besitztümer der Kirche ausgeteilt hätten, so daß sie weder sich selbst noch ihre Hofhaltung mit dem Notwendig-sten versorgen könnten. In dieser Notlage, so heißt es weiter, habe man durch den Verkauf der Weihen und kirchlichen Ämter, vielfach an Laien und Un-würdige, neue Geldquellen erschlossen. Hiermit schlägt Alexander II. ein Thema an, das erster Ansatzpunkt für die Kritik der frühen Kirchenreformer des 11. Jahrhunderts war. Während seiner Luccheser Zeit also lernte er die gegenseitige Bedingtheit von wirtschaftlichen und geistlichen Mißständen inten-siv kennen. Denn die desolaten Besitzverhältnisse der Kirche sind es, in denen er den Grund für die Simonie sieht. Hier setzt er daher mit seinen Reform-bemühungen an. Er erklärt, daß in Zukunft kein Bischof Kastelle, Zinsgüter,

---

99 FEDOR SCHNEIDER: *Die Reichsverwaltung in Toscana von der Gründung des Langobar-denreiches bis zum Ausgang der Staufer (568–1268)*. Rom 1914, 202; URSULA LEWALD: *Dom-kapitel und Custodie in Arezzo*, 454 ff.

100 Dazu SCHWARZMAIER: *Lucca*, bes. Kap. III, 156 ff., und 298 ff.

101 Jeremias (852–868) mit Vollmacht Kaiser Ludwigs II. (852 Okt. 3; BÖHMER-MÜHL-BACHER: *Regesta Imperii* Nr. 1187); dazu RUDOLF HÜBNER: *Gerichtsurkunden der fränkischen Zeit* 2. ZRG Germ.Abt. 14 (1893) Anh. Nr. 743, 755, und GUERRA-GUIDI: *Compendio*, 111. – Petrus II. (896–931); dazu ENDRES: *Kirchengut im Bistum Lucca*, 244; FEINE: *Kirchenreform und Niederkirchenwesen*, 520; SCHWARZMAIER: *Lucca*, bes. 103, 241 f.

102 JL 4724 (PL 146, 1391 Nr. 107); KEHR: *IP* III, 389 Nr. 6. Dazu FEINE: *Kirchenreform und Niederkirchenwesen*, 523; NANNI: *La parrocchia*, 35 f.

Ländereien und anderweitige Besitzungen, die das Bistum habe oder erwerben werde, für die Dauer ausleihen dürfe. Nur im Falle dringender Not sei eine Verpfändung auf begrenzte Zeit zulässig. Im übrigen dürfe Kirchengut weder als Benefizium noch durch Livell ausgegeben werden, außer an Bauern und Landarbeiter, die damit in Abhängigkeit vom Bischof traten. Daß hiermit eine Einschränkung der Großpacht beabsichtigt war, wird durch die folgenden Bestimmungen deutlich: Die Einkünfte aus den Gütern sollten nämlich ungeschmälert zum Unterhalt des Bischofs und seines Hofes verwendet werden. In der Urkunde folgt eine Aufzählung des dem Bistum verbliebenen Besitzes: Er besteht lediglich aus dem städtischen Bischofshof mit seinem Zubehör in der Suburbana, fünf Taufkirchen[103], einigen Höfen und befestigten Plätzen mit wenigen Zehnten. Zu diesem Komplex gehört auch die »terra, quae dicitur Cerbaiola, quam ex agresti et sterili ad fecunditatem reduci fecimus«. In der Marittima allein darf zur Melioration eine Besitzveränderung vorgenommen werden.

Dieses Dekret Alexanders II. gegen die Entfremdung des Kirchengutes wird illustriert durch eine große Zahl von Pachtverträgen, die er als Bischof von Lucca abgeschlossen hat. Die Livelle beziehen sich zum großen Teil auf das Erschließungsgebiet der Cerbaiola am Serchio, wo sich seit der zweiten Hälfte des Jahres 1068 eine umfangreiche Kultivierungstätigkeit entfaltete[104]. Nichtbäuerliche Pächter erscheinen auf dem in JL 4724 abgegrenzten Kirchenbesitz selten[105]; anderweitiges Pachtgut dagegen wird offenbar in nicht geringerem Maße als in früheren Zeiten Großpächtern bestätigt[106].

Die Bedeutung dieses Verbots der Vergabe von Kirchengut beruht auf der darin angesprochenen Absicht, die wirtschaftliche Lage der Kirche zu klären und damit die Subsistenzmittel der bischöflichen Zentrale zu festigen, um auf diese Weise den bei der Besetzung der geistlichen Stellen bisher ausschlaggebenden wirtschaftlichen Aspekt, der von der Reformbewegung als Simonie gebrandmarkt wurde, zugunsten des geistlichen zurückzudrängen. Die davon ausgehende Entwicklung, die im 12. Jahrhundert zur Umbildung des Niederkirchenwesens führte, hat Alexander in seinem Bistum mit Umsicht gefördert[107].

---

103   Im Diözesankatalog von 1260 sind im gesamten Sprengel 59 Taufkirchen genannt (*Memorie e documenti* IV/1, 37 Nr. 27; EMANUELE REPETTI: *Dizionario geografico fisico storico della Toscana* II, 884 f.).

104   KEHR: *IP* III, 451 f. und 488 ff.; SCHWARZMAIER: *Das Kloster St. Georg in Lucca und der Ausgriff Montecassinos in die Toskana.* In: QFIAB 49 (1969) 160, und DERS.: *Lucca*, 143.

105   Kleriker in Cerbaiola z. B. KEHR: *IP* III, 490 Nr. *13[l]; 491 Nr. *21[d], *22[a]; 492 Nr. *24[e].

106   Z. B. KEHR: *IP* III, 449 Nr. *3, *4; 450 Nr. 5; 488 Nr. *4[a], *9[c].

107   FEINE: *Kirchenreform und Niederkirchenwesen*, 524.

2. Im Dienste des Papsttums

Da die Erhebung Anselms zum Bischof von Lucca noch in die Zeit Heinrichs III. und Viktors II. fällt und außerdem der langjährige Gegensatz zwischen dem Kaiser und Gottfried von Lothringen-Toskana, dem Stadtherrn Luccas, ausgeglichen war[108], mag für Anselm anfangs die Aussicht bestanden haben, ähnlich seinem Vorgänger Johannes II. sich in Ruhe der Verwaltung seines Bistums widmen zu können. Wenn er in relativ friedlicher Zeit sein Amt antrat, so wurde doch mit dem Tod von Kaiser und Papst der Anstoß zu tiefgreifenden Veränderungen der politischen Lage gegeben. Die römische Reformgruppe, die sich gegen die 1046 wohl nachhaltig geschwächte, aber keineswegs völlig entmachtete Führungsschicht des einheimischen Adels bislang auf den Kaiser als Verbündeten der kirchlichen Reorganisation hatte stützen können, mußte sich nunmehr angesichts der schwachen Reichsregierung nach einer anderen Macht umsehen, die ihrer gefährdeten Stellung in Rom Halt gewähren konnte. Als einzige boten sich zu diesem Zeitpunkt Gottfried von Lothringen und seine Gemahlin Beatrix von Tuszien an, die Herren Mittelitaliens. Bezeichnend für die Übernahme der Rolle Heinrichs III. durch Gottfried ist die Tatsache, daß auf die Reihe der deutschen, von Heinrich III. eingesetzten Päpste nun solche folgten, die dem lothringisch-tuszischen Herzogshaus nahestanden[109]; zuerst Gottfrieds Bruder Friedrich[110], dann die Bischöfe von Florenz[111] und Lucca, den beiden wichtigsten Städten des italienischen Herrschaftsbereichs.

Anselm wurde etwa im September 1056 von Heinrich III. in Zusammenwirken mit Wido von Mailand, Papst Viktor II. und Gottfried von Lothringen[112], die vermutlich alle in jener Zeit am deutschen Hof in Goslar und Bodfeld weilten, zum Bischof von Lucca ernannt. Am 5. Oktober desselben Jahres starb der Kaiser in Bodfeld. Man kann vermuten, daß Anselm als Begleiter des

---

108 S. oben 35 f.

109 Vgl. ANTON MICHEL: *Papstwahl und Königsrecht oder das Papstwahlkonkordat von 1059.* München 1936, 84 Anm. 16 d; JOACHIM WOLLASCH: *Die Wahl des Papstes Nikolaus II.* In: Festschrift Gerd Tellenbach. Freiburg 1968, 206; dazu DIETER HÄGERMANN: *Zur Vorgeschichte des Pontifikats Nikolaus' II.* In: ZKG 81 (1970) 352 ff.

110 Zu seiner Erhebung, bei der zweifellos die Rücksicht auf seinen Bruder mitspielte, R. JUNG: *Gottfried der Bärtige,* 31; DUPRÉEL: *Godefroid le barbu,* 77 f.

111 Über Nikolaus II. hat CINZIO VIOLANTE eine Spezialuntersuchung angekündigt (Bollettino storico pisano 40/41 [1971/72] 19).

112 R. JUNG: *Gottfried der Bärtige,* 29; STEINDORFF: *Jahrbücher Heinrichs III.* II, 350 f.; FRANZ HEIDINGSFELDER: *Die Regesten der Bischöfe von Eichstätt.* Erlangen 1938, 74 Nr. 205 ff.

Papstes mit diesem am Begräbnis Heinrichs III. in Speyer am 28. Oktober, weiterhin an der Krönung des jungen Heinrich IV. in Aachen und auch noch am Weihnachtsfest des Hofes in Regensburg teilnahm[113]. Denn es scheint, daß er sich dem Papst auf dessen Rückreise nach Rom angeschlossen hat. Ist diese gemeinsame Rückkehr – Gottfried ging gleichfalls in dieser Zeit nach Italien[114] – für Februar 1057 auch nicht gesichert, so finden wir Anselm doch gerade dann zum ersten Mal in Lucca genannt (24. und 25. März 1057)[115], als auch Viktor sich in Tuszien aufgehalten haben soll[116].

Die Ereignisse der anschließenden Monate bis zum Tod Viktors II. in Arezzo am 28. Juli 1057 und ihre Chronologie sind nicht ganz durchsichtig. Mitte April jedenfalls fand in Rom eine Lateransynode statt[117], die einzige dieses Papstes. Von ihr sind keine Akten erhalten, man weiß lediglich aus Zeugnissen späterer Zeit von zwei Verhandlungspunkten. Der eine war die Wiederherstellung des ursprünglichen Zustandes des Marserbistums, das der Gegenpapst Benedikt IX. geteilt hatte[118]; der andere betraf einen schon Jahrhunderte alten Streit zwischen Arezzo und Siena um eine Gruppe von Kirchen im Grenzgebiet beider Diözesen[119]. Doch war die auf der Synode von Bischof Johannes von Siena vorgebrachte Klage auf Herausgabe der im Sieneser Territorium gelegenen, aber von der Aretiner Kirche verwalteten Kirchen nicht unter die Agenda der Synode aufgenommen worden; die Entscheidung sollte nach vorangegangener Untersuchung durch die Nachbarbischöfe zu einem späteren Termin gefällt werden.

In dem Dekret, mit dem Viktor II. am 23. Juli 1057 in Arezzo schließlich die Entscheidung verkündete, wird auch über sein Itinerar der Zwischenzeit

---

113   Schwarzmaier: *Lucca*, 137 ff.; Jenal: *Anno von Köln*, 162 ff.; zum Itinerar Viktors II. Heidingsfelder: *Regesten*, 74 f.

114   R. Jung: *Gottfried der Bärtige*, 30; Dupréel: *Godefroid le barbu*, 75.

115   S. oben 37 mit Anm. 13.

116   Leo Marsicanus: *Chronica Casinensis* II 91 (MG SS 7, 690); vgl. auch JL I, 552.

117   JL I, 552. Hauptquelle für das folgende ist JL 4370, Kehr: *IP* III, 150 Nr. 21; Ubaldo Pasqui: *Documenti per la storia di Arezzo nel medio evo* I. Florenz 1899, 257 Nr. 181.

118   In JL 4377 (1057 Dez. 9) Stephans IX. wird darauf Bezug genommen mit Angabe des Datums der Synode: 18. April 1057; Kehr: *IP* IV, 241 Nr. 3.

119   Dazu ausführlich Enrico Besta: *Il diritto romano nella contesa tra i vescovi di Siena e d'Arezzo*. In: ASI 5. ser. 37 (1906) 61–92; Vincenzo Lusini: *I confini storici del vescovado di Siena*. In: Bullettino senese di storia patria 5 (1898) 333–357; 7 (1900) 59–82, 418–467; 8 (1901) 195–273; Robert Davidsohn: *Geschichte von Florenz* I. Berlin 1896, 65 f. u. ö., bes. 205 ff. Zu Johann von Siena (1037–1063) Fedor Schneider: *Regestum Senense* I, LXXXVI; Schwartz: *Besetzung*, 222. Zu Arnald von Arezzo (1051–1060) Schwartz: *Besetzung*, 201. Vgl. auch die Karte in *Rationes decimarum Italiae. Tuscia* I und II (Studi e testi, 58, 98). Città del Vaticano 1932, 1942.

berichtet. Wie gesagt, ursprünglich sollte, kanonischem Recht entsprechend, eine Bischofskommission bei der Bevölkerung Befragungen durchführen[120], die als Grundlage des päpstlichen Schlußurteils dienen sollten. Als der Papst aber Ende Mai nach Florenz reiste, führte ihn der Weg durch die umstrittenen Pfarreien. Bei dieser Gelegenheit stellte er selbst in Anwesenheit des Bischofs von Siena die nötigen Untersuchungen an[121], wofür er immerhin acht Tage verwendete. Das Ergebnis lautete gegen die Sieneser Kirche: Bischof Johannes sollte mit Wirkung auch für seine Nachfolger eine erneute Aufnahme des Streites verboten werden. Doch verschob der Papst die Urteilsverkündung, bis er – wie er erklärte – in Arezzo mit den Bischöfen zusammengetroffen sei; er wollte also die eingesetzte Untersuchungskommission nicht völlig ausschalten, sondern zumindest Schlußverhandlung und Urteil mit ihr zusammen, wie geplant, am Sitz des beklagten Bischofs durchführen. Obwohl in der Narratio des Dekrets hier unmittelbar die Präsenzliste dieser Synode anschließt, muß der Termin der Versammlung doch eine ganze Reihe von Wochen von den päpstlichen Untersuchungen abgerückt werden. Denn Friedrich, der einstige Kanzler der römischen Kirche, wird in der Liste bereits Abt von Montecassino genannt. Seine Wahl war am 23. Mai in Montecassino erfolgt. Dem Papst in die Toskana nachgereist, erhielt er in Florenz am 24. Juni die Ordination, nachdem er schon am 14. Juni zum Kardinalpresbyter von S. Grisogono kreiert worden war[122]. Die Aretiner Präsenzliste[123] vom 23. Juli 1057, die von Davidsohn mit Recht auch schon für die Florentiner Umgebung des Papstes in

---

120   Zu derartigen Befragungen, die nicht selten bei Prozessen begegnen, s. unten 228.

121   Auskunft holte man »ab omnibus antiquioribus ipsius parrochie tam presbiteris quam etiam laicis, et a nobilibus comitibus Raginerio videlicet filio Wille, et Raginerio et Bernardo fratribus et filiis Ardingi comitis, Walfredo etam filio Walfredi nepotibusque suis« (PASQUI: Documenti I, 257). Über die im strittigen Gebiet begüterten Berardenga-Grafen zuletzt PAOLO CAMMAROSANO: La famiglia dei Berardenghi. Contributo alla storia della società senese nei secoli XI–XIII (Biblioteca degli »Studi Medievali«, 6). Spoleto 1974, bes. 22, der aber die Urkunde nicht behandelt; deshalb noch REPETTI: Dizionario della Toscana VI, 64 ff.; vgl. auch FEDOR SCHNEIDER: Toscanische Studien, 43, und SCHWARZMAIER: Lucca, 209. Zu den Ardenghesca-Grafen Raginerius und Bernardus REPETTI: Dizionario della Toscana VI, 69 und PASQUI: Documenti I, Nr. 187.

122   MEYER VON KNONAU: Jahrbücher I, 26 ff., nach LEO MARSICANUS: Chronica Casinensis II 91–93 (MG SS 7, 690–692).

123   PASQUI: Documenti I, 258: »Ibique in nostra presentia residentibus domno Umberto episcopo sancte Rufinę et Gerardo florentino episcopo, Ogerio quoque perusin[o e]piscopo, Herrimanno Castri Felicitatis (= Città di Castello) episcopo, Maginardo urbinati episcopo, Atinolfo fesulano episcopo aliisque Tuscie episcopis, nec non Ildibrando provisore monasterii sancti Pauli apostoli, Frederico [ol]im cancellar[io] romane ecclesie, nunc vero abbate sancti Benedicti in Montecasino siti, multisque aliis abbatibus et religiosis clericis.« Die Einordnung

Anspruch genommen wird[124], bezeichnet seinen Status nach der Abtsweihe; vorher hätte er nur electus heißen können. Die Synode, auf der das von Viktor festgestellte Untersuchungsergebnis mit den älteren einschlägigen Papsturkunden vorgetragen und bestätigt wurde, muß demnach auf der Rückreise des Papstes von Florenz nach Rom stattgefunden haben, eben am 23. Juli 1057, dem Tag, an dem das Papstdekret ausgestellt wurde[125].

Was ist daraus für Anselm zu gewinnen? Man möchte annehmen, daß der neuernannte Bischof von Lucca auf der Lateransynode Mitte April 1057 nicht gefehlt hat, wenn seine Teilnahme auch nicht belegt ist. Gegen Ende des Monats urkundet er wieder in seiner Bischofsstadt[126]. Ebenso ist zu vermuten, daß er auch in Florenz anwesend war[127], als Viktor und, in seiner Begleitung, Humbert von Silva Candida und der römische Subdiakon Hildebrand mit Gottfried von Lothringen und zahlreichen Bischöfen Nord- und Mittelitaliens[128] zusammentrafen. Von den Aufgaben und Würden, die Gottfrieds Bruder Friedrich bei dieser Gelegenheit übertragen wurden, war schon die Rede. Nimmt man auch den Florentiner Bischof Gerhard hinzu, der als Gastgeber selbstverständlich beteiligt war, so sehen wir die für die Zukunft des Papsttums entscheidende Gruppe beisammen: die vier Nachfolger Viktors II., Friedrich-Stephan IX., Gerhard-Nikolaus II., Anselm-Alexander II., Hildebrand-Gregor VII., dazu den Kardinalbischof Humbert als kompromißlosesten Verfechter der Reformideen. Von den in Florenz Anwesenden wäre noch zu nennen Otger von Perugia[129], offenbar deutscher Abkunft und mit Leo IX. nach Italien gekommen; auch ihn hielt man für geeignet, Papst zu werden. Denn als Viktor II. kurz nach der hier behandelten Bischofsversammlung starb, bezeichnete Friedrich von Montecassino Otger mit vier anderen Prälaten als Papstkandidaten[130]. Auch Hermann von Città di Castello dürfte als Deutscher zum Kreis um Leo IX. gehört haben[131]; Mainard von Urbino schließlich ist als

---

Hildebrands und Friedrichs entspricht also ihrem geistlichen Ordo als Äbte, ihr Kardinalat wird nicht berücksichtigt; anders in JL 4369 (1057 Juli 7), wo Friedrich als Kardinal gleich nach Humbert unterschreibt; zum Ausstellungsort von JL 4369, wahrscheinlich Arezzo, DAVIDSOHN: *Forschungen* I, 43.

124   DAVIDSOHN: *Forschungen* I, 43; desgleichen zu den Zeugen in JL 4369.
125   Daran ist mit MEYER VON KNONAU: *Jahrbücher* I, 27 ff., gegen DAVIDSOHN: *Forschungen* I, 43 f., und DENS.: *Geschichte von Florenz* I, 205 f., festzuhalten; so auch KEHR: *IP* III, 150 Nr. 20, 21.
126   BARSOCCHINI: *Dei vescovi lucchesi,* 264 mit Anm. 1.
127   VIOLANTE: *La pataria,* 193 f.
128   Zur Präsenzliste s. Anm. 124.
129   SCHWARTZ: *Besetzung,* 288.
130   LEO MARSICANUS: *Chronica Casinensis* II 94 (MG SS 7, 693).
131   SCHWARTZ: *Besetzung,* 279.

Adressat einer Schrift des Petrus Damiani bekannt[132]. Otger, Hermann und Mainard bildeten hier die Randgruppe, sie haben sich beim Kampf um die Reform nicht in vorderster Linie profiliert. Im ganzen ist also der Kern der Reformgruppe vereinigt, zu dem Anselm von Lucca sehr schnell gehören sollte.

Über die Florentiner Verhandlungen ist nichts bekannt. Doch soviel ist sicher, daß hier die Weichen für die Zukunft gestellt wurden. Freilich konnte niemand wissen, daß der Bruder Gottfrieds von Lothringen so bald schon den Papststuhl besteigen werde[133]. Florenz ist ein erstes wichtiges Datum für die Stellung der zur ausschlaggebenden Macht in Reichsitalien gewordenen lothringisch-tuszischen Fürsten. Lucca betreffende Angelegenheiten kamen auch hier nachweislich zur Sprache, doch dürften sie am Rande gestanden haben. Der neue Abt von Montecassino ließ die Übertragung der Luccheser Georgskirche an Montecassino und deren Umwandlung in ein Priorat vom Papst bestätigen[134].

Daß Anselm mit den in Florenz versammelten toskanischen Bischöfen den Papst nach Arezzo begleitet hat, ist vermutet worden[135]. In der Aretiner Liste wird er aber nicht ausdrücklich genannt, doch könnte man ihn als wohl dienstjüngsten Bischof zu den in den Worten »alii Tuscie episcopi« zusammengefaßten Teilnehmern zählen. In dieser Liste werden ohnehin nur die dem beklagten Arezzo benachbarten Bischöfe namentlich aufgeführt, die nach kanonischem Recht in dem anhängigen Streit zu entscheiden hatten[136]. Möglicherweise ist er aber von Florenz sogleich nach Deutschland aufgebrochen als Gesandter der dortigen Versammlung. Am 20. August 1057 ist Anselm jedenfalls auf einem Hoftag in Tribur nachweisbar[137]. Der Zweck dieser Reise ist wegen chronologischer Schwierigkeiten kaum zu erschließen. Hatte die Florentiner Versamm-

---

132 SCHWARTZ: *Besetzung*, 255; PETRUS DAMIANI: op. 9 (PL 145, 207).

133 Die rasche Wahl Stephans IX. läßt auf vorherige Absprachen schließen, DAVIDSOHN: *Geschichte von Florenz* I, 207.

134 SCHWARZMAIER: *Das Kloster St. Georg in Lucca*, 148 f. mit Anm. 9; 146 mit Anm. 5 ist mit HARTMUT HOFFMANN: *Chronik und Urkunde in Montecassino.* In: QFIAB 51 (1971) 132, das Jahr der großen Schenkung in 1060 zu ändern. Irrig ist Barsocchinis Vermutung, Abt Friedrich sei mit Anselm nach Lucca gegangen, um den neuen Cassineser Besitz zu visitieren (*Dei vescovi lucchesi*, 264).

135 VIOLANTE: *La pataria*, 194.

136 Pseudoisidorisch beeinflußte Primatialrechte des Papstes kommen hier also nicht zur Geltung. Durch die Vermeidung einer selbständigen Papstsentenz wird gerade die vorpseudoisidorische kollegialische Gerichtsverfassung und die Abhängigkeit des Papstes davon betont. Pseudoisidorisch dagegen Leo IX. in JL 4304 (PL 143, 728 D): »Scilicet quia omnium Ecclesiarum maiores et difficiliores causae, per sanctam et principalem B. Petri sedem a successoribus eius sunt diffiniendae«; vgl. FUHRMANN: *Einfluß* II, 343 f.

137 MEYER VON KNONAU: *Jahrbücher* I, 44 f.

lung ihn abgeschickt, dürfte er die Vormundschaftsregierung mit den dort besprochenen Absichten und Maßnahmen bekannt gemacht haben. War er dagegen dem Papst bis Arezzo gefolgt, könnte er die Nachricht von dessen Tode nach Deutschland überbracht haben [138]. Da in diesem Falle irgendwelche Florentiner Vereinbarungen durch den Tod des Papstes aber hinfällig waren, wäre nunmehr eine sie betreffende Gesandtschaft entbehrlich geworden; allein um das Ableben des Papstes zu melden, dürfte Anselm die Beschwerlichkeiten der Reise kaum unternommen haben. Die Wahl Stephans IX. vom 2. August hat er jedenfalls nicht in Italien abgewartet; um die Wahlbestätigung suchte erst eine spätere Legation, der Anselm wiederum angehörte, bei der deutschen Regierung nach [139]. So scheint mehr dafür zu sprechen, daß Anselm von Florenz aus nach Norden aufgebrochen ist [140]. Doch wurde er offenbar von der Todesmeldung eingeholt [141], denn zwischen dem 16. und 20. August 1057 traf sie am Königshof ein [142], zu einer Zeit also, als auch Anselm dort ankam.

Auch mit Mailänder Angelegenheiten wurde der Luccheser Bischof in Tribur befaßt, wie aus der gleichzeitigen Anwesenheit Widos von Mailand zu erschließen ist [143]. Wie lange Anselm sich am Hof der Kaiserin Agnes aufgehalten hat, ob die Nachricht vom Tod des Papstes ihn seine Legation abbrechen ließ [144], ob er noch vor oder erst nach Eintreffen der Wahlnachricht des neuen Papstes abgereist ist, läßt sich nicht sagen. Somit muß auch die Art seiner anschließenden Mission, die ihn – vielleicht mit Aufträgen des Reichsregiments – nach Rom zurückführte, im Dunkeln bleiben. Soviel aber läßt sich sagen, daß Anselm an dieser Stelle aus seiner bisherigen, durch Mailänder und Luccheser Interessen bestimmten Umwelt herausgeführt wurde in den Bereich übergeordneter politischer Aktionen.

---

138   Viktor II. war am 28. Juli 1057 in Arezzo gestorben, vgl. HEIDINGSFELDER: *Regesten*, 75 Nr. 217.

139   Dazu s. unten 62.

140   Damit wäre auch erklärt, warum Anselm nicht mehr in den Aretiner Präsenzlisten genannt wird.

141   Über Reisegeschwindigkeiten und Übermittlungstempo von Nachrichten durch Eilboten FRIEDRICH LUDWIG: *Untersuchungen über die Reise- und Marschgeschwindigkeit im XII. und XIII. Jh.* Berlin 1897.

142   DH IV 24 vom 16. Aug. 1057 für die Eichstätter Kirche nennt den Papst noch lebend (»pro amore nostri spiritalis patris Victoris scilicet secundi papę«), vgl. Vorbemerkung dazu bei DIETRICH VON GLADISS: *Die Urkunden Heinrichs IV.* I, 29; bereits am 20. Aug. 1057 wird Gundekar als Nachfolger für Eichstätt designiert, HEIDINGSFELDER: *Regesten*, 76 Nr. 219.

143   MEYER VON KNONAU: *Jahrbücher* I, 45 Anm. 42.

144   Zur Beendigung von Legationen beim Tod des Papstes vorläufig SCHMIDT: *Hildebrand, Kaiserin Agnes und Gandersheim.* In: Niedersächsisches Jahrbuch für Landesgeschichte 46/47 (1974/75) 305 mit Anm. 21.

Aus Deutschland im Herbst zurückgekehrt, hat Anselm Anfang Oktober auf der Durchreise nach Rom nur kurz in Lucca Station gemacht. Am 3. Oktober 1057[145] ist er dort nachweisbar, und am 18. Oktober wird er in Rom bezeugt im Kreise der engeren Mitarbeiter des erst reichlich zwei Monate vorher gewählten Papstes Stephan IX.[146]. Auch wenn man annimmt, daß Anselm in Florenz noch keine ausschlaggebende Rolle gespielt hat, so ist doch aus der Tatsache, daß man ihn mit dem Amt eines Legaten nach Deutschland betraute, für das er aufgrund seiner früheren Beziehungen zum deutschen Hof besonders geeignet scheinen mochte, zu schließen, daß er im engeren Kreis der Reformgruppe doch bereits eine beachtenswerte Stellung erlangt hatte. In Zukunft ist er jedenfalls diesem Kreis zuzurechnen.

Anlaß dieser ersten Romreise Anselms wird weniger die Teilnahme an einer jener kleineren Synoden gewesen sein, die in Rom selbst die bekannten Reformanliegen durchsetzen sollten[147]. Eher dürften den Bischof die in seiner Abwesenheit eingetretenen Ereignisse nach Rom gerufen haben; denn dem neuen Papst war über die Deutschlandreise zu berichten. Die gleichzeitige Anwesenheit des Patariaführers Ariald[148] läßt die Verbindung zurück nach Tribur und zu dem dort genannten Mailänder Erzbischof ziehen. Stephans IX. auf Ausgleich gerichtete Haltung im Mailänder Kirchenstreit wirft auch auf Anselm von Lucca ein bezeichnendes Licht; dieser hat hier fraglos eine beratende Rolle gespielt.

In dem Diplom, das Anselm am 18. Oktober 1057 von Stephan IX. für seinen Kathedralklerus erwirkte, sind außer ihm noch sechs weitere Intervenienten genannt: die suburbikarischen Bischöfe Benedikt von Velletri, Bonifaz von Albano, Humbert von Silva Candida (S. Rufina), Petrus von Labico (Tuskulum), Johannes von Porto und der römische Subdiakon Hildebrand[149]. Damit zeigt sich Anselm von Lucca erneut in Gemeinschaft mit dem Kern der römischen Reformer, von diesen offenbar zur Mitarbeit gewonnen. Bis hierhin hatte sein Weg in den Dienst der römischen Reform durchaus etwas Zufälliges an sich; durch eine Reihe von Ereignissen sah er sich bald nach Übernahme seines Bistums in den Brennpunkt der Ereignisse gestellt, wo er sich wohl als umsichtig und tüchtig erwiesen hatte. In seiner neuen Rolle im Dienste der

---

145   Livell Lucca, Archivio Arcivescovile, *R 4 und A 7.
146   JL 4373 (PL 143, 871), als Intervenient.
147   HEFELE–LECLERCQ: *Histoire des conciles* IV/2, 1128; MEYER VON KNONAU: *Jahrbücher* I, 54.
148   Vgl. ARNULF VON MAILAND: *Gesta archiepiscoporum Mediolanensium* III 12 (MG SS 8, 20); vgl. auch SCHWARZMAIER: *Lucca*, 139.
149   JL 4373 (PL 143, 871).

Reformgruppe scheint er sich jedenfalls rasch zurecht gefunden zu haben –
für einen Angehörigen des Mailänder hohen Adelsklerus immerhin bemerkenswert. Stephan IX. und seine Umgebung hielten den Bischof für vertraut genug
mit den deutschen Verhältnissen, um ihn Hildebrand als Begleiter an den
Königshof mitzugeben[150]. Ferner war er sicher bestens imstande, Hildebrand
in Mailand zu unterstützen, gegen dessen Klerus der Patarener Ariald vor dem
Papst gerade Klage geführt hatte und den nun die beiden Legaten in seine
Heimatstadt zurückbegleiten sollten[151].

Der eigentliche Auftrag der Legation waren aber die Überbringung der offiziellen Wahlmitteilung des neuen Papstes und das Ersuchen um Anerkennung[152]. Nach kurzem Aufenthalt in Mailand reisten Hildebrand und Anselm
deshalb sogleich nach Deutschland weiter. Wahrscheinlich erreichten sie den
Hof der Kaiserin Agnes schon zu Weihnachten in Goslar; bezeugt sind sie dann
für den 27. Dezember 1057 in Pöhlde am Harz[153], wohin der Hof sich in der
Zwischenzeit begeben hatte. Diese Legation hat nach Anselms erstem mehr bei-
läufigem Zusammentreffen mit Hildebrand in Florenz im Juni 1057[154] – wenn
dort Anselms Anwesenheit zu Recht angenommen wird – die so folgenreiche
Bekanntschaft zwischen den beiden Prälaten vermittelt. Es ist zu vermuten,
daß Anselm während ihrer gemeinsamen Reise mit den Vorstellungen der
römischen Reformgruppe und besonders mit der Gedankenwelt Hildebrands
intensiv vertraut wurde[155]. Umgekehrt lernte Hildebrand den Luccheser
Bischof eingehend kennen, so daß er ihn später als seinen Kandidaten für den
Papststuhl präsentieren konnte. Dadurch bekommt diese Reise für beide Teile
eine weitreichende Bedeutung über die sachlichen Aufträge hinaus, die ihnen
vom Papst an die Reichsregierung mitgegeben waren. Die Anerkennung Stephans IX., des seit Sutri 1046 ersten Papstes, der von der Reformgruppe ohne

---

150   Vgl. Otto Schumann: *Die päpstlichen Legaten in Deutschland zur Zeit Heinrichs IV.
und Heinrichs V. (1056–1125).* Marburg 1912, 2 ff.

151   Vgl. Violante: *La pataria*, 206 f.

152   Meyer von Knonau: *Jahrbücher* I, 52; Schumann: *Legaten in Deutschland*, 5 mit
Anm. 12.

153   Anläßlich der Weihe Gundekars von Eichstätt, *Liber pontificalis Eichstetensis* (MG
SS 7, 246); Meyer von Knonau: *Jahrbücher* I, 52; Schumann: *Legaten in Deutschland*, 2 f.
Zu Gundekar vgl. auch Hansjörg Wellmer: *Persönliches Memento im deutschen Mittelalter*
(Monographien zur Geschichte des Mittelalters, 5). Stuttgart 1973. Weitere Fragen der Legation
sind behandelt bei Schmidt: *Hildebrand, Kaiserin Agnes und Gandersheim*, 299 ff.

154   Dazu oben 58.

155   Vgl. die Erzählungen von Hildebrands Reisen mit Hugo von Cluny in Frankreich bei
Paul von Bernried: *Vita Gregorii VII papae* c. 18 ff. (Watterich: *Vitae* I, 481); dazu
Schieffer: *Legaten in Frankreich*, 57 f.

königliche Mitwirkung erhoben worden war, haben die Legaten fraglos erreicht und sind dann im Frühjahr 1058 nach Italien zurückgekehrt[156].

Lucca hatte seinen neuen Bischof bis dahin nur wenig gesehen. Sehr rasch war er mit Aufgaben belastet worden, die ihn von seiner Stadt fernhielten. Erst jetzt konnte er sich ihr widmen. Fast den ganzen Rest des Jahres 1058 scheint Anselm in seinem Bistum zugebracht zu haben. Vom 14. Juni bis 13. November 1058 ist er in Lucca urkundlich bezeugt[157]. Und am 17. Dezember desselben Jahres wird er ebenfalls in Lucca in einem Placitum Gottfrieds von Lothringen genannt[158]. Welchen Anteil Anselm an den der Erhebung Nikolaus' II. vorausgegangenen Beratungen genommen hat, ist nicht festzustellen[159]. Man könnte annehmen, daß er Herzog Gottfried und den Papstelekten um die Jahreswende auf ihrem Zug nach Rom begleitet hat. Bonizo erwähnt als Teilnehmer der Synode von Sutri zu Anfang 1059 pauschal tuszische und lombardische Bischöfe, die an der Seite Nikolaus' II. den Gegenpapst Benedikt X. verurteilt hätten[160]. Wie Herzog Gottfried und sein Gefolge könnte Anselm nach der Inthronisierung des neuen Papstes am 24. Januar 1059[161] Rom wieder verlassen haben. Bis zur Lateransynode im April 1059

---

156 Hildebrand erhielt die Nachricht von der Erhebung Benedikts X. (5. April 1058) in Florenz, vgl. MEYER VON KNONAU: *Jahrbücher* I, 91.

157 14. Juni 1058: Lucca, Archivio Arcivescovile, † C 87; 29. Juni 1058: ebd. * D 49, und weitere Livelle; 13. Nov. 1058: ebd. † 10, PIETRO GUIDI – ORESTE PARENTI: *Regesto del capitolo di Lucca* I (Regesta Chartarum Italiae, 6). Rom 1910, 105 Nr. 272; vgl. auch FEINE: *Kirchenreform und Niederkirchenwesen*, 513; SCHWARZMAIER: *Lucca*, 381 ff., zu Pozzeveri.

158 Gerichtssitzung Gottfrieds, Placitum 17. Dez. 1058 (CESARE MANARESI: *I placiti del »Regnum Italiae«* III, 243 Nr. 406). DAVIDSOHN: *Forschungen* I, 45, meint bezüglich Gottfrieds – was in gleicher Weise für Anselm gelten würde –, daß jener sich von der Wahl Nikolaus' II. in Siena (wahrscheinlich am 6. Dez. 1058, KRAUSE: *Das Papstwahldekret von 1059*, 69) ferngehalten habe, da er am 17. Dez. in Lucca das Placitum hielt. Dadurch wird aber ein Aufenthalt kurz vorher in Siena keineswegs ausgeschlossen. Zu Gottfrieds weiterem Itinerar DUPRÉEL: *Godefroid le barbu*, 83 ff.; zum Gerichtsort HAGEN KELLER: *Der Gerichtsort in oberitalienischen und toskanischen Städten*. In: QFIAB 49 (1969) 60 f. Zum Gegenstand des Placitums s. unten 98.

159 Die Chronologie der Verhandlungen und Wahlakte ist unklar. Gegen den von KRAUSE: *Das Papstwahldekret von 1059*, 65 ff., angenommenen formellen Wahltermin: Siena, 6. Dez. 1058, vgl. HÄGERMANN: *Untersuchungen zum Papstwahldekret von 1059*, 165 ff., und DERS.: *Vorgeschichte des Pontifikats Nikolaus' II.*, 352 ff.

160 BONIZO VON SUTRI: *Liber ad amicum* VI (MG Ldl 1, 593); HEFELE-LECLERCQ: *Histoire des conciles* IV/2, 1136 f.; vgl. auch BENZO VON ALBA: *Ad Heinricum IV imperatorem libri septem* VII 2 (MG SS 11, 671). In Sutri wurde auch der Streit zwischen Siena und Arezzo erneut verhandelt, KEHR: *IP* III, 150 Nr. 23; dazu oben 56 f. und unten 228 ff. Zur Abwesenheit Anselms von Lucca SCHWARZMAIER: *Lucca*, 140 mit Anm. 335.

161 JL I, 558. FRIEDRICH KEMPF: *Die gregorianische Reform (1046–1124)*. In: Handbuch der Kirchengeschichte III/1. Freiburg 1966, 413.

fehlen jegliche Nachrichten über seinen Aufenthalt. Zu dieser großen Kirchenversammlung, die die Leitlinien der Reform formulierte, war Anselm dann wieder in Rom und hat seine Unterschrift unter das Papstwahldekret gesetzt, wenn auch an keineswegs auffallender Stelle [162].

Um die Zeit der Lateransynode von 1059 fällt eine erneute Verwendung des Luccheser Bischofs als eines päpstlichen Legaten. Auch diesmal ist es seine intime Kenntnis der Mailänder Verhältnisse, die ihn zur Begleitung des Petrus Damiani als geeignet erscheinen lassen. Die Datierung dieser Legation ist nicht klar. Von mancher Seite wird sie vor der Lateransynode eingereiht [163], doch gibt es auch gute Gründe, sie erst danach anzusetzen [164]. Dieses chronologische Problem soll hier nicht aufgerollt werden. Was sich in Mailand abspielte, ist im wesentlichen aus dem Bericht des Legationsleiters Petrus Damiani an den römischen Archidiakon Hildebrand bekannt [165]. Anselm hat in allen Phasen eine sekundäre Rolle gespielt; den Vorsitz und die Verhandlungen führte der Kardinalbischof von Ostia. Anselm seinerseits war als gebürtiger Mailänder selbstverständlich mit den dortigen Verhältnissen und auch mit den Beziehungen der Pataria zum römischen Stuhl – wie bereits zu zeigen war – eingehend vertraut und für Damiani sicherlich ein nützlicher Ratgeber. Man hat erkannt, daß dieser wie schon Stephan IX. von Anfang an auf einen Ausgleich der Parteien in der Stadt unter Durchsetzung der Autorität der römischen Kirche bedacht war [166]. Bei einer solchen Politik wäre Anselm, sähe man in ihm den Urheber der Pataria, kaum der geeignete Helfer gewesen. Sein Auftreten hätte vielmehr zur Erregung der Gemüter zusätzlich beigetragen. Auch unter diesem Aspekt erscheint also seine Urheberschaft für jene oberitalienische revolutionäre Bewegung als ausgeschlossen. Unwillen über ihn mag es ohnedies schon genug im Mailänder Klerus gegeben haben, da er, der frühere Angehörige dieser selbstbewußt-unabhängigen Kirche, jetzt an deren Unterwerfung unter

---

162   MG Const. 1, 541, 544.

163   CORNELIUS WILL: *Die Anfänge der Restauration der Kirche im elften Jh.* Teil 2. Marburg 1864, 158 ff.; MEYER VON KNONAU: *Jahrbücher* I, 127 mit Anm. 17.

164   Nach der älteren Lit. ausführlich GIOVANNI BATTISTA BORINO: *L'arcidiaconato di Ildebrando.* In: Studi Gregoriani 3 (1948) 464 ff., 473 ff.; vgl. auch FRIDOLIN DRESSLER: *Petrus Damiani*, 130 mit Anm. 221; GIOVANNI MICCOLI: *Il problema delle ordinazioni simoniache e le sinodi lateranensi del 1060 e 1061.* In: Studi Gregoriani 5 (1956) 57 ff.; GIOVANNI LUCCHESI: *Per una vita di San Pier Damiani* I, 136 ff., 148, der nach eingehender Diskussion für Herbst 1059 oder Winter 1059/60 votiert; vgl. auch COSTANZO SOMIGLI: *San Pier Damiano e la Pataria*, 193–206.

165   PETRUS DAMIANI: op. 5 *Actus Mediolani* (PL 145, 89 ff.).

166   Vgl. DRESSLER: *Petrus Damiani*, 130.

die römische mitwirkte. Ein Nachklang dieser Aversion wurde bereits in Landulfs Geschichtswerk festgestellt[167].

Gegen Ende des Jahres 1059 wurde der Bischof von Lucca erneut mit einer selbständigen Legation betraut[168]. Ab November dieses Jahres hielt sich Nikolaus II., begleitet von seinen maßgeblichen Mitarbeitern Hildebrand, Petrus Damiani und wahrscheinlich auch Humbert von Silva Candida, für rund ein Vierteljahr in Florenz auf[169]. Anselm wird den Papst im Nachbarbistum aufgesucht haben[170] und bei dieser Gelegenheit mit einem Auftrag an den deutschen Hof versehen worden sein, konnte er doch nach wiederholter Funktion als zweiter Mann einer päpstlichen Delegation nunmehr als zureichend vertraut mit den politischen Absichten der Reformgruppe gelten. Hinzu kommt, daß er wohl wie kein anderer dieser Gruppe durch mehrere Aufenthalte den deutschen Hof kannte. Später konnte er bei einer Gelegenheit, bei der diese Beziehungen herausgestrichen werden sollten, geradezu als »regi tamquam domesticus et familiaris« bezeichnet werden[171]. Am 6. Januar 1060, so berichtet ein Augenzeuge, war Anselm von Lucca in der am Inn gelegenen Pfalz Altötting zugegen, als der junge Heinrich IV. dort das Epiphaniasfest feierte und Abt Siegfried von Fulda mit dem kurze Zeit zuvor erledigten Mainzer Erzbistum investierte[172]. Rechtzeitig zur Frühjahrssynode im April 1060 kehrte Anselm nach Rom zurück, um Bericht zu erstatten. Auf dieser Lateransynode war auch der italienische Kanzler Heinrichs IV., Wibert, der spätere Erzbischof von Ravenna und Gegenpapst Gregors VII. und Urbans II., erschienen[173].

Der genaue Auftrag dieser Legation Anselms ist ebenfalls völlig ungewiß. Vermutlich hatte sie angesichts der wachsenden Spannungen zwischen dem deutschen Hof und dem Papsttum wegen dessen Hinwendung zu den normannischen Reichsfeinden in Süditalien[174] eine Entlastungsabsicht. In denselben

---

167 S. oben 10.

168 Von der Datierung der eben genannten Mailänder Legation (s. Anm. 164) ist abhängig, ob für Anselm die beiden Aufträge – in Mailand zusammen mit Damiani, in Deutschland selbständig – miteinander zu verbinden sind, vgl. LUCCHESI: *Per una vita* I, 145 ff.

169 JL I, 561 f.; LUCCHESI: *Per una vita* I, 145.

170 Am 30. Okt. 1059 ist Anselm noch in Lucca nachweisbar, Livell Lucca, Archivio Arcivescovile, *Q 3.

171 S. oben 31 ff.

172 MARIANUS SCOTTUS: *Chronicon* a. 1082 (recte 1060) (MG SS 5, 558); dazu MEYER VON KNONAU: *Jahrbücher* I, 172 f.; SCHUMANN: *Legaten in Deutschland*, 8 f.

173 Die Unterschriften in JL 4432 (15. April 1060, Rom). Anselm ferner als anwesend genannt in einem Synodalurteil, ZACCARIA: *Dell'antichissima badia di Leno.* Venedig 1767, 109 Nr. 18; JL I, 562.

174 Zur päpstlichen Synode in Melfi, August 1059, die die Anerkennung der normannischen Herrschaft in Unteritalien brachte, s. unten 80.

zeitlichen und thematischen Umkreis ist die Gesandtschaft des Kardinalpriesters Stephan zu setzen, die mit einer öffentlichen Brüskierung des Legaten endete[175]. Jedoch ist hier die Chronologie nicht recht klar, so daß die Zusammenhänge undeutlich bleiben. Ein nachhaltiger Erfolg war Anselms Erklärungsversuch der Normannenpolitik – nehmen wir dies einmal als seinen Auftrag an – nicht beschieden, außer daß der Dialog zunächst nicht abriß, wie Wiberts Anwesenheit in Rom zeigt. Möglicherweise sind die beiden Männer miteinander zur Fastensynode nach Rom gereist. Doch noch im Sommer desselben Jahres folgte der Bruch zwischen Papst und Reichsregiment[176].

Wann immer man auch die Legation des Kardinals Stephan ansetzt, vor oder nach Anselms Reise, letztere erscheint in beiden Kombinationen als vermittelnder Versuch des Papstes. Dazu war der Bischof von Lucca als Reichsbischof, soweit sich aus dem bisherigen erkennen läßt, der geeignete Mann. Bezeichnend ist, daß zur Vertretung einer härteren Linie gegenüber dem Königshof nicht Anselm, sondern der Hildebrand nahestehende Stephan herangezogen wurde[177].

In der Folgezeit hat sich Anselm wieder in seinem Bistum aufgehalten[178]. Die Vermutung liegt nahe, daß er sich aus Enttäuschung über das Scheitern seiner Ausgleichsabsichten zurückgezogen hat. Auch Petrus Damiani, Anselm-Alexander in seiner kirchenpolitischen Haltung nahe verwandt, hielt sich zur gleichen Zeit verstimmt von den römischen Geschäften fern[179]. Der Luccheser Bischof hatte sich als Promotor der auf enge Beziehungen zum deutschen Königshof gerichteten Politik in den zurückliegenden Jahren profiliert. Nach dem politischen Richtungswechsel war sein Rat nicht mehr gefragt. Er bezog gleichsam eine Warteposition, um in späterer Zeit, wenn bei veränderter Situation seine politische Linie wieder aufgenommen werden sollte, seine Beziehungen und Erfahrungen der Reformgruppe erneut zur Verfügung zu stellen. Sein Verschwinden wie seine spätere Rückkehr nach Rom können also als Barometer römisch-deutscher Politik gewertet werden.

Das Itinerar Anselms und die sich daran anschließenden Überlegungen lassen erkennen, daß der Bischof im Laufe seines Luccheser Episkopats in eine

---

175   MEYER VON KNONAU: *Jahrbücher* I, 179 f.; SCHUMANN: *Legaten in Deutschland*, 5 f.

176   Der Grund der Damnatio Nicolai ist nicht erkennbar, vgl. KRAUSE: *Das Papstwahldekret von 1059*, 126 ff., bes. 135 ff.; JENAL: *Anno von Köln*, 166 ff.

177   Zu Stephan s. unten 109 f.

178   Luccheser Urkunden vom 13. Juli, 16. Juli, August 1060: Archivio Arcivescovile, A 31, A 23, AE 30, *Q 36; BARSOCCHINI: *Dei vescovi lucchesi*, 275 f., 278.

179   DRESSLER: *Petrus Damiani*, 149 f. Zur kirchenpolitischen Vorstellungswelt Damianis vgl. HEINZ LÖWE: *Petrus Damiani. Ein italienischer Reformer am Vorabend des Investiturstreites*. In: Geschichte in Wissenschaft und Unterricht 6 (1955) 65–79.

beachtliche Rolle hineingewachsen war. Schon der Anfang ist bezeichnend genug. Die Großen seiner Zeit waren versammelt, als er sein Bistum erhielt: Kaiser, Papst, Gottfried von Lothringen-Toskana, dem ein besonderes Interesse an dieser Besetzung zuzuschreiben war, und Wido von Mailand. Dies ist damit der ihn prägende erste Eindruck: Übereinstimmung und Zusammenwirken der bestimmenden Mächte. Offenbar entsprach Anselm den Forderungen dieser Zeit. Die führenden Männer der römischen Reform lernte Anselm etwas später kennen: Humbert von Silva Candida, Hildebrand, Petrus Damiani. Seine Ausbildungsschritte im Dienste des Papsttums lassen sich gut verfolgen: Er wurde in die päpstliche Politik und das Gesandtschaftswesen unter der Leitung Hildebrands und Petrus Damianis eingeführt, bis ihn der Papst schließlich mit der selbständigen Führung einer Legation betraute.

Vergleicht man Anselm von Lucca mit anderen Bischöfen der Zeit, etwa Gerhard von Florenz, aus dessen 14jährigem Episkopat bis zu seiner Papstwahl nur gelegentliche Besuche päpstlicher Synoden bekannt sind[180], so wird offenkundig, daß Anselm den Durchschnitt der Reichsbischöfe überragte[181]. Seine ungewöhnliche Reisetätigkeit, die ihn seine im Laufe der Zeit geknüpften Verbindungen im Dienst des Papsttums einsetzen und ausnutzen ließ, heben ihn aus der Menge seiner Mitbischöfe heraus. Dabei spielte freilich seine Stellung als Bischof von Lucca keine geringe Rolle. Als Reichsbischof in dem zur römischen Kirchenprovinz gehörenden Herrschaftsmittelpunkt des mächtigsten Fürsten Italiens residierend, war ihm die Eintracht der Mächte – Papsttum, Königtum, toskanisches Fürstentum – gleichsam lebensnotwendig. Dieser konservative Zug, die auf Bewahrung und Anerkennung der überkommenen Herrschaftsverhältnisse gerichtete Haltung wird sich bei ihm als Papst wiederfinden. Anselm-Alexander hatte eine vorgregorianische Anschauung von der rechten Ordnung in der Welt. Auf anderer Ebene bewies er jedoch seine Bereitschaft und Fähigkeit, neue Wege zu beschreiten. Es ist als sein persönlicher Entschluß zu würdigen, daß er sich schrittweise von seiner durch spezifische Bindungen geprägten Mailänder Umwelt löste und der römischen Reformgruppe anschloß, anfangs als Randfigur, doch rasch in den inneren Kreis vorstoßend. In diesem Lichte erscheint Hildebrands Entscheidung, Anselm von Lucca nach dem Tod Nikolaus' II. zum Papst wählen zu lassen, als verständlich und klug. Anselm bot sich – so will es scheinen – zu diesem Amt in jener Zeit wie kein anderer an. Die Umstände, die zu seiner Wahl führten, sind aber nur von Rom aus zu verstehen, und zwar aus der Situation der römischen Reformbewegung innerhalb der übrigen Machtgruppen.

---

180   Vgl. VIOLANTE: *Il vescovo Gerardo*, 17 ff.
181   Aus Luccheser Sicht kommt SCHWARZMAIER: *Lucca*, 140, zu einem gegenteiligen Urteil.

C. ROM

I. DIE PAPSTWAHL VON 1061 UND IHRE VORAUSSETZUNGEN

1. Römischer Adel und Reformpapsttum bis zu Alexander II.

Die Ereignisse im Zusammenhang mit der Wahl Anselms von Lucca zum Papst Alexander II. und dessen schließliche Anerkennung auf der Synode von Mantua sind häufig und teilweise mit großer Akribie untersucht worden[1]. Zur Feststellung der Fakten wird deshalb kaum Neues beizutragen sein. Doch leidet die Einordnung des gesamten Vorganges häufig daran, daß die Wahl von 1061 und der folgende Pontifikat lediglich als Vorspiel zum Pontifikat Gregors VII. gesehen werden, als Vorbereitung zu der großen Auseinandersetzung zwischen geistlicher und weltlicher Macht. Augustin Fliche erkennt mit dem Blick des Dramaturgen ein retardierendes Moment, das nach dem ersten Bruch zwischen den beiden Mächten gegen Ende der Regierung Nikolaus' II. diese Auseinandersetzung und damit die Realisierung der Reform um fünfzehn Jahre hinausgeschoben habe[2]. Johannes Haller dagegen will den »Entscheidungskampf« der gegnerischen Kräfte schon an diesem Punkt beginnen lassen[3]. Auch Walther Holtzmann ist von dieser verzerrenden Optik nicht frei, wenn er meint, daß die Wendung der päpstlichen Politik nach Süditalien »der Kurie den Rücken decken (sollte) für den bevorstehenden Kampf mit dem westlichen Imperium«[4]. In allen diesen Äußerungen zeigt sich die Erscheinung, daß »der spätgeborene Betrachter magisch gebannt vom schließlich erreichten ... Ziel« die vorausgehenden Ereignisse ganz auf dieses Ziel hin inter-

---

1 Vgl. vor allem Franz Herberhold: *Die Beziehungen des Cadalus von Parma (Gegenpapst Honorius II.) zu Deutschland.* In: HJb 54 (1934) 84–104; ders.: *Die Angriffe des Cadalus von Parma (Gegenpapst Honorius II.) auf Rom in den Jahren 1062 und 1063.* In: Studi Gregoriani 2 (1947) 477–503.

2 Augustin Fliche: *La réforme grégorienne I: La formation des idées grégoriennes* (Spicilegium Lovaniense. Études et documents, 6). Löwen 1924, 340.

3 Johannes Haller: *Das Papsttum. Idee und Wirklichkeit* II². Stuttgart 1939, 337.

4 Walther Holtzmann: *Studien zur Orientpolitik des Reformpapsttums und des ersten Kreuzzuges.* In: HVjS 22 (1924/25) 170.

pretiert[5]. Gipfel dieser Methode und Umbruch in die Absurdität kennzeichnet Wilhelm Martens' Erwägung, Hildebrand könnte bei der Namenswahl des Papstes »an Alexander I. den Märtyrer (gedacht haben), in der Voraussicht, daß dem neuen Papst ein schwerer Kampf, so zu sagen ein unblutiges Martyrium bevorstehe«[6]. Man scheint weithin zu meinen, daß die Auseinandersetzung der späten siebziger und achtziger Jahre schon mehr als ein halbes Menschenalter vorher von den Zeitgenossen als unausweichlich erwartet worden ist. Anders läßt sich nicht erklären, daß man immer wieder von vorausschauender Sammlung der Kräfte hier und dort, von einer Vorbereitung der Ausgangspositionen und ähnlichem hört.

Dabei soll nicht bestritten werden, daß – um in der kriegerischen Ausdrucksweise zu bleiben – die später von Gregor VII. und seinen Nachfolgern eingesetzten Waffen zum Teil um die Jahrhundertmitte geschmiedet waren: Ohne Leo IX. und die mit ihm nach Italien gezogene Klerikergruppe, ohne die Gedankenarbeit Humberts von Silva Candida oder Hildebrands langjährige Tätigkeit an der Seite mehrerer Päpste, ohne die gesamte Reformgruppe, die ihr neues ekklesiologisches Konzept in der Welt durchzusetzen versuchte[7], sind die späteren Auseinandersetzungen nicht denkbar. Doch nicht auf einen zukünftigen, als unausweichlich empfundenen Konflikt zielten die Vorbereitungen, sondern man wollte ganz konkrete gegenwärtige Unzulänglichkeiten im kirchlichen Leben überwinden, ausgehend von einer neuen Spiritualität bei Laien und Klerikern, die sich mit einer weithin ungeistlichen, ins Profane abgeglittenen Lebenspraxis mancher kirchlichen Würdenträger nicht mehr abfinden konnten. Die Betonung der spirituellen Seite der Kirche, ihres geistlichen Auftrages, mußte zur Forderung nach Beseitigung laikaler Herrschaftsrechte und Einwirkungsmöglichkeiten in der Kirche führen. Die Vorstellung der einen Christianitas, die lediglich verschiedene Funktionen in derselben Gemeinschaft kannte, wurde aufgegeben und ersetzt durch einen Dualismus von Klerikern und Laien. Zwischenstellungen, wie der König als christus Domini sie hatte einnehmen können, sind dann undenkbar. Jeder Eingriff von laikaler Seite in die dem weltlichen Bereich entgegengestellte Kirche wurde abgelehnt und mußte ausgeschaltet werden.

Da die Reform kirchlichen Lebens seit der Jahrhundertmitte ihren stärksten Rückhalt in der römischen Kirche, im Papsttum, fand, konnten Reformbestre-

---

5 Hermann Heimpel: *Hermann von Salza*. In: Der Mensch in seiner Gegenwart[2]. Göttingen 1957, 102.

6 Martens: *Besetzung des päpstlichen Stuhls*, 305; s. auch unten 95 ff.

7 Vgl. Yves Marie-Joseph Congar: *Der Platz des Papsttums in der Kirchenfrömmigkeit der Reformer des 11. Jhs.* In: Sentire Ecclesiam. Freiburg i. Br. 1961, 196–217.

bung und Hinwendung zu Rom identisch werden. Andererseits bedeutete ein Vorantreiben der Kirchenreform eine Ausweitung des päpstlichen Einflusses. Indem mit der Ausbildung einer Hierarchie die Möglichkeit des korrigierenden Eingriffs in kirchliche Angelegenheiten auf der unteren Ebene geschaffen wurde, erhielt die Spitze der Hierarchie größere Aufgaben, größere Machtbefugnis und größere Verantwortung. Die umfassende Verantwortung der Päpste für die gesamte Kirche wurde auch von ihnen zunehmend betont.

Mißstände waren also der auslösende Faktor. Die alten Gewalten, vor allem Laien, die in der Kirche Einfluß hatten und vielfach sich kirchlicher Institutionen zur Ausübung ihrer Macht bedienten, sahen sich durch das neue Kirchenverständnis unmittelbar angegriffen. Hier lag für die Anhänger der Kirchenreform das Feld der Auseinandersetzung. Das Ringen um die rechte Gestalt der Kirche[8] mußte sich demnach einmal nach innen wenden, es mußte das kirchliche Leben und seine Äußerungen betreffen, dann aber auch nach außen gegen die hinausgedrängten weltlichen Mächte.

Seitdem Heinrich III. 1046 mit der Einsetzung des deutschen Bischofs Suidger von Bamberg als Papst Clemens II. den Anfang gemacht hatte, die römische Kirche aus dem Kampf lokaler Adelsinteressen herauszulösen, waren Reaktionen des Adels gegen die Verdrängung aus der Vorherrschaft in der Stadt Rom an der Tagesordnung. Regelmäßige Krisenpunkte stellten die Vakanzen des Papststuhls dar, weil dann der römische Adel die Chance sah, durch raschen Zugriff und Einsetzung eines eigenen Kandidaten alte Positionen zurückzuerobern[9]. War der Adel vorher in zwei einander in der Führung ablösende Lager gespalten, so fanden sich diese beiden, von den Creszentiern und den Tuskulanergrafen repräsentierten Parteien in dem gemeinsamen Widerstand gegen ihre seit 1046 wirksame Entmachtung zusammen[10]. Die tödliche Gefahr für die Gruppe und ihre nationalrömischen Traditionen hat also interne Rivalitäten vergessen lassen. Mit dem seit Leo IX. ins Universale gerichteten Zug des Papsttums konnten die römischen Kreise nichts anfangen. Reform, wie sie bis Gregor VII. verstanden wurde[11], oder Nichtreform, distanzierte Zusammenarbeit mit dem Kaiser oder Widerstand gegen ihn waren dabei keine

---

8 GERD TELLENBACH: *Libertas. Kirche und Weltordnung im Zeitalter des Investiturstreites* (Forschungen zur Kirchen- und Geistesgeschichte, 7). Stuttgart 1936, bes. Kap. IV–V.

9 Vgl. HARTMUT HOFFMANN: *Petrus Diaconus, die Herren von Tuskulum und der Sturz Oderisius' II. von Montecassino.* In: DA 27 (1971) 2 ff.

10 Vgl. FEDOR SCHNEIDER: *Rom und Romgedanke im Mittelalter. Die geistigen Grundlagen der Renaissance.* München 1926, 206.

11 HALLER: *Papsttum* II², 288 f.

grundsätzlichen Fragen, wie sich aus dem Verhalten der Adelspäpste vor 1046 und aus dem Taktieren des Adels danach erkennen läßt.

Der Schlag von 1046 hatte die bis dahin tonangebende Familie der Tuskulanergrafen, Papst Benedikt IX. und seine Brüder Gregor, Petrus und Oktavian, offenbar so unvorbereitet getroffen, daß von einem Widerstand gegen die Maßnahmen des Kaisers nicht die Rede ist. Über welchen geringen Anhang sie nur mehr in der Stadt verfügten, hatte sich bereits 1044/45 bei der ersten Vertreibung Benedikts IX. gezeigt[12], die allerdings durch die Angehörigen des Papstes und die mit ihnen verbündeten Herren der Campagna noch einmal rückgängig gemacht werden konnte[13]. Der Widerstand der Adelskreise gegen Heinrich III. und die von ihm eingesetzten Päpste scheint durch den Zug des Kaisers im Jahr 1047 durch das römische Gebiet und gegen rebellierende Burgherren und ihre Sitze unterdrückt worden zu sein[14]. Nach dem Tod Papst Clemens' II. gelang es allerdings den Tuskulanern im Bündnis mit dem kaiserfeindlichen tuszischen Markgrafen, Benedikt IX. nach Rom zurückzuführen – ein kurzes Zwischenspiel, das offenbar allein durch Heinrichs III. Androhung einer Intervention gegen Bonifaz von Tuszien beendet wurde[15].

Es zeigt sich damit, daß die Campagnagrafen ohne fremde Hilfe schon nicht mehr die Herrschaft in Rom behaupten konnten. Zwar blieben sie auch weiterhin aktiv und gaben Leo IX. zu Besorgnis Anlaß[16], doch machte mit ihrem Rückzug aus ihren stadtrömischen Stützpunkten ihr Niedergang rasche Fortschritte. Nach Leos Tod († 1054) trat ihr Papst Benedikt nicht mehr hervor trotz der immerhin einjährigen Vakanz des Papststuhles. Die nur fünftägige Vakanz zwischen Viktor II.[17] und Stephan IX. war wohl zu kurz, als daß sich

---

12 STEINDORFF: *Jahrbücher Heinrichs III.* I, 257 f.; HERRMANN: *Tuskulanerpapsttum*, 151 ff.

13 GAETANO BOSSI: *I Crescenzi di Sabina, Stefaniani e Ottaviani.* In: ASRom 41 (1918) 159 ff.; HERRMANN: *Tuskulanerpapsttum*, 159 ff.

14 HERMANN VON REICHENAU: *Chronicon* a. 1047 (MG SS 5, 126): »Imperator vero Romae egressus, nonnulla castella sibi rebellantia cepit.« Vgl. auch DH III 178 (1. Jan. 1047), ausgestellt in Colonna bei Tuskulum; dazu STEINDORFF: *Jahrbücher Heinrichs III.* I, 317, 322; II, 25. Die Version Harald Zimmermanns (*Papstabsetzungen des Mittelalters.* Graz 1968, 133 mit Anm. 43), daß Clemens II. als Usurpator vertrieben sei (»auch das Ende seines Pontifikats ist ein Kapitel mittelalterlicher Papstdeposition«), ist ohne Quellengrundlage.

15 STEINDORFF: *Jahrbücher Heinrichs III.* II, 37; BOSSI: *I Crescenzi*, 162; HANS HUBERT ANTON: *Bonifaz von Canossa, Markgraf von Tuszien, und die Italienpolitik der frühen Salier.* In: HZ 214 (1972) 552; HERRMANN: *Tuskulanerpapsttum*, 162.

16 STEINDORFF: *Jahrbücher Heinrichs III.* II, 271 mit Anm. 3.

17 Die Bemerkung der Vita Lietberti (*Acta Sanctorum, mens. Iunii* V, 510) über Unruhen, die zu Viktors II. Abreise aus Rom geführt hätten, hat STEINDORFF: *Jahrbücher Heinrichs III.* II, 350, mit Recht als unglaubwürdig zurückgewiesen. Vgl. auch WILLI KÖLMEL: *Rom und der*

der Adel zu einem gemeinsamen Vorgehen mit dem Ziel, einen eigenen Papst aufzustellen, verständigen konnte[18]. Inzwischen war aber an die Stelle des Kaisers, auf dessen überragendes Ansehen und wirksamen Einfluß sich die deutschen Päpste hatten stützen können, die schwache Vormundschaftsregierung getreten, die dem tuszischen Markgrafen in Mittelitalien alle Entfaltungsmöglichkeiten ließ. Gottfried, wie seine Gemahlin Beatrix der Kirchenreform zuneigend, wurde zum bestimmenden Faktor in Italien, an den sich sogleich auch die römische Reformgruppe anlehnte[19].

Während Stephans IX. Pontifikat waren die Tuskulanergrafen offenbar nicht untätig gewesen. Damit man ihnen nicht wieder wie im Sommer 1057 durch eine rasche Neuwahl nach dem Tod des Papstes zuvorkommen konnte, hatten sie ein Bündnis der Campagnagrafen zusammengebracht und vermutlich auch schon einen für ihre Zwecke brauchbaren Kandidaten vorgesehen. Bereits sieben Tage nach Stephans Tod in Florenz am 29. März 1058 ist in Rom Johannes von Velletri als Benedikt X. erhoben worden[20]. Werden für die Übermittlungsgeschwindigkeit der Todesnachricht vier bis fünf Tage veranschlagt[21], bleiben zwei bis drei Tage für die Vorbereitungen zur Erhebung Benedikts, ein Zeitraum, der eine Spontaneität der Maßnahmen ausschließt. Noch dazu wurde das Unternehmen diesmal nicht allein von den Tuskulanern, sondern auch von den Grafen von Galeria und den Creszentiern mitgetragen, ein Bündnis, das fraglos auf vorausgehenden Vereinbarungen beruhte. In der Chronik von Montecassino spiegelt sich noch die Hast wider, mit der man jetzt vollendete Tatsachen schaffen wollte, wenn es heißt, daß Benedikt X. »nocturno tempore« inthronisiert worden sei[22]. Hier mag man auch den Annales Romani glauben, daß Johannes von Velletri zuerst abgelehnt habe, dann sich aber

---

Kirchenstaat im 10. und 11. Jh. (Abhandlungen zur mittleren und neueren Geschichte, 78). Berlin 1935, 117, der für eine Harmonisierung der Quellen plädiert.

18   In den Jahren 1055 und 1056 treten die Tuskulaner noch als Schenker für römische Klöster auf, HOFFMANN: *Petrus Diaconus*, 4.

19   S. oben 59.

20   JL I, 556; ZIMMERMANN: *Papstabsetzungen*, 140 Anm. 5. Gegen KRAUSE: *Das Papstwahldekret von 1059*, 81 und 141, der die Erhebung Benedikts X. als in Übereinstimmung mit der römischen Wahltradition geschehen ansieht, verwirft DIETER HÄGERMANN: *Untersuchungen zum Papstwahldekret von 1059*. In: ZRG Kan.Abt. 56 (1970) 171, diese Erhebung als unkanonisch, weil tumultuarisch und mit Bestechung des Volkes erfolgt. Diese Begleitumstände können aber im stadtrömischen Verständnis nicht als außergewöhnlich angesehen werden. Vgl. auch W. STÜRNER. In: ZRG Kan.Abt. 59 (1973) 417 ff.

21   LUDWIG: *Untersuchungen über die Reise- und Marschgeschwindigkeit*, 190.

22   LEO MARSICANUS: *Chronica Casinensis* II 99 (MG SS 7, 695); *Annales Altahenses* a. 1058 (MG SS rer. Germ. in us. schol. 4², 54); dazu MARTENS: *Besetzung des päpstlichen Stuhls*, 66 ff.

widerwillig (invitus) zum Papst erheben ließ, war er doch sicher unter jenen Bischöfen gewesen, die zusammen mit dem römischen Klerus und Volk von Stephan IX. verpflichtet waren, eine Neubesetzung des Papststuhls nicht ohne Hildebrand vorzunehmen[23]. Die Situation war für den Adel überaus günstig, da die Häupter der Reformgruppe bis auf Petrus Damiani Stephan IX. in die Toskana begleitet und Rom ohne Führung zurückgelassen hatten[24]. Die römischen Anhänger des Reformpapsttums aber dürften durch das rasche Zugreifen der Adelskreise ausgeschaltet worden sein.

Die Einzelheiten des Umschwungs vom April 1058 zugunsten des römischen Adels und dessen unmittelbare Folgen lassen sich schwer ausmachen. Die Basis der Adelsherrschaft lag jedenfalls außerhalb der Stadt im Gebiet der Grafen von Tuskulum, die auch jetzt wieder als die führenden Persönlichkeiten erscheinen und vermutlich auf den in ihrem Bereich residierenden Bischof Johannes von Velletri als Papstkandidaten hingewiesen hatten[25]. Ferner waren die Creszentier mit ihren beiden Zweigen beteiligt: den Stefaniani mit ihrem Besitztum Palestrina, die traditionell die Tuskulanergrafen unterstützten und in deren Kastell Passerano Benedikt X. Anfang 1059 auf der Flucht vor Nikolaus II. vorübergehend Aufnahme fand, wie auch den Octaviani der Sabina[26]. Im Norden schloß sich Graf Girardus Raineri von Galeria an, so daß die Koalition der Grafen einen fast lückenlosen Ring um die Stadt zog. Die Situation in Rom selbst läßt sich dagegen nur punktuell beleuchten. Trastevere scheint, älteren Traditionen folgend, eigene Wege gegangen zu sein. Während es 1045 vor allem die Trasteveriner gewesen waren, die die Tuskulaner bei der Rückkehr Benedikts IX. gegen die übrige Stadt unterstützt hatten[27], hielten sie nun die Verbindung zu Hildebrand in Opposition zu den Grafen aufrecht[28]. Doch der ehemals regierende Adel hatte einige Stützpunkte dauerhaft ange-

---

23 Petrus Damiani: ep. III 4 (PL 144, 291), nennt ihn unter vielfältigen Anklagen aber nicht ausdrücklich als Meineidigen oder Intrusen. Seine Erhebung wurde nicht als völlig unrechtmäßig angesehen, vgl. Ferdinand Gregorovius: *Geschichte der Stadt Rom* IV⁵. Stuttgart 1906, 108 Anm. 1. Gregor VII. stand später vor einem ähnlichen Problem, vgl. Werner Goez: *Zur Erhebung und ersten Absetzung Papst Gregors VII.* In: RQ 63 (1968) 117 ff., 144.

24 Meyer von Knonau: *Jahrbücher* I, 89.

25 Über die Beziehungen der Tuskulaner zu Velletri Hoffmann: *Petrus Diaconus*, 8 f.

26 Bossi: *I Crescenzi*, 132, 134; Hermann Müller: *Topographische und genealogische Untersuchungen zur Geschichte des Herzogtums Spoleto und der Sabina von 800–1100*. Diss. Greifswald 1930, 26; Schwarzmaier: *Zur Familie Viktors IV. in der Sabina.* In: QFIAB 48 (1968) 71. Im August 1058 wird in der Sabina nach Benedikt X. datiert (*Registrum Farfense* Nr. 876).

27 S. oben 71.

28 *Annales Romani* (MG SS 5, 471 f.).

legt. Ihr Kristallisationskern war offenbar das Kloster SS. Cosma e Damiano
in Mica aurea (S. Cosimato) unter Abt Rainer, der sein Amt noch vor 1046
erhalten hatte[29]. Beispielsweise schenkten die vier Tuskulaner Benedikt IX.,
Gregor, Petrus und Oktavian dem Kloster am 18. September 1055 ein Stück
Land[30]. Die Reformgruppe konnte auch in den folgenden Jahren diesen Stütz-
punkt nicht beseitigen. Abt Rainer sehen wir nämlich am 2. Oktober 1058 in
einer nach Benedikt X. datierten Urkunde als schismatischen Bischof von Palestrina, der sein stadtrömisches Kloster als »rector atque dispensator« weiterhin verwaltete[31]. Es ist anzunehmen, daß er dieses Bistum als Belohnung für
seine Parteinahme bekommen hat, wofür auch spricht, daß er nach dem Sieg
Nikolaus' II. wieder auf das Kloster in Trastevere beschränkt wurde – am
20. Februar 1059 heißt er wieder Abt[32] –, während in Palestrina im Januar
1060 ein Anhänger der Reformgruppe, Bruno, von fraglos nichtrömischer Herkunft, im Zuge der Besetzung der Schlüsselstellungen erscheint[33]. SS. Cosma e
Damiano wurde erst nach dem Tod Rainers, der wohl noch mit Nikolaus II.
seinen Frieden gemacht hatte[34], für die Reformpartei gesichert unter dem Abt
Odimund, der Kirche und Kloster nach Bauarbeiten von Alexander II. neu
weihen ließ[35].

Zur Observanz Benedikts X. gehörte ferner der Vatikanklerus, was aus
einem Papstdiplom hervorgeht, in dem dem Basilikalkloster S. Stefano minore
im Anschluß an Johannes XIX. ausschließliche Sepultur und Beherbergung der
ungarischen Pilger vorbehalten wird[36]. Eine zweite Papsturkunde regelt die
Aufteilung der Erträge des Hauptaltars und der Confessio von St. Peter[37].
Damit sind aber auch schon die Notizen, aus denen sich eine Gefolgschaft

---

29   Die Abtsliste bei Pietro Fedele: *Carte del monastero dei Ss. Cosma e Damiano*. In:
ASRom 21 (1898) 494; Rainer subskribierte in JL 4219, 2. Mai 1050, die Kanonisation Gerhards von Toul durch Leo IX.; vgl. auch Klewitz: *Reformpapsttum*, 117.

30   Fedele: *Carte del monastero dei Ss. Cosma e Damiano*. In: ASRom 22 (1899) 54; dazu
Hoffmann: *Petrus Diaconus*, 4.

31   Fedele: *Carte del monastero dei Ss. Cosma e Damiano*, 99 Nr. 57.

32   Dagegen Klewitz: *Reformpapsttum*, 35, der seine Depossedierung nach der Synode
1059 ansetzen will.

33   Klewitz: *Reformpapsttum*, 35, 117.

34   S. auch unten 125. Alexander II. fand in Trastevere Unterstützung gegen die übrige
Stadt.

35   Vincenzo Forcella: *Iscrizioni delle chiese e d'altri edificii di Roma* X, 323 Nr. 540;
Angelo Silvagni: *Monumenta epigraphica christiana* I, Taf. 19, 5.

36   Luigi Schiaparelli: *Le carte antiche dell'archivio capitolare di s. Pietro in Vaticano*.
In: ASRom 24 (1901) 483 Nr. 21; Paul Kehr: *Papsturkunden in Rom* (NGG 1900, Heft 2)
146 Nr. 5 und ebd. 127. Vgl. auch Guy Ferrari: *Early Roman Monasteries*, 328.

37   Schiaparelli: *Le carte di s. Pietro*, 484 Nr. 22; Kehr: *Papsturkunden in Rom*, 147.

Benedikts X. ablesen ließe, erschöpft, was natürlich nicht erlaubt, seine Anhängerschaft allein anhand dieser Nachrichten abzugrenzen. Daß in Rom gegen
Benedikt X. irgendein Widerstand geleistet worden wäre, ist nicht bekannt.
Nach einem von Petrus Damiani behaupteten Protest und Anathem gegen den
neuen Papst hätten vielmehr die in der Stadt anwesenden Kardinalbischöfe
die Flucht ergriffen[38]. Es will aber auch nichts sagen, daß Nikolaus II. Anfang
1059 »sine aliqua congressione victor Romam intravit et ab omni clero et
populo honorifice susceptus est«[39]. Darin zeigt sich nur die bei den Römern
gewöhnliche Bereitschaft, gegen Geldzahlungen, die auch bei diesem Anlaß
berichtet werden[40], sich neuen Verhältnissen rasch anzupassen. Wohl dürften
jene Kreise, die nach dem kurzen Pontifikat Nikolaus' II. für Cadalus eintraten,
auch jetzt schon den Papst des Adels unterstützt haben. Wie sich zeigen läßt,
waren das in erster Linie die vornehmen Römer an der Via Lata[41].

Es hieße, die Hintergründe von Benedikts X. Erhebung verkennen, wollte
man darin eine reformfeindliche Reaktion sehen. Als Römer und mutmaß-
lichem Angehörigen der Tuskulanerfamilie dürfte ihm die Wiederherstellung
der römisch-nationalen Stadtherrschaft zugedacht gewesen sein. Unter dem
Zeichen des nationalen Römertums sammelten sich die Gegner des von auswärtigen Ideen und Kräften erneuerten Papsttums. Bei einem derartigen Programm ist es verständlich, daß weitreichende Bündnisse nicht gesucht wurden.
Benedikts X. rasche Kapitulation vor Nikolaus II. findet darin ihren Grund.
Die Erhebung des Adels, die anfangs so erfolgreich verlaufen war, brach wegen
der zu schmalen Basis bald zusammen. Passerano, eine Burg des Creszentiers
Regetellus, und dann Galeria, das Kastell seines Parteifreundes Girard, boten
dem Papst Zuflucht[42]. Die überlegene Macht Herzog Gottfrieds, der Nikolaus II. nach Rom führte, und vielleicht auch Gegnerschaften im Grafenbünd-
nis sind für Benedikts X. Mißerfolg verantwortlich zu machen.

Die Bestrafung der Grafen blieb nicht aus. Tuskulum, Palestrina und das
sabinische Mentana wurden von Nikolaus II. und seinen Verbündeten bela-
gert. Wohl schon auf dem Zuge des Elekten und Gottfrieds von Toskana nach
Rom war zu Anfang des Jahres 1059 die Herrschaft der Creszentier in der
Sabina beseitigt worden. Galeria, der Rückzugsort Benedikts X., wurde schließ-

---

38   PETRUS DAMIANI: ep. III 4 (PL 144, 291).
39   BONIZO VON SUTRI: *Liber ad amicum* VI (MG LdI 1, 593).
40   LAMPERT VON HERSFELD: *Annales* a. 1058 (MG SS rer. Germ. in us. schol. 38, 73) spricht
von Bestechungen, ebenso PETRUS DAMIANI: ep. III 4 (PL 144, 291 f.); vgl. auch MEYER VON
KNONAU: *Jahrbücher* I, 87 f.
41   S. unten 113.
42   Vgl. MEYER VON KNONAU: *Jahrbücher* I, 121 f.

lich nach zweimaligem Anlauf genommen, nachdem das Gebiet seiner Grafen verwüstet worden war[43].

In Rom übernahm nun eine neue Schicht hauptsächlich trasteverinischer Familien, die der Reformpartei nahestanden, die Führung und trat im Bunde mit dem reformierten Papsttum an die Stelle der alten städtischen Führungsgruppe. So wurde die Präfektur mit einem Mann aus Trastevere, einem Anhänger Hildebrands, Johannes Tiniosus, besetzt; ferner sind seit dieser Zeit die Pierleoni und Frangipani deutlicher zu erkennen. Die Maßnahmen zur Ordnung der kirchlichen Verhältnisse waren, soweit an wenigen Stellen sichtbar, weniger rigoros. Bischof Rainer von Palestrina behielt sein altes Kloster SS. Cosma e Damiano, das Bistum wurde einem Reformanhänger verliehen[44]. Die Sorge für Velletri, dem Bischofssitz Benedikts X., wurde Petrus Damiani übertragen; in den ersten Jahren Alexanders II. zeigte er sich dort um die Reform des Klerus bemüht[45].

Obwohl der Versuch des römischen Adels, über die Erhebung eines eigenen Papstes die Macht in der Stadt zurückzugewinnen, anders als die vorausgehenden Versuche der Tuskulanergrafen auf breiterer Basis ruhte, war der Erfolg doch nur kurzfristig. Soweit man die Vergeltungsmaßnahmen Nikolaus' II. erkennen kann, haben sie den Adel nicht derartig hart getroffen, daß er nicht 1061 nach dem Tod dieses Papstes einen neuen Versuch wagte, allerdings mit veränderter Taktik, die wohl nicht zuletzt aus seiner gegenüber 1058 erheblich geschwächten Position zu erklären ist.

Gegner der nationalrömischen Partei im Kampf um die Herrschaft in der Stadt war das von Kaiser Heinrich III. eingesetzte Papsttum, seit Leo IX. von einer Gruppe von Männern getragen, die von der Notwendigkeit der Kirchenreform und von einem neuen Verständnis der Universalkirche durchdrungen waren. Diese Gruppe, aus hauptsächlich nichtrömischen Mitgliedern unterschiedlicher Herkunft zusammengesetzt, mußte sich die römische Kirche erst erkämpfen, um die zum großen Teil außerhalb Roms entstandene romzentrische Ekklesiologie vortragen zu können. Das wachsende Bewußtsein vom normativen Rang des römischen Bischofs in der gesamten katholischen Kirche mußte in einem römischen Adelspapst einen scharfen Widerspruch sehen. Die Lateransynode Nikolaus' II. von 1059 hatte deshalb die Aufgabe, Richtlinien für künftige Papstwahlen festzulegen, die sie aus der Einflußsphäre von Adelsinteressen heraushalten sollten. Die Verlagerung der Wahl auf allein berech-

---

43 Kölmel: *Rom und der Kirchenstaat*, 154, 159 f.
44 Klewitz: *Reformpapsttum*, 117.
45 Dressler: *Petrus Damiani*, 128 f.; Klewitz: *Reformpapsttum*, 32, 34.

tigte Gruppen im römischen Klerus wurde hier sanktioniert [46].

Das wäre aber Theorie geblieben, wenn nicht die Positionen in Rom gegen die nationalrömischen Tendenzen zu behaupten gewesen wären. Es kam für die Reformgruppe darauf an, die suburbikarischen Bistümer fest in der Hand zu behalten. Sie zählten zu den Schlüsselstellungen im Kampf mit dem römischen Adel bzw. wurden dazu ausgebaut, ihre Inhaber hatten nach dem Papst den höchsten Rang in der römischen Kirche inne: Das Papstwahldekret teilt ihnen im Zusammenhang mit ihrer Wählerfunktion die Stellung von Metropoliten zu [47]. Ein Grund für die Sanktionierung der ausschlaggebenden Rolle der Kardinalbischöfe bei der Papstwahl durch die Lateransynode von 1059 mag darin gelegen haben, daß diese Bistümer zu jener Zeit fast durchweg mit Reformanhängern besetzt waren. Schrittweise hatten nichtrömische Prälaten die römischen Inhaber der Bistümer abgelöst.

Das war offenbar nur möglich gewesen in Anlehnung an einen starken Bündnispartner. Die politische Wende nach Süditalien mit der Folge der Lehnsherrschaft über die Normannenfürsten hatte zunächst den ganz naheliegenden Grund, sich einer Hilfe gegen den römischen Widerstand zu versichern. Zwar hat sich das Bündnis auch später gegen Heinrich IV. bewährt, doch wäre es falsch, darin eine vorausschauende und planmäßige Vorbereitung zur Auseinandersetzung mit dem deutschen Königtum zu sehen. Vielmehr spricht diese Wende für einen nüchternen Pragmatismus, der auch sonst bei den Maßnahmen der Reformer zu erkennen ist. Angesichts der unstabilen deutschen Regierungsverhältnisse waren von dort auf absehbare Zeit weder im Guten noch im Schlechten Schritte zu erwarten, mit denen das in der Zwischenzeit verselbständigte Papsttum zu rechnen hatte. Bereits vor Abschluß des normannischen Bündnisses durch Nikolaus II. hatte sich das verbesserte Verhältnis zu den südlichen Nachbarn gegen Benedikt X. und den ihn stützenden Adel bewährt. Dadurch konnte sich Nikolaus II. schon bei Pontifikatsbeginn auf weitreichende Förderung stützen: neben dem Haus Canossa in der Toskana auf die Normannenfürsten im Süden, auf die zurückhaltende Sympathie der deutschen Regierung, die aus der Anwesenheit des italienischen Kanzlers Wibert auf der Synode von Sutri Anfang 1059 erschlossen werden kann, wie auch auf den lombardischen Episkopat, der nach Auskunft Bonizos ebenfalls in

---

46 HÄGERMANN: *Untersuchungen zum Papstwahldekret von 1059*, bes. 171 ff.

47 MG Const. 1, 539. KEMPF: *Pier Damiani und das Papstwahldekret von 1059*, bes. 77 f., stellt das im Papstwahldekret zur Geltung gebrachte »hierarchische Prinzip« und die übergeordnete Stellung der Kardinalbischöfe heraus; vgl. auch EDITH PÁSZTOR: *San Pier Damiani, il cardinalato e la formazione della Curia Romana*. In: Studi Gregoriani 10 (1975) 331 f.

Sutri an der Verurteilung Benedikts X. beteiligt war[48]. Richard von Aversa und Robert Guiskard übernahmen dann im Sommer 1059 auch förmlich die Verpflichtung, bei der Papstwahl dem besseren Kandidaten zum Erfolg zu verhelfen[49].

Exkurs:
Benedikt X.

Anhangsweise soll auf das biographische Problem Benedikts X. eingegangen werden, das als solches zwar evident ist, doch seit einem keineswegs befriedigenden Lösungsvorschlag von Cornelius Will (1864)[50] offenbar als erledigt gilt. Die Bischofsreihe von Velletri wird von Gerhard Schwartz und Otto Kares übereinstimmend verzeichnet[51]. Demnach folgte auf Johannes, der als Teilnehmer der römischen Synode unter Leo IX. am 2. Mai 1050 genannt wird[52], ein Benedictus. Am 13. Mai 1057 muß er bereits die Nachfolge angetreten haben, denn an diesem Tag unterschrieb er zusammen mit führenden Mitgliedern der Reformgruppe ein Diplom Viktors II.[53], und am 18. Oktober desselben Jahres trat er mit denselben Männern als Intervenient in einer Urkunde Stephans IX. auf[54]. Man wird kaum fehlgehen, wenn man aufgrund dieser beiden Nennungen Benedikt von Velletri dem Reformerkreis zurechnet, eine Annahme, die gestützt wird durch eine Notiz bei Leo Marsicanus, daß nämlich Friedrich von Lothringen Anfang August 1057, um einen würdigen Kandidaten für den Papstthron nach dem Tode Viktors II. befragt, an erster Stelle den Bischof von Velletri nannte[55]. Er war also nicht nur einer unter sonstigen

---

48   Bonizo: *Liber ad amicum* VI (MG Ldl 1, 593). Dazu Meyer von Knonau: *Jahrbücher* I, 118; Zimmermann: *Papstabsetzungen*, 140 ff.

49   Josef Deér: *Papsttum und Normannen. Untersuchungen zu ihren lehnsrechtlichen und kirchenpolitischen Beziehungen* (Studien und Quellen zur Welt Kaiser Friedrichs II., 1). Köln 1972, 128 f. u. ö.

50   Cornelius Will: *Die Anfänge der Restauration der Kirche im elften Jh.* II. Marburg 1864, 102 Anm. 4.

51   Schwartz: *Besetzung*, 275; Otto Kares: *Chronologie der Kardinalbischöfe im elften Jh.* (Festschrift des Gymnasiums am Burgplatz in Essen). Essen 1924, 21.

52   JL 4219 (PL 143, 644).

53   JL 4367 (PL 143, 829). Außer Benedikt unterschrieben Humbert von Silva Candida, Bonifaz von Albano, Hildebrand, Friedrich von Lothringen und der römische Archidiakon Petrus.

54   JL 4373 (PL 143, 871). Zu den in Anm. 53 Genannten traten hinzu Anselm von Lucca, Petrus von Tuskulum und Johannes von Porto.

55   Leo Marsicanus: *Chronica Casinensis* II 94 (MG SS 7, 693). Der Herausgeber, Wilhelm Wattenbach, ergänzt Anm. 61 sicher falsch: Johannes.

Angehörigen der Reformgruppe, sondern erschien sogar als in besonderem Maße qualifiziert. Diese Nominierung, die dann aber nicht befolgt wurde, fällt genau in die Mitte zwischen die beiden urkundlichen Erwähnungen Benedikts; es kann deshalb kein Zweifel sein, daß dieser Benedikt bei Leo Marsicanus gemeint ist. Ebenso ist der »Velitrensis episcopus« in der Zeugenreihe einer Viktorurkunde vom 7. Juli 1057[56] auf Benedikt zu beziehen.

Ein halbes Jahr nach dem letzten für Benedikt gesicherten Datum (18. Oktober 1057) erhob der römische Adel den Bischof von Velletri als Benedikt X. zum Papst[57]. Das Problem spitzt sich damit in der Frage zu, ob der Bischof des Jahres 1057 identisch ist mit dem Papst Benedikt, was von Meyer von Knonau, Hans-Georg Krause, Ovidio Capitani und anderen ohne Diskussion als selbstverständlich hingestellt wird[58]. Der Reformbischof soll demnach seine anfängliche Überzeugung im Stich gelassen und sich den Gegnern der Reformgruppe zur Verfügung gestellt haben. Eine solche Wendung ist auffällig genug, um eine besondere Beleuchtung zu rechtfertigen.

Daß Benedikt X. als Papst seinen Namen geändert habe, ist den Annales Romani, die freilich mit Namen etwas großzügig verfahren, dem Liber Pontificalis des Pandulph und anderen historiographischen Quellen nicht bekannt[59], wird aber von Bonizo von Sutri und Leo Marsicanus, die beide als gut unterrichtet gelten können, bezeugt[60]. Leo wiederum und Berthold von Reichenau[61] kennen als einzige den früheren Namen: »Johannes Veliternensis episcopus«. Den Zunamen Mincius[62] verzeichnen Leo, Petrus Damiani[63] und Bonizo. Da nun der Name des Veliterner Reformbischofs von 1057 urkundlich als Benedikt gesichert ist, Benedikt X. aber vor seinem römischen Pontifikat den Namen Johannes geführt haben soll, ferner kein Grund vorliegt, Leos

---

56   JL 4369 (PL 143, 834).

57   S. oben 72 f.

58   MEYER VON KNONAU: *Jahrbücher* I, 86; KRAUSE: *Das Papstwahldekret von 1059*, 63; OVIDIO CAPITANI: *Benedetto X*. In: Dizionario biografico degli Italiani 8. Rom 1966, 366; ferner auch KLEWITZ: *Reformpapsttum*, 33 f.; HÄGERMANN: *Vorgeschichte des Pontifikats Nikolaus' II.*, 354; EDITH PÁSZTOR: *San Pier Damiani, il cardinalato e la formazione della Curia Romana*, 326 ff.

59   *Annales Romani* (MG SS 5, 471); *Liber Pont., vita Benedicti X* (DUCHESNE II, 279).

60   BONIZO VON SUTRI: *Liber ad amicum* VI (MG Ldl 1, 593): »quem verso nomine Benedictum vocavere«; LEO MARSICANUS II 99 (MG SS 7, 695).

61   BERTHOLD VON REICHENAU: *Annales* a. 1058 (MG SS 13, 731); dazu MEYER VON KNONAU: *Jahrbücher* I, 121 Anm. 5.

62   Das Vorkommen dieses Namens ist gesammelt bei CAPITANI. In: Diz. biogr. degli Italiani 8, 366

63   PETRUS DAMIANI: op. 20 (PL 145, 446).

Aussage in Zweifel zu ziehen und Harmonisierungsmanöver vorzunehmen, bleibt nichts anderes übrig, als in Velletri zwischen dem 18. Oktober 1057 und dem 5. April 1058, dem Wahldatum Benedikts X., einen Bischofswechsel anzusetzen. Dadurch wird zudem die Schwierigkeit beiseite geräumt, den Reformbischof und den Adelspapst in eine Person zwängen zu müssen. In diesem Wechsel spiegelt sich das Ringen der Reformgruppe mit dem einheimischen Adel um die Schlüsselpositionen der suburbikarischen Bistümer wider[64]. In Velletri hatte die Gruppe noch einmal den Tuskulanern weichen müssen, bis es dann unter der Verwaltung des Petrus Damiani dem Reformeinfluß von neuem geöffnet wurde.

2. Wahl und Inthronisierung Alexanders II.

Mit Stephan IX. wurde die Reihe der vom Kaiser eingesetzten Päpste abgelöst durch lothringisch-tuszische Päpste. Herzog Gottfried von Lothringen-Toskana war bei den drei Wahlen zwischen 1057 und 1061 der entscheidende Faktor. Hatten die Wahlvorbereitungen seit Clemens II. am Hofe des Kaisers stattgefunden, so geschieht dies jetzt in der Toskana im Herrschaftsgebiet Gottfrieds. Gleichwohl ließ sich die in Italien faktisch machtlose deutsche Vormundschaftsregierung nicht widerspruchslos von dem Entscheidungsprozeß bei der Papstnachfolge ausschalten. Die Wahlgesandtschaft Stephans IX. konnte der Kaiserin Agnes und ihren Ratgebern offenbar verständlich machen, daß die rasche Erhebung Stephans notwendig gewesen war. Doch mit der Umorientierung der päpstlichen Politik zu den süditalienischen Normannenfürsten, die bisher als Usurpatoren gegolten hatten und deren Herrschaft auf der Synode unter Nikolaus II. in Melfi im August 1059 gegen die Leistung des Treueides anerkannt wurde, war der deutschen Seite demonstriert worden, daß Rechtstitel bedeutungslos wurden, wenn sie nicht durch den Einsatz von Machtmitteln durchzusetzen waren. Wie dem früheren Verbündeten ein Konsensrecht bei der Papstwahl verbürgt war, so mußte auch den neuen Partnern eine Einflußnahme auf die Papstwahl zugestanden werden. So war den Normannen mit der vertraglichen Verpflichtung, den Schutz des »ad honorem sancti Petri« gewählten Papstes zu übernehmen, natürlich auch eine Einwirkungsmöglichkeit auf die Wahl oder zumindest ihre Durchsetzung in die Hand gegeben[65]. Die Beziehung

---

64   S. oben 77 und unten 84 f.

zwischen kaiserlichem Konsensrecht, das durch das Papstwahldekret von 1059 anerkannt worden war, und dem nur wenige Monate später abgeschlossenen Vertrag mit Robert Guiskard über den Schutz des Papsttums ist offensichtlich. Mit dieser Mächtegruppierung also war zu rechnen, als Nikolaus II. – wahrscheinlich am 20. Juli 1061[66] – in Florenz starb.

Nur aus wenigen Indizien ist zu erschließen, was jene führenden Männer der römischen Reformgruppe, allen voran Hildebrand, bewogen haben mag, Anselm von Lucca zum Nachfolger Nikolaus' II. zu wählen. Petrus Damiani betont in seiner Disceptatio synodalis ganz mit Recht, daß die römische Kirche zu jener Zeit durchaus über geeignete Männer verfügt habe[67]: Die suburbikarischen Bistümer waren alle mit Reformern besetzt. Unter diesen Bischöfen ragen Petrus Damiani von Ostia und Bonifaz von Albano hervor. Damiani ist durch einen latenten Gegensatz zu Hildebrand und durch weltflüchtige Neigungen geprägt[68]. Bonifaz besaß wohl gleichfalls nicht die Sympathien Hildebrands; unter Nikolaus II. zusammen mit Humbert von Silva Candida als »Auge des Papstes« bezeichnet, trat er in der Folgezeit etwas zurück[69]. Und auch Petrus von Tuskulum[70], den gelegentlichen Begleiter Humberts, möchte man zu dessen engerem Kreis zählen, den aber in besonderem Maße zu fördern, Hildebrand kaum die Absicht hatte. Die Gestalt des Johannes von Porto[71], von Klewitz wohl zu Unrecht als Fremdling im Kreise seiner Mitbischöfe bezeichnet, bleibt in der Überlieferung etwas blaß. Die Kardinalbischöfe Bernhard von Palestrina und Mainard von Silva Candida, vermutlich beide Cassineser Mönche, waren erst 1060 und 1061 zu ihrem Amt gekommen und hatten sich wohl noch nicht recht profilieren können[72]. Weitere prominente Mitglieder des römischen Reformkreises waren Kardinal Stephan von

---

65   Vasalleneid Robert Guiskards (JOSEF DEÉR: *Das Papsttum und die süditalienischen Normannenstaaten* [Historische Texte. Mittelalter, 12]. Göttingen 1969, 17 f.). Analyse des Eides DEÉR: *Papsttum und Normannen*, 63; vgl. auch VINCENZO D'ALESSANDRO: ›*Fidelitas Normannorum*‹. *Note sulla fondazione dello stato normanno e sui rapporti col papato*. Palermo 1969, 27 ff.

66   Zum Datum vgl. DAVIDSOHN: *Forschungen* I, 46, und *Annales Casinenses* (MG SS 30, 1417 Anm. 9, WILHELM SMIDT).

67   PETRUS DAMIANI: *Disc. synod.* (MG Ldl 1, 92).

68   DRESSLER: *Petrus Damiani*, 111 f., 122 f., u. ö.

69   KLEWITZ: *Reformpapsttum*, 33, 116. Die »acutissimi et perspicaces oculi« Humbert und Bonifaz bei PETRUS DAMIANI: ep. I 7 (PL 144, 211 D); vgl. auch SCHMIDT: *Hildebrands Eid*, 382.

70   KLEWITZ: *Reformpapsttum*, 117.

71   KLEWITZ: *Reformpapsttum*, 35 f., 115. Neue Forschungsergebnisse zur Bischofsreihe von Porto sind von R. HÜLS (s. S. 47 Anm. 66) zu erwarten.

72   KLEWITZ: *Reformpapsttum*, 117 (Palestrina), 118 (Silva Candida).

S. Grisogono[73] und Desiderius, Abt von Montecassino und Kardinal von S. Cecilia[74]. Ferner können aus der römischen Kirchenprovinz vor anderen Bischöfen, deren Haltung weniger klar zu erkennen ist, hinzugezählt werden Dodo von Roselle[75], der von Nikolaus II. zur Mitarbeit herangezogen wurde, und Anselm von Lucca, dessen Verbindungen zur Reformpartei sogar bis in die Zeit Viktors II. zurückreichen. Schließlich hatte sich, vermutlich kurz nach Leos IX. Tod, Bischof Ermenfried von Sitten nachdrücklich in den Dienst der römischen Kirche gestellt und gab sich damit als Anhänger der Erneuerungsbewegung zu erkennen[76]. Die zentrale Gestalt war aber der Archidiakon Hildebrand, seit dem Tod Humberts von Silva Candida († 5. Mai 1061) fast allein aus dem Kreis um Leo IX., den Männern der ersten Stunde, übriggeblieben. Mit Recht wird ihm die Initiative schon bei der Wahl Nikolaus' II. zugeschrieben[77].

Allen diesen Männern war die Entscheidung für das reformierte Papsttum gemeinsam. Als Legaten oder in der Umgebung der Päpste sind sie über die gelegentliche Teilnahme an Synoden hinaus anzutreffen: Ihr Einsatz für die römische Kirche zeichnet sie aus. Petrus Damiani deutet in seiner Disceptatio ein anderes Auswahlkriterium für den Kandidaten von 1061 an, das von der Forschung auch gewöhnlich übernommen wird. Nach den Differenzen zwischen der deutschen Regierung und Nikolaus II., die letztlich zum Bruch und zu einem Affront gegen die päpstlichen Legaten geführt hatten[78], ist es bezeichnend, daß man römischerseits die Fronten offenbar nicht übermäßig verhärten wollte. Um dem Königshof etwas entgegenzukommen, erwählte man einen Kandidaten, der einerseits den Vorstellungen der Reformgruppe entsprach, andererseits aber auch dem deutschen Hof als annehmbar hingestellt werden konnte. Die Person Anselms von Lucca bot hierzu die besten Möglichkeiten, die Petrus Damiani bei der Verteidigung dieser Wahl dann auch ausgenutzt hat[79]. Zudem waren mit dieser Wahl auch Herzog Gottfrieds Interessen berücksichtigt. Alle anderen Persönlichkeiten des Reformkreises, soweit sie überhaupt deutlicher ins Licht treten, dürften in Deutschland so gut wie unbekannt gewesen sein. Anselm dagegen konnte nach Herkunft und Werdegang

---

73 S. oben 66 und unten 109 f.
74 S. unten 135.
75 SCHWARTZ: *Besetzung*, 262.
76 S. unten 154.
77 WOLLASCH: *Die Wahl des Papstes Nikolaus II.*, 205 ff.; HÄGERMANN: *Vorgeschichte des Pontifikats Nikolaus' II.*, 353 f.; DERS.: *Untersuchungen zum Papstwahldekret von 1059*, 163 ff.
78 S. oben 66 mit Anm. 175.
79 Dazu oben 31 ff.

in den Augen der führenden kirchlichen Kreise als ein Mann des Ausgleichs gelten; und ein Arrangement scheint man in Rom nach der schroffen Haltung des Hofes im Frühjahr 1061 offenbar angestrebt zu haben.

Doch zunächst gestalteten sich die Ereignisse, sehr im Unterschied zu der Erhebung Nikolaus' II. und dessen rascher Überwindung seiner Gegner in Rom und Umgebung, nach kurzfristigen Anfangserfolgen ungünstig für die Reformgruppe. Hildebrand, der Nikolaus II. auf dessen letzter Reise nach Florenz nicht begleitet hatte, sondern, wie auch später häufig, bei Abwesenheit des Papstes als dessen Vikar in Rom fungierte, hat nach Eintreffen der Todesnachricht sich anfangs um eine breite Basis für die Papstwahl bemüht. Leo Marsicanus berichtet[80], daß er zur Vermeidung von Unruhe im Volk eine Übereinkunft zwischen den Kardinälen und den römischen Großen über ein gemeinsames Vorgehen bei der Wahl zu erreichen suchte. Doch zerschlugen sich diese Hoffnungen: Die Römer zeigten sich in ihrer Parteinahme gespalten. Die Maßnahmen der verschiedenen Gruppen bleiben dann bis zum 30. September 1061 völlig im Dunkeln. Auf seiten der Kardinäle scheint man die Rückkehr des Legaten Stephan abgewartet zu haben[81], dessen Bericht über die ablehnende Haltung des deutschen Hofes dann die Aussichten auf ein Übereinkommen in der Nachfolgefrage zunichte gemacht haben dürfte.

Wahrscheinlich ist Hildebrand nach Lucca gereist, um Anselm für die Kandidatur zu gewinnen[82]; Kontakte zu Beatrix von Tuszien dürften vorausgegangen sein. Die formelle Wahl soll dann – nach allerdings apologetischen Äußerungen Damianis – wenigstens teilweise in kanonischen Formen von den Kardinalbischöfen, dem Klerus und dem Volk »intra moenia Romanorum et in ipsius sedis apostolicae gremio« vorgenommen worden sein[83]. Damiani beruft sich in der Disceptatio synodalis auf die Gefahr eines Bürgerkrieges, in der Rom geschwebt habe und die der Grund für Alexanders II. überstürzte Inthronisation gewesen sei[84].

Die Äußerungen der Quellen über den Wahlakt selbst tragen wenig konkrete Züge. Damianis drei Wahlgruppen der Kardinalbischöfe, des Klerus und des Volkes entsprechen dessen Vorstellungen von einer electio canonica, die

---

80   Leo Marsicanus: *Chronica Casinensis* III 19 (MG SS 7, 711): »Hildebrandus archidiaconus cum cardinalibus nobilibusque Romanis consilio habito, ne dissentio convalesceret . . .«

81   Zur Datierung dieser Legation Krause: *Das Papstwahldekret von 1059*, 132 ff.; s. auch oben 66.

82   *Annales Romani* (MG SS 5, 472): »Hoc audito Hildebrandus, qui tunc archidiaconus erat, illico perrexit Mediolanum(!) et duxit Anselmum, qui tunc archiepiscopus erat dicte civitatis.«

83   Petrus Damiani: *Disc. synod.* (MG Ldl 1, 91), und ep. I 8 an Cadalus (PL 144, 243 B).

84   Vgl. Meyer von Knonau: *Jahrbücher* I, 221 Anm. 40.

sich im Papstwahldekret von 1059 erkennen lassen[85], was freilich nicht heißen muß, daß sie im Damianischen Wahlbericht von 1061 nachträgliche Konstruktion sind. Daß die Kardinäle, im besonderen die Reformgruppe unter Hildebrands Leitung, die Wahl auf den Bischof von Lucca gelenkt haben, dürfte außer Frage stehen. Die Akklamation durch Klerus und Volk, soweit sie zur Reformpartei gehörten und anwesend waren, ist natürlich gefolgt. Wie die Wahl Gregors VII.[86] zeigt, können Klerus und Volk an zwei Stellen im gesamten Erhebungsablauf beteiligt sein, zuerst mit formlosen Zurufen am Aufenthaltsort des erwählten Kandidaten, die Krause als Designation charakterisieren möchte[87], dann beim feierlichen Inthronisationszeremoniell mit der üblichen Namensverkündung und der anschließenden Akklamation. Diese feierlichen Wahl- oder Zustimmungsakte sind auch für die Erhebung Alexanders II. belegt, und insofern stand sie nicht im Widerspruch zum »antiquus Romanorum usus« oder den »maiorum decreta«, wenn es gefordert war, diese Seiten herauszustellen[88].

Es läßt sich erkennen, daß für den 30. September 1061, einen Sonntag, Wahl und Inthronisation des neuen Papstes vorbereitet waren[89]. Denn obwohl Anselm wie einige seiner Vorgänger und Nachfolger die Bischofsweihe bereits besaß und das Papsttum keine zusätzliche, höhere Weihe erforderte, hat man auch bei Transmigration des Elekten von einem anderen Bistum – soweit erkennbar – in Rom am Sonntag als dem Tag der Einführung in das Amt festgehalten[90]. Zur Gewährleistung dieses Aktes waren die normannischen Lehnsleute unter Richard von Capua in allerdings kaum ausreichender Stärke rechtzeitig in Rom erschienen. Auch dies weist auf eine gezielte Organisation hin.

---

85   KEMPF: *Pier Damiani und das Papstwahldekret von 1059*, 73 ff.; W. STÜRNER: *Papstwahldekret von 1059*. In: ZRG Kan.Abt. 59 (1973) 418, hat festgestellt, daß Petrus Damiani bereits im Nov. 1057 die entscheidende Rolle der Kardinalbischöfe bei der Papstwahl betont hat; vgl. auch HÄGERMANN: *Untersuchungen zum Papstwahldekret von 1059*, 172 mit Anm. 53.

86   *Greg. Reg.* I 1*, 1 (CASPAR, 1 ff.).

87   KRAUSE: *Das Papstwahldekret von 1059*, 161. Vgl. auch HÄGERMANN: *Untersuchungen zum Papstwahldekret von 1059*, 169 f.

88   Vgl. Alexanders II. Verteidigungsrede auf der Synode von Mantua, *Annales Altahenses* a. 1064 (MG SS rer. Germ. in us. schol. 4, 65); BONIZO: *Liber ad amicum* VI (MG Ldl 1, 594).

89   Die Quellen zur Bestimmung des Wahldatums bei MEYER VON KNONAU: *Jahrbücher* I, 220 Anm. 39, und JL I, 567.

90   Z. B. DEUSDEDIT: *Collectio canonum* II 113 (96) (WOLF VON GLANVELL, 240). Vgl. auch RICHARD ZÖPFFEL: *Papstwahlen*, 250 f.; THOMAS MICHELS: *Beiträge zur Geschichte des Bischofsweihetages im christlichen Altertum und Mittelalter* (Liturgiegeschichtliche Forschungen, 10). Münster i. W. 1927, 51. Gregors VII. Inthronisierung an einem Montag (*Reg.* I 1*) trägt im ganzen außergewöhnliche Züge; JESUS HORTAL SANCHEZ: *De initio potestatis primatialis Romani pontificis* (Analecta Gregoriana, 167). Rom 1968, 95 ff.

Beide Akte, Wahl und Inthronisation, auf denselben Tag zu legen, dürfte, wie von Petrus Damiani bestätigt wird, eine beabsichtigte Eile anzeigen[91]. Doch die gegnerische Seite ließ sich nicht überraschen, sie reagierte schnell. Unter den Römern besaß sie so viel Rückhalt, daß sie dem Elekten und seinen Verbündeten den Weg vom Lateran, wo die Reformanhänger residierten und wo die Wahl stattgefunden haben dürfte, nach S. Pietro in Vincoli versperren konnte. Es fragt sich, warum man diese Kirche für den feierlichen Akt der Inthronisation wählte. Dabei ist zu beachten, daß zu jener Zeit der Lateran in der Art eines Borgo durch Weinberge und Gartenland von den bewohnten Regionen Roms getrennt war, während S. Pietro in Vincoli am Steilhang des Esquilin hoch über der dicht besiedelten Suburra thronte[92]. Der Weg dorthin führte vom Lateran über die Via Merulana auf den Esquilin in die Gegend von S. Maria Maggiore und dann zur nordwestlichen Spitze des Hügels. Diesen Weg kann man auch für den ersten vergeblichen Versuch Richards von Capua, nach S. Pietro in Vincoli vorzudringen, annehmen. Sein Scheitern komplizierte die Lage erheblich. Denn nun mußten Hildebrand und seine Partei in Kauf nehmen, daß bereits nach Einbruch der Dunkelheit mit Waffengewalt der Zugang zur Kirche gebahnt werden mußte, ein Umstand, der Alexander II. – wie auch aufgrund einer ähnlichen Situation Benedikt X.[93] – zum Vorwurf gemacht wurde. Wie ein Dieb in der Nacht habe er sich des Papstthrones bemächtigt, heißt die Anklage, die ergänzt wird durch die weiteren Vorwürfe, nicht der römischen Kirche angehört und durch Geldzahlungen an die Normannen sein Amt erworben zu haben[94]. Damit wurden jene Momente der Investitur Alexanders II. angeprangert, die im Widerspruch zu den traditionellen Forderungen an eine kanonische Wahl und Investitur standen. Die Herkunft des neuen Papstes aus einer anderen als der römischen Kirche ist ein Vorwurf, der nach älterem Kirchenrecht gravierend war, jedoch von der neuen Auffassung des Papsttums als einer über die lokalen Kirchen hinausragenden hierarchischen Spitze, der Ausweitung der lokal-römischen zur universal-römischen Kirche überholt war[95].

---

91 Bei der eiligen Erhebung Stephans IX. fanden Wahl und Inthronisation wenigstens an aufeinander folgenden Tagen statt, am 2. bzw. 3. August 1057, Sonnabend/Sonntag; JL I, 553.

92 Die besiedelte Zone umfaßte im Mittelalter kaum die Ebene mit der Grenze am Fuß der Hügel, vgl. CARLO CECCHELLI: *Roma medioevale*. In: Topografia e urbanistica di Roma (Storia di Roma, 22). Bologna 1958, bes. 211 ff.

93 S. oben 72.

94 *Annales Altahenses* a. 1061 (MG SS rer. Germ. in us. schol. 4², 58): »...ut fur et latro aliunde ascendit.« Dazu auch MEYER VON KNONAU: *Jahrbücher* I, 221 Anm. 41.

95 GOEZ: *Papa qui et episcopus*, 27 ff.; HÄGERMANN: *Untersuchungen zum Papstwahldekret von 1059*, 169.

Worin bestand nun der eigentlich konstitutive Akt: in der Wahl, der Weihe oder der Inthronisation? Da die Weihe nach katholischer Lehre ein nicht wiederholbares Sakrament ist, entfällt sie bei einem Elekten, der vorher schon Bischof war. Sie wird ersetzt durch eine Benediktion, die wie die Weihe häufig Ordination genannt wird[96]. Seit Nikolaus II. und der Sanktionierung seiner als Elekt vorgenommenen Jurisdiktionsakte durch die Lateransynode von 1059 hat der Erwählte, wenn Krieg oder andere Hindernisse seine Inthronisierung in Rom verhindern, sofort die volle Regierungsgewalt in der römischen Kirche[97]. Petrus Damiani hegte darüber offenbar nicht die geringsten Zweifel, als er sein »Gherardo, Florentine civitatis episcopo et apostolice sedis electo« zugedachtes Abdankungsbegehren konzipierte[98]. Daraus ist die rechtliche Bedeutung der beiden Akte Wahl und Inthronisation abzuleiten. Die Bestimmung, daß mit dem Wahlakt die Regierungsgewalt übertragen wird, gilt für den Ausnahmefall; ist jedoch in befriedeten Zeiten die Inthronisation zu erreichen, dann liegt die konstitutive Wirkung bei ihr als der Besitzergreifung der Amtsgewalt[99]. Doch wie schon die Erhebung Alexanders II. zeigt, wurde diese Norm nicht mit letzter Konsequenz befolgt. In der Vorstellung der Zeit bedeutete die Inthronisation tatsächlich mehr als im Papstwahldekret von 1059 ausgedrückt ist. Denn trotz der nach § 8 des Dekrets zulässigen Möglichkeit, wegen kriegerischer Hindernisse, die 1061 zweifellos vorlagen, auf die Thronsetzung zu verzichten, wurden doch alle vorhandenen Mittel eingesetzt, um die Widerstände dagegen zu brechen. Erst mit der Inthronisation waren vollendete Tatsachen geschaffen.

Gewöhnlich heißt es, Alexander II. sei am 30. September 1061 (Sonntag) gewählt und am 1. Oktober (Montag) inthronisiert worden[100]. Nach kanonischem Recht ist die liturgische Forderung, daß der Bischof an einem Sonntag in sein Amt eingeführt wird, auch bei Alexander erfüllt worden. Denn der Sonntag reichte nach kirchlichem Verständnis bis zum Sonnenaufgang des folgenden Tages[101]; die Nacht zählte also zum voraufgehenden lichten Tag.

---

96   HORTAL SANCHEZ: *De initio potestatis primatialis*, 128 ff.

97   Papstwahldekret von 1059, § 8 (MG Const. 1, 539 ff.).

98   Op. 20 (PL 145, 441–456); dazu KURT REINDEL: *Studien zur Überlieferung der Werke des Petrus Damiani* III. In: DA 18 (1962) 352; und DERS.: *Petrus Damiani und seine Korrespondenten*, 216; zum Inhalt KEMPF: *Pier Damiani und das Papstwahldekret von 1059*, 73 f.; ferner HORTAL SANCHEZ: *De initio potestatis primatialis*, 140 f.

99   KRAUSE: *Das Papstwahldekret von 1059*, 167.

100   Z. B. KEMPF. In: Handbuch der Kirchengeschichte III/1, 417.

101   ISIDOR VON SEVILLA: *Etymologiae* V 30, 1 (PL 82, 215; LINDSAY I); HERMANN GROTEFEND: *Zeitrechnung des deutschen Mittelalters und der Neuzeit* I⁵. Stuttgart 1906, 189 s. v. Tag. Anders dann Innozenz III. (POTTH. 1423; X 1, 29, 24, FRIEDBERG: *Corpus Iuris Canonici* II,

Läßt man aber den Kalendertag römischrechtlich um Mitternacht beginnen[102], dann mag man mit Petrus Damiani die Ereignisse in S. Pietro in Vincoli schon auf die Kalenden des Oktober fallen lassen[103]; sie wären dann aber erst nach Mitternacht anzusetzen. Aufschluß darüber, welchen Tag man in Alexanders II. engster Umgebung als den Epochentag ansah, könnten allein Datierungen in Papsturkunden geben, die am 30. September oder 1. Oktober ausgestellt[105], wobei die Datierungen untereinander nicht koinzidieren und weniges Indiz zu gewinnen. Soweit ich sehe, kommt dazu nur ein einziges, freilich nicht einwandfreies Diplom in Frage: ein Privileg Alexanders II. für S. Maria Mattina in Calabrien, am 30. September eines nicht eindeutig zu bestimmenden Jahres in Salerno ausgestellt[104]. Da es sich in seiner erhaltenen Form um eine Fälschung aufgrund verschiedener echter Bestandteile handelt, kann es in unserer Frage letzte Klarheit nicht bringen. Hier interessiert allein die Datumzeile, die nach Holtzmanns Analyse einem echten Alexanderdiplom entnommen ist. Am 30. September ist darin das siebente Pontifikatsjahr mit dem Inkarnationsjahr 1066 und der Indiktion 5 (verbessert zu 4?) zusammengestellt[105], wobei die Datierungen untereinander nicht koinzidieren und wenigstens das Inkarnationsjahr nicht zum Itinerar des Papstes paßt. Holtzmann hat vom Itinerar her 1067 als Ausstellungsjahr wahrscheinlich gemacht, wobei er mit der Voraussetzung des 1. Oktober als Epochentag das Pontifikatsjahr um eins zum annus sextus erniedrigt, Inkarnationsjahr und Indiktion jeweils um einen Punkt erhöht hat. Dazu stellt er unter Hinweis auf andere Beispiele fest, »daß in der Kanzlei Alexanders II. ein ziemlicher Wirrwarr in den Jahresangaben herrschte«. Das ist fraglos richtig[106], doch wäre das Pontifikatsjahr –

---

169) und Thomas von Aquino: *Summa theologica* III 80, 8: »Ecclesia tamen Romana diem a media nocte incipit«. Vgl. auch Gustav Bilfinger: *Der bürgerliche Tag. Untersuchungen über den Beginn des Kalendertages im classischen Altertum und im christlichen Mittelalter.* Stuttgart 1888, 284 f. – Benzo von Alba VII 2 (MG SS 11, 672) meint mit »sic clauditur dies«, wie sich aus dem Kontext ergibt, das Ende des lichten Tages.

102 Isidor von Sevilla: *Etymologiae* V 30, 4 (PL 82, 215; Lindsay I). Grotefend: *Zeitrechnung* I, 189 s. v. Tag.

103 Petrus Damiani: *Disc. synod.* (MG Ldl 1, 87).

104 Hg. von Franco Bartoloni: *Additiones Kehrianae.* In: QFIAB 34 (1954) 41–43; dazu die Analyse bei Walther Holtzmann: *Das Privileg Alexanders II. für S. Maria Mattina.* In: QFIAB 34 (1954) 65–87.

105 »Datum Salernii pridie kalendas octobris, per manus Petri sancte Romane Ecclesie subdiaconi et bibliothecarii, anno septimo pontificatus domni Alexandri pape secundo, ab incarnatione vero Domini millesimo sexagesimo sex[to], indictione quarta.« Zur Indiktionszahl Holtzmann, 68.

106 Vgl. auch unten zu Nonantola 173 Anm. 196.

als einzige Datierung – korrekt bezeichnet, wenn wir als Epochentag nicht den 1. Oktober, sondern den 30. September annehmen. Dann hätte der Datar wenigstens eine Datierung richtig getroffen.

3. Die Cathedra Petri in S. Pietro in Vincoli [107]

Alexander II. wurde in der Nacht vom 30. September zum 1. Oktober 1061 in Rom inthronisiert. Als Ort der Handlung wird von dem Zeitgenossen Benzo von Alba die Kirche S. Pietro in Vincoli genannt [108]. Dorthin sei man nach einem ersten vergeblichen Versuch mit einem zweiten Vorstoß im Schutze der Nacht gelangt. Diese Beschreibung ist einmal wegen der topographischen Situation glaubhaft, außerdem spielte die Kirche S. Pietro in Vincoli im Zeremoniell der Papstwahl des 11. Jahrhunderts auch in anderen Fällen eine Rolle. Da im Herbst 1061 der Weg zur vatikanischen Peterskirche durch die feindlichen Römer versperrt war, könnte man als Ersatz die Peterskirche auf dem Esquilin, die leichter zu erreichen war, für den Akt der Inthronisation gewählt haben. An anderer Stelle formuliert Benzo in einer Rede gegen Alexander II. [109]: »non ascendisti ad cathedram Petri cum clericorum processione, sed cum homicidiis, cum sanguinis effusione«, und weiterhin: »Richardus ... super cathedram te collocavit«, was von dem rund 100 Jahre später schreibenden Kardinal Boso

---

107 Zum Namen der Kirche: Horace Marucchi: *Basiliques et églises de Rome.* Paris 1902, 311 ff.; Christian Huelsen: *Le chiese di Roma nel Medio Evo.* Florenz 1927, 418 f., und die frühen Kirchenkataloge ebd., 3–7. Die urspr. Bezeichnung Titulus/Basilica Apostolorum (in den Jahren 431, 499, 595) wird seit ca. 500 von den sich verselbständigenden Appellationen »in Eudoxia« oder »ad vincula S. Petri« verdrängt, die zur Unterscheidung von der Kirche SS. Apostoli (heute XII Apostoli) gebraucht werden; im Jahr 544 bereits »ecclesia S. Petri quae vocatur ad vincula«, was im 11. Jh. die gängige Bezeichnung ist. – In den Kardinalstiteln setzt sich gegen ältere Formen wie »tit. Apostolorum in Eudoxia« (Deusdedit, † 1098/99; E. Hirsch. In: AkathKR 85 [1905] 708), »tit. Apostolorum ad Vincula« (JL 5831, 1100 April 14), »tit. Eudoxie« (JL 6371, 1114 Febr. 25; JL 7961, 1139 März 31; Kehr: *Papsturkunden in Aragon,* 407 Nr. 86, 1158 Juni 22) die Bezeichnung »tit. S. Petri ad vincula« (JL 5841, 1100 Okt. 15; Ramackers: *Papsturkunden in Frankreich* N.F. 6, 153 Nr. 80, 1158 Mai 16), und endgültig in der Form: »S. Petri ad vincula tit. Eudoxie« (Holtzmann: *Papsturkunden in England* III, 263 Nr. 121, 1158 Mai 7; JL 16499, 1190 Juni 4) durch; gegenüber dem sonstigen Gebrauch zeigen also die Patrozinienbezeichnungen in den Kardinalstiteln konservative Formen.

108 Benzo: *Ad Heinricum IV imp.* VII 2 (MG SS 11, 672). Vgl. auch *Annales Romani* (MG SS 5, 472).

109 Benzo II 2 (MG SS 11, 613).

in seinen Liber Pontificalis aufgenommen wird[110]: »in beati Petri cathedra secundum Ecclesie morem intronizatus est.« Aufgrund dieser Formulierungen glaubte man, daß es in Rom zwei materielle Cathedrae Petri gegeben hat, eine in S. Pietro in Vaticano, eine zweite in S. Pietro in Vincoli[111].

Hier kommt es nicht auf Herkunft oder Alter der vermuteten materiellen Objekte an, sondern allein darauf, ob in jener Zeit in den beiden Peterskirchen Cathedrae standen, die als Sedes S. Petri angesehen und vielleicht auch schon verehrt wurden. In diesem Falle würde sich das Ausweichen Alexanders in die näher gelegene Peterskirche zwanglos erklären. Michele Maccarrone hat das Problem der materiellen Cathedra Petri ausführlich untersucht und unterscheidet für unsere Zeit zwei Thronsetzungen, aus denen er auch zwei Kathedren ableitet[112]: einmal die Erhebung auf den Marmorthron hinter dem Altar der vatikanischen Basilika in Verbindung mit einer feierlichen Messe als rechtlich relevanten Beginn der Gewalt in der Kirche; zum anderen die Incathedratio auf der sella apostolica in der Sakristei derselben Kirche. Eine erkennbare Verehrung seitens des Kirchenvolkes – so stellt Maccarrone fest – genossen aber beide Throne nicht; letzteren habe man erst in späterer Zeit als die Cathedra S. Petri angesehen.

Wurde schon in der frühchristlichen Kirche der Begriff cathedra Petri abgelöst von einem materiellen Objekt im übertragenen Sinne als Bezeichnung für das Lehramt der römischen Kirche – und entsprechend auch für andere Kirchen – verwendet, so erfolgte im 11. Jahrhundert ein weiterer Schritt, als der Begriff der ecclesia Romana aus seiner geographisch begrenzten und an Rom gebundenen Konkretion gelöst und in übergreifendem ideellen Sinne verstanden wurde. Bei einem solchen Verständnis ist die Erhebung eines Papstes auf die Cathedra Petri nicht mehr an einen bestimmten Ort oder an bestimmte dabei zu verwendende Objekte gebunden[113]. Maccarrone weist deshalb mit Recht die

---

110 Boso: *Liber Pontificalis. Vita Alexandri II* (DUCHESNE II, 358). Zu Boso vgl. ODILO ENGELS: *Kardinal Boso als Geschichtsschreiber.* In: Konzil und Papst. Festschrift für Hermann Tüchle. München 1975, 147–168.

111 Z.B. ZÖPFFEL: *Papstwahlen,* 249 f.; MEYER VON KNONAU: *Jahrbücher* I, 221 Anm. 41; CASPAR: *Register Gregors VII.,* 2 Anm. 1. Daß diese sich zu Unrecht auf GIOVANNI BATTISTA DE ROSSI: *La catedra di S. Pietro nel Vaticano e quella del cemetero Ostriano.* In: Bullettino di archeologia cristiana 5 (1867) 39, berufen, hat MICHELE MACCARRONE: *La storia della cattedra.* In: La cattedra lignea di S. Pietro in Vaticano. Città del Vaticano 1971, 15 Anm. 64, gezeigt.

112 MACCARRONE: *La storia della cattedra,* 14 ff.; dazu die Rezension von BERNHARD SCHIMMELPFENNIG: *Die in St. Peter verehrte Cathedra Petri. Bemerkungen zu einer unlängst erschienenen Publikation.* In: QFIAB 53 (1973) 385–394. HERMANN FILLITZ: *Die Cathedra Petri. Zur gegenwärtigen Forschungslage.* In: AHPont 11 (1973) 353–373; NIKOLAUS GUSSONE – NIKOLAUS STAUBACH: *Zu Motivkreis und Sinngehalt der Cathedra Petri.* In: Frühmittelalterliche Studien 9 (1975) 334–358.

113 S. oben 85 mit Anm. 95.

Existenz einer zweiten Cathedra Petri in S. Pietro in Vincoli zurück, die aufgrund der dort bezeugten Thronsetzungen postuliert wurde. Entfällt aber als Motiv für die Inthronisation die materielle Cathedra, dann ist eine Begründung für die Rolle, die S. Pietro in Vincoli im Zeremoniell spielte, anderswo zu suchen[114].

Stephan IX. wurde am 2. August 1057 in der Peterskirche auf dem Esquilin gewählt und tags darauf, dem liturgisch vorgeschriebenen Sonntag, in der vatikanischen Peterskirche konsekriert. Und zwar berichtet Leo Marsicanus, daß man den widerstrebenden Abt Friedrich von Montecassino aus dem Kloster S. Maria in Pallara, seiner stadtrömischen Residenz, herausgeholt und zur Wahl nach S. Pietro in Vincoli geführt habe[115]. Als Wahlort wird diese Kirche ein zweites Mal benutzt, wie aus dem halboffiziellen Wahlprotokoll hervorgeht, das dem Register Gregors VII. an die Spitze gestellt ist[116]. Es ist anzunehmen, daß Stephan IX. ebenso wie später Alexander II. und Gregor VII. im Anschluß an die Wahl, unter der Nominierung und Akklamation zu verstehen sind[117], in S. Pietro in Vincoli inthronisiert wurden; freilich ist die andere Möglichkeit, daß die Thronsetzung Stephans erst am folgenden Tag in Verbindung mit der Weihe in der Vatikanbasilika stattgefunden hat, nicht ohne weiteres auszuschließen. Jedenfalls erhielt bei der Wahl Stephans IX., der ersten des Reformpapsttums, die unabhängig in Rom stattfand, S. Pietro in Vincoli zum ersten Mal einen Platz im Zeremoniell. Gab den Anlaß dazu die Nähe zum Palatin, wo Friedrich von Montecassino sich aufgehalten hatte? Von einer Notlage kann in diesem Fall nicht die Rede sein; in Rom herrschte Ruhe, wenn auch Eile geboten war[118]. Mit Wahl und Inthronisierung aber war das Papsttum Stephans begründet. Seine rasche Erhebung trägt alle Züge einer Überrumpelung der römischen Gegner, die man nicht zur Besinnung und zu selbständigem Handeln kommen lassen wollte. Hier mag das Motiv zu suchen sein, nicht in der entfernten Peterskirche im Vatikan, sondern in der nähergelegenen am Esquilin die zeremoniellen Handlungen vorzunehmen. Bei Nikolaus II. fand der eigentliche Wahlakt außerhalb Roms statt; nach seinem Einzug in die Stadt wurde er in der Vatikanbasilika inthronisiert – für eine andere

---

114   Nach Michele Armellini: Le chiese di Roma dal secolo IV al XIX. Nuova edizione a cura di Carlo Cecchelli. Rom 1942, 263, soll schon Papst Johannes II. (533–535) in S. Pietro in Vincoli kreiert worden sein; das beruht jedoch auf einem Mißverständnis der Inschrift Silvagni: Monumenta epigraphica I, Taf. 11, 5. Vgl. auch Duchesne: Liber Pontificalis I, 285 Anm. 1.

115   Leo Marsicanus: Chronica Casinensis II 94 (MG SS 7, 693); JL I, 553.

116   Greg. Reg. I 1* (Caspar, 1 f.).

117   Krause: Das Papstwahldekret von 1059, 161 f.

118   S. oben 71 f.

Kirche war im Zeremoniell also kein Bedarf. Die Situation bei der Wahl Alexanders II. ist bereits beschrieben worden. Im Jahr 1061 konnte man an die offenbar traditionsbildende Wahl Stephans IX. anknüpfen, wenn es jetzt auch Mühe kostete, überhaupt eine Peterskirche zu erreichen.

Der Gegenpapst Cadalus-Honorius II. stand dann schon unter dem Eindruck der Tradition und wollte in eigensinniger Starrheit nicht hinter Alexander II. zurückstehen, als er sich am 14. April 1062 – vielleicht nicht zufällig an einem Sonntag – den Zugang in die leoninische Stadt und die Peterskirche des Vatikans erkämpft hatte[119]. Unverständlich ist hierbei weniger, daß Cadalus seine momentane Überlegenheit über die Partei Hildebrands und Alexanders nicht ausnutzte und nicht nach S. Pietro in Vincoli vordrang, um sich dort wie sein Gegner inthronisieren zu lassen, sondern daß er diesen Akt nicht in der vatikanischen Peterskirche vollziehen ließ, was zumindest die Annales Romani, deren Autor – fraglos ein Römer – die Gepflogenheiten bei einer Papsterhebung gekannt haben dürfte, zu diesem Zeitpunkt für durchaus möglich hielten[120]. Auch der Umstand, daß Cadalus erst bei Nacht in die Stadt eingedrungen war, kann für die Inthronisation angesichts der Beispiele Benedikts X. und Alexanders II. selbst kein entscheidender Hinderungsgrund gewesen sein; zudem blieb die Leostadt mehrere Tage hindurch in den Händen des Gegenpapstes. Nicht anders gestaltete sich die Situation bei dem zweiten Angriff im folgenden Jahr 1063. Wiederum konnte Cadalus in den Vatikan einziehen und am Grabe des hl. Petrus beten[121]. Bei Benzo ist sogar von einer »cathedra aecclesiae« die Rede, die nach einem siegreichen Gefecht der Cadalusleute vor den Türen der Vatikanbasilika aufgestellt wurde und von der aus Cadalus an die Truppen und das Volk Belohnungen verteilte[122].

Was den Gegenpapst in beiden Jahren daran gehindert hat, seine Wahl mit der förmlichen Inthronisierung abzuschließen, ist nicht festzustellen. Die Annales Romani sehen für dieses Verhalten keinen anderen Grund als die Torheit seiner Anhänger, die ihren Kandidaten – in Nachahmung Alexanders II. – nur in S. Pietro in Vincoli zum Papst machen wollten[123]; eine erstaunliche Erklärung, zieht man in Betracht, daß zu diesen Anhängern eine stattliche Zahl römischer

---

119 BONIZO: *Liber ad amicum* VI (MG Ldl 1, 595); *Liber Pontificalis* (DUCHESNE II, 281). HERBERHOLD: *Die Angriffe des Cadalus*, 486 ff.

120 *Annales Romani* (MG SS 5, 472).

121 BONIZO: *Liber ad amicum* VI (MG Ldl 1, 595); BENZO: *Ad Heinricum IV imp.* II 16 (MG SS 11, 619). HERBERHOLD: *Die Angriffe des Cadalus*, 496.

122 BENZO II 18 (MG SS 11, 621).

123 *Annales Romani* (MG SS 5, 472): »tunc potuerunt eum consecrare pontificem nisi eorum fuisset insipientia, quia primitus eum convocare voluerunt in ecclesia b. Petri ad vincula.« DUCHESNE: *Liber Pontificalis* II, 336 Anm. 2, versteht unter convocare den feierlichen Wahlakt, d. h. wohl Nomination und Akklamation.

Adliger gehörte, denen die Gebräuche der Papsterhebung sicherlich ebenso gut bekannt waren wie dem Verfasser der Annales Romani.

Vergleicht man die Lage des Cadalus mit parallelen Situationen, in denen Kandidaten sich gegen einen bereits inthronisierten Papst durchzusetzen hatten: Clemens II., Nikolaus II., Wibert-Clemens III., so fällt auf, daß deren Erhebung regelmäßig eine förmliche Absetzung und Verurteilung des bis dahin regierenden Papstes, und zwar auf römischem Boden, vorausging[124]. Von Cadalus aber ist ein dazu notwendiges Tribunal nicht zusammengebracht worden. Nach Ansicht Maccarrones hätte die Thronsetzung auf dem Marmorthron in der Apsis der Vatikanbasilika Cadalus mit dem von Herberhold vermißten »ius in re«[125] ausgestattet. Doch Maccarrone systematisiert hier allzu rationalistisch, um auf diesem Wege die später so genannte Cathedra S. Petri schon frühzeitig identifizieren und lokalisieren zu können. Bei Gregors VII. Regierungsantritt fand die rechtlich relevante Inthronisierung gerade nicht im Vatikan auf der Sede marmorea statt, sondern in S. Pietro in Vincoli, obwohl keinerlei Zwang bestand, in diese dem Lateran nahegelegene Kirche auszuweichen. Unmittelbar nach seiner tumultuarischen Nominierung wurde er am 22. April 1073 in der Peterskirche am Esquilin förmlich gewählt und inthronisiert[126]. Die Bischofsweihe Gregors VII. fand erst zwei Monate später, am 30. Juni, und zwar nun in der vatikanischen Petersbasilika statt[127].

Es wäre nun immerhin möglich, daß die Sella apostolica aus der Sakristei von S. Pietro in Vaticano aus unbekannten Gründen auf den Esquilin verbracht worden war, dort also 1061 und 1073, vielleicht auch schon 1057 für Stephan IX., zur Verfügung stand; aber auch die 1063 von Cadalus vor den Türen von St. Peter im Vatikan benutzte »cathedra aecclesiae« kann jene vom folgenden Jahrhundert an verehrte Cathedra Petri gewesen sein.

---

124 In Sutri bei Benedikt IX. und Benedikt X. – Nach weltlichem wie kirchlichem Recht mußte ein Gericht im Stammesgebiet bzw. der Kirchenprovinz des Beklagten zusammentreten. Dieser Charakter der Grenzstadt Sutri ist bisher nicht genügend beachtet worden, vgl. ZIMMERMANN: *Papstabsetzungen*, 193 mit Anm. 149. – Heinrich IV. ließ Wibert nicht schon 1083, als nur die Leostadt besetzt war, sondern erst 1084 inthronisieren, als er ganz Rom beherrschte; OTTO KÖHNCKE: *Wibert von Ravenna (Papst Clemens III.)*. Leipzig 1888, 52 ff.; MEYER VON KNONAU: *Jahrbücher* II, 488 und 526 ff.

125 HERBERHOLD: *Die Angriffe des Cadalus*, 488. MACCARRONE: *La storia della cattedra*, 14 f.

126 Zu den Wahlberichten bei BONIZO: *Liber ad amicum* VI (MG Ldl 1, 601) und *Greg. Reg.* I 1* (CASPAR, 1 f.) vgl. KRAUSE: *Das Papstwahldekret von 1059*, 161 f.

127 JL I, 599; HORTAL SANCHEZ: *De initio potestatis primatialis*, 101 f. Gregor VII. führte bis zur Bischofsweihe den Titel »in Romanum pontificem electus«, danach erst den üblichen Papsttitel »episcopus servus servorum Dei«; den apostolischen Segen erteilte er selbstverständlich erst nach der Weihe, vgl. *Reg.* I 13; HORTAL SANCHEZ, 112.

Diese Erwägungen lassen letztlich nur den einen Schluß zu, daß spezielle Throne keine besondere Rolle gespielt haben; sogar außerhalb Roms konnte, wie bei Urban II.[128], eine gültige Inthronisierung vollzogen werden. Der Akt der Thronsetzung – im Lateranpalast, in den Peterskirchen des Vatikans, des Esquilins und anderswo – sollte die Besitzergreifung der Kirche demonstrieren und hatte ex opere operato Gültigkeit, unabhängig von diesem oder jenem dabei verwendeten Stuhl. Es muß also eine weitgehende Offenheit des Zeremoniells angenommen werden – nur wenige Forderungen galten als unabdingbar; eine davon mag die Bindung an eine dem Apostelfürsten Petrus geweihte Kirche gewesen sein. Andere, mehr kurzfristige Traditionen mögen sich gelegentlich herausgebildet haben. Damit kann die Bedeutung von S. Pietro in Vincoli schließlich so umschrieben werden, daß in dieser Kirche zur Zeit des Reformpapsttums[129] wiederholt die formelle, kanonisch geforderte Wahlhandlung mit anschließender Thronsetzung, das heißt Besitzergreifung der Kirche, stattfand. Und dieser Akt kann in den behandelten Fällen als konstitutiv angesehen werden[130]. War weiterhin eine Bischofsweihe nötig, um aus dem Elekten einen Pontifex zu machen, so fand diese im Vatikan statt. Da aber Alexander II. schon vor seiner Wahl Bischof war, entfiel für ihn dieser Punkt des Zeremoniells. Er war mit der Inthronisierung Episcopus Romanae ecclesiae.

4. WAHL DES PAPSTNAMENS

Um die Aufdeckung der Motive, die die römischen Bischöfe bei der Wahl ihres Papstnamens geleitet haben könnten, hat man sich oftmals bemüht[131]. In den meisten Fällen mußten diese Versuche unbefriedigend ausfallen, da die Quellen

---

128 Urban II. wurde 1088 in Terracina auf einem pontificale solium inthronisiert, worunter der Apsisthron zu verstehen ist, PETRUS DIACONUS: *Chronica Casinensis* IV 2 (MG SS 7, 761). Der Dom von Terracina war ursprünglich vor dem hl. Cesarius St. Peter geweiht, vgl. DOMINICUS ANTONIUS CONTATOR: *De historia Terracinensi libri quinque*. Rom 1706, 359 ff. Zur Wahlhandlung im einzelnen ALFONS BECKER: *Papst Urban II. (1088–1099)* I (Schriften der MGh, 19/I). Stuttgart 1964, 91–96.

129 Nach Gregor VII. spielte S. Pietro in Vincoli bei der Papsterhebung keine Rolle mehr. – Völlig abwegige Phantasie entwickelt HANNS LEO MIKOLETZKY: *Bemerkungen zu einer Vorgeschichte des Investiturstreits*. In: Studi Gregoriani 3 (1948) 284.

130 Vgl. später Viktor IV. in JL 14426 (28. Okt. 1159): Wahl und Thronsetzung waren gleichfalls zusammengerückt und die Konsekration zeitlich davon getrennt, aber erst diese vermittelte »nostri officii ... plenitudinem«.

131 Die ältere Ansicht, daß die Namensgebung durch die Papstwähler geschah – vertreten von ZÖPFFEL: *Papstwahlen*, 167, und MARTENS: *Besetzung des päpstlichen Stuhls*, 301, – ist

darüber gewöhnlich schweigen, und wenn sie über die Namensänderung doch etwas zu sagen wissen, sind das zumeist wenig brauchbare Nachrichten, in denen sich wohl der äußere Vorgang widerspiegelt, der eigentliche Urheber oder gar die Motivation der jeweiligen Namensänderung aber kaum zutage treten.

a) Die Quellen zur Papstwahl des Jahres 1061

Bei der Erhebung Alexanders II. machen die Quellen in diesem Punkt keine Ausnahme. Die Mehrzahl stellt lediglich fest, daß Anselm nach der Wahl Alexander genannt wurde[132]. Dabei sind die Formulierungen so allgemein gehalten, daß daraus keineswegs geschlossen werden kann, die Wähler hätten dem neuen Papst den Namen gegeben. Wenn auch die Annales Romani eine solche Vermutung zu stützen scheinen, ist doch bei deren bekannter Unzuverlässigkeit wenig darauf zu geben[133]. Auch Benzo von Alba verdient kein größeres Vertrauen, sind doch seine Nachrichten stark von der leidenschaftlichen Parteinahme für Heinrich IV. geprägt. Wenn er schon Nikolaus II. in seiner drastischen Art ganz als Geschöpf Hildebrands hinstellt[134], verwundert es nicht, daß er auch die Erhebung und Namenswahl Alexanders II. dem Archidiakon zuschreibt[135]. Zwar steht die entscheidende Mitwirkung Hildebrands bei der Wahl außer Zweifel, doch wird man Benzo hier nicht unbesehen folgen können[136]. Bei Leo Marsicanus ist es die Gesamtheit der Wähler, Kardinäle und Vornehme Roms mit Hildebrand an der Spitze, die

---

widerlegt von FRIEDRICH KRÄMER: *Über die Anfänge und Beweggründe der Papstnamenänderungen im Mittelalter.* In: RQ 51 (1956) 148 ff., und WALTER KAEMMERER: *Die Papstnamen von Johann XII. bis Hadrian IV. in ihrer Bedeutung für die Zeitgeschichte.* Diss. (masch. schr.) München 1921, 29; vgl. auch GERD ZIMMERMANN: *Patrozinienwahl und Frömmigkeitswandel im Mittelalter.* In: Würzburger Diözesanblätter 21 (1959) 26; GOEZ: *Zur Erhebung Papst Gregors VII.* In: RQ 63 (1968) 136; REINHARD: *Papa Pius,* 273 ff. REGINALD LANE POOLE: *The Names and Numbers of Medieval Popes.* In: EHR 32 (1917) ist für unsere Frage unergiebig.

132   LANDULF: *Historia Mediolanensis* III 14 (MG SS 8, 83); BONIZO: *Liber ad amicum* VI (MG Ldl 1, 594); BENO: *Gesta Romanae ecclesiae* II 11 (MG Ldl 2, 380); *Annales Augustani* a. 1061 (MG SS 3, 127); ARNULF: *Gesta archiepiscoporum Mediolanensium* III 19 (MG SS 8, 22), u. a.

133   *Annales Romani* a. 1061 (MG SS 5, 472): »Cui posuerunt nomen Alexander.«

134   BENZO: *Ad Heinricum IV imp.* VII 2 (MG SS 11, 672): »pascebat suum Nicholaum Prandellus in Lateranensi palacio, quasi asinum in stabulo«, vgl. auch ebd. III 10 (626).

135   BENZO VII 2 (MG SS 11, 672): »... Lucanum, quem vocavit Alexandrum.«

136   MARTENS: *Besetzung des päpstlichen Stuhls,* 305. Zur Namensfrage auch SCHWARZMAIER: *Lucca,* 140 f.

Anselm den Papstnamen beilegt[137]. Doch sind seine Worte formelhaft; etwas Falsches berichten sie freilich nicht. Sie stellen lediglich den sinnfälligen Akt der Akklamation in den Vordergrund, der fraglos Züge einer Namengebung trägt. Daß aber eine Massenversammlung spontan zum Urheber der Namenswahl wird, ist nicht denkbar.

Aus den Quellen ist nicht zu erfahren, wer tatsächlich hinter der Namenswahl gestanden hat. Die Umstände, unter denen 1061 die Papsterhebung stattfand, zeigen freilich, daß nur Hildebrand oder Anselm selbst in Frage kommen. Die Entscheidung zwischen beiden läßt sich aufgrund einer Motivuntersuchung zugunsten des Papstes treffen.

b) Namensdeutungen

Petrus Damiani gibt in einem Brief an die Kardinäle Hildebrand und Stephan Anfang Dezember 1063 drei Interpretationen des Namens Alexander, allerdings in einem scherzhaften Zusammenhang – er entschuldigt sich von vornherein für seine schulmäßigen Namensdeutungen[138]. Sie beruhen auf den im Mittelalter gängigen Methoden der Wortauslegung nach drei Seiten: dem Literalsinn über die Etymologie, dem typologischen und dem allegorischen Sinn[139]. Viel beachtet ist die Deutung, die Paul von Bernried dem Namen Hildebrands gab[140]. Bei ihm führt die Etymologie über die deutsche Sprache,

---

137 Leo Marsicanus: *Chronica Casinensis* III 19 (MG SS 7, 711): »Hildebrandus archidiaconus cum cardinalibus nobilibusque Romanis ... Anselmum tandem Lucensem episcopum ... in Romanum pontificem eligunt, eumque Alexandrum vocari decernunt.« Eine ähnliche Formulierung für Leo IX. ebd. II 79 (683).

138 Petrus Damiani: ep. II 6 (PL 144, 270–272); zum Datum Dressler: *Petrus Damiani*, 238. – Damiani kommt in nicht gerade würdigem Zusammenhang mit dem von Sueton überlieferten Wortwitz, der aus dem betrunkenen Tiberius Claudius Nero einen Biberius Caldius Mero macht (*De vita Caesarum*, Tiberius c. 42, hg. von Maximilian Ihm. Leipzig 1908, 133), auf die Namensdeutungen. Vgl. im allg. Ernst Robert Curtius: *Europäische Literatur und lateinisches Mittelalter*.⁴ Bern 1963, 421: Die Kirche und das Lachen. Zur Deutungsmethode Wolfgang Hug: *Elemente der Biographie im Hochmittelalter. Untersuchungen zu Darstellungsform und Geschichtsbild der Viten vom Ausgang der Ottonen- bis in die Anfänge der Stauferzeit.* Diss. (masch.schr.) München 1957, 105 ff.

139 Vgl. Henri de Lubac: *Exégèse médiévale. Les quatre sens de l'écriture.* Paris 1959 bis 1964.

140 Paul von Bernried: *Vita Gregorii VII papae* c. 1 (Watterich: *Vitae* I, 474): »Hiltebrandus enim Teutonicae linguae vernacula nuncupatione perustionem significat cupiditatis terrenae.«

bei Damiani über das Hebräische. Aus dem Onomasticon des Hieronymus oder einer darauf fußenden Liste, die den mittelalterlichen Bibelexegeten Übersetzungen hebräischer Namen zur Verfügung stellten[141], bezog Damiani seine Sprachkenntnisse[142]. Zu Alexander fand er darin die Übersetzung: »levans angustias tenebrarum«[143]. Aufgrund der Vorstellung, daß im Namen die Realität, das Wesen des Namensträgers enthalten und ausgedrückt ist, kann Damiani aus dem so entschlüsselten Namen eine Interpretation der Rolle des Papstes in seiner Zeit entwickeln. Die »angustiae tenebrarum« meinen das Cadalus-Schisma, das Ende 1063, als der Brief geschrieben wurde, nahezu überwunden war. Denn »iuxta sui nominis etymologiam« hat Alexander es entschieden. Wegen ihrer Beteiligung daran aber könnten sie alle, die Mitglieder der Reformgruppe, »Alexandri« genannt werden. Das »levare« Alexanders wird dem »cadere« des Cadalus entgegengestellt. Mit beider Namen ist ihr Schicksal, das Ergebnis ihres Konflikts von vornherein festgelegt. In der Parallelität zum Kampf Michaels und seiner Engel mit dem Drachen, der mit dem Sturz des Drachens – seitdem Satan genannt – endet, erhält der Kampf Alexanders und der Reformgruppe gegen Cadalus bei Damiani apokalyptische Züge[144].

Dieselbe etymologische Deutung des Namens Cadalus begegnet an einer anderen markanten Stelle, und zwar im Titulus eines nicht mehr erhaltenen Alexanderbildes im Lateranpalast. Dort hatte Calixt II. (1119–1124) einen Zyklus der Investiturstreitpäpste, begonnen mit Alexander II., und ihrer jeweiligen Gegenpäpste anbringen lassen. Die verstümmelt überlieferte Unterschrift des ersten Bildes, das den Sieg Alexanders II. über Cadalus darstellt,

---

141   MATTHIAS THIEL: *Grundlagen und Gestalt der Hebräischkenntnisse des frühen Mittelalters* (Biblioteca degli »Studi Medievali«, 4). Spoleto 1973, 18 ff., 50 ff.

142   Zu weiteren Stellen bei Petrus Damiani, bes. ep. V 13 und op. 32 und 35, vgl. DRESSLER: *Petrus Damiani*, 208 Anm. 166; THIEL: *Hebräischkenntnisse*, 188 f. In den Bibliothekskatalogen von Fonte Avellana (Cod. Vat. lat. 484, saec. XI–XII, ed. OWEN J. BLUM: *St. Peter Damian: His Teaching on the Spiritual Life.* Washington 1947, 204 f.) und Pomposa (ca. 1093; ed. ANGELO MERCATI. Studi e testi, 76, 374 ff.) ist Hieronymus' Liber interpretationis hebraicorum nominum nicht verzeichnet.

143   HIERONYMUS: *Liber interpretationis hebraicorum nominum*, zu 1 Tim. 1,20 (PL 23, 900; DE LAGARDE: *Onomastica sacra*, 78 = CCL 72, 157); zu Act. 4,6 wenig geändert: »auferens angustiam tenebrarum« mit dem Kommentar des Hieronymus »sed et hoc violentum« (PL 23, 890; DE LAGARDE: *Onomastica sacra*, 66 = CCL 72, 143). Dazu FRANZ WUTZ: *Onomastica sacra. Untersuchungen zum Liber interpretationis nominum hebraicorum des hl. Hieronymus* I (Texte und Untersuchungen zur Geschichte der altchristlichen Literatur, 41/I). Leipzig 1914, 146; THIEL: *Hebräischkenntnisse*, 233.

144   Von der Gegenseite, BENZO VON ALBA VII 2 (MG SS 11, 672), werden die Auseinandersetzungen entsprechend verstanden als »pugna inter angelos et diabolos«.

lautet: »Regnat Alexander Kadolus cadit et superatur (..... nihilatur)«[145]. Wie auch bei den späteren Päpsten Gregor VII., Paschalis II., Calixt II. ruhen die Füße des inmitten von Geistlichen thronenden Alexanders II. auf einer kleinen gekrümmten Gestalt, dem überwundenen Cadalus.

Petrus Damiani schließt in seinem Brief an die beiden Kardinäle eine weitere Interpretation an, auch hier mit Betonung des Spielerischen seines Tuns. Aus der Passio s. Alexandri papae weiß er vom Martyrium Alexanders I. (ca. 105– 115)[146]. Ein zweiter Papst dieses Namens könne von jenem Vorbild nicht abweichen, er müsse sich vielmehr als sein rechter Nachfolger aller Art von Peinigungen unterziehen, erklärt Damiani. Alexander I. und Alexander II. werden hier als Typos und Antitypos in Beziehung gebracht. Mit etwas gesuchter allegorischer Sinngebung des Alexandernamens schließt Damiani die Reihe der Deutungen ab. Die ganze Welt ist gleichsam als ein Alexandria geschaffen; denn die universale Kirche seufzt unter den verschiedensten Bedrängnissen; sie ist Raub, Unrecht und täglichem Besitzverlust ausgesetzt und wird durch das Gerede ihrer Widersacher verunglimpft.

Damianis Assoziationen sind vom Namen des Papstes angeregt und auf dessen augenblickliche Situation im Dezember 1063 bezogen. Daß aber diese Überlegungen rund zwei Jahre früher zur Namenswahl geführt haben sollen, »in der Voraussicht, dass dem neuen Papst ein schwerer Kampf, sozusagen ein unblutiges Martyrium bevorstehe«[147], ist eine Vermutung, die den Unernst von Damianis Interpretationen übersieht.

145 GERHARD B. LADNER: *Die Papstbildnisse des Altertums und des Mittelalters* I (Monumenti di Antichità cristiana, 2. Ser. 4). Città del Vaticano 1941, 195, und Taf. XIX a; dazu DERS.: *I mosaici e gli affreschi ecclesiastico-politici nell'antico palazzo Lateranense*. In: Rivista di Archeologia cristiana 12 (1935) 269 ff. Otto von Freising hat die Bilder noch gesehen, vgl. *Chronica* VI 34 (MG SS rer. Germ. in us. schol. 45², 303).

146 PETRUS DAMIANI: ep. II 6 (PL 144, 271 B)
Praeterea nunquam huius nominis pontifex apostolicae sedi praesedisse legitur, nisi solus ille martyr insignis, quem quinto loco a B. Petro in eius cathedra constitutum, per omnia novimus fuisse membra transfixum.

PASSIO S. ALEXANDRI (BHL 266; Acta Sanctorum, mens. Maii I, 371, 375)

Quinto loco a beato Petro apostolo Romanae urbis ecclesiae cathedram sedit Alexander ... (Aurelianus) iussit Euentium et Theodolum decollari, Alexandrum vero punctim per tota membra transfigi.

147 MARTENS: *Besetzung des päpstlichen Stuhls*, 305. Ähnlich MEYER VON KNONAU: *Jahrbücher* I, 222; dagegen KAEMMERER: *Papstnamen*, 84 Anm. 99. JULIUS VON PFLUGK-HARTTUNG: *Die Papstwahlen und das Kaisertum*. In: ZKG 28 (1907) 308, sieht im Papstnamen den Hinweis auf Eroberung; ein Rückgriff auf Alexander den Großen ist aber nicht zu belegen.

c) *Der hl. Alexander in Lucca*

Die Beziehungen Anselms zu Alexander I. sind älteren Datums und nicht erst von Petrus Damiani konstruiert[148]. An den Anfang ist ein nicht mehr erhaltenes Diplom Papst Stephans IX. (1057–1058) zu stellen, in dem die Luccheser Kirche S. Alessandro Bischof Anselm übertragen wurde[149]. Herzog Gottfried hat daraufhin am 17. Dezember 1058 die Investierung des Bischofs mit dem Königsbann über S. Alessandro beurkundet[150]. Ferner wird diese Kirche in einigen Privaturkunden Anselms, mit denen er das Kirchengut neu ordnete, als in seinem Besitz befindlich genannt[151].

In Lucca gab es zwei dem hl. Alexander geweihte Kirchen, S. Alessandro Maggiore und S. Alessandro Minore. Lange Zeit hielt man es für sicher, daß Papst Stephan S. Alessandro Minore dem Luccheser Bischof übertragen habe[152]. Am 30. April 1042 wird diese Kirche zum ersten Mal genannt[153], und 1045 verlieh sie Gregor VI. an den Diakon Lambert und den Priester Gaudiolus, zwei Luccheser Kleriker, und als dritten an den Notar Corbulus[154]. In dieser Urkunde ist sie bezeichnet als »ecclesia s. Alexandri, iuris nostrę sedis, sita infra ... civitatem iuxta pusterulam Leonis iudicis et prope episcopium«; sie war also Eigentum des hl. Stuhles. Anfangs der siebziger Jahre des 11. Jahrhunderts wurde dann bei dieser Alexanderkirche ein Armenhaus errichtet, das zusammen mit seiner Kirche dem Kathedralkapitel von S. Martino unterstand[155]. Die im Jahr 1045 begründeten Rechte von Angehörigen des Kathedralkapitels an S. Alessandro Minore dürften kontinuierlich weiterbestanden haben, denn es ist derselbe Lambert, der 1045 als Diakon die Kirche erhielt und der dann in den siebziger Jahren als Archipresbyter von den Fürstinnen Beatrix und Mathilde von Tuszien das Schutzprivileg für die junge Hospitalstiftung erbat[156], nachdem mit dieser der alte Kapitelbesitz, die Kirche S. Ales-

---

148   KAEMMERER: *Papstnamen*, 30; KRÄMER: *Papstnamenänderungen*, 174; GUERRA-GUIDI: *Compendio*, 130*; SCHWARZMAIER: *Lucca*, 141.

149   KEHR: *IP* III, 388 Nr. *2.

150   MANARESI: *I placiti* III, Nr. 406.

151   Vgl. SCHWARZMAIER: *Lucca*, 141 f.

152   BARSOCCHINI: *Dei vescovi lucchesi*, 265 f.; KEHR: *IP* III, 409; KAEMMERER: *Papstnamen*, 31; KRÄMER: *Papstnamenänderungen*, 174.

153   GUIDI-PARENTI: *Regesto del capitolo* I, 71 Nr. 185.

154   JL 4124.

155   Die erste Schenkung an das Hospital ist datiert vom 12. März 1076, GUIDI-PARENTI: *Regesto del capitolo* I, 164 Nr. 414.

156   GUIDI-PARENTI: *Regesto del capitolo* I, 165 Nr. 416. Zu Lambert vgl. KITTEL: *Reform des Domkapitels in Lucca*, 238. Gaudiolus von 1045 könnte mit dem Priester und Kantor Gaudius in JL 4491 vom 19. Dez. 1062 identisch sein; s. oben 50.

sandro Minore, vereinigt worden war. Spricht einmal diese Besitzkontinuität dagegen, daß Bischof Anselm die kleinere Alexanderkirche erhalten hat, so konnte Pietro Guidi aufgrund von topographischen Untersuchungen schlüssig nachweisen, daß Anselm tatsächlich die Kirche S. Alessandro Maggiore verliehen wurde, die sich folglich gleichfalls im Besitz des römischen Stuhles befunden haben muß [157].

Im Liber Censuum, dem Verzeichnis der Besitztitel der römischen Kirche vom Ende des 12. Jahrhunderts, ist eine Luccheser Alexanderkirche genannt [158]; ihre Identifizierung mit S. Alessandro Maggiore ist ziemlich sicher. Als der römische Kanoniker Cencius das Verzeichnis anlegte, war dagegen S. Alessandro Minore bereits so eng mit dem Martinshospital verbunden, daß diese Kirche in den Luccheser Urkunden nur noch in ihrer Funktion als Hospitalkirche erscheint [159]. Sie wird auch im Diözesankatalog von 1260 nicht genannt, da sie offenbar vollständig zur Gütermasse des dort allein verzeichneten Hospitals gehörte [160]. Wäre also bei Cencius die Hospitalkirche gemeint, hätte sie zu seiner Zeit zumindest in Verbindung mit dem Hospital genannt werden müssen. Die schlichte Bezeichnung »ecclesia s. Alexandri« muß daher auf die größere Alexanderkirche bezogen werden. Nur sie hat noch in einem Rechtsverhältnis zum römischen Stuhl gestanden [161].

Die Übertragung von S. Alessandro Maggiore an Anselm von Lucca stellt den frühesten Hinweis auf eine Beziehung des Bischofs zu dem Martyrerpapst dar [162]. In diese Kirche hat er die Gebeine seines heiligen Amts- und Namensvorgängers überführen lassen, woran eine allerdings erheblich spätere Inschrift

---

157 GUERRA-GUIDI: *Compendio*, 130*–133* (Appendice 9).

158 *Liber Censuum* (PAUL FABRE – LOUIS DUCHESNE I, 68; II, 111): »Ecclesia sancti Alexandri (sita in Lucana civitate) II morabutinos«. Vgl. auch VOLKERT PFAFF: *Der Liber Censuum von 1192 (Die im Jahre 1192/93 der Kurie Zinspflichtigen)*. In: VSWG 44 (1957) 91 Nr. 125; ferner DERS.: *Das Verzeichnis der romunmittelbaren Bistümer und Klöster im Zinsbuch der römischen Kirche*. In: VSWG 47 (1960) 71–80; DERS.: *Sankt Peters Abteien im 12. Jahrhundert*. In: ZRG Kan.Abt. 57 (1971) 150 ff.

159 GUIDI-PARENTI: *Regesto del capitolo* II, Nr. 1113, 1138, 1309; III, 1652, 1675, u. ö.

160 *Memorie e documenti* IV/1, 37 Nr. 27. Vgl. auch *Rationes decimarum Italiae nei secoli XIII e XIV: Tuscia* I (Studi e testi, 58). Città del Vaticano 1932, 195 Nr. 3860: Decima degli anni 1275–1276: »Canonica S. Alexandri«; und ebd. 248 Nr. 4759.

161 Vgl. die Diplome JL 9758 (Anastasius IV., 1153); JL 10028 (Hadrian IV., 1155); JL 12212 (Alexander III., 1173); und den Ordo officiorum der Kathedrale (GIUSTI: *L'ordo officiorum*, 559).

162 Anselm hat die Kirche nicht selbst verwaltet: am 30. Sept. 1069 werden als Rektoren ein Presbyter Martin und ein Kleriker Moro genannt, die die Kirche vom Papst erhalten hatten, GUIDI-PARENTI: *Regesto del capitolo* I, 140 Nr. 358.

von 1533 erinnert, die anläßlich der Elevation der Reliquien in der Kirche angebracht wurde[163]. Wann aber die Translation der Alexandergebeine von Rom nach Lucca stattgefunden hat, ist aus den Quellen nicht zu bestimmen[164].

d) Der hl. Alexander in Montecassino

Die Übertragung der Alexanderkirche an Anselm und die Translation der Alexanderreliquien dorthin sind die beiden Punkte, die auf eine spezifische Verehrung dieses Heiligen durch den Bischof und späteren Papst hinweisen. In diesem Zusammenhang mag noch eine Nachricht aus der Chronik des Leo Marsicanus Erwähnung finden[165]: In seinem Bericht über den Neubau der Cassineser Basilika, deren Konsekration Alexander II. im Jahr 1071 im Beisein zahlreicher italienischer Prälaten vorgenommen hat, heißt es, der Papst habe von den fünf Altären die beiden wichtigsten selbst geweiht, den des hl. Benedikt und den des hl. Johannes Baptista, während die übrigen von den Bischöfen von Tuskulum, Sabina und Segni konsekriert worden seien. In dem anschließenden Verzeichnis der in die Altäre eingeschlossenen Reliquien ist für den Hauptaltar Benedikts nach dem Apostelpaar Philippus und Jacobus als erster Martyrer Alexander genannt. Es folgen Sebastian, Cyriacus, Crisantus und Daria, Abdo und Sennes und die Jungfrau Cecilia. Außerdem werden silberne Reliquiare erwähnt, die Benedikt VIII. (1012–1024) dem Kloster geschenkt hatte; dieses ist die einzige Provenienzangabe[166].

Es ist nun die Frage, ob die Einsetzung des hl. Alexander[167] als Nebenpatron des Hauptaltars auf Alexander II. zurückzuführen ist. Die genannten acht

---

163   Caesar Baronius: *Annales ecclesiastici* XI. Venedig 1712, 348.

164   In den *Acta Sanctorum, mensis Maii* I, 370, zu 1060, bei Baronio (wie vorige Anm.) zu 1070 gestellt; Baronio berichtet die Translation im Anschluß an die Domweihe 1070, von deren zeitlicher Einordnung er sich also leiten ließ. Vgl. auch Schwarzmaier: *Lucca*, 140 Anm. 338.

165   Leo Marsicanus: *Chronica Casinensis* III 29 (MG SS 7, 720).

166   Lediglich beim Johannesaltar scheint Leo einen Unterschied zwischen neuen Reliquien und den aus dem Vorgängerbau übernommenen gemacht zu haben: »In altare s. Johannis habetur ... (Aufzählung der Reliquien) ... et de reliquis ... aliorum multorum, quae in priori altare ipsius fuerant«, Leo III 29 (720 f.).

167   Auf die schon frühzeitig vorgenommene Gleichsetzung des Papstes Alexander I. mit einem gleichnamigen römischen Martyrer ist hier nicht einzugehen; vgl. dazu Enrico Josi: *Alessandro I.* In: Bibliotheca Sanctorum 1. Rom 1961, 792 ff., und Agostino Amore: *Alessandro, Evenzio e Teodulo.* In: Bibliotheca Sanctorum 1. Rom 1961, 806 f. Bereits in der Passio s. Alexandri (ca. 6. Jh.) ist die Identifikation erfolgt; s. oben Anm. 146.

Martyrer sind ausnahmslos charakteristische römische Heilige. Daß Alexander unter ihnen den ersten Platz einnimmt, entspricht der üblichen Reihenfolge in Martyrerkatalogen, nach der Päpste vor Angehörigen niederer geistlicher Ordines stehen. Darin liegt also noch nichts Auffälliges.

Ein Reliquienverzeichnis für die Vorgängerkirche ist nicht bekannt. Hier könnten deshalb nur Kalendarien und Martyrologien weiterhelfen. Die älteren Kalendarien aus dem 9. Jahrhundert kennen Alexander noch nicht[168]. In der Mitte des 10. Jahrhunderts setzte dann aber ein starkes Vordringen des römischen Ritus ein, wovon der Kalender im Codex Casinensis 230 Zeugnis gibt[169], dessen Entstehung Paul Lejay für das Jahr 969 annimmt. Zusammen mit zahlreichen anderen römischen Heiligen sind Alexander und seine Gefährten Euentius und Theodolus mit ihrem Anniversartag am 3. Mai von Rom übernommen worden. Die Kalendarien des 11. und 12. Jahrhunderts führen in ihrem Kern den Martyrologbestand des Casinensis 230 fort[170].

Demnach wurde der Martyrerpapst Alexander schon vor 1071 in Montecassino verehrt. Dabei muß allerdings in Rechnung gestellt werden, daß die Übernahme des Anniversars in ein Cassineser Kalendar noch nichts über eine gleichzeitige Niederlegung von Reliquien des Heiligen aussagt. Wäre aber in den Kalendarien des 11. Jahrhunderts eine besondere Heraushebung des Alexandertages erkennbar, käme diesem Umstand in Verbindung mit der Nachricht Leos Aussagekraft zu. Doch auch dieser Weg bietet keine neuen Aufschlüsse. Wie im Kalender des Leo Marsicanus vom Ende des 11. Jahrhunderts ist auch im Kalender des 10. Jahrhunderts der Name Alexanders und seiner Gefährten mit roter Tinte geschrieben[171]. Diese Markierung wurde denjenigen Heiligen zuteil, deren Festtag man besonders feierte. Dabei ist auffällig, daß die in der Confessio des Hauptaltars geborgenen Martyrerreliquien, wie auch zahlreiche der Nebenaltäre, Heiligen angehören, deren Namen bei Leo Marsicanus durch rote Schrift ausgezeichnet sind. Eine Förderung der Alexanderverehrung durch Alexander II. ist demnach in Montecassino nicht zu belegen.

---

168   ELIAS AVERY LOEW: *Die ältesten Kalendarien aus Monte Cassino* (Quellen und Untersuchungen zur lateinischen Philologie des Mittelalters, 3/III). München 1908, 12–35.

169   PAUL LEJAY: *Notes latin 5.* In: Revue de philologie et de littérature et d'histoire anciennes N.S. 18 (1894) 42–52.

170   Paris, Bibl. Nat., Cod. Mazarin. 364 (1099–1105), LEJAY, 44–50; Cod. Vat. Borg. 211 (1094–1105), HARTMUT HOFFMANN: *Der Kalender des Leo Marsicanus.* In: DA 21 (1965) 100–126.

171   Zum Cod. Vat. Borg. 211 HOFFMANN: *Der Kalender des Leo Marsicanus,* 87 und 108. Herrn Prof. Hoffmann verdanke ich die Mitteilung über die rote Eintragung in Cod. Cas. 230.

e) Das Bild des hl. Alexander in der Tradition

Beziehungen Alexanders II. zu seinem gleichnamigen Vorgänger sind mit
Sicherheit nur in Lucca nachweisbar. In der Luccheser Zeit hat sich Anselms
persönliche Verehrung für den frühchristlichen Martyrerpapst ausgebildet, eine
Devotion, die 1061 bei der Wahl seines Papstnamens bestimmend war. Ihr
Motiv ist allerdings undurchsichtig. Die Passio s. Alexandri[172] weist kaum her-
vorstechende Züge auf, die ein inneres Verhältnis zu dem Heiligen erklären
könnten. Die ikonographische Tradition hat ihm gleichfalls keine charakteristi-
schen Attribute beigegeben. Als Martyrer stehen ihm neben den päpstlichen
Symbolen (Tiara, Kreuzstab und Buch) Palmzweig, Schwert oder Dolch zu[173].
Die Translationsinschrift[174] in S. Alessandro Maggiore erwähnt noch die Ketten,
die er in seinem römischen Gefängnis getragen haben soll. Es geschah aber erst
in späterer Zeit, daß er mit der Auffindung der Ketten Petri in Verbindung gebracht wurde[175]. Alexander II. kannte diese Legende noch nicht. Der Alexan-
derkult fand offenbar niemals große Verbreitung[176]. Es kann somit nicht die
Volkstümlichkeit dieses heiligen Papstes gewesen sein, die Anselm zu seiner
Verehrung bewogen hat. Offenbleiben muß auch, ob allein in dem Akt der
Übertragung von S. Alessandro Maggiore die Begründung der Devotion zu
sehen ist, oder ob den Papst noch andere persönliche Gründe geleitet haben.

Es bleibt noch zu fragen, ob die Namenswahl von dem pseudoisidorischen
Alexander beeinflußt war. Die Dekretalensammlung Pseudoisidors enthält
drei Briefe Pseudo-Alexanders[177]. Im ersten Schreiben werden die Verfolgung
von Priestern und deren Anklage vor einem öffentlichen Richter verurteilt.
Die Klage solle vielmehr dem Bischof und in zweiter Instanz dem Primas vorgetragen werden. Auf diese prozeßrechtlichen Bestimmungen folgt ein liturgi-
sches Kapitel mit der Verfügung, daß geweihtes Wasser mit Salz zu vermischen
sei. Den Schluß bilden längere Ausführungen über die Trinität. Der zweite

---

172 BHL 266; *Acta Sanctorum, mensis Maii* I, 371–375. Dazu Duchesne: *Liber Pontificalis* I, CXI; Josi: *Alessandro I*, 792 f.

173 Vgl. Joseph Braun: *Trachten und Attribute der Heiligen*. Stuttgart 1943, 57; Duccio
Valori: *Alessandro I. Iconografia e monumenti*. In: Bibliotheca Sanctorum 1. Rom 1961,
799 ff.

174 S. oben 99 f.

175 In der *Legenda Aurea* Jacobs von Voragine, c. 110 (Theodor Graesse, 456 f.), wird
die Einsetzung von Petri Kettenfeier auf die Befreiung Alexanders I. aus dem Kerker zurück-
geführt, weshalb der Papst die Basilika S. Pietro in Vincoli erbaut haben soll.

176 Vgl. Valori: *Alessandro I. Iconografia e monumenti*, 799 ff.

177 Paul Hinschius: *Decretales pseudo-isidorianae et Capitula Angilramni*. Leipzig 1863,
94–105.

Brief ruft die Geistlichen zur Eintracht auf und droht demjenigen mit schwerer Strafe, der einen Priester beleidigt. Im dritten wendet sich Alexander gegen ungerechte Behandlung der Bischöfe. Diese Äußerungen verleihen Pseudo-Alexander keineswegs ein besonderes Profil. Sie berühren Themen, die sich, abgesehen von dem liturgischen Kapitel[178], durch die ganze Sammlung hindurchziehen[179]. Die Annahme einer programmatischen Namenswahl im Sinne eines Rückgriffs auf Pseudoisidor, wie sie entsprechend für Urban II. vertreten wurde[180], findet bei Alexander II. keinen Halt. Bedenkt man aber die seit Clemens II. offenbare Tendenz, sich auf das frühe Christentum zu besinnen – eine Rückwendung, die mit der von Sutri 1046 ausgehenden Erneuerung des Papsttums verbunden wird[181] –, so läßt sich Anselms Namenswahl gleichfalls dieser Tendenz zuordnen.

---

178   Zur Weihwasserdekretale Pseudoisidors (Ps.-Alex. I 9, HINSCHIUS, 99), die eine Nachricht aus der Vita Alexandri I des Liber Pontificalis verwendet (»Hic constituit aquam sparsionis cum sale benedicti in habitaculis hominum«, DUCHESNE I, 127) vgl. FUHRMANN: *Einfluß* I, 55, wo auch auf das Pseudoisidorzitat am Grabdenkmal Herzog Wilhelms V. von Bayern († 1626) hingewiesen ist. Die einzige bisher nachzuweisende skulpturale Darstellung des Themas findet sich am Weihwasserbecken im Dom zu Fidenza (bis 1927 Borgo San Donnino) aus der Schule des Benedetto Antelami(?), um 1200. Während ein Bischof aus einem geöffneten Buch die Weiheformel verliest, wird von einem Diakon die Vermischung des Wassers mit dem Salz ausgeführt. Begleitet wird dieses zentrale Geschehen unter anderem von einer Papstfigur, die eine Rolle in Händen hält mit dem Text: «Institucio Alexandri pp II»; die Ordnungszahl muß natürlich um eins erniedrigt werden. Dazu GEZA DE FRANCOVICH: *Benedetto Antelami. Architetto e scultore e l'arte del suo tempo*, 2 Bde. Mailand 1952; darin I, 373 ff., II, Abb. 433, mit der älteren Lit., in der aufgrund der Inschrift vielfach Privilegien Alexanders II. für Borgo San Donnino postuliert wurden. Zur Stadtgeschichte, die in unserer Zeit besonders von der Rivalität zur Nachbarstadt Parma geprägt war, vgl. FERDINANDO BERNINI: *Conflitti giurisdizionali fra Parma e il Borgo di S. Donnino nel medioevo*. In: Aurea Parma 35 (1951) 14–27; EMILIO NASALLI ROCCA: *Giurisdizioni ecclesiastiche e civili in Borgo S. Donnino*. In: Archivio storico per le provincie parmensi 4. ser. 17 (1965) 81–100.

179   Vgl. FUHRMANN: *Einfluß* I, 41 ff.

180   JAMES H. CLAXTON: *On the Name of Urban II*. In: Traditio 23 (1967) 489–495. Ferner FUHRMANN: *Einfluß* I, 45 Anm. 89.

181   Z.B. PERCY ERNST SCHRAMM: *Kaiser, Rom und Renovatio* II. Leipzig 1929, 121 f.; HERBERT BLOCH: *The Schism of Anacletus II and the Glanfeuil Forgeries of Peter the Deacon*. In: Traditio 8 (1952) 180; ohne auf Alexander II. einzugehen, REINHARD: *Papa Pius*, 274.

5. DAS CADALUS-SCHISMA

a) Die Ereignisse

Das lange Zögern der Reformpartei, nach dem Tod Nikolaus' II. einen neuen Papst zu erheben, läßt sich relativ zwanglos erklären durch die anfänglichen Verhandlungen Hildebrands mit den innerstädtischen Parteien, dem Abwarten der Rückkehr des Legaten Stephan aus Deutschland[182], Beratungen innerhalb der Reformgruppe, dem Herbeiholen des Kandidaten aus Lucca und schließlich mit dem Aufbieten der normannischen Hilfskräfte[183]. Was die Gegenseite, den Adel der Campagna und seine Anhänger in der Stadt, so lange gehindert hat, die Initiative zu ergreifen und die Nachfolgefrage im eigenen Interesse zu lösen, ist nicht recht klar. Die Adelspartei hat offenbar erst in jenem Moment, als die Vorbereitungen der Reformer zur Nominierung ihres Papstes bereits in ihr entscheidendes Stadium eingetreten waren, eigene Aktivität entfaltet. Nicht lange vor Alexanders II. Wahl ging eine Legation unter Führung des Grafen Girard von Galeria nach Deutschland[184].

Nach dem Ausscheiden des Tuskulanergrafen Gregor, des langjährigen unermüdlichen Hauptes der nationalrömischen Partei, aus der Politik um 1060[185], war der Graf von Galeria an seine Stelle getreten. Bereits im Jahr 1045 erscheint dieser als Verbündeter der Tuskulaner, und auch in der folgenden Zeit ist er an deren Seite als Gegner des Reformpapsttums zu finden[186]. Zuletzt noch hatte Nikolaus II. ihn als hartnäckigen Widersacher kennenlernen müssen. Von dem Schlag, den der Papst mit normannischer Unterstützung 1059 gegen dessen Kastelle im römisch-tuszischen Grenzgebiet geführt hatte, konnte er sich, wenngleich er damals zum Verlassen seines Stammsitzes gezwungen war[187], offenbar rasch wieder erholen. Mit Girard von Galeria ist demnach ein erfahrener, keineswegs mehr junger Mann an die Spitze der römischen Adelspartei getreten, der die Kontinuität auf dieser Seite bis zu seinem baldigen Tod etwa um die Jahreswende 1061/62 verkörperte. Der personelle Wechsel begründet also kaum den Umschwung in der Taktik, der mit der Legation an den deutschen Hof erkennbar wird.

---

182   Zu Stephans Legation oben 66.

183   S. oben 84.

184   Die *Annales Romani* (MG SS 5, 472) stellen die Legation der Römer als auslösendes Moment für die Reise Hildebrands nach Lucca (Ann. Rom. irrtümlich: Mailand) dar.

185   Vgl. HOFFMANN: *Petrus Diaconus*, 7 f.

186   Zu den Grafen von Galeria vgl. KÖLMEL: *Rom und der Kirchenstaat*, 159 f.; HERRMANN: *Tuskulanerpapsttum*, 153.

187   S. oben 75 f.

Hatte man sich unter der Führung Gregors von Tuskulum ausschließlich auf die eigenen Kräfte verlassen und dabei regelmäßig nach flüchtigen Anfangserfolgen alles Errungene wieder aufgeben müssen, so ging man diesmal anders vor. Die Hinwendung zum deutschen König ist als ein Zeichen der Schwäche zu verstehen und auch als Eingeständnis dafür, daß ein nationalrömisches Papsttum im alten Stil anders nicht zu erreichen war. Indem man den seit Stephan IX. latent vorhandenen, zuletzt offen ausgebrochenen Gegensatz zwischen Königtum und reformiertem Papsttum in die eigene Rechnung einschloß, suchte man im eigenen Interesse die alten Rechte des deutschen Königs an der Papstnominierung durch die Übersendung der Patriziusinsignien zu beleben[188]. Die Gegner von 1046 fanden sich zusammen gegen das in jenem Epochenjahr erneuerte, nun aus der deutschen Bindung gelöste Papsttum. Es ist zu fragen, ob Cadalus-Honorius II. von der deutschen Regierung der römischen Reformgruppe und deren Papst programmatisch entgegengestellt wurde; mit anderen Worten: Ist das Schisma von 1061 in eine Linie zu stellen mit den späteren Maßnahmen Heinrichs IV., die wiederum auf ein von der Reichsgewalt abhängiges Papsttum abzielten und in die Erhebung des ehemaligen königlichen Kanzlers Wibert als Clemens III. mündeten?

Die Frage nach Cadalus in den Jahren des Schismas schließt die nach Alexander II. zwangsläufig ein, und für das Verständnis seines Pontifikats, seiner knapp zwölf Jahre, ist es wichtig zu wissen, unter welchem Gesetz er angetreten ist. Die Konstellation der Kräfte im römischen Gebiet ist in einigen Punkten zu erkennen. Die Führung der Adelspartei lag anfangs, wie gesagt, bei dem bejahrten Grafen von Galeria, dem politischen Erben Gregors von Tuskulum; doch wurde Cadalus auf seinem Vormarsch gegen Rom in der Grenzstadt Sutri im Frühjahr 1062[189] bereits von den Nachfolgern des Grafen empfangen[190]. Die übrigen Familien des römischen Feudaladels mögen an der Absendung der Wahlgesandtschaft und deren Programm mitbeteiligt gewesen sein, doch haben sie Cadalus bei seinem ersten Eintreffen im römischen Gebiet nur schwach unterstützt. Die Creszentier waren in der Katastrophe von 1058/59 des Rektorats in der Sabina verlustig gegangen[191]; seither treten sie

---

188 Die Quellen bei MEYER VON KNONAU: *Jahrbücher* I, 225 Anm. 58; ferner SCHRAMM: *Kaiser, Rom und Renovatio* I, 235; VOLLRATH: *Kaisertum und Patriziat*, 11 ff., über die Patriziatsidee seit Heinrich III. bes. 14 ff., wo die Übertragung von 1061 aber nicht berücksichtigt wird.

189 Am 25. März 1062 war er in Sutri, BENZO VON ALBA: *Ad Heinricum IV imp.* II 9 (MG SS 11, 615).

190 BENZO II 9 (616); dazu MEYER VON KNONAU: *Jahrbücher* I, 250 mit Anm. 26; KÖLMEL: *Rom und der Kirchenstaat*, 159 f.

191 S. oben 75.

kaum noch in Erscheinung – unter den Parteigängern des Cadalus werden sie nicht ausdrücklich genannt. Die junge Tuskulanergeneration suchte dagegen weiterhin an der großen Politik teilzunehmen, wenn auch mit dem Ausscheiden ihres Familienhauptes, des Grafen Gregor, der die Erinnerung an die alte Adelsherrschaft und den Anspruch darauf tradiert hatte, der Umfang ihrer Betätigung schlagartig abnahm: ein Zeichen des Machtverfalls auch dieses Adelsgeschlechtes. Tuskulum hatte Cadalus im Frühjahr 1062 nach dessen erstem Versuch, in Rom Fuß zu fassen, vorübergehend als Residenz gedient. Benzo von Alba nennt als damaligen Herrn der Stadt den »iuvenculum nepotem Alberici«[192], der offensichtlich der Nachfolger des alten Grafen Gregor war. Hier suchte eine byzantinische Gesandtschaft den Gegenpapst auf[193], und hier fanden sich nach dem Bericht Benzos die umwohnenden Grafen ein, um den Papstelekten ihrer Ergebenheit zu versichern. Dessen Absicht bei dieser Versammlung dürfte gewesen sein, für sein Ziel: die Verdrängung der Reformgruppe aus Rom, endlich die nachdrückliche Unterstützung des römischen Adels zu erhalten.

Denn bei dem ersten Angriff auf Rom hatten nur wenige Verbündete an seiner Seite gestanden: Neben dem Grafen Pepo, dessen Herrschaft in der südlichen Toskana um Chiusi lag und der sich dem Zug bereits früher angeschlossen hatte[194], werden nur die Herren von Galeria genannt. Erst als Cadalus sich wieder von Rom zurückzog und im Gebiet von Galeria bei Fiano den Tiber überschritt, erreichte ihn weitere Hilfe von den »filii Burelli«[195]. In den Söhnen des Borellus sind die Inhaber der Abruzzengrafschaft am Sangro erkannt worden, vermutlich eine Seitenlinie der Grafen von Valva.

Die Parteinahme der Borelli dürfte kaum dieselben Motive gehabt haben wie die des römischen Adels. Richard von Capua hatte sich noch Ende 1061 unmittelbar nach der mit seiner Hilfe durchgesetzten Inthronisierung Alexanders II. von Rom aus gegen die Abruzzen gewendet, um hier die normannischen Eroberungen nach Norden voranzutreiben. Im Laufe dieser Grenzkämpfe zu Anfang der sechziger Jahre gingen die eingesessenen langobardischen Grafenhäuser nahezu alle unter, lediglich die sangretanischen Borelli hatten sich

---

192   BENZO II 10 (616); schon FERDINAND HIRSCH: *Desiderius von Montecassino als Papst Victor III.* In: FdG 7 (1867) 30 Anm. 5, identifiziert ihn mit Gregor III. von Tuskulum; vgl. auch HOFFMANN: *Petrus Diaconus*, 6 f.

193   BENZO II 12 (616 f.). HERBERHOLD: *Die Angriffe des Cadalus*, 489.

194   BENZO II 9 (615). Zu den Grafen von Chiusi vgl. DIETER RIESENBERGER: *Prosopographie der päpstlichen Legaten von Stephan II. bis Silvester II.* Diss. Freiburg 1967, 263, bes. Anm. 8; SCHWARZMAIER: *Lucca*, 194 ff., mit Stammtafel 202.

195   BENZO II 10 (615); AMATUS VON MONTECASSINO: *Historia Normannorum* IV 26 (FSI 76, 199 f.); dazu MEYER VON KNONAU: *Jahrbücher* I, 259 Anm. 39.

in ihrem schwer zugänglichen Gebiet am Oberlauf des Sangro behaupten können[196]. Diese Situation mag es gewesen sein, die sie gegen den von den Normannen gestützten Papst an die Seite des Cadalus gedrängt hat. Offenbar
hielten sie dessen Sache für so aussichtsreich, wenigstens aber im eigenen
Interesse für so wichtig, daß sie ihm angeblich ein Aufgebot von 1000 Mann
zuführten[197]. Verglichen mit dem Heer, das Hildebrand kurz vorher dem
Cadalus vor Rom entgegenstellen konnte und dessen Gesamtstärke nach Benzo
ebenfalls 1000 Mann betragen hat[198], den 500 Reitern, die Hildebrand 1059
von Sutri nach Rom vorausschickte, um den Einzug Nikolaus' II. zu sichern[199],
oder gar den nur 300 Mann, die die Normannen diesem Papst zur Verfügung
stellten[200], ferner auch den 300 Rittern, mit denen später Anno von Köln das
entscheidende Konzil von Mantua beherrschte[201], erscheint das Kontingent der
Borelli von erstaunlicher und etwas unglaubhafter Größe. Bekanntlich tappt
man hinsichtlich der tatsächlichen Zahlen und Größenordnungen, in denen sich
Kriegszüge jener Zeit abspielten, völlig im Dunkeln; bei Benzo wird die Zahl
Tausend wohl keine zuverlässige Information sein.

Zum Einsatz kamen weder diese Truppen noch andere von Cadalus in Tuskulum zusammengezogene Kräfte. Angesichts der Halbherzigkeit, mit der der
römische Adel seinem Papst eine noch dazu verspätete Unterstützung bot, fiel
den innerstädtischen Kräften die entscheidende Rolle zu. 1044 hatte man noch
den Tuskulanerpapst Benedikt IX. als Tyrannen vertrieben[202]. Doch dann wird
sich gegen das neuformierte Papsttum, das in starkem Maße durch nichtrömische Prälaten gestützt wurde, eine Partei zusammengefunden haben, deren
Motiv man als den nationalrömischen Gedanken bezeichnete[203]. Jedoch darf
man nicht soweit gehen, dahinter einen fest umrissenen Kreis mit einem klaren
Programm zu suchen. Die Realitäten, das heißt der Zwang und die Bereitschaft

196 CESARE RIVERA: *Per la storia delle origini dei Borelli conti di Sangro.* In: Archivio
storico per le provincie napoletane 44 (1919) 77 f., mit Stammtafel 92; DERS.: *Valva e i suoi
conti.* In: Bollettino Abruzzese 17 (1926/28) 113 f.; A. DE FRANCESCO: *Origine e sviluppo del
feudalismo nel Molise fino alla caduta della dominazione normanna.* In: Archivio storico per
le provincie napoletane 34 (1909) 640.
197 BENZO II 10 (MG SS 11, 616).
198 BENZO II 9 (616).
199 *Annales Romani* (MG SS 5, 470). R. JUNG: *Gottfried der Bärtige,* 36; MEYER VON
KNONAU: *Jahrbücher* I, 119 mit Anm. 2.
200 *Annales Romani* (MG SS 5, 471). LUDWIG BUISSON: *Formen normannischer Staatsbil-
dung (9. bis 11. Jh.).* In: Vorträge und Forschungen, 5. Lindau 1960, 162, zur normannischen
Heeresorganisation.
201 BENZO III 27 (632). MEYER VON KNONAU: *Jahrbücher* I, 379 ff.
202 HERRMANN: *Tuskulanerpapsttum,* 152.
203 F. SCHNEIDER: *Rom und Romgedanke,* 206 f.

zu Kompromissen und Arrangements, wirkten stark angesichts der rasch wechselnden Verhältnisse. Im Oktober 1061 zum Beispiel konnte man Alexander II. und den mit ihm verbündeten Normannen ernsthafte Schwierigkeiten bei der Inthronisierung machen, wenig später aber war der Rückhalt des neuen Papstes in der Stadt immerhin so groß, daß die Niederlage gegen Cadalus auf den neronischen Wiesen keine katastrophalen Folgen hatte, der Gegenpapst vielmehr mit Erfolg an der Ausnutzung seiner zeitweiligen Überlegenheit gehindert werden konnte[204].

Einige führende Männer der Cadalusseite werden in den Quellen namentlich genannt. Als erster ist der Abt von S. Gregorio Magno (SS. Andreae et Gregorii in clivo Scauri) vorzustellen.

Der Abt von S. Gregorio Magno

Dieser römische Prälat war am 28. Oktober 1061 in Basel anwesend, als Bischof Cadalus von Parma auf einem Hoftag, der neben den deutschen Regenten nur wenige Bischöfe aus Deutschland und Italien versammelt hatte, zum Papst bestimmt wurde[205]. Ob der Abt zu der von Girard von Galeria geführten Delegation der Römer gehört hat, ist zweifelhaft. In der Disceptatio synodalis, dem einzigen Beleg für seine Teilnahme in Basel, werden der Graf Girard und andere römische Bürger, die zur Wahl eines königlichen Papstes drängten, deutlich vom Abt von S. Gregorio getrennt – dieser wird mehr beiläufig vom Regius Advocatus genannt[206], so als ob seine Anwesenheit für die Argumentation des Advocatus für eine von den Römern erbetene Wahl nicht recht ausgemünzt werden könnte. Der Angriff des Defensor Romanae ecclesiae, des anderen Gesprächspartners in der Disceptatio, richtet sich dementsprechend auch ausdrücklich nicht gegen diesen Abt, sondern allein gegen den exkommunizierten Grafen Girard[207]. Zur Erklärung dieser Stelle, an deren Glaubwürdigkeit zu zweifeln kein Grund vorliegt, bieten sich verschiedene Möglichkeiten an: Der Abt könnte in Basel nur eine untergeordnete Rolle

---

204   Dazu oben 91 f.

205   MEYER VON KNONAU: *Jahrbücher* I, 224 f.

206   PETRUS DAMIANI: *Disc. synod.* (MG Ldl 1, 90): »(Regius advocatus) Electionem quidem, ut palam est, fecimus. Sed longe prius Gerardo comite aliisque Romanis, ut dicebatur, civibus infatigabiliter insistentibus, ad hoc inducti sumus. Nam et abbas monasterii, quod dicitur Clivus Scauri, non defuit. Non ergo, ut asseris, ignorante Roma, sed presente atque petente Romani pontificis electio facta est.«

207   Ebd. 91: »(Defensor Romanae aecclesiae) ... Nam ut de abbate et aliis interim sileamus, de Gerardo liceat tantummodo dicere aecclesiae hominem non fuisse et Christi nequaquam pertinuisse fidelibus.«

gespielt haben, weshalb Damiani »de abbate et aliis« schweigen möchte. Das aber ist unwahrscheinlich, weil die Teilnahme eines Mitgliedes der römischen Kirche an der Wahl des Cadalus zum Politikum hätte werden müssen. Eine engagierte Parteinahme des Abtes wäre – so darf man erwarten – wie bei dem Kardinal Hugo Candidus, für dessen Anwesenheit in Basel es nur unklare Belege gibt[208], eher totgeschwiegen worden. Der Abt könnte aber auch aus einem anderen Grund als dem der Delegation Girards von Galeria und unabhängig von diesem an den Königshof gereist sein. Für eine Entscheidung dieser Frage sind die Andeutungen der Disceptatio jedoch zu knapp. Der Aufenthalt am deutschen Hof in jener gespannten politischen Lage ist in jedem Fall verdächtig als ein Ausdruck der Sympathie für die Königspartei.

Die Frage nach der Person dieses Abtes von S. Gregorio Magno ist bisher zurückgestellt worden, ihr wird auch in der Literatur fast ausnahmslos keine Beachtung geschenkt[209]. Das erscheint immerhin erklärlich angesichts der unbequemen Antwort, die einmal gefunden wurde: Alberto Gibelli[210] weist in seiner Monographie über das Gregorkloster die Beteiligung in Basel jenem Stephan zu, der als Kardinalpresbyter von S. Grisogono zu den einflußreichsten Persönlichkeiten der römischen Reformgruppe zählte und der in der Tat im Mai 1063 und danach wiederholt in römischen Privaturkunden als »Stephanus gratia Dei Sancte Romane Ecclesie cardinalis presbyter atque abbas monasterii ss. Andree et Gregorii in clivo Scauri« genannt wird[211]. Es kommt hinzu, daß Stephan in der ersten Hälfte des Jahres 1061 als Legat Nikolaus' II. nach Deutschland geschickt worden war, wo er aber von den Regenten des Reiches schroff abgewiesen wurde[212]. Ist also sein ab Mai 1063 belegter Abbatiat zumindest bis 1061 zu verlängern?

Über Kardinal Stephan sind wir verhältnismäßig gut unterrichtet. Mehrfache Legatenaufgaben und vor allem die Nähe zu Petrus Damiani und Hilde-

---

208 Vgl. FRANZ LERNER: *Kardinal Hugo Candidus* (Historische Zeitschrift, Beiheft 22). München 1931, 15 ff.

209 Z. B. MEYER VON KNONAU: *Jahrbücher* I, 217; KLEWITZ: *Reformpapsttum*, 64 f. mit Anm. 203; G. B. BORINO: *Cencio del prefetto Stefano, l'attentatore di Gregorio VII.* In: Studi Gregoriani 4 (1952) 376; KRAUSE: *Das Papstwahldekret von 1059*, 149.

210 ALBERTO GIBELLI: *L'antico monastero de'santi Andrea e Gregorio al clivo di Scauro sul monte Celio.* Faenza 1892, 55 f.

211 JOHANNES BAPTISTA MITTARELLI: *Annales Camaldulenses ordinis s. Benedicti* II, Appendix 186 Nr. 102 (1063 Mai: Pachturkunde, nach Alexander II. datiert; fehlt bei KLEWITZ: *Reformpapsttum*, 65 Anm. 203, und HARTMUT HOFFMANN: *Von Cluny zum Investiturstreit.* In: AKG 45 [1963] 200 Anm. 149); MITTARELLI II, Appendix 213 Nr. 119 (1067 Mai 5), und 215 Nr. 120 (1067 Juni 22).

212 SCHIEFFER: *Legaten in Frankreich*, 62 f.; LUCCHESI: *Per una vita* II, 111 ff.

brand kennzeichnen seine engagierte Tätigkeit im Dienste des reformierten Papsttums. In der Disceptatio nennt Damiani ihn anläßlich der Erwähnung seiner Reise vom Sommer 1061 nach Deutschland einen »vir videlicet tantae gravitatis et honestatis nitore conspicuus tantis denique, sicut non obscurum est, virtutum floribus insignitus«[213]. Ferner war Stephan, bezeichnenderweise immer mit Hildebrand zusammen, Adressat mehrerer Briefe Damianis; der letzte wird auf November/Dezember 1063 datiert[214]. Und an anderer Stelle hat ihm Damiani schließlich über den Tod hinaus trotz Kritik an seiner Ablehnung mönchischer Askese ein ehrenvolles Andenken bewahrt – sein einziger Fehler sei jugendlicher Hochmut gewesen[215].

Ein solcher Mann, der noch in der ersten Hälfte des Jahres 1061 als Legat Nikolaus' II. am deutschen Hof die Brüskierung der von ihm vertretenen Politik der Reformpartei hinnehmen mußte, der dann am 12. Dezember 1062 in der Begleitung Papst Alexanders II. in Lucca auftaucht[216] – also zu einer Zeit, als über dessen Recht auf den Papstthron noch nicht endgültig entschieden war –, dieser Mann kann in der kurzen Zwischenzeit nicht zur Gegenpartei übergelaufen sein. Die Frage nach der Identität des Abtes von S. Gregorio Magno, der im Herbst 1061 in Basel weilte, ist demnach dahin zu beantworten, daß er der Vorgänger des Kardinals Stephan gewesen sein dürfte.

Dieser Vorgänger Stephans hatte, wie es scheint, falsch kalkuliert; er dürfte deshalb, wenn nicht sein Tod den Wechsel im Abbatiat verursacht hat, nach dem Sieg Alexanders II. abgelöst worden sein – in dieser Zeit wird Stephan auch erstmalig als Abt genannt: Mit der Konsolidierung der Herrschaft Alexanders in Rom hatte Kardinal Stephan zusätzlich noch das Kloster auf dem Monte Celio übernommen. Wer der Vorgänger in S. Gregorio war, läßt sich nicht einmal vermutungsweise sagen. Am 22. August 1043 wird ein Benedikt

---

213 *Disc. synod.* (MG Ldl 1, 87 f.).

214 Ep. II 6 (PL 144, 270). Die Datierung nach DRESSLER: *Petrus Damiani*, 238. Zuvor an dieselben Adressaten ep. II 5 (ca. Sommer 1051) und ep. II 4 an Bonifaz von Albano und Stephan; DRESSLER, 111, 162; LUCCHESI: *Per una vita* II, 111 ff.

215 Op. 43 (PL 145, 681 A–C): »Domnum plane Stephanum cum credam per Christi gratiam nonnullis floruisse virtutibus, morbo tamen elationis laborasse, prout fervor iuventutis impelleret, dicebatur...« Dresslers Datierung (*Petrus Damiani*, 240) »nach 1066« kann präzisiert werden auf »nach 1068 Febr. 11«, denn dieses ist der frühest mögliche Todestag Stephans: am 10. Mai 1067 subskribierte er in JL 4630; den Todestag des 11. Febr. überliefert der Cassineser Nekrolog in Cod. Vat. Borg. 211 (HOFFMANN: *Der Kalender des Leo Marsicanus*, 147 mit Anm. 123); so auch LUCCHESI: *Per una vita* II, 111. Zum Nachruf des Alfanus von Salerno auf Stephan vgl. ANSELMO LENTINI: *Rassegna delle poesie di Alfano da Salerno.* In: BISI 69 (1957) 239 Nr. 36.

216 KEHR: *IP* III, 440 Nr. 2.

als Vorsteher dieses Klosters genannt[217] – wenig vorher dürfte er das Amt übernommen haben. Mit zwei Zeugnissen aus dem folgenden Jahr 1044 – im April nahm er an einer Synode Benedikts IX. teil und vom Oktober liegt ein Pachtvertrag zwischen ihm und dem Bischof von Tivoli vor – und der weiteren Nennung in einem Vertrag vom 10. August 1051 mit einem römischen Grafen Johannes sind die Nachrichten über ihn auch schon erschöpft[218]. In den nächsten zehn Jahren wird es still um das Kloster mit der einen Unterbrechung, als Halinard von Lyon es während Leos IX. Abwesenheit als Wohnsitz zugewiesen erhielt und dort im Jahr 1052 starb[219]. Daß Halinard das römische Kloster auch als Abt geleitet hätte, ist nicht belegt; möglicherweise war er sein »rector et dispensator«, wie es ähnlich auch andere Mitglieder des Reformkreises in Ämterkumulation waren[220]. Zwischen Abt Benedikt von 1043 und 1051 und Kardinal Stephan dürften jedenfalls andere Amtsinhaber einzuschieben sein; denn Benedikts Amtszeit bis in den Herbst 1061 und darüber hinaus zu verlängern, ist etwas gewagt.

Römische Familien

Einige weitere Namen von Römern, Gegnern des Papsttums der Reformer, sind zu den Ereignissen um das Schisma des Cadalus überliefert. Zum größeren Teil bleiben sie für uns allerdings bloße Namen, deren Träger durch anderweitige Nachrichten nicht profiliert werden können. Dazu gehören der Magister sacri palatii Nicolaus, der Iudex iudicum Saxo de Helpiza, Johannes Berardi, Petrus de Via, Bulgamenes mit seinem Bruder, Berardus de Ciza, Gennarius, Cencius Francolini, Bonifilius[221]; ferner Cencius, der Sohn des

---

217 Angelo Monaci: *Regesto dell'abbazia di Sant'Alessio all'Aventino.* In: ASRom 27 (1904) 374 Nr. 6; sein Vorgänger Johannes zuletzt März 1041, Mittarelli: *Annales Camaldulenses* II, Appendix 92 Nr. 46.

218 April 1044, römische Synode, Mansi: *Collectio* XIX, 608. Oktober 1044, Mittarelli: *Annales Camaldulenses* II, Appendix 111 Nr. 57. 10. August 1051, ebd. IV, Appendix II 612 Nr. 6. Die beiden Objekte der Verträge, die Castelli S. Pauli (= Poli, vgl. Giulio Silvestrelli: *Città castelli e terre della regione romana.* ²Rom 1940, 292) und S. Johannis (S. Giovanni in Camporazio, Silvestrelli, 296, und Giuseppe Tomassetti: *La campagna romana* III. Rom 1913, 512) liegen mitten im prenestinisch-tiburtinischen Gebiet der Stefanianischen Creszentier, so daß bei dem »nobilissimus comes Johannes« an den Sohn des Creszentiers Donodeus und der Imilia zu denken ist, die in Palestrina am 1. Dez. 1053 urkundeten (*Registrum Sublacense,* 81 Nr. 41); dazu Bossi: *I Crescenzi,* 149 ff.

219 Halinard war bereits Abt von St-Benigne in Dijon und Erzbischof von Lyon (1046 bis 1052). Die Nachrichten stammen aus seiner Hausquelle, dem *Chronicon s. Benigni Divionensis* (MG SS 7, 238).

220 S. unten 145 f.

221 Benzo von Alba: *Ad Heinricum IV imp.* II 3 (MG SS 11, 613 f.).

Präfekten Stephan, mit seinen Brüdern, dann Cencius und Romanus, Söhne eines Baruncius, Bellizon Titonis de Caro, Cencius Crescentii de Nitta[222] und schließlich ein miles Bernardus[223].

»Nicholaus magister sacri palatii oriundus de genere antiqui Trebatii« will man für die Familie der Creszentier in Anspruch nehmen; der Iudex iudicum Saxo wird mit einem Secundicerius (iudicum) gleichen Namens identifiziert, der in den Jahren 1060 und 1073 in Urkunden für das römische Kloster SS. Ciriaco e Nicola in Via Lata und der Abtei Farfa genannt wird. Ist das richtig, hat sich seine Parteinahme für Cadalus nicht merklich auf seine Stellung in der Stadtverwaltung ausgewirkt. – »Bulgamenes cum fratre« will Borino offenbar gleichfalls in einer Farfenser Urkunde wiederfinden; das von ihm herangezogene Stück stammt aber aus dem Jahr 1024 und muß daher sicher unberücksichtigt bleiben. Cencius Francolini begegnet nach seiner ersten Nennung 1061/62 später mit seinem Bruder Guido zusammen als »nobilissimi viri« in einer Urkunde des Klosters S. Ciriaco vom Jahre 1067[224]. Die Identität vorausgesetzt, hat er sich nach der Episode des Cadalus wie der Secundicerius Saxo den Realitäten, das heißt dem Regiment des Reformpapsttums, angepaßt. Zur Zeit Gregors VII. taucht ein Cencius Francolini in dessen Umgebung auf, und zwar als Zeuge der berühmten Schenkung, die die Gräfin Mathilde von Tuszien auf Intervention des Papstes dem hl. Petrus machte[225]. Wegen der Häufigkeit des Namens ist aber eine Identifikation nicht möglich.

Am besten ist Cencius filius Stephani praefecti bekannt[226], einer der hartnäckigsten Gegner Alexanders II. und später Gregors VII. Mit seinem ersten

---

222   *Annales Romani* (MG SS 5, 472; Duchesne: *Liber Pontificalis* II, 336).

223   Desiderius von Montecassino: *Dialogi de miraculis s. Benedicti* III 3 (MG SS 30/II, 1145). Zu diesen Namen und zum folgenden vgl. Borino: *Cencio del prefetto Stefano*, 381 Anm. 24, mit der dort genannten Lit.; Paolo Brezzi: *Roma e l'impero medioevale (774–1252)* (Storia di Roma, 10). Bologna 1947, 231 ff.

224   Ludo Moritz Hartmann: *Ecclesiae s. Mariae in Vita Lata tabularium* II. Wien 1901, 16 Nr. 95, mit Abb. 23. Damit sind die genealogischen Überlegungen von Giovan Battista Picotti: *Della supposta parentela di Gregorio VI e di Gregorio VII.* In: ASI 100 (1942) 17 Anm. 53, zu präzisieren.

225   MG Const. 1, 653 Nr. 444. – E. Caspar: *Register Gregors VII.*, 288 Anm. 1, und Raffaello Morghen: *Questioni gregoriane.* In: ASRom 65 (1942) 13, möchten den »familiaris Cincius« aus *Greg. Reg.* III 21 (Caspar, 287) mit dem Cencius Francolini aus der Schenkungsurkunde identifizieren.

226   Louis Halphen: *Études sur l'administration de Rome au moyen âge (751–1252)* (Bibliothèque de l'École des Hautes Études, 166). Paris 1907, 149 f.; Cesare Fraschetti: *I Cenci. Storia e documenti dalle origini al secolo XVIII.* Rom 1935, 29; Borino: *Cencio del prefetto Stefano,* 411 ff. S. auch unten 213 f.

Hervortreten im Jahr 1062 erscheint er sogleich als einflußreiche Persönlichkeit in der Stadt und nimmt durch den Besitz der Engelsburg eine Schlüsselstellung im Schisma ein. – Die Baruncius-Söhne Cencius und Romanus können wenigstens vermutungsweise anhand der Urkunden von S. Ciriaco in Via Lata sowie denen von Farfa in einen genealogischen Zusammenhang eingeordnet werden[227]. Für die übrigen Namen fehlen Anknüpfungspunkte in den bisher edierten römischen Urkunden.

Wenn die versuchten Identifikationen, deren Vermutungscharakter nachdrücklich zu betonen ist, überhaupt einen verwertbaren Sinn erhalten sollen, ist allenfalls folgende Überlegung anzuknüpfen: Es fällt auf, daß die Personen – soweit erkennbar – fast durchweg in Beziehungen zu SS. Ciriaco e Nicola in Via Lata standen. Sie treten als Partei oder als Zeugen in Urkunden auf, die dieses Frauenkloster betreffen. Ein weiterer Bezugspunkt ist das Kloster Farfa. Für beide Konvente sind enge Beziehungen zu den vor 1046 maßgeblichen Adelsfamilien der Creszentier und Tuskulaner belegt[228]. Es ist deshalb nur natürlich, wenn die römischen Nobiles im Gefolge der herrschenden Familien mit denselben Klöstern in Verbindung getreten sind. Bei dem stadtrömischen S. Ciriaco kommt hinzu, daß die Region der Via Lata (heute: Via del Corso) bis hin zu den alexandrinischen Thermen, die in der Gegend des heutigen Palazzo Madama gelegen haben, das Quartier der vornehmeren Bevölkerung war[229]. Hier lagen das Zentrum der Creszentier und in enger Verflechtung damit die stadtrömischen Besitzungen des sabinischen Farfa[230], mit welchem Kloster diese in der Sabina herrschende Familie in engem, aber nicht immer friedlichem Verhältnis gestanden hat. Die als Anhänger des Cadalus genannten Herren dürften ebenfalls hier ansässig gewesen sein; bei Petrus de Via ist diese Herkunft sogar angegeben.

---

227 Helperinus f. Helperini nobilis vir de via lata: 1013 Mai 20 (*Reg. Farf.* IV, 36 Nr. 638); 1013 Mai 23 (ebd., 68 Nr. 667, betrifft Regio IX iuxta Thermas Alexandrinas); 1013 Juni 2 (ebd., 37 Nr. 639); 1027 Juli 8 (Hartmann: *Tabularium* I, 65 Nr. 53, betrifft S. Ciriaco); 1039/40 (ebd., 91 Nr. 69). – Helperinus et Roizo a via lata: 1014 (*Reg. Farf.* IV, Nr. 525). – Nobiles homines iudex Cencius f. Cencii Baruncii et Elperini fratres eius: 1094 Jan. 2 (Hartmann: *Tabularium* II, 36 Nr. 121). Elperinus Cencii Baruncii: 1097(?) Aug. 9 (Hartmann: *Tabularium* II, 38 Nr. 123). – Baroncellus frater Cencii: 1109 Jan. 23 (Hartmann: *Tabularium* II, 49 Nr. 137). Vgl. auch Hartmann: *Tabularium* II, 9 Nr. 88.

228 Luigi Cavazzi: *La diaconia di s. Maria in Via Lata e il monastero di s. Ciriaco.* Rom 1908, 241; Wilhelm Kurze: *Der Adel und das Kloster S. Salvatore all'Isola.* In: QFIAB 47 (1967) 509 f.; H. Schwarzmaier: *Zur Familie Viktors IV. in der Sabina.* In: QFIAB 48 (1968) 67, 70. Vgl. auch Ferrari: *Early Roman Monasteries,* 112 ff.

229 Vgl. Cecchelli: *Roma medioevale,* 303 ff.

230 Ferrari: *Early Roman Monasteries,* 65 f.; Cecchelli: *Roma medioevale,* 311 f.

Diese Männer waren es, die als Romani capitanei, als fideles imperatoris bezeichnet werden[231]. Zumindest einige von ihnen werden Senatoren gewesen sein; gelegentlich wird die Parteinahme des Senats für Cadalus ausdrücklich erwähnt, wie sich auch das Kapitol mit dem »palatium Octaviani« wenigstens zeitweise in den Händen der Cadalusanhänger befand; Benzo von Alba konnte dort als Wegbereiter des Gegenpapstes Quartier beziehen[232]. Die Gegend um das Kapitol (Regione Campitelli) wird deshalb auch wiederholt Schauplatz der kriegerischen Auseinandersetzungen. Ein zweiter strategisch wichtiger Punkt der nationalen Partei war das Castel S. Angelo in den Händen des Präfektensohnes Cencius. Damit wurde praktisch von dieser Seite her der Zugang in die Leostadt, aber auch über die Engelsbrücke in die römische Innenstadt beherrscht. Durch die Porta Crescentii, die im Bereich dieser Fortifikation lag, hat sich der Nachrichtenverkehr zwischen dem am Monte Mario lagernden Heer des Cadalus und der Stadt abgewickelt[233]. Als aber Benzo seinen ersten Einzug in die Stadt hielt, hat er nicht diesen Weg gewählt, sondern wurde zur Porta S. Pancrazio (Porta Aurelia) auf dem Gianicolo geführt, um von dort durch Trastevere und über die Brücken der Isola Tiberina zum Kapitol zu gelangen[234]. Dieser Weg ist insofern erstaunlich, als in Trastevere der mächtigste Anhänger Alexanders II. und Hildebrands, Leo Christianus, seinen Rückhalt hatte, wie überhaupt dieser Stadtteil in seinem oft demonstrierten Gegensatz zur Innenstadt eher zur Seite des Reformpapsttums geneigt hat. Der Präfekt Cencius selbst, der sein Amt wie schon sein Vater Johannes Tiniosus durch Hildebrands Intervention erhalten haben dürfte, stammte aus Trastevere[235]. Dagegen waren die Engelsbrücke oder gar der für Rombesucher gewöhnliche Übergang über den Tiber, der Ponte Milvio, beide von Cadalus' Freunden beherrscht[236]. Diese und andere topographische Angaben, die sich in den Berichten der Zeit finden, sind aber so disparat, daß daraus kaum ein übersichtliches Bild für die Machtverteilung in der Stadt zu gewinnen ist.

---

231 BONIZO VON SUTRI: *Liber ad amicum* VI (MG Ldl 1, 595); *Annales Romani* (MG SS 5, 472); LEO MARSICANUS III 19 (MG SS 7, 712).

232 BENZO II 1 (MG SS 11, 612); *Annales Romani* (472). HERBERHOLD: *Die Angriffe des Cadalus*, 480 f.; CARLO CECCHELLI: *Il Campidoglio nel medio evo e nella Rinascità.* In: ASRom 67 (1944) 209 ff.

233 BENZO II 9 (616). Zur Lage der Porta Crescentii (Porta di Castello, Porta Collina) vgl. MARC DYKMANS: *Du Monte Mario à l'escalier de Saint-Pierre de Rome.* In: Mélanges d'Arch. et d'Hist. 80 (1968) 556.

234 BENZO II 1 (612).

235 HALPHEN: *L'administration de Rome*, 149 ff.

236 *Annales Altahenses* a. 1062 (MG SS rer. Germ. in us. schol. 4², 60). HERBERHOLD: *Die Angriffe des Cadalus*, 486.

Trastevere

Leo Christianus[237], getaufter Jude und Stammvater der nach seinem Sohn genannten Pierleoni, hatte dadurch den Aufstieg seines Geschlechts eingeleitet, daß er sich eng an Hildebrand und die Reformgruppe anschloß; ihnen war er in erster Linie durch seine Finanzkraft nützlich. Nach allem, was über Leo bekannt ist, war es kaum das Interesse für die Erneuerung des kirchlichen Lebens, das ihn an die Seite des neuen Stadtregiments führte. Als Jude wäre er unüberwindlichen gesellschaftlichen Schranken unterlegen, wenn nicht sein Vater Baruch-Benedikt den Übertritt zur herrschenden Glaubensgemeinschaft vollzogen hätte. Indem Leo sich mit dem reformierten Papsttum verband, das zumindest zu Beginn des Pontifikats Alexanders II. gerade in Rom um seine Existenz kämpfen mußte, wurde der schließliche Sieg der Reformgruppe auch zu seinem und seiner Familie Erfolg.

Den Trasteveriner Leo wie auch die Familie des Cencius Frangipane[238], die jetzt ebenfalls deutlicher hervortritt, verband mit der Reformgruppe die gemeinsame Gegnerschaft gegen den bislang herrschenden Adel. Den Reformern war die enge Verflechtung der städtischen Nobilität mit den hohen und höchsten kirchlichen Ämtern ein Stein des Anstoßes, jene neuen Familien sahen in der Bekämpfung des etablierten Adels an der Seite des erneuerten Papsttums die Möglichkeit zu eigenem Aufstieg in Spitzenpositionen in der Stadt- und Kirchenverwaltung, eine Rechnung, die aufgehen sollte. Mit der Konsolidierung des Reformpapsttums in Rom ging die Umschichtung im führenden Adel Hand in Hand. Und nach einiger Zeit gelang es auch der neuen Führungsschicht, das Papsttum zu beherrschen. Nur forderte die gegenüber dem früheren Adelspapsttum geänderte Kirchenstruktur andere Wege: Mit der Besetzung von Kardinalaten wurden sie gefunden[239].

---

237 PIETRO FEDELE: *Le famiglie di Anacleto e di Gelasio II.* In: ASRom 27 (1904) 399 ff.; DERS.: *Pierleoni e Frangipane nella storia medievale di Roma.* In: Roma. Rivista di studi e di vita romana 15 (1937) 1–12; PIER FAUSTO PALUMBO: *Li scisma del MCXXX, i precedenti, la vicenda Romana e le ripercussioni europee della lotta tra Anacleto ed Innocenzo II* (Miscellanea della R. Deputazione di Storia Patria). Rom 1942; DEMETRIUS B. ZEMA: *The Houses of Tuscany and of Pierleone in the Crisis of Rome in the Eleventh Century.* In: Traditio 2 (1944) 169–175.

238 FRANZ EHRLE: *Die Frangipani und der Untergang des Archivs und der Bibliothek der Päpste.* In: Mélanges Emile Chatelain. Paris 1910, 448–485; PIETRO FEDELE: *Sull'origine dei Frangipani.* In: ASRom 33 (1910) 493–506.

239 Vgl. HANS WOLTER: *Das nachgregorianische Zeitalter (1124–1154).* In: Handbuch der Kirchengeschichte III/2. Freiburg 1968, bes. 5 ff., mit Lit.

Erster Angriff des Cadalus auf Rom

Am Verhalten der Bewohner Trasteveres zeigt sich erneut, daß man für die Auseinandersetzungen zu Anfang der sechziger Jahre keineswegs festgefügte Parteien von innerer Überzeugung und mit klaren Zielen annehmen darf. Klientel wurde vielmehr von den führenden Gruppen von Fall zu Fall durch Geldzahlungen und anderweitige Geschenke erworben, wie es für beide Seiten im Cadalus-Schisma bezeugt ist[240]. Für die rasch wechselnden Konstellationen ist bezeichnend, daß das Kapitol im Winter 1061/62 noch Benzo von Alba, dem Abgesandten und Wegbereiter des Cadalus, als Residenz, im folgenden Frühjahr schon Alexander II. als Rückzugsstellung gegen den Anhang des Cadalus diente[241]. Ein weiteres Beispiel: Wie es Alexander zu Anfang Oktober 1061 nicht einmal mit Hilfe der Normannen gelungen war, sich gegen die ihn ablehnende römische Partei der Innenstadt zu bemächtigen, so erreichte ein halbes Jahr später der Gegenpapst als der Erwählte dieser selben Partei das gleiche ebensowenig. Eine andere Unklarheit liegt darin, daß das von Hildebrand zusammengezogene Heer unter der Engelsburg die Tiberbrücke passieren und gegen Cadalus auf den neronischen Wiesen antreten konnte, obwohl das Kastell angeblich von Cencius, einem Anhänger des Gegenpapstes, gehalten wurde[242]. Eine Bedrohung im Rücken gab es für Hildebrand offenbar nicht. Oder hat Cencius vielleicht erst nach diesem Kampf das Kastell – kurz vorher daraus vertrieben – wieder besetzen können?

Alexander II. hatte jedenfalls bis zum Eintreffen des Gegenpapstes vor Rom Mitte April 1062 seine Stellung soweit sichern können, daß ihm nicht einmal die Niederlage auf den neronischen Wiesen und der Verlust der Leostadt an Cadalus zum Verhängnis wurde; vielmehr scheint er zu dieser Zeit bereits einen großen Teil der Römer für sich gewonnen zu haben. In einer Quelle heißt es dazu, daß er vor allem aus den niederen Volksschichten Unterstützung erhielt. Es soll aber auch der alte Römerstolz mitgespielt haben, der sich gegen jegliche Eroberung der Stadt zur Wehr setzte[243]. Soviel läßt sich aus all dem erkennen, daß die Auseinandersetzungen, die letztlich über das Schicksal des

---

240 Bonizo von Sutri: *Liber ad amicum* VI (MG Ldl 1, 595); Petrus Damiani: ep. II 6 (PL 144, 272 A): »Romani quippe nolunt Alexandrum, sed aerarium.« Die »animi mobilitas« der Römer erwähnen die *Annales Altahenses* a. 1062 (MG SS rer. Germ. in us. schol. 4², 60). Vgl. auch Zema: *The Houses of Tuscany and of Pierleone*, 172.

241 Benzo II 1 f. (MG SS 11, 612 f.); *Annales Romani* (MG SS 5, 472); das Monasterium Capitolii dürfte S. Maria in Ara Coeli sein, vgl. Herberhold: *Die Angriffe des Cadalus*, 489.

242 *Annales Altahenses* a. 1062 (MG SS rer. Germ. in us. schol. 4², 60); *Annales Romani* (MG SS 5, 472). Meyer von Knonau: *Jahrbücher* I, 256 mit Anm. 36.

243 Meyer von Knonau: *Jahrbücher* I, 257; Herberhold: *Die Angriffe des Cadalus*, 486 ff.

Reformpapsttums mitentschieden, sich im engen und über den stadtrömischen Bereich noch kaum hinausgreifenden Rahmen bewegten.

Der Rückzug des Cadalus nach Tuskulum ist als ein Eingeständnis seines Mißerfolges anzusehen. Die Hilfe der Campagnagrafen war ihm nicht in dem erwarteten und notwendigen Maße zuteil geworden. Wie schon erwähnt, hatten ihn lediglich der Graf von Chiusi und die Herren von Galeria vor die Stadt begleitet. In Tuskulum, so wurde vermutet, suchte er auch die anderen Adelshäupter für eine tatkräftige Unterstützung zu gewinnen[244]. Doch kam es im selben Jahr nicht mehr zu neuen Aktionen: Gottfried von Toskana griff im Mai 1062 in die römischen Auseinandersetzungen ein. Aus seinem Lager am Ponte Molle[245] verhandelte er mit beiden Papstkandidaten und erreichte, daß der ganze Fall der deutschen Regierung zur Entscheidung überlassen wurde. In der Zwischenzeit sollten Alexander und Cadalus sich in ihre Heimatbistümer Lucca und Parma zurückziehen. Gottfried handelte hierbei einesteils im Interesse des Königtums, wenn er diesem die endgültige Entscheidung im Schisma verschaffte; andererseits ist aber nicht zu übersehen, daß er im Grunde hinter dem aus seiner Stadt Lucca hervorgegangenen Papst stand. Die Hoffnung auf diesen Verbündeten wird die römische Reformgruppe zur Akzeptierung einer deutschen Entscheidung bestimmt haben.

Die Nachgiebigkeit auf beiden Seiten ist immerhin erstaunlich. Für Cadalus begründen die Annales Romani den Abzug mit Geldmangel und mit dem Rückzug der Grafen, was durchaus einleuchtend klingt[246]. Ihm war es also nicht gelungen, den Adel zu gemeinsamem Handeln rechtzeitig zusammenzuschließen, noch jene, die sich ihm zur Verfügung gestellt hatten, bei der Stange zu halten. Es wird zu prüfen sein, wie diese erste negative Bilanz im größeren Rahmen des Cadalus-Schismas zu beurteilen ist. – Aber auch Alexander ging, von Gottfried begleitet, in sein Bistum zurück. Bei ihm möchte man eher eine unmittelbare Abhängigkeit von Gottfrieds Willen, vielleicht auch eine etwas

---

244 S. oben 106.

245 Kaum zutreffend MEYER VON KNONAU: *Jahrbücher* I, 262, und HERBERHOLD: *Die Angriffe des Cadalus*, 491, wenn sie von der »Rückzugslinie nach Tuscien« sprechen, die Cadalus durch Gottfried am Ponte Molle abgeschnitten sei. Dessen Rückzug zu erreichen war vielmehr das Ziel Gottfrieds. Außerdem führt der Weg von Tuskulum in die Toskana nicht über diese Tiberbrücke – eher kommt der Übergang bei Fiano Romano in Frage, den Cadalus schon einmal benutzt hatte, s. oben 106. Die Verhandlungen zwischen Gottfried und Cadalus bei BENZO II 13 (MG SS 11, 617); dazu KRAUSE: *Das Papstwahldekret von 1059*, 151.

246 *Annales Romani* (MG SS 5, 472). Anders HERBERHOLD: *Die Angriffe des Cadalus*, 491, mit unbegründeter Apodiktik. Vgl. auch BORINO: *Cencio del prefetto Stefano*, 391. Übertrieben MEYER VON KNONAU: *Jahrbücher* I, 262, und danach HERBERHOLD, daß Cadalus der »gewonnenen Erfolge beraubt« wurde.

enttäuschte Haltung vermuten angesichts der unablässigen Schwierigkeiten, die sich ihm seit seiner Wahl in den Weg gestellt hatten. Schon bei einer Volksversammlung in Rom – er war gezwungen zu erscheinen – ist diese Haltung zu erkennen[247]. Allerdings steht diese Nachgiebigkeit in scharfem Gegensatz zu dem Bild, das man von Hildebrand, dem führenden Kopf der Reformgruppe, kennt. Etwas später, auf der Synode in Mantua im Mai 1064, mit der das Schisma endgültig abgeschlossen wurde, wird dieser Zwiespalt zwischen Alexander und Hildebrand erneut sichtbar[248].

Das Eingreifen Gottfrieds ist von schwerwiegender Bedeutung; denn mit diesem Schritt wurden den in stadtrömischen Dimensionen befangenen Streitigkeiten um den Papstthron ein Ende gesetzt und die Papstfrage in einen größeren Rahmen überführt. Die von lokalen Gruppierungen in Rom ausgetragenen Konflikte wurden also wie 1046 von außen beendet – nicht durch die neuerdings aufstrebenden Mächte im Süden der Halbinsel, die Normannen, sondern noch einmal durch das deutsche Königtum. Wie zu Zeiten Heinrichs III., jetzt aber zum letzten Mal, lag bei der Reichsregierung die Entscheidung über das Papsttum. Das Eingreifen des lothringischen Herzogs hat Parallelen in früheren Interventionen des tuszischen Markgrafen zugunsten Viktors II. und Nikolaus' II., durch die gleichfalls die Besetzung des Stuhles Petri den städtischen Gewalten mit ihrer schwankenden Anhängerschaft entzogen wurde[249]. Das von Gottfried erzielte Verhandlungsergebnis: Vertagung und Überweisung der Entscheidung an »rex et regni principes«[250], trägt aus der Sicht der Reformer alle Zeichen des Kompromisses an sich. Der Rückfall in die früheren, von dieser Gruppe in erster Linie bekämpften Zustände des Laieneinflusses auf die Besetzung geistlicher Ämter ist offenkundig. Der wenig später von Gregor VII. aufgenommene Grundsatz der Nichtjudizierbarkeit des Papstes[251] gewinnt vor diesem Hintergrund seine volle Schärfe. Es ist bemerkenswert, daß Alexander II. in einer römischen Volksversammlung und erneut auf der Synode in Mantua 1064 seine Rechtfertigung vor dem König als Ausweg aus dem Schisma bezeichnet haben soll[252]. Die Rollen sind also noch nicht neu verteilt, vom Geist Hildebrands ist hier nichts zu spüren.

---

247 Benzo II 2 (MG SS 11, 612 f.). S. auch unten 120.

248 Dazu unten 211 f.

249 Zema: *The Houses of Tuscany and of Pierleone*, 157–169.

250 *Annales Altahenses* a. 1062 (MG SS rer. Germ. in us. schol. 4², 61).

251 Dictatus Papae c. 18 (*Greg. Reg.* II 55 a; Caspar, 204).

252 Benzo II 2 (MG SS 11, 613); *Annales Altahenses* a. 1064 (65).

Der Hoftag in Augsburg und Burchard von Halberstadt

Das Schicksal der streitenden Parteien wurde auf dem Hoftag in Augsburg[253] Ende Oktober 1062 noch nicht endgültig entschieden. Wer bei diesem Termin die beiden Seiten vertreten hat, ist unbekannt. Gottfried von Lothringen-Toskana hielt sich jedenfalls am 21. September und 14. Oktober 1062 am deutschen Hof auf[254] – er wird auch noch am Augsburger Hoftag teilgenommen haben; seine Sympathien für Alexander sind bekannt. Ferner werden römische Legaten und lombardische Bischöfe als anwesend genannt, auch der italienische Kanzler Wibert könnte teilgenommen haben[255]. Die Cadaluspartei hat gegen den von Anno von Köln inspirierten Beschluß des Hoftages, daß der bereits inthronisierte – und daher mit einem Vorrang ausgestattete – Papst auf den apostolischen Stuhl zurückkehren solle, vergeblich Einspruch erhoben[256]. Nach dem Bericht Benzos von Alba wurde mit diesem Bescheid, der einem rechtmäßigen Synodalurteil nicht vorgreifen wollte, der Bischof Burchard von Halberstadt nach Italien geschickt – vermutlich begleitet von Herzog Gottfried[257]. Die Altaicher Annalen fassen den Auftrag Burchards weiter, wenn sie berichten, daß er »utrarumque partium allegationes audiret et vice caesaris et principum iuste exinde iudicaret«[258]. Die Rolle Burchards als Synodalbote bei Benzo ist mit der ihm von den Altaicher Annalen zugeschriebenen endgültigen Entscheidungsbefugnis unvereinbar[259]. Legt man Benzos Text zugrunde, hätte Burchard lediglich in Lucca, wo Alexander sich derzeit aufhielt, und in Rom das Augsburger Urteil verkünden müssen. Nach den Annalen sollte der Bischof zunächst eigene Wahluntersuchungen anstellen und sein Ergebnis dann wiederum in Rom und Lucca verkünden. Wie aus der Palliumsurkunde[260] Alexanders für den Halberstädter Bischof hervorgeht, die einen selbständigen Einsatz für den Papst voraussetzt, hat der Bischof nicht nur eine unverbindliche

---

253 Dazu Jenal: *Anno von Köln*, 231–237.

254 1062 Sept. 21, Kesselwald, DH IV 91; 1062 Okt. 14, Seligenstadt, DH IV 92. Dazu *Annales Altahenses* a. 1062 (61). Vgl. auch R. Jung: *Gottfried der Bärtige*, 48; Dupréel: *Godefroid le barbu*, 98 ff.; Jenal: *Anno von Köln*, 237.

255 DH IV 93 (Augsburg, 1062 Okt. 24) mit Wibert als Rekognoszent, was aber nicht notwendig seine Anwesenheit erforderte, vgl. Meyer von Knonau: *Jahrbücher* I, 181 Anm. 23 und 303 Anm. 129.

256 Vgl. Benzo III 26 (MG SS 11, 631 f.). Meyer von Knonau: *Jahrbücher* I, 300 f.; Jenal: *Anno von Köln*, 233 f.

257 Dupréel: *Godefroid le barbu*, 100.

258 *Annales Altahenses* a. 1061 (MG SS rer. Germ. in us. schol. 4², 59). Jenal: *Anno von Köln*, 232 f.

259 Jenal, 238–240.

260 JL 4498. Dazu Jenal, 238 Anm. 167.

»Sondierung der Lage« vorgenommen, noch war er lediglich ausführendes Organ oder Überbringer eines Synodalurteils. Am 27. Oktober 1062 war der Augsburger Beschluß gefaßt worden[261]. In wenigstens 25 Tagen, das heißt in der zweiten Hälfte November, konnten die Gesandten in Rom gewesen sein[262], wenn man ausschließt, daß sie in Parma oder Lucca, den Aufenthaltsorten der Konkurrenten und Stationen der vermutlichen Reiseroute, verweilt haben. Über die Wahl des Cadalus war in Rom natürlich keine Auskunft einzuholen – darüber wußten die deutschen Regenten selbst besser Bescheid. In Rom stand allein die Erhebung Alexanders II. zur Prüfung an. Schon hier, wie auch ein reichliches Jahr später in Mantua, ging es in erster Linie um die formelle Korrektheit der Wahl, nämlich ob Alexander rechtmäßig, das heißt ohne Gewalt und Simonie, erhoben worden sei; denn das waren die entscheidenden Gründe, die zu einer Annullierung seiner Wahl hätten führen können[263]. Dementsprechend meinen die Altaicher Annalen mit den »utrarumque partium allegationes« nicht die Argumente der Cadalus- und der Alexanderpartei, sondern sie zielen auf die Gründe der Römer, die Alexander teils unterstützten, teils bekämpften: Die Stichhaltigkeit der jeweiligen Positionen war von Burchard zu prüfen. Eine Entscheidung im Schisma konnte diesem einzelnen Bischof selbstverständlich nicht überlassen sein, darüber hatte allein eine Synode zu befinden, wie es dann auch in Mantua 1064 geschah. Daß an der durch Burchard festgestellten kanonischen Wahl Alexanders in Zukunft nicht mehr grundlegend gezweifelt wurde, zeigen die Ereignisse auf der Mantuaner Synode[264]: Alexander führte den Vorsitz, der Cadalus ausdrücklich verweigert wurde; die Simoniefrage war nicht mehr Gegenstand der Untersuchung – sie wurde durch einen Reinigungseid Alexanders erledigt. Die Mission Burchards und die dadurch vorbereitete Synode von Mantua liegen also auf einer Linie, der politischen Linie Annos von Köln, des damaligen Leiters der deutschen Politik[265].

Burchards Mission ist deshalb schwer zu beurteilen, weil der Halberstädter Bischof in Italien nur ein einziges Mal nachzuweisen ist, und zwar am 13. Januar 1063 im südtoskanischen S. Quirico d'Orcia, wo ihm von Alexander II. das Palliumsprivileg ausgestellt wurde[266]. War er dem Papst, der am 19. Dezember 1062 letztmalig in Lucca nachzuweisen ist[267], aber sicher das Weih-

---

261   Das Datum nach Petrus Damiani: op. 18 diss. II c. 8 (PL 145, 414 C). Dazu Meyer von Knonau: *Jahrbücher* I, 300 Anm. 125.
262   Ludwig: *Reise- und Marschgeschwindigkeit*, 103.
263   Zimmermann: *Papstabsetzungen*, 173 ff.
264   Zimmermann: *Papstabsetzungen*, 151 f.; Jenal: *Anno von Köln*, 243–274.
265   Jenal, bes. 268 ff.
266   JL 4498.
267   JL 4491.

nachtsfest noch dort gefeiert hat, entgegengezogen, nachdem er ihn von dem positiven Ausgang seiner Untersuchung in Kenntnis gesetzt und nach Rom gerufen hatte? Ein solches Itinerar wäre aufgrund der Altaicher Annalen anzunehmen; auch deutet die Verleihung des Palliums, des eigentlich erzbischöflichen Abzeichens, mit den anschließenden diplomatischen Verwicklungen [268] auf einen spontanen Akt bei der Begegnung zwischen Papst und deutschem Gesandten hin. Doch will dazu der auffällig langsame Zug Alexanders II. nach Süden nicht recht passen. Mindestens vom 31. Dezember 1062 bis 7. Januar 1063 hielt er sich im Sieneser Komitat auf [269], erreichte am 13. Januar S. Quirico d'Orcia und erst am 25. oder 26. Januar Sutri [270]. Für die Strecke Lucca – Rom brauchte er also statt der üblichen zehn Reisetage etwa die dreifache Zeit. Ein Grund dafür ist nicht zu erkennen. Rom, wo die Reformgruppe präsent geblieben war, öffnete sich dem Papst ohne Widerstand. Die zahlreich besuchte Ostersynode im Lateran zeigte bald darauf das Reformpapsttum im Vollbesitz seiner Kraft: Cadalus wurde exkommuniziert und die Reformgesetzgebung Nikolaus' II. mit einer Wiederholung der Dekrete von 1059 bekräftigt [271].

Zweiter Angriff des Cadalus auf Rom

Kurz nach dieser Demonstration der Siegesgewißheit geriet das Reformpapsttum noch einmal in Bedrängnis. Der im Mai 1063 folgende zweite Angriff des Cadalus zeigt in seinen Grundlinien auffällige Parallelen zum ersten Unternehmen des Gegenpapstes. Aufgrund des Berichts Benzos von Alba, des an den Romzügen beteiligten Zeitgenossen und glühenden Verehrers Honorius II., und der Annales Romani müssen aber tatsächlich zwei Versuche des Elekten, sich des Papstthrons zu bemächtigen, als gesichert gelten [272]. Die Situation ist gegenüber dem Vorjahr wenig verändert. Die Leostadt mit der Engelsburg befand sich wieder in der Hand des Cencius und seiner Genossen, die dazu noch im Süden der Stadt Befestigungen bei S. Paolo fuori le Mura besetzt hielten, das sogenannte Giovannipoli [273]. Die Abtei selbst – soweit sie über-

---

268 Jenal, 238 f.

269 1062 Dez. 31, S. Salvatore all'Isola (Siena), JL 4493; 1063 Jan. 7, in comitatu Senensi, JL 4497.

270 1063 Jan. 13, S. Quirico d'Orcia, JL 4498; 1063 Jan. 25, Sutri, Kehr: IP IV, 80 Nr. 2.

271 JL I, 570. Hefele-Leclercq: Histoire des conciles IV/2, 1230.

272 Lerner: Hugo Candidus, 15, nimmt nur einen Romzug an. Dagegen Benzo II 16 (MG SS 11, 619): »(Cadalus) praecingens se, secundum verba augustae (das meint den Hoftag in Augsburg) redire disponit«; Annales Romani (MG SS 5, 472): »Cadalus vero reversus est in Parma (= Ende des ersten Romzuges). Et congregata pecunia, reversus est Roma (= zweiter Romzug)«. Vgl. auch Bonizo von Sutri: Liber ad amicum VI (MG Ldl 1, 595 Z. 25).

273 Benzo II 15 (618), 18 (621).

haupt funktionsfähig war – wird aber zu Alexander II. und Hildebrand gestanden haben; letzterer hatte interimistisch ihre Leitung inne[274]. Auch Normannen waren wieder zur Stelle, um vertragsgemäß den Papst der Reformgruppe zu unterstützen.

Seinen ersten Erfolg erzielte Cadalus-Honorius II. am Monte Celio gegen die Normannen. Daraufhin konnte er bis zur Porta Appia vorstoßen[275], womit der Aurelianische Mauerring im Süden zur Verteidigungslinie wurde. Cadalus hatte also die Stadt mit raschem Zugriff offenbar weitgehend in Besitz genommen. Aber wie schon im Vorjahr konnte er seine von Benzo behauptete Überlegenheit nicht ausnutzen. Erst in dieser Phase bemühte er sich um die Hilfe der römischen Barone. Vom Campagna-Adel wird keiner namentlich genannt, wenn auch Benzo seine zahlreiche Teilnahme versichert. Als Wortführer trat vielmehr Graf Rapizo von Todi auf mit dem Vorschlag, daß die Grafen in monatlichem Wechsel den Wachdienst in der Stadt versehen sollten[276], was die Anwesenheit zumindest einiger von ihnen voraussetzen würde. Und ganz gering kann die Zahl derer, die für Cadalus eintraten, nicht gewesen sein, da seine Sache anfangs, wie schon im Jahr zuvor, gegen die Normannen nicht glücklos geführt wurde. Überdies mußte die Reformpartei um die Treue ihrer Verbündeten aus Süditalien bangen[277]. Robert Guiskard, durch das 1059 geknüpfte Lehnsband zur Unterstützung des Papstes verpflichtet, war wie im Vorjahr so auch jetzt nicht in der Umgebung Roms erschienen.

In dieser Situation, die von Benzo sicher übertrieben positiv für Cadalus dargestellt wird, war es wiederum Herzog Gottfried, der zusammen mit frischen normannischen Truppen die Entscheidung herbeiführte. Die Lage des Gegenpapstes verschlechterte sich zunehmend, bis er schließlich in vollständiger Abhängigkeit vom römischen Adel, gleichsam als Gefangener, im Turm des Cencius, der Engelsburg, saß. Erst gegen 300 Pfund Silber konnte er sich die Freiheit erkaufen, um dann in aller Heimlichkeit in sein Bistum zu fliehen. Das geschah am Anfang des Jahres 1064[278]. Damit waren die Kämpfe in Rom beendet; das Schisma wurde noch im selben Jahr zu Pfingsten auf der Synode in Mantua beigelegt, ohne daß Cadalus dabei zu Wort gekommen war.

Überblickt man die kriegerischen Auseinandersetzungen in und um Rom in den Jahren 1062 und 1063 und versucht man den Rahmen abzustecken, in

---

274 S. unten 197 ff.
275 Vgl. Borino: *Cencio del prefetto Stefano*, 395 ff.
276 Benzo III 10 (626).
277 Benzo II 18 (620 f.).
278 Herberhold: *Die Angriffe des Cadalus*, 502 f.; Jenal: *Anno von Köln*, 243 ff.

denen sie sich bewegten, so drängt sich die Feststellung auf, daß sie mit geringen Kräften ausgefochten wurden. Was Benzo[279] auf den neronischen Wiesen oder am Monte Celio als Sieg seiner Seite ausgibt, muß für die siegreiche Partei selbst so erschöpfend gewesen sein, daß ein weiterreichender Erfolg damit nicht gewonnen war. Die Konfrontationen dürften eher scharmützelhafte Gefechte gewesen sein, die zum größeren Teil von rasch zusammengezogenen Söldnern ausgetragen wurden, Mannschaften, die dann ebenso schnell wieder auseinanderliefen. Die Rolle der Geldzahlungen wird dementsprechend für beide Seiten wiederholt hervorgehoben. Es ist erstaunlich zu sehen, wie sehr der Lauf der Dinge von Zufälligkeiten, von oft sicher nur geringer materieller Überlegenheit kleiner und kleinster Gruppen und deren persönlichen Interessen abhing, sobald die überlegen lenkende, von allen Seiten letztlich als Autorität anerkannte Macht eines Heinrich III., des Kaisers, ausfällt. Aus den Berichten der Quellen, zumal Benzos, ist nicht zu erkennen, was schließlich Alexander II. den Sieg gebracht hat. Eine weiter ausschauende Betrachtung muß diese Frage beantworten.

b) Interessenlage der Parteien

Abschließend soll versucht werden, aus den Verhaltensweisen und Interessen jener Gruppen, die die beiden Papstkandidaten gefördert haben, den Charakter der Kandidaturen und damit des Schismas dieser Jahre zu bestimmen.

Die römische Reformgruppe

Für die Seite Alexanders II. liegt die Sache relativ unkompliziert. Sein Papsttum, von der Reformgruppe proklamiert, wurde gestützt durch die lehnsrechtlich begründete normannische Hilfe, durch den toskanischen Fürsten Gottfried und seine Gemahlin Beatrix, ferner – wenigstens zeitweise – von einem Teil der römischen Stadtbevölkerung, hauptsächlich von den Bewohnern von Trastevere. Zumindest in den ersten Monaten seines Pontifikats nach der dramatischen Inthronisation in S. Pietro in Vincoli, die ihn mit der notwendigen Legitimität ausstattete, hat man Alexander offenbar ohne weiteren Widerstand als rechtmäßigen Papst in Rom akzeptiert.

Nimmt man die Datierung von Urkunden als Indiz der Obödienz, so ist aus

---

279 Zu Benzos Römertum SCHMIDT: *Hildebrands Eid*, 386; GIOVANNI MICCOLI: *Benzone d'Alba*. In: Dizionario biografico degli Italiani 8. Rom 1966, 726–728.

dem reichlich erhaltenen Farfenser Material[280] ein Bild zu gewinnen, das sich in seinen Grundzügen auch auf die Verhältnisse in der Stadt Rom übertragen läßt. In Urkunden Farfas wird nicht nur noch 1048 wiederholt nach Benedikt IX. datiert[281], jenem Papst also, der von Heinrich III. 1046 abgesetzt und nach dem Tod Clemens' II. noch einmal von den Römern zurückgeholt worden war. Sogar Benedikt X. fand hier Anerkennung[282] – beide allerdings zu einer Zeit, als es sonst keinen inthronisierten Papst gab[283]: Kennzeichen einer pragmatischen Handlungsweise. Die beiden ersten kaiserlichen Päpste, Clemens II. und Damasus II., bleiben in Farfa ungenannt; erst ab Leo IX. wurden die Namen der Reformpäpste in die Datierung gezogen. Von der Stellungnahme zu den Päpsten unabhängig wurde offenbar das Verhältnis zum Kaiser gesehen, denn Datumsformeln mit Kaiserjahren begegnen neben reinen Inkarnationsdatierungen durchlaufend[284]. Im ganzen ist eine Bereitschaft festzustellen, die einheimischen Papstkandidaten des Adels rasch anzuerkennen, auch wenn sie nicht den kaiserlichen Vorstellungen entsprechen mochten. Vor diesem Hintergrund der zu selbständiger Stellungnahme bereiten Abtei Farfa ist deren aus den Datierungen ablesbare Haltung gegenüber Alexander II. zu sehen. Schon im Oktober 1061[285] erscheint der Papstname in der Datumzeile und behauptet sich ohne größere Zwischenräume die Jahre hindurch. In Farfa wurde also Alexander von Anfang an als rechtmäßiger Papst anerkannt. Wird die frühere Neigung zu den Adelspäpsten nicht ohne Einfluß der Creszentierherrschaft in der Sabina erfolgt sein, so hat das Kloster seit dem energischen Durchgreifen Nikolaus' II. gegen die Campagna-Barone in der Anlehnung an das Reformpapsttum einen deutlichen Wandel erlebt[286]. Um 1066 wurde sogar ein Mitglied des Farfenser Konvents, der Priester Odimund, nach Rom geholt, um die Leitung des Trasteveriner Klosters SS. Cosma e Damiano (S. Cosimato) zu übernehmen[287].

---

280   *Liber largitorius vel notarius monasterii Pharphensis,* hg. von Giuseppe Zucchetti (Regesta Chartarum Italiae, 11, 17). Rom 1913, 1932. Dazu G. Zucchetti: *Il ›Liber largitorius vel notarius monasterii Pharphensis‹.* In: BISI 44 (1927) 1–259. *Il regesto di Farfa (Registrum Farfense),* hg. von Ignazio Giorgi – Ugo Balzani. Rom 1914.

281   *Liber larg.* Nr. 1009 (März 1048?), Nr. 1010 (Mai 1048), Nr. 1011 (März 1048).

282   *Liber larg.* Nr. 994 (Dez. 1058).

283   Sedisvakanz zwischen Clemens II. und Damasus II.: 9. Okt. 1047 bis 17. Juli 1048 (Inthronisierung in Rom); Stephan IX. und Nikolaus II.: 29. März 1058 bis 24. Jan. 1059 (Inthronisierung in Rom).

284   Vgl. Zucchetti: *Il ›Liber largitorius‹,* 210.

285   *Reg. Farf.* IV, 352 Nr. 972.

286   Otto Vehse: *Die päpstliche Herrschaft in der Sabina bis zur Mitte des 12. Jhs.* In: QFIAB 21 (1929/30) 150, 155 f.; Kölmel: *Rom und der Kirchenstaat,* 155.

287   S. unten 149 ff.

Soweit in den Tabularien römischer Kirchen Privaturkunden aus dem Anfang der sechziger Jahre erhalten sind, wird das in Farfa gewonnene Bild nicht korrigiert[288]. Sogar unter Abt Rainer von S. Cosimato, dem früheren Anhänger Benedikts X., wird sofort nach Alexander II. datiert[289]. Wenn demnach das Papsttum Alexanders anerkannt oder zumindest hingenommen wurde, ist Cadalus völlig im Vorfeld seines erstrebten Zieles stehengeblieben.

Oberitalien

Die nationalrömischen Tendenzen wurden bereits besprochen – ihre Kontinuität reicht bis zu Gregor von Tuskulum und, etwas abgeschwächt und kompromißbereiter, zu Girard von Galeria, den Überlebenden des alten Herrschaftssystems. Die folgende Generation zeigte sich weit weniger energisch. Schon Girard scheint keinen eigenen Papstkandidaten mehr aufgestellt zu haben, als er unter dem Eindruck der unmittelbar bevorstehenden Erhebung Alexanders an den deutschen Hof reiste. Erst bei der Zusammenkunft mit Wibert, dem Kanzler der Kaiserin Agnes, in Oberitalien dürfte die Kandidatur des Cadalus erwogen worden sein. Mit Recht bezeichnet man Wibert, der sich zum Sprecher der lombardischen Interessen gemacht hatte, als denjenigen, der Cadalus vorgeschoben hat. Beide verband mehrjährige gemeinsame Tätigkeit in Parma[290].

Die Haltung der oberitalienischen Bischöfe ist schwer zu fassen. Der Reformpapst Nikolaus II. zum Beispiel wurde von lombardischen Bischöfen nach Rom geleitet, als dort bereits die Adelsopposition ohne Zutun der deutschen Vormundschaftsregierung einen Papst erhoben hatte[291]. Gottfried von Lothringen-Toskana wird ihnen die Übereinstimmung mit dem deutschen Königtum verbürgt haben. Ihren Landsmann Alexander II. unterstützten die Lombarden dagegen nicht, obwohl dessen Erhebung von denselben Mächten ausging: der Reformgruppe und Herzog Gottfried oder, da er sich gerade in Deutschland aufhielt, seiner Gemahlin Beatrix. Konstant im Verhalten der oberitalienischen Bischöfe ist das Bemühen um die Erhaltung der Herrschaftsstruktur der Kirche sowie die Orientierung nach der Reichsspitze als deren Garant. Bischöfe und hoher Klerus hatten in diesem Bereich Italiens die staatliche Or-

---

288 Z.B. Pietro Fedele: *Tabularium S. Mariae Novae*. In: ASRom 23 (1900) 218 (im Separatdruck 50) Nr. 19, 1062 Jan. 23.

289 P. Fedele: *Carte del monastero dei Ss. Cosma e Damiano*. In: ASRom 22 (1899) 383 Nr. 62, 384 Nr. 63, 64.

290 Bonizo: *Liber ad amicum* VI (MG Ldl 1, 594). Vgl. Köhncke: *Wibert von Ravenna*, 14; Haller: *Papsttum* II², 338 f.

291 Bonizo: *Liber ad amicum* VI (593); s. auch oben 63.

ganisation des Landes weithin übernommen und konnten auf diesem Gebiet wie auf ihrem ureigensten, der Kirchenverwaltung und der Kirchenzucht, von gelegentlichen Eingriffen des Königs abgesehen, ziemlich selbständig auftreten[292].

Die von Bonizo von Sutri überlieferte Forderung der Lombarden soll 1061 dahin gegangen sein, nur einen Papst akzeptieren zu wollen, der – wie es heißt – aus dem Paradies Italiens, der Lombardei, stamme[293]. Das sind überraschende Töne, hat man sich doch vorher in ambrosianischem Selbstbewußtsein nur wenig um die Besetzung des Papstthrones gekümmert. Gewiß war durch die Strenge der moralischen Maßstäbe, die neuerdings an den Lebenswandel der Kleriker gelegt wurden, nicht zum wenigsten die oberitalienische Geistlichkeit betroffen[294], und vielfach wird deren Widerspruch gegen das Reformpapsttum, der sich unter anderem im Cadalus-Schisma auswirkte, daraus abgeleitet. Doch war diese Opposition nicht so grundsätzlich festgelegt, als daß sie sich nicht in der Papstfrage rasch arrangieren konnte: Die lombardischen Bischöfe haben den eigenen Kandidaten, Cadalus, kaum oder nur halbherzig unterstützt.

Welche die tonangebenden lombardischen Bischöfe und welches ihr Verhalten im Zusammenhang der Ereignisse der sechziger Jahre waren, diese Fragen wurden bisher nur unzureichend untersucht. Hier kann das Problem nur gestreift werden. Bonizo von Sutri erwähnt in seinem Bericht über die römische Lateransynode von 1059 eine Vorladung Widos von Mailand und seiner Suffragane. Außer dem Erzbischof sollen noch Kunibert von Turin, Girelmus von Asti, Benzo von Alba, Gregor von Vercelli, Otto von Novara, Opizo von Lodi und Adelmann von Brescia der Vorladung gefolgt sein. Mit dem Blick auf den Turiner Bischof bezeichnet Bonizo die Bischöfe in einem Wortspiel als »cervicosi tauri«[295]. Und »cervicosi episcopi Lombardie« waren auch in Basel bei der Wahl des Cadalus anwesend: Petrus Damiani nennt in einem seiner Briefe an Cadalus zwei davon mit Namen, den von Piacenza und den von Vercelli[296]. Der Verdacht ist dabei nicht von der Hand zu weisen, daß diese beiden – dazu natürlich Cadalus selbst und vermutlich der ihm nahe-

---

292 DILCHER: *Lombardische Stadtkommune*, bes. 88 ff.; KELLER: *Die Verfassung Mailands*, 34 ff.; DERS.: *Pataria und Stadtverfassung*, 321.

293 BONIZO: *Liber ad amicum* VI (594): »Longobardi episcopi deliberant non aliunde se habere papam nisi ex paradiso Italie talemque qui sciat compati infirmitatibus eorum«.

294 KELLER: *Pataria und Stadtverfassung*, 338 f.

295 BONIZO: *Liber ad amicum* VI (594): »cervicosos tauros ... Cunibertum Taurinensem ...«; vgl. HUGO SAUR: *Studien über Bonizo*. In: FdG 8 (1868) 404.

296 PETRUS DAMIANI: ep. I 20 (PL 144, 242). LEO MARSICANUS: *Chronica Casinensis* III 19 (MG SS 7, 711 f.).

stehende Kanzler Wibert als Initiator der Kandidatur – die ganze Wahlbetei-
ligung von italienischer Seite ausmachten[297]. Die von Bonizo überlieferte Forderung nach einem lombardischen Papst trifft im Grunde auch auf Anselm
von Lucca zu, doch ist er hier natürlich nicht gemeint. Diese Formel war vielmehr auf Cadalus von Parma zugeschnitten. Dahinter steht der Pragmatismus
des von hochstrebendem Ehrgeiz geleiteten Wibert, der auch andernorts zu
erkennen ist.

In Rom haben die Lombarden bei den großen Ereignissen seit 1046 selten
gefehlt. Nach Sutri und Rom hatten den deutschen König 1046 Bischof Riprand
von Novara, Onkel des 1061 an der Papstwahl in Basel beteiligten Dionysius
von Piacenza, und dessen Vorgänger Wido von Piacenza begleitet[298]. Auf
Leos IX. römischer Synode von 1049 waren derselbe Riprand, dann Kunibert
von Turin, Wido von Asti und Cadalus von Parma zugegen[299]. Die Teilnahme
lombardischer Bischöfe an der Lateransynode von 1059 wurde bereits erwähnt[300]. Schon zur Zeit Leos IX. setzten jene Kontroversen um die moralischen Normen der Kirche ein, die dann von Gregor VII. mit dogmatischer
Härte zugespitzt wurden, wenn es auch bei beiden Päpsten weithin Proklama-
tionen blieben, die nicht oder doch kaum die Verhaltensweisen des norditalie-
nischen Episkopats änderten. Beispiel dafür sind die Exkommunikationen ni-
kolaitischer Geistlicher, angefangen bei Bischof Gregor von Vercelli, der 1051
von Leo IX. wegen Ehebruchs suspendiert wurde[301], eine Sentenz, die die
Laufbahn des Bischofs nicht spürbar behindert hat. Aus der bald folgenden
Rekonziliation möchte man eher auf ein Nachgeben päpstlicherseits als auf
eine grundlegend gewandelte Haltung Gregors von Vercelli schließen. Er löste
Wibert im italienischen Kanzleramt ab und nahm später in Canossa (1077) eine
Vermittlerrolle zwischen Heinrich IV. und Gregor VII. ein[302]. Ob die Teilnahme an der Wahl des Cadalus ihm eine erneute Verurteilung eingetragen
hat, ist nicht bekannt; seinen Amtsbruder Dionysius von Piacenza[303] jeden-

---

297   So auch MEYER VON KNONAU: *Jahrbücher* I, 225 Anm. 56.

298   SCHWARTZ: *Besetzung*, 123. Wido von Piacenza erhielt 1046 in Rom die Bischofsweihe,
SCHWARTZ: *Besetzung*, 190; G. B. BORINO: »*Invitus ultra montes cum domno papa Gregorio
abii*«. In: Studi Gregoriani 1 (1947) 12 Anm. 21.

299   Unterschriften in JL 4158 und 4163. Vgl. auch OVIDIO CAPITANI: *Immunità vescovili
ed ecclesiologia in età »pregregoriana« e »gregoriana«*. Spoleto 1966, bes. 61 f. mit Anm. 24.

300   S. oben 126.

301   HERMANN VON REICHENAU: *Chronicon* a. 1051 (MG SS 5, 129 f.).

302   Vgl. SCHWARTZ: *Besetzung*, 137 f.; HARALD ZIMMERMANN: *Der Canossagang von 1077.
Wirkungen und Wirklichkeit* (Abhandlungen der Akademie der Wissenschaften und Literatur
Mainz. Geistes- und Sozialwiss. Klasse, Jg. 1975 Nr. 5). Wiesbaden 1975, bes. 142 ff.

303   SCHWARTZ: *Besetzung*, 191.

falls trafen Exkommunikation und anschließende Vertreibung durch die Patarener im Jahr 1067. Dionysius kehrte jedoch zurück und ließ sich auch von
der folgenden Absetzungsverfügung einer römischen Synode Gregors VII.
nicht mehr beirren. Ebenso folgenlos blieben die Absetzungen einiger weiterer Bischöfe[304].

In der Ablehnung derartig schwerer Eingriffe des Reformpapsttums in das
Gefüge der lombardischen Kirche war man sich hier offenbar weithin einig,
im Episkopat, im hohen Klerus und zum Teil sogar im Volk[305]. Die von Rom
exkommunizierten Bischöfe konnten sich fast alle in ihren Stellungen behaupten. Zeigte sich einmal einer der Bischöfe vom moralischen Anspruch der neuen
Frömmigkeitsbewegung beeindruckt – wie Adelmann von Brescia, Konzilsteilnehmer von 1059 –, setzte er unter Umständen gegen den aufgebrachten
Klerus sein Leben aufs Spiel. Seine Konprovinzialen – so heißt es – ließen sich
dagegen die Unterlassung der Verkündung der Reformdekrete von den Betroffenen durch Geld bezahlen[306]. Mit Exkommunikationen und Synodaldekre-
ten waren päpstlicherseits die legalen Mittel, mit denen auf die Hierarchie
direkter Einfluß ausgeübt werden konnte, erschöpft, und sie waren fast wir-
kungslos geblieben wegen der Hartnäckigkeit, mit der die überkommene Unabhängigkeit der einzelnen Kirchen verteidigt wurde. Die alte Tendenz der
oberitalienischen Kirchen zum kaiserlichen Hof wurde kaum in Ansätzen
durch eine Umorientierung nach Rom abgelöst.

Bei dieser Grundeinstellung war im Einzelfall die Haltung der Bischöfe doch
so differenziert, daß eine spezielle Untersuchung nötig wäre. Hier kann den
zahlreichen über die Alpen laufenden Beziehungen nicht nachgegangen werden – sie zeigten sich in der Herkunft aus dem Reichsdienst und häufiger Anwesenheit von Lombarden am deutschen Hof.

Angesichts des ausgeprägten Unabhängigkeitsstrebens, das königliche Eingriffe zu vermeiden suchte und päpstliche Ansprüche ablehnte, ist es erstaunlich, daß der lombardische Episkopat nun die Besetzung des päpstlichen Stuhls
für sich beanspruchen wollte[307]. Mehr als eine Propagandaformel war das

---

304 Z. B. Humfred von Ravenna 1050: Schwartz: *Besetzung*, 156; Wilhelm von Pavia
und Kunibert von Turin 1075: ebd., 144, 131; Arnulf von Cremona 1078: ebd., 112; Roland
von Treviso 1078: ebd., 61.

305 Etwa bei der Wahl Attos von Mailand, Schwartz: *Besetzung*, 81 f.; vgl. Keller:
Pataria und Stadtverfassung, 340, zur von den Mailändern abgelehnten Exkommunikation des
Erzbischofs Wido.

306 Bonizo: *Liber ad amicum* VI (594). Schwartz: *Besetzung*, 107.

307 Neben Bonizo vgl. auch Tolomeo von Lucca: *Annales* a. 1063 (recte 1061) (MG SS
rer. Germ. N.S. 8, 4): »convenerunt omnes episcopi Lombardie plane, que olim Liguria et
Emilia vocabatur, cum suis metropolitanis, et elegerunt episcopum Parmensem in papam, cui
nomen Cadalus«; ebenso Tolomeo: *Historia ecclesiastica* XIX 1 (Muratori 11, 1071).

nicht. Denn da Cadalus später von diesen Bischöfen – außer durch Benzo von Alba – keine nennenswerte Unterstützung erhielt, ist anzunehmen, daß der Kreis derer, die hinter dieser Forderung standen, recht begrenzt war. Das drängende Problem in der Lombardei war vielmehr die Pataria mit ihren Angriffen auf das kirchliche Herrschaftsgefüge.

Sympathie, aber auch Ablehnung fand die Papstwahl des Parmenser Bischofs in Oberitalien. Vor allem war die Haltung der Ravennater Erzdiözese zwiespältig. So heißt es, daß Cadalus nach dem Wahlakt in Basel heimlich nach Bologna reisen mußte, wo er dann allerdings ungestört seine Vorbereitungen für den Romzug treffen konnte. Vielleicht hatte ihm der Ortsbischof anfangs Schwierigkeiten gemacht[308]. Wahrscheinlich hieß dieser damals bereits Lambert, dessen spätere Hinwendung zur päpstlichen Partei sich hier schon angekündigt haben mag. Ferner dürften Faenza und Ferrara kaum hinter Cadalus gestanden haben. Faenza hielt enge Verbindung mit Petrus Damiani: Eine Schenkungsurkunde für dessen Eremus vom Faentiner Prior Johannes von S. Reparata ist am 14. Oktober 1062 nach Alexanders Pontifikatsjahren datiert, und in einem Diplom des Bischofs Petrus für denselben Empfänger vom 6. Mai 1063 findet sich gleichfalls die Alexanderdatierung[309]. In Ferrara, dessen Zugehörigkeit zur Erzdiözese von Ravenna oder zur römischen Provinz strittig war, erklärt sich die Haltung des Bischofs Roland im Schisma aus dessen Gegensatz zu Ravenna, das seinerseits Cadalus unterstützte[310]. In einer Ferrareser Bischofsurkunde vom 14. Februar 1062 findet sich in der Datumsformel Alexander genannt[311], ebenso wie in Faenza also zu einer Zeit, als im Schisma noch keine Entscheidung gefallen war und das Bekenntnis zu Alexander nicht eben ungefährlich schien. Doch sind diese Konstellationen sicherlich mehr durch den ravennatisch-römischen Antagonismus bestimmt, der auch die Suffragane in Mitleidenschaft zog, als durch reformerischen Bekennermut der Bischöfe. Gewissen Rückhalt gegen die Cadaluspartei werden sie dazu bei Gottfried und Beatrix von Tuszien gefunden haben, die die Grafschaften von Ferrara, Reggio, Modena, Mantua und Brescia innehatten. Doch sind die Fürsten nördlich des Apennin nur ein einziges Mal nachzuweisen: 1064 auf der Synode in Mantua[312].

---

308 BONIZO: *Liber ad amicum* VI (595). Zu Lambert von Bologna SCHWARTZ: *Besetzung*, 164; ALFRED HESSEL: *Geschichte der Stadt Bologna* (Historische Studien, 76). Berlin 1910, 28 ff., bes. 33.

309 MITTARELLI: *Annales Camaldulenses* II, Appendix 280.

310 MEYER VON KNONAU: *Jahrbücher* I, 587.

311 LUDOVICUS ANTONIUS MURATORI: *Antiquitates Italicae medii aevi* V. Mailand 1741, 615.

312 MEYER VON KNONAU: *Jahrbücher* I, 382 mit Anm. 31.

Die deutsche Regierung

Als dritte Gruppe nach den Römern und den Lombarden war die deutsche Vormundschaftsregierung unter Führung der Kaiserin Agnes an der Wahl des Gegenpapstes beteiligt. Diese Seite war in Basel vertreten durch die Kaiserin selbst und deren Vertrauten, Bischof Heinrich von Augsburg. Andere Fürsten des Reiches werden nicht namentlich genannt[313], mit einer großen Zahl ist nicht zu rechnen. Die Berichte über die Basler Ereignisse lassen erkennen, daß die Römer mit der Überreichung der patrizischen Insignien an den jungen Heinrich IV. und der Bitte um einen neuen Papst an die Zeit Heinrichs III. anknüpfen wollten, als man nach dem Tod Clemens' II. in ähnlicher Weise den Kaiser um einen Nachfolger gebeten hatte[314], ein Akt, der sich mit geringen Modifikationen 1048 wiederholte, als Heinrich III. Bruno von Toul zum Papst bestimmte[315].

Heinrich IV. war aber 1061 nur deutscher König und noch ohne römischen Herrschaftstitel. Wie H.-G. Krause gezeigt hat[316], war die rechtliche Voraussetzung zur Benennung des Papstes nicht der Patriziat, vielmehr stand Heinrich IV. die Mitwirkung bei der Papstwahl nach dem Papstwahldekret von 1059 als »rex et futurus imperator« zu. Wenn der König sich später bei der Rechtfertigung seines Eingreifens in die römische Kirche auf den Patriziustitel beruft, macht er damit zum rechtlichen Inhalt dieses Titels, was die früheren Patricii nicht als solche besaßen, sondern insofern sie Herren Roms waren. Diese rechtliche Auslegung des Patriziats ist Heinrich IV. und seiner Kanzlei, nicht aber den Römern von 1061 zuzuschreiben; von ihrer Seite gesehen, lag in der Titelverleihung lediglich die nachdrückliche Aufforderung zum Eingreifen in die römischen Verhältnisse.

Einen eigenen Kandidaten für den Papstthron hatte die römische Delegation nicht vorgeschlagen – er wurde von den Lombarden gestellt und von den beiden anderen in Basel vertretenen Parteien, der deutschen Regentschaft und den Römern, angenommen. Cadalus von Parma war am deutschen Hof zwar gut bekannt[317], aber trotzdem stand Agnes – nach dem späteren Verhalten der Kaiserin zu urteilen – nicht mit voller Überzeugung hinter ihm. Denn hätte

---

313   MARIE LUISE BULST-THIELE: *Kaiserin Agnes* (Beiträge zur Kulturgeschichte des Mittelalters und der Renaissance, 52). Leipzig 1933, 74.
314   Vgl. F. KEMPF. In: Handbuch der Kirchengeschichte III/1, 292 f., 404 f.
315   Nach den *Annales s. Benigni Divionensis* (MG SS 7, 237), der Hausquelle Halinards von Lyon, erbaten die Römer vergeblich Halinard vom Kaiser zum neuen Papst.
316   KRAUSE: *Das Papstwahldekret von 1059*, 106 f.
317   HERBERHOLD: *Die Beziehungen des Cadalus*, 84 ff.

man jetzt einen ausgesprochen königlichen Papst haben wollen, was angesichts des in der letzten Zeit Nikolaus' II. ausgebrochenen Konflikts mit dem Reformpapsttum verständlich gewesen wäre, hätte man kaum die späte Initiative der Römer und Lombarden, ja sogar der Reformgruppe selbst, abgewartet. Mit Planlosigkeit und Unentschlossenheit ist die abwartende Haltung des deutschen Hofes eher zu erklären, eine Situation, die von den zielbewußten Lombarden in die ihnen erwünschte Richtung gelenkt wurde[318]. Doch auch auf dieser Seite konnte die Verantwortung auf Wibert eingegrenzt werden. Von der Kaiserin besonders geschätzt, dürfte er als italienischer Kanzler in Basel die Hauptrolle gespielt haben, während Agnes ihn gewähren ließ. So wenig in Basel eine deutsche Initiative bei der Erhebung des Cadalus spürbar ist, so wenig ließ man dem dort Erwählten später bemerkenswerte Hilfe zukommen. Wiederholte Appelle von seiner Seite blieben erfolglos[319].

In früheren Fällen hatte mehrmals der toskanische Markgraf die am deutschen Hof kreierten Päpste nach Rom geleitet. 1061/62 hatte sich die Situation derart gewandelt, daß Beatrix von Tuszien dem Cadalus den Weg über den Apennin versperrte. Der Elekt und die Römer trugen daher die Hauptlast bei den Versuchen, den Anspruch auf den Papstthron zu realisieren. Der römische Adel aber bot nach dem Tod Gregors von Tuskulum und des Grafen von Galeria, des Delegationsleiters von 1061, nicht mehr das Bild energischen, selbständigen Handelns. Cadalus, der Kompromißkandidat der lombardischen Bischöfe und der Römer, hatte Mühe, von den Baronen überhaupt einige Unterstützung zu erhalten, und bei der Stadtbevölkerung mußte durch Geldzahlungen für den Elekten aus Parma Stimmung gemacht werden. Da dieser ein vermögender Herr war, konnte er sich einen gewissen Anhang erkaufen[320] – ein Zeichen der Schwäche des Kandidaten wie jener Gruppen, die ihn stützten. Bischof Benzo von Alba wurde mit der Aufgabe, mit Geldgeschenken für Cadalus zu werben, vorausgeschickt. Dabei waren die römischen Verbündeten als nicht sehr zuverlässig einzustufen[321], denn mit dem Elekten verband sie nur der Kampf gegen den gemeinsamen Feind: Papst Alexander und die

---

318 BULST-THIELE: *Kaiserin Agnes*, 74, erkennt einen Verzicht des Hofes auf einen deutschen Papst; doch es gibt keinen Hinweis, daß es jemals um einen solchen gegangen wäre. Vgl. auch PETRUS DAMIANI: *Disc. synod.* (MG Ldl 1, 90 Z. 42); dazu oben 108.

319 MEYER VON KNONAU: *Jahrbücher* I, 377 mit Anm. 23.

320 Zu den persönlichen Verhältnissen des Cadalus LUIGI SIMEONI: *Studi su Verona nel medioevo* I. In: Studi storici Veronesi 8/9 (1957/58) 42 f.; VITTORIO CAVALLARI: *Cadalo e gli Erzoni.* In: Studi storici Veronesi 15 (1965) 94 ff.

321 Die »animi mobilitas« erwähnen die *Annales Altahenses* a. 1062 (MG SS rer. Germ. in us. schol. 4², 60).

Reformgruppe[322]. Was ein Pontifikat des Cadalus-Honorius II. den römischen Parteiinteressen zu bieten gehabt hätte, bleibt eine offene Frage.

Diese Sicht der Ereignisse findet ihre Abrundung im ruhmlosen Ende des Gegenpapstes. Die Regierung der Kaiserin Agnes, die Cadalus zu keiner Zeit im Sinne eines königlich-deutschen Kandidaten tatkräftig gefördert hatte, brach zusammen in der Aktion des Kölner Erzbischofs Anno in Kaiserswerth[323]. Die Kaiserin schloß sich darauf zunehmend enger dem reformerischen Kreis um Montecassino und Petrus Damiani an[324]. Bei diesen Neigungen, die sicher nicht erst 1062 nach der Regierungsniederlegung entstanden sind, dürfte es unwahrscheinlich sein, in ihr und in den ihr nahestehenden Beratern[325] die Initiatoren eines gegen die Reformgruppe gerichteten Gegenpapsttums zu erblicken. Das Schisma des Cadalus stand also noch nicht unter dem Thema der Auseinandersetzung zwischen Papsttum und Kaisertum. Zumindest von den Vertretern der letzteren Seite ist Cadalus nie erkennbar mit einer derartigen Programmatik versehen worden[326].

Die letzten Appelle des Cadalus erreichten bereits Anno von Köln und trafen damit auf eine grundlegend veränderte politische Situation. Sie blieben fruchtlos, denn der Kölner Erzbischof suchte das Abenteuer des Parmenser Bischofs rasch zu beenden. Mit dem Ausscheiden des italienischen Kanzlers Wibert aus dem Reichsdienst verlor Cadalus seinen wichtigsten Helfer[327]. Selbst die Römer ließen den ungeliebten Kandidaten, der so wenig ihren eigenen Interessen entsprechen konnte, im Stich. Die Engelsburg verwandelte sich ihm von der Residenz zum Gefängnis – Abzug wie Einzug mußten gegen klingende Münze erkauft werden. Die Koalition von Basel war zerfallen. Einige Sympathisanten der Basler Wahl fanden sich sogar nach kurzer Zeit auf der Seite des Reformpapsttums ein: als erste die Kaiserin Agnes, dann auch Kunibert von Turin[328], dem Petrus Damiani gegen Ende 1063 seine Abhand-

---

322   Bonizo: *Liber ad amicum* VI (MG Ldl 1, 595): »Romani capitanei volentes Romanam urbem opprimere et sub potestate sua ut antiquitus redigere.«

323   Dazu Jenal: *Anno von Köln*, 175 ff.

324   Bulst-Thiele: *Kaiserin Agnes*, 86 ff.

325   Ein häufiger Begleiter der Kaiserin wurde biographisch behandelt von Werner Goez: *Rainald von Como. Ein Bischof des 11. Jhs. zwischen Kurie und Krone.* In: Historische Forschungen für Walter Schlesinger. Köln 1974, 462–494.

326   Von einer »Niederlage der Regierung in Italien« (Meyer von Knonau: *Jahrbücher* I, 264 f.) kann deshalb keine Rede sein.

327   Köhncke: *Wibert von Ravenna*, 15.

328   Vgl. Fedele Savio: *Gli antichi vescovi d'Italia dalle origini al 1300*, I: Il Piemonte. Turin 1899, 347–350; Schwartz: *Besetzung*, 131–133; Francesco Cognasso: *Storia di Torino.* Mailand 1960, 84 ff.; Cosimo Damiano Fonseca: *Le canoniche regolari riformate dell'Italia*

lung über die unenthaltsamen Kleriker widmete[329]. Der Turiner Bischof überbrachte im Auftrag Annos von Köln zusammen mit Gregor von Vercelli[330],
dem Nachfolger Wiberts im italienischen Kanzleramt, Alexander II. die Ein-
ladung zur Synode von Mantua. Die Teilnahme des Bischofs von Vercelli an
der Basler Wahl war gleichfalls vergessen – Alexander II. war ihm nach Benzos
Worten jetzt sogar freundschaftlich verbunden[331].

Seit 1063 wuchs die Zahl derer, die sich zu Alexander II. bekannten, schlagartig an. Sein Papsttum galt allgemein als legitim.

nord-occidentale. In: Monasteri in alta Italia dopo le invasioni saracene e magiare (sec. X–XII).
Turin 1966, 346 ff. Vgl. auch SCHMIDT: *Kanonikerreform in Rom,* 202 f.

329 PETRUS DAMIANI: op. 18 II (PL 145, 598).
330 Zu Gregor vgl. SCHWARTZ: *Besetzung,* 137 f.; JENAL: *Anno von Köln,* 239.
331 BENZO III 27 (MG SS 11, 632).

II. DER PAPST UND DIE RÖMISCHE REFORMGRUPPE

Die Papstkandidaturen des Anselm von Lucca und des Cadalus von Parma lassen sich in der Weise charakterisieren, daß der erste als Exponent einer bestimmten kirchenpolitischen Richtung, die vor und nach ihm bestand, erscheint, während Cadalus seine Erhebung Gruppeninteressen verdankte, die im Grunde wenig miteinander zu tun hatten, in einem bestimmten Augenblick sich zu gemeinsamem Handeln zusammenfanden, bald aber wieder ihre eigenen Ziele verfolgten, so daß Cadalus schließlich nur sich selbst und sein Geld anbieten konnte. Der Kompromißcharakter war gerade die Ursache dafür, daß keine jener Gruppen, die an seiner Erhebung beteiligt gewesen waren, sich mit seiner Kandidatur identifizierte und bedingungslos hinter ihr stand.

Anders auf der Seite Alexanders II. Die römische Reformgruppe war seit Leo IX. einigermaßen fest gefügt, so daß gelegentliche Rückschläge sie nicht zu zerbrechen vermochten. Auch unabhängig von ihrem Papstkandidaten – etwa als Alexander 1062 nach Lucca zurückkehren mußte – blieb sie in Rom aktiv. Dieser Reformkreis und sein Verhältnis zu Alexander II. soll in diesem Kapitel beleuchtet werden.

1. DIE SCHLÜSSELPOSITIONEN DER KARDINALATE

a) Ablösung der alten Inhaber

Leo IX. hatte im Jahr 1048 eine Reihe von Klerikern mit sich nach Rom gebracht, die dort den Kern einer Reformbewegung bildeten; an sie schlossen sich rasch italienische Prälaten an. Diese kirchenpolitisch aktiven Männer bemächtigten sich im Lauf der Zeit der Spitzenpositionen in der römischen Kirche: der suburbikarischen Bistümer und der Kardinalpresbyterate[1]. In der Folgezeit wurden diese Ämter ihrem ursprünglich liturgischen Aufgabenkreis

---

1 Über die Diakonate, die erst gegen Ende des Jahrhunderts wichtig wurden, vgl. KLEWITZ: *Reformpapsttum*, 88 ff., und R. HÜLS (s. oben 47 Anm. 66). Ferner KLAUS GANZER: *Das roemische Kardinalkollegium*. In: Atti della quinta Settimana internaz. di studio, Mendola 1971 (Miscellanea del Centro di studi medioevali, 7). Mailand 1974, 153–181.

in der Stadt teilweise stark entfremdet; ihre Inhaber wurden zu Trägern der päpstlichen Politik und der rapide anschwellenden Verwaltungsaufgaben des Papsttums. – Der Prozeß der Ablösung der alten, vom stadtrömischen System geprägten Inhaber der Kardinalate kam zuerst bei den Bistümern zu einem gewissen Abschluß, als das Kollegium der »episcopi Romani« ganz aus Reformanhängern bestand. Das war etwa 1060 erreicht, als der Inhaber des Bistums Velletri, Johannes-Benedikt X., als Gegenpapst von einer Synode Nikolaus' II. abgesetzt worden war[2]. Die anderen Bischöfe zu jener Zeit waren Petrus Damiani von Ostia, dem Velletri nun unterstellt wurde, Johannes von Porto, Bonifaz von Albano, Petrus von Tuskulum-Labicum, Humbert von Silva Candida; Palestrina war offenbar vakant und Sabina nahm erst ab 1063 den Platz von Velletri ein[3].

Die Inhaber der Kardinaltitel in Rom sind im Gegensatz dazu weit weniger gut bekannt, sowohl was ihre Namen als auch ihre Haltung zur Kirchenreform betrifft. Klewitz hat die Liste der Kardinalpriester der Zeit zwischen 1048 und 1073 zusammengestellt[4]. Der Trasteveriner Titel von S. Grisogono mit seinen Inhabern Friedrich von Lothringen, Kanzler der römischen Kirche, Abt von Montecassino und zuletzt Papst als Stephan IX., dann mit Stephan aus Burgund, mehrfach Legat im Dienste der Päpste Stephan IX. und Nikolaus II., und schließlich mit dem Kanzler Petrus gibt sich als fest in der Hand der Reformgruppe zu erkennen. Ebenfalls in Trastevere gelegen ist der Titel von S. Cecilia, den der Abt Desiderius von Montecassino als Kardinal innehatte, und auch der von S. Maria mit seinem Kardinal Johannes; beide, Desiderius und Johannes, können zu den Anhängern des reformierten Papsttums gezählt werden. Die kirchenpolitische Haltung der übrigen namentlich bekannten Kardinäle jener Zeit bleibt völlig ungeklärt[5].

Die Beobachtung, daß gerade die drei Trasteveriner Titel in der Hand von Reformern sind, fügt sich gut in unser Bild ein, zumal Trastevere aufgrund anderer Indizien als Schwerpunkt dieser Partei bezeichnet werden kann[6]. Hier bot sich offenbar die Möglichkeit, führende Mitglieder des Reformkreises mit den ihnen angemessenen Stellen zu versorgen.

Es ist zu fragen, wie es gelingen konnte, die römischen Bistümer rascher und

---

2 KLEWITZ: *Reformpapsttum*, 33 f.; s. auch oben 75 f.

3 KLEWITZ: *Reformpapsttum*, 35. Die Inkorporation folgte erst knapp 100 Jahre später durch Eugen III., vgl. KEHR: *IP* II, 101.

4 KLEWITZ: *Reformpapsttum*, 63 ff. und 92. Diese Liste läßt sich aus römischen Urkundenmaterial ergänzen, jedoch wird dadurch kein Name gewonnen, der sich mit Sicherheit der Reformgruppe zuweisen ließe; dazu R. HÜLS.

5 KLEWITZ: *Reformpapsttum*, 66.

6 S. oben 115.

vollzähliger in die Hand zu bekommen als die städtischen Kardinalpresbyterate. Die enge Verflechtung mit der römischen Führungsschicht bestand hier wie dort. Ist die Zahl der Bistümer auch kleiner und daher schneller besetzt, so kommt doch wiederum erschwerend hinzu, daß das Umland, so in Albano, Palestrina, Velletri, Sutri und Tuskulum, zum festen Feudalbesitz des Adels gehörte. Einige Zeugnisse für die Verflechtung seien hier zusammengestellt.

Johannes von Velletri – als Papst trug er den Namen Benedikt X. (1058) – war sicher gebürtiger Römer und stand vermutlich dem tuskulanischen Grafenhaus nahe[7]. Johannes von Tuskulum (1067–1068) hatte ebenfalls enge Beziehungen zu den Tuskulanergrafen, wenn er nicht überhaupt ein Angehöriger dieser Familie war. Denn als Graf Gregor III. 1068 eine Kirche bei Tuskulum an Montecassino schenkte, geschah das »per consensum domni Iohannis episcopi Lavicanensis«[8]. Das könnte freilich die Zustimmung des Diözesanbischofs gewesen sein; da Gregor III. sonst aber Kirchen auch ohne einen solchen Konsens verschenkte[9], kann der Mitbesitz und damit die Verwandtschaft des Bischofs mit dem Schenker vermutet werden. – Entsprechend läßt sich für den städtischen Klerus die Herkunft aus der römischen Bevölkerung gelegentlich nachweisen. In einer Urkunde von S. Ciriaco an der Via Lata wird zum Jahr 1059 ein »domnus Iohannes diaconus« mit seinen römischen Verwandten genannt[10] – möglicherweise war er Regionardiakon der unmittelbar benachbarten Diakoniekirche S. Maria in Via Lata. Über die sonstigen Inhaber der Titelkirchen und deren familiäre Verbindungen ist nichts auszumachen. Sie haben fraglos bestanden: Die Presbyterate können in Analogie etwa zur Mailänder Klerikerhierarchie als weitgehend vom städtischen Adel besetzte Stellen angesehen werden.

Die soziale Herkunft der »episcopi Romani«, der Presbyter der Titelkirchen wie der Diakone dürfte im allgemeinen die gleiche gewesen sein, und der Versuch der Reformgruppe, in Rom Fuß zu fassen, mußte besonders auf diese Ämter als die Schlüsselstellungen der Adels- und Laienherrschaft in der Kirche zielen. Das Ordinationsrecht an den Titelkirchen und Diakonien stand zwar dem Papst zu[11], jedoch entschied wohl auch hier derjenige, der die tatsächliche

7 MEYER VON KNONAU: *Jahrbücher* I, 87; CAPITANI. In: Diz. biogr. degli Italiani 8, 366 f.; s. auch oben 78 ff.

8 ERASMUS GATTULA: *Historia abbatiae Cassinensis* I. Venedig 1733, 233 f.; dazu HOFFMANN: *Petrus Diaconus*, 11.

9 Vgl. HOFFMANN: *Petrus Diaconus*, 11; dort auch über die sonstigen Schenkungen.

10 HARTMANN: *Ecclesiae S. Mariae in Via Lata Tabularium* II, 8 Nr. 87.

11 Vgl. Benedikt VIII., Johannes XIX. und Leo IX. für Porto (JL 4024, 4067, 4163; KEHR: *IP* II, 20 Nr. 10, 11, 13), worin die Päpste sich die Ordination der »cardinales, diaconi vel subdiaconi aut acolythi sacri Lateranensis palatii« vorbehalten.

Macht über die jeweilige Region ausübte, und der Widerstand gegen eine Überfremdung dürfte begreiflicherweise groß gewesen sein. Weniger schlüssig ist der Erfolg der Reformer in den römischen Bistümern zu erklären. Auch dort lag das Ordinationsrecht beim Papst als dem zuständigen kirchlichen Oberen[12]. Zur Zeit Gregors VII. und Wibert-Clemens' III. wurde die Einsetzung von Bischöfen und Gegenbischöfen offenbar ohne jede Beteiligung der Diözesanen vorgenommen[13]. Doch ist diese Zeit, in der sich das dreifach gestufte Kardinalskollegium als politisches, von seinen ursprünglich liturgischen Aufgaben weitgehend abgelöstes Gremium herausgebildet hatte, nicht mehr zum Vergleich heranzuziehen.

Für die Anfangsjahre der römischen Reformbewegung dürfte noch der von Paul Schmid[14] beschriebene Modus gelten, daß dem Kirchenvolk der Kandidat von dem jeweiligen Kirchenherrn präsentiert wurde. Während der unangefochtenen Herrschaft der Adelspäpste im römischen Gebiet vor 1046 war daher die Einheit zwischen weltlicher und geistlicher Macht, Adel und Papsttum, gewährleistet. Schwierigkeiten konnten erst mit dem Reformpapsttum einsetzen, als die lokalen Gewalten, in deren Bereich die suburbikarischen Bistümer lagen, in Gegensatz zum Papst und seiner ihren Besitzstand angreifenden Personalpolitik gerieten.

Zweifellos besaßen die Sitze der »episcopi Romani« als des ranghöchsten Ordo im römischen Klerus eine besondere Würde. Das erklärt wohl das Hineindrängen der Reformanhänger in diese Stellen, nicht aber den Erfolg, mit dem das geschehen konnte, oder den ausbleibenden Widerstand der traditionellen Gewalten. Daß die Kardinalbischöfe im Papstwahldekret von 1059 dann zu Stimmführern bei der Papstwahl erklärt wurden, ist eine Folge der allein in diesem Ordo des Kardinalskollegiums erreichten Homogenität[15]. Seit Viktor II. tragen die Papstprivilegien nicht regelmäßig, aber doch gelegentlich die Unterschriften von Kardinälen, wobei der personelle Wechsel unter den Subskribierenden gering ist. Ebenso wie wiederholtes Auftreten von Kardinälen als Intervenienten ist diese Erscheinung auf die Beteiligung eines bestimmten, nicht sehr großen Personenkreises an der Kirchenregierung zurückzuführen[16]. Ihre kirchenpolitische Haltung charakterisiert sie als Gruppe, die

---

12 Z. B. ordinierte Johannes XIX. 1026 Petrus von Silva Candida, JL 4075.

13 KLEWITZ: *Reformpapsttum*, 39 ff.

14 PAUL SCHMID: *Der Begriff der kanonischen Wahl in den Anfängen des Investiturstreits.* Stuttgart 1926, 23 f.

15 Vgl. HALLER: *Papsttum* II², 323 f.

16 KLEWITZ: *Reformpapsttum*, 34 f. BENO: *Gesta Romanae ecclesiae* I 2 (MG Ldl 2, 370): »(Gregorius) a consilio removit cardinales sacrae sedis ... Eiectis a consilio et a custodia eius cardinalibus, vita eius et fides et doctrina sine testibus fuit: cum sacri canones precipiant, ut

das Programm der Kirchenreform in entscheidendem Maße formuliert und ihm über den Pontifikat eines Papstes hinaus Dauer verliehen hat. Als Begleiter und damit Berater der Päpste, als Legaten oder Statthalter treten sie in Erscheinung. Ferner hatten sie sich den entscheidenden Einfluß auf die Papstwahl gesichert. Ein von ihnen erhobener Papst hatte mit ihnen zu rechnen, wie umgekehrt auch er – wenn er ihren politischen und kirchlichen Vorstellungen entsprach – auf sie zählen konnte.

b) Kardinäle der Reformgruppe bis 1061

Nach dem Tod Humberts von Silva Candida († 5. Mai 1061) lebte von den führenden Prälaten, die mit Leo IX. nach Rom gekommen waren, nur noch Hildebrand. Seine langjährige und intime Kenntnis der politischen Konstellationen, in die das Papsttum seither verwickelt war, und seine starke politische Begabung ließen ihn unangefochten die leitende Rolle in der Reformgruppe spielen. Sein Verhältnis zu Papst Alexander II. wird deshalb in einem eigenen Abschnitt untersucht werden; ebenso wird über Petrus Damiani ausführlich zu sprechen sein[17].

Porto

Den zweiten Platz unter den Kardinalbischöfen nahm traditionell der von Porto ein; bei Papst- und Kaiserkrönungen wurde sein Rang nach dem Ostienser Bischof deutlich. Die Bischofsliste von Porto[18] ist für das 11. Jahr-

---

in omni loco tres cardinales presbiteri et duo diaconi papam non deserant propter testimonium aecclesiasticum et propter stilum veritatis.« Beno benutzt hier die pseudoisidorische Dekretale Lucius' I. c. 1, JK † 123 (HINSCHIUS, 175). Diese Dekretale wurde vor allem von der gregorianischen Kanonistik rezipiert (74-Titel-Sammlung; Anselm von Lucca; Deusdedit. Vgl. FUHRMANN: Einfluß II, 872 Nr. 200); ferner im Liber de unitate ecclesiae conservanda II 36 (MG Ldl 2, 263); dazu ZELINA ZAFARANA: Ricerche sul »Liber de unitate ecclesiae conservanda«. In: Studi Medievali 3. ser. 7 (1966) 617–700, bes. 666. – Unter Gregor VII. hören die Kardinalsunterschriften in den Diplomen tatsächlich auf.

17   S. unten 179 ff. und 195 ff.

18   GIUSEPPE CAPPELLETTI: Le chiese d'Italia I. Venedig 1844, 541; PIUS BONIFACIUS GAMS: Series episcoporum. Regensburg 1873, VIII; KARES: Kardinalbischöfe, 21; KLEWITZ: Reformpapsttum, 115; SANTIFALLER: Saggio, 705 (Index s. v. Johannes vescovo di Porto). Vgl. auch WERNER GOEZ: Reformpapsttum, Adel und monastische Erneuerung in der Toskana. In: Vorträge und Forschungen, 17. Sigmaringen 1973, 237 Anm. 188. ALFRED GAWLIK: Analekten zu den Urkunden Heinrichs IV. In: DA 31 (1975) 408 f. R. Hüls versucht in seiner Dissertation über das Kardinalskollegium die Bischofsliste zu ordnen.

hundert in arger Verwirrung, verursacht offenbar durch mehrere Bischöfe namens Johannes, die aufeinander folgten. Ab 1057 wird Johannes II. ziemlich kontinuierlich genannt[19], sei es im Kreise der Reformanhänger auf Synoden oder in Begleitung der Päpste: in Benevent im August 1059, in Florenz im Winter 1059/60, in Montecassino 1071 anläßlich der Kirchweihe. Dem späteren Gregor VII. soll der Portuenser Bischof besonders nahe gestanden haben[20]; beiden war die Sympathie für Berengar von Tours gemeinsam, als der französische Theologe wegen seiner heterodoxen Abendmahlslehre nach Rom zitiert wurde[21]. Vor dem Hintergrund dieser Lebensdaten ist es nicht gerechtfertigt, Johannes von Porto einen »Fremdling im Kreise seiner Mitbischöfe« zu nennen[22]. Fällt auf ihn auch der Schatten, als einziger Kardinalbischof zusammen mit anderen Kardinälen 1083/84 von Gregor VII. abgefallen zu sein[23], so muß dabei bedacht werden, daß sogar ein Desiderius von Montecassino, den Gregor selbst als möglichen Nachfolger bezeichnet hat, zeitweise eine etwas ambivalente Haltung im Kampf des Papstes mit Heinrich IV. eingenommen hat[24]. Diejenigen Kardinäle, die von Gregor abfielen, sind nicht generell als Gegner der Reform einzustufen. – Von Johannes von Porto ist bekannt, daß er sich dem deutschen Papstkandidaten, Wibert-Clemens III., angeschlossen hat: Am 4. November 1084 unterschrieb er eine Wiberturkunde und Anfang Mai 1085 nahm er an einer kaiserlichen Synode in Mainz teil[25]. Die gregorianische Partei bannte ihn am 20. April 1085 auf ihrer Synode in Quedlinburg, weshalb er von Urban II. 1089 »antiepiscopus« genannt wurde[26].

---

19 Zuerst 1057 Okt. 18, JL 4373. Die Einzelnachweise bei Hüls.

20 BENO: *Gesta* I 6 (MG Ldl 2, 371): »Johannes Portuensis episcopus, qui intimus fuerat secretis Hildebrandi«; Brief der Mathilde von Tuszien bei Hugo von Flavigny (MG SS 8, 463): »(Portuensis) olim fuit familiaris domini papae.« Vgl. auch KLEWITZ: *Reformpapsttum*, 36.

21 Vgl. MANSI: *Collectio* XIX, 761 f. LADNER: *Theologie und Politik*, 36 ff.

22 So KLEWITZ: *Reformpapsttum*, 35 f.

23 BENO: *Gesta* I 1 (MG Ldl 2, 369).

24 Vgl. LEO MARSICANUS: *Chronica Casinensis* III 50 (MG SS 7, 739 f.), über die Verhandlungen zwischen Heinrich IV. und Desiderius im Jahr 1083. TOMMASO LECCISOTTI: *L'incontro di Desiderio di Montecassino col re Enrico IV ad Albano.* In: Studi Gregoriani 1 (1947) 307–319.

25 KEHR: *IP* I, 76 Nr. 16. MEYER VON KNONAU: *Jahrbücher* IV, 21, und bes. Exkurs III, 547. Im *Liber de unitate ecclesiae conservanda* II 19 (MG Ldl 2, 235) wird der Bischof von Porto irrtümlich Petrus genannt.

26 KEHR-BRACKMANN: *Germania Pontificia* II/1, 32 Nr. *5, zu Quedlinburg; JL 5403 zu Urban II. MEYER VON KNONAU: *Jahrbücher* IV, 270 f. – Zur selben Zeit gab es auf der Seite Urbans II. einen Johannes von Porto, der von dem schismatischen zu trennen ist; er war am 12. März 1088 in Terracina an der Wahl Urbans beteiligt, vgl. BECKER: *Urban II.* I, 92; KLEWITZ: *Reformpapsttum*, 115; ferner JL 5540 (Cremona, 1095 Febr. 18); sein Todestag ist der 13. Dez. nach dem Kalender des Leo Marsicanus (HOFFMANN, 137 mit Anm. 66).

Silva Candida

Der Sitz von Silva Candida hatte bereits im Jahr 1050 einen Reformanhänger als Bischof bekommen: Humbert von Moyenmoutier[27], der damit als einer der ersten aus dem Umkreis Leos IX. einen hohen hierarchischen Rang in der römischen Kirche erhielt[28]. In den übrigen kardinalizischen Bistümern lassen sich erst ab 1057 Mitglieder der Reformgruppe nachweisen. In diesem Jahr aber steht der Kreis sogleich geschlossen da: Zu Johannes von Porto und Humbert von Silva Candida sind hinzugetreten Bonifaz von Albano, Petrus von Tuskulum, Benedikt von Velletri und Petrus Damiani von Ostia[29]. Ob diesen Besetzungen kürzere oder längere Vakanzen vorausgingen, kann außer bei Silva Candida nicht festgestellt werden – in Albano wurde zuletzt im April 1044 ein Bischof genannt, in Ostia, Velletri, Tuskulum-Labicum 1050[30]. Humbert folgte 1050 schon nach wenigen Tagen seinem Vorgänger Crescentius[31], der sicher dem römischen Adel angehört hatte. – Für das Fehlen von Unterschriften und von namentlichen Nennungen der Bischöfe lassen sich zwei Vermutungen angeben: Entweder hatten die Amtsinhaber sich zurückgezogen und wurden von dem reformierten Papsttum als Vertreter der gestürzten Adelsherrschaft nicht zur Mitarbeit aufgefordert, oder es gab tatsächlich Vakanzen, die von den Reformpäpsten solange nicht beendet wurden, als sie nicht Männer ihrer Richtung einsetzen konnten. In Silva Candida hatte das rasch geschehen können, da dieses Bistum etwas außerhalb der Zentren der opponierenden Campagna-Barone lag.

Albano

Die Herkunft des Bischofs von Albano ist nicht gesichert[32]. Die einzige Quellenstelle, die zu einer Klärung beitragen kann, wurde bisher meistens übersehen.

---

27   Zur Herkunft Humberts vgl. SCHMIDT: *Hildebrands Eid,* 378 ff. KLEWITZ: *Reformpapsttum,* 118; SANTIFALLER: *Saggio,* 170 f., wo Humberts Tätigkeit als Bibliothekar der römischen Kirche zusammengestellt ist. Vgl. auch HENNING HOESCH: *Die kanonischen Quellen im Werk Humberts von Moyenmoutier* (Forschungen zur kirchlichen Rechtsgeschichte und zum Kirchenrecht, 10). Köln 1970.

28   Vor ihm wurde Azelin Bischof von Sutri, 1049; SCHWARTZ: *Besetzung,* 264.

29   Für Palestrina, das in dieser Reihe fehlt, wird zuletzt Bischof Johannes im April 1044 genannt, JL 4114; danach erst 1058 der schismatische Bischof Rainer, s. oben 74.

30   Vgl. KARES: *Kardinalbischöfe,* 20 ff., zu den jeweiligen Orten.

31   SANTIFALLER: *Saggio,* 168 mit Anm. 3.

32   KLEWITZ: *Reformpapsttum,* 116. KRAUSE: *Das Papstwahldekret von 1059,* 118 Anm. 177, weist zwar auf die Stelle bei Benzo (s. folgende Anm.) hin, ordnet sie aber falsch ein. ZELINA ZAFARANA: *Bonifacio, card.* In: Dizionario biografico degli Italiani 12. Rom 1970, 113 f. Zum folgenden vgl. SCHMIDT: *Hildebrands Eid,* 378 ff.

Benzo von Alba berichtet[33], daß nach dem Tod Leos IX. eine vorgeblich römische Wahlgesandtschaft an den Hof des Kaisers gegangen sei, um über die Nachfolgefrage zu verhandeln. Sie bestand aus drei Mönchen, die Benzo in seiner polemischen Art als »quasi de Roma, cum non essent de Roma« bezeichnet. Den Namen der Mönche wird ihr Herkunftsland beigefügt: Aldeprandus de Tuscana, Umbertus de Burgundia und Bonefacius de Apulia. Die Gesandten können ihr Anliegen jedoch nicht vorbringen, sondern werden als entlaufene Mönche und Betrüger hingestellt. Nach Eintreffen der offiziellen römischen Legation müssen sie auf Drängen der anwesenden deutschen Bischöfe schwören, daß weder sie selbst sich um den Papstthron bemühen wollen, noch die Papstwahl in irgendeiner Weise beeinflussen werden. Der Hauptvorwurf Benzos gegen die Reformgruppe, der die drei Gesandten nach dem Kontext zuzuweisen sind, und gegen deren Päpste richtet sich gegen ihre Herkunft aus einer anderen als der römischen Kirche. Gegen den Willen des Kirchenvolkes zu ihren Ämtern gelangt, werden sie als Eindringlinge charakterisiert; nach dem vorgregorianischen Begriff der electio canonica[34] sind sie damit unkanonisch und nach Benzos Meinung rechtmäßig zu bekämpfen. Es ist ersichtlich, daß in einem solchen Argumentationszusammenhang die Herkunftsangaben der drei führenden Vertreter der Reformgruppe eine gewichtige Rolle spielen: Benzos These von der unkanonischen Wahl findet darin ihren eigentlichen Rechtsgrund. Dementsprechend sind die Herkunftsangaben auch inhaltlich nicht belanglos.

Die Szene am Hof Heinrichs III. ist nicht so legendär, wie man gemeinhin annimmt[35]. Sie fügt sich nämlich gut in den historischen Kontext des Jahres 1054 ein; dazu wird zumindest das Geburtsland Hildebrands, Tuszien, auch durch andere Quellen bezeugt[36], und von Humberts burgundischer Herkunft wußte außer Benzo auch Berengar von Tours[37]. Wenn die Angaben zu Hildebrand und Humbert nicht einfach aus der Luft gegriffen sind, ist das bis zur Auffindung eines Gegenbelegs auch für Bonifaz nicht anzunehmen. Für den Bischof von Albano wäre damit das früheste Datum für seine Biographie gewonnen: Noch unter Leo IX., der sich wiederholt in Süditalien aufgehalten

---

33   BENZO: *Ad Heinricum IV imp.* VII 2 (MG SS 11, 671).

34   P. SCHMID: *Kanonische Wahl*, 21 f.

35   Vgl. SCHMIDT: *Hildebrands Eid*, 374–386, mit der Lit.

36   ODO DELARC: *Saint Grégoire VII et la réforme de l'église au XIe siècle* I. Paris 1889, 394 Appendix A II.

37   Zitat Berengars aus seiner verlorenen ersten Schrift bei LANFRANK: *De corpore et sanguine Domini adversus Berengarium Turonensem* c. 2 (PL 150, 409 D). Dazu SCHMIDT: *Hildebrands Eid*, 379 f. mit Anm. 25.

hat[38] und dabei den Mönch Bonifaz kennen- und schätzengelernt haben dürfte, ist er in die Reformgruppe hineingezogen worden.

Mit gesichertem Datum wird Bonifaz zum ersten Mal am 13. Mai 1057 in der Unterschriftenreihe einer Urkunde Viktors II. genannt – neben ihm Humbert, Benedikt von Velletri, der Archidiakon Petrus, Hildebrand und Friedrich von Lothringen[39]. Bis auf den Archidiakon begleiteten sie alle den Papst während der Monate Mai bis Juli in die Toskana[40]. Auf dem Rückweg von Florenz nach Rom wurde Viktor am 28. Juli 1057 in Arezzo von einem plötzlichen Tod überrascht, und Bonifaz war es, der die Nachricht vom Ableben des Papstes innerhalb dreier Tage nach Rom überbrachte[41] – er hatte offenbar in dieser Zeit eine gewisse Führungsrolle in der Reformgruppe inne, die auch bei der sogleich folgenden Wahl des neuen Papstes, Stephans IX., zur Geltung gekommen sein mag. Am 18. Oktober 1057 zählte Bonifaz zu den Intervenienten eines Diploms Stephans IX.[42] für den Luccheser Klerus; neben ihm stehen Anselm von Lucca, auf dessen Initiative diese Urkunde ausgestellt wurde[43], Benedikt von Velletri, Humbert von Silva Candida, Petrus von (Tuskulum-) Labicum, Johannes von Porto und Hildebrand.

Tuskulum

Der hier erstmalig mit Namen genannte Petrus von Tuskulum dürfte es gewesen sein, den Friedrich von Montecassino im Juli 1057, ehe er selbst zum Nachfolger Viktors II. gewählt wurde, als des Papstthrons würdig bezeichnet hat: Humbert von Silva Candida, die Bischöfe von Velletri, Perugia und Tuskulum und zuletzt Hildebrand waren seine Kandidaten[44]. Die Nähe des tuskulanischen Bischofs zum lothringischen Reformerkreis mag daraus zu ersehen sein, daß er in der Folgezeit mehrmals der Begleiter Humberts war. Beide hatten zum Gefolge Stephans IX. gehört, als dieser im Frühjahr 1058 in die Toskana reiste. Nach dem überraschenden Tod des Papstes am 29. März in

---

38   Das süditalienische Itinerar bei KÖLMEL: *Rom und der Kirchenstaat,* 151–154; DEÉR: *Papsttum und Normannen,* 88 f., 93 f.

39   JL 4367 (PL 143, 829).

40   Subskriptionen in JL 4368, 4369, 4370. LEO MARSICANUS: *Chronica Casinensis* II 94 (MG SS 7, 693). S. auch oben 58.

41   LEO MARSICANUS II 94 (692). KRAUSE: *Das Papstwahldekret von 1059,* 59 mit Anm. 101, 118 mit Anm. 177.

42   JL 4373 (PL 143, 871).

43   S. oben 61.

44   LEO MARSICANUS II 94 (MG SS 7, 693). Zum Bischofssitz Tusculum-Gabii-Labicum vgl. KLEWITZ: *Reformpapsttum,* 27 mit Anm. 58.

Florenz eilten Humbert und Petrus, ohne im aufständischen Rom zu verweilen, mit dem Ziel Benevent nach Süden, blieben aber in Montecassino, wo sie das Osterfest (19. April) feierten[45]. Im Dezember 1058 begegnen uns beide Bischöfe zusammen mit Bonifaz von Albano wiederum in der Toskana, und zwar in Fiesole, in Begleitung des Papstelekten Gerhard von Florenz[46], an dessen Erhebung sie unter Hildebrands Regie zweifellos mitgewirkt hatten. Zu der großartig inszenierten Ostersynode Nikolaus' II. im Lateran waren dann alle Kardinalbischöfe – natürlich außer dem von Velletri, der als Gegenpapst Benedikt X. verurteilt wurde[47] – versammelt. Das Papstwahldekret trägt ihre Unterschriften, an erster Stelle die des Bonifaz von Albano[48].

Das Kollegium der Kardinalbischöfe

Es ist auffällig, daß außer Humbert keiner jener Männer, die mit Leo IX. nach Rom gekommen waren, ein römisches Bistum erhalten hat. Um so interessanter wäre es zu wissen, wie die Bischöfe Bonifaz von Albano, Petrus von Tuskulum und später Hubald von Sabina in ihre Ämter gelangt sind. Als schließlich Petrus Damiani gegen Ende 1057 das Bistum Ostia erhielt[49], waren erstmalig alle suburbikarischen Bischofssitze in der Hand von Reformanhängern. Man möchte annehmen, daß die Konstituierung dieser Gruppe Hand in Hand ging mit dem Nachlassen des Einflusses der Campagna-Barone in ihren Gebieten. Generell kann diese Parallelität auch festgestellt werden; freilich fanden die entscheidenden Einbrüche in die Adelsherrschaften erst unter Nikolaus II. statt[50], als die Bistümer bereits mit Reformern besetzt waren.

Es ist verständlich und konnte gefahrlos geschehen, daß dem Kollegium der Kardinalbischöfe, das seit 1057 nahezu geschlossen das Reformpapsttum unterstützte, von der Lateransynode 1059 eine hervorragende Rolle bei der Papstwahl zuerkannt wurde. Angesichts des größeren zahlenmäßigen Umfangs und des fehlenden kirchenpolitischen Konsenses innerhalb der übrigen Ordines des römischen Klerus war die Prärogative der Bischöfe notwendig, um die Wahl im Sinne der Reformkreise zu steuern. Daß dem Bischof von Albano in diesem

---

45 Leo Marsicanus III 9 (703).
46 Friedrich Thaner: *Papstbriefe*. In: NA 4 (1879) 401 f.; Kehr: *IP* III, 75 Nr. 4. Vgl. auch Anton Michel: *Humbert und Hildebrand bei Nikolaus II. (1959/61)*. In: HJb 72 (1952) 136; Hägermann: *Vorgeschichte des Pontifikats Nikolaus' II.*, 352 f.
47 S. oben 77 f.
48 MG Const. 1, 537 ff. Nr. 382.
49 Dressler: *Petrus Damiani*, 113.
50 Dazu oben 75 f.

Kreis eine gewisse Führungsrolle zufiel, ist bereits erkannt worden. Seine Unterschrift findet sich in den Zeugenlisten der Papsturkunden häufig an erster Stelle[51]. Ist für die Reihenfolge der Unterschriften das Weihedatum maßgebend, müßte Bonifaz noch vor Humbert von Silva Candida, das heißt vor 1050, sein Bistum erhalten haben. Beide, Humbert und Bonifaz als die weiheältesten Bischöfe, standen aber bei der Reformgruppe in besonderem Ansehen. Von Petrus Damiani werden sie als die »acutissimi et perspicaces oculi« Nikolaus' II. bezeichnet[52]. Bei bedeutenden kirchenpolitischen Anlässen stehen sie den Päpsten zur Seite: Als Nikolaus II. im Sommer 1059 nach Süditalien reiste und auf einer Melfitaner und einer Beneventaner Synode die Hinwendung des Papsttums zu den Normannen bekräftigte, wurde er von den führenden Mitarbeitern umgeben, die damit als Träger der neuen Politik in Erscheinung treten: Humbert, Bonifaz, Johannes von Porto, Desiderius von Montecassino und Hildebrand[53]. – Aus dem Jahr 1060 sind fünf Papsturkunden erhalten, die Unterschriften der Kardinalbischöfe tragen[54]. Drei sind im Januar in Florenz ausgestellt, zwei im April in Rom. Sie lassen erkennen, daß außer Hildebrand, der in den Florentiner Diplomen nicht genannt ist, nahezu die gesamte Reformgruppe den Papst auf seiner Reise in die Toskana begleitet hatte: Bonifaz von Albano, Johannes von Porto, Petrus von Tuskulum, Petrus Damiani von Ostia, Bruno von Palestrina, der den schismatischen Bischof Rainer abgelöst hatte[55], Humbert von Silva Candida, sowie die Kardinalpriester Stephan und Desiderius von Montecassino.

Ehe Alexander II. die Regierung über die römische Kirche übernahm, traten in den Bistümern noch einige Wechsel ein. Nach dem Tod Humberts am 5. Mai 1061 übernahm Mainard das Bistum von Silva Candida; er war vorher als Mönch von Montecassino bereits im Dienst des Papsttums tätig gewesen[56]. Kurze Zeit zuvor war in Palestrina ein Wechsel eingetreten mit Bernhard, der

---

51   In elf Urkunden mit Kardinalsunterschriften von Viktor II. bis Alexander II. steht Bonifaz von Albano sechsmal an erster Stelle (JL 4425, 4426, 4468, 4494, 4630, 4651; hinzukommt das Papstwahldekret 1059), Hildebrand zweimal (JL 4565, KEHR: *IP* II, 66 Nr. 40), Humbert und die Bischöfe von Palestrina und Tuskulum je einmal (JL 4367, 4429, 4433). Für die Reihenfolge ist also das Kriterium des Weihealters nicht streng durchgehalten.

52   PETRUS DAMIANI: ep. I 7 (PL 144, 211 D). Dazu G. B. BORINO: *L'arcidiaconato di Ildebrando.* In: Studi Gregoriani 3 (1948) 514 Anm. 151.

53   KEHR: *IP* VIII, 251 Nr. 19.

54   Florenz: JL 4425, 4426, 4429; Rom: 4433, KEHR: *IP* II, 66 Nr. 40.

55   S. oben 74.

56   LUDOVICO GATTO: *Studi mainardeschi e pomposiani* (Collana di saggi e ricerche, 4). Pescara 1969, 61 ff.; KLEWITZ: *Reformpapsttum*, 118; KLAUS GANZER: *Die Entstehung des auswärtigen Kardinalats.* Tübingen 1963, 23.

wohl ebenfalls Cassineser Mönch war[57]. Nach Bonifaz von Albano und Petrus von Tuskulum unterschrieben diese neuen Mitglieder des Kollegiums im Mai 1061 eines der letzten Nikolausdiplome[58].

Kardinalpriester

Deutlich und geschlossen tritt die um den Papst gescharte Gruppe der Kardinalbischöfe hervor. Von den Kardinalpriestern lassen sich nur wenige ihrer kirchenpolitischen Richtung nach einordnen, und mit der Kenntnis von dem übrigen Klerus Roms ist es noch schlechter bestellt. Die drei trasteverinischen Titel konnten als fest in der Hand der Reformgruppe bestimmt werden: S. Grisogono, S. Maria in Trastevere und S. Cecilia[59]. Die Inhaber der übrigen Titelkirchen werden selten genannt[60], im Dienste des Papsttums haben sie kaum eine Rolle gespielt, sieht man von dem Lothringer Hugo Candidus[61] mit dem Titel S. Clemente ab, der zwar von Leo IX. mit nach Rom genommen worden war, aber schon unter Nikolaus II. sich den Reformgegnern anschloß und als einziger Kardinal die Kandidatur des Cadalus unterstützte. Seine Unterwerfung unter Alexander II. im Jahr 1067 führte ihn aber nicht endgültig auf die Seite des Reformpapsttums zurück; nach verschiedenen Parteiwechseln, die ihn als Anhänger des alten, vom Kaiser abhängigen reichskirchlichen Systems erkennen lassen, endete er schließlich auf der antigregorianischen Seite. Weniger bizarr, aber mit demselben Ziel verlief das Leben eines weiteren lothringischen, von Leo IX. erhobenen Kardinals, Beno von SS. Martino e Silvestro[62], der erst nach seinem Abfall von Gregor VII. durch seine wütenden literarischen Angriffe gegen den Papst bekannt geworden ist.

Die personelle Situation der Reformgruppe wird durch eine Erscheinung verdeutlicht, die man als Pfründenkumulation bezeichnen könnte; allerdings haben die Träger von Mehrfachpfründen die zweite Pfründe nicht immer unter dem entsprechenden Amtstitel, sondern unter einem abgestuften »Ver-

---

57   KLEWITZ: *Reformpapsttum*, 117; SANTIFALLER: *Saggio*, 177.

58   JL 4468 (PFLUGK-HARTTUNG: *Acta* II, 93).

59   S. oben 135.

60   KLEWITZ: *Reformpapsttum*, 64–66, stellt die bisher bekannten Namen zusammen.

61   FRANZ LERNER: *Kardinal Hugo Candibus*. München 1931. GIOVANNI BATTISTA BORINO: *Quando il card. Ugo Candido e Guiberto arcivescovo di Ravenna furono insieme scomunicati.* In: Studi Gregoriani 4 (1952) 456–465.

62   JOSEPH SCHNITZER: *Die ›Gesta Romanae Ecclesiae‹ des Kardinals Beno*. Bamberg 1892. ANDREAS BIGELMAIR: *Beno*. In: DHGE 7. Paris 1934, 1371; ZELINA ZAFARANA: *Benone*. In: Dizionario biografico degli Italiani 8. Rom 1966, 564–569; KEHR: *Wibert von Ravenna*, 980.

wesertitel«[63] verwaltet. So versah Hildebrand neben seinem Dienst im Lateranpalast als Archidiakon noch die Stelle eines Rektors der Abtei von S. Paolo
fuori le Mura[64]. Zwar dürfte das klösterliche Leben in diesem Konvent zu
jener Zeit kaum bedeutend gewesen sein, immerhin war seine Leitung doch
mit einigen Aufgaben verbunden[65]. Kardinal Stephan von S. Grisogono war
seit Alexanders Pontifikat auch Abt des Klosters S. Gregorio al clivo di Scauro,
in dessen Leitung er einen Gegner der Wahl Alexanders II. ablöste[66]. Der
Nachfolger Stephans im Kardinalstitel von S. Grisogono, der Kanzler und
Bibliothekar Petrus, war gleichzeitig Rektor von S. Maria Nova am Forum[67].
In anderer Weise trug Petrus Damiani eine doppelte oder gar mehrfache
Belastung: 1060 wurde ihm neben seinem Bistum Ostia noch Velletri unterstellt, und später erhielt er den zusätzlichen Auftrag, in Gubbio die kirchliche
Reform zu organisieren[68]. Diese Kumulierungen legen den Schluß nahe, daß
das Papsttum nicht über eine ausreichende Zahl von Klerikern verfügte, um
frei werdende Positionen mit geeigneten Mitarbeitern zu besetzen. Gleichzeitig dürfte aber auch die bessere Ausstattung der Reformanhänger mit Einkünften eine Rolle gespielt haben. Hier wird die Grenze deutlich, an die die
Reformgruppe immer wieder gestoßen ist: Nicht zuletzt die personelle Situation unterwarf sie dem Zwang, in langsamer Durchdringung die römische
Kirche in den Griff zu bekommen.

c) Die Kardinäle Alexanders II.

Bischof Anselm von Lucca war, wie bereits gezeigt wurde, diesem römischen
Kreis kein Fremder, als er mit Initiative Hildebrands zum Papst gewählt wurde.
Es ist anzunehmen, daß sich um ihn wie vorher um Nikolaus II. die römischen
Bischöfe geschart haben, doch liegen für die turbulenten Anfänge seines Ponti-
fikats keine entsprechenden Nachrichten vor. Erst gegen Ende 1062, als nach

---

63   Die Verwendung des Titels eines Rektors, Dispensators u. ä. bedarf einer systematischen
Untersuchung. Er scheint in Fällen verwendet worden zu sein, in denen neben der eigentlichen
Pfründe eine weitere ohne den Besitz des entsprechenden Amtstitels – gegebenenfalls interimi-
stisch – verwaltet wurde.

64   BASILIO TRIFONE: *Serie dei prepositi, rettori ed abbati di s. Paolo di Roma.* In: Rivista
storica benedettina 4 (1909) 247.

65   Vgl. JL 4594; KEHR: *IP* I, 117. Dazu KLAUS GANZER: *Zur Frage der sogenannten »ge-
borenen Kardinäle« von Vendôme.* In: ZKG 78 (1967) 340–345, mit der Lit.

66   S. oben 109 f.

67   SANTIFALLER: *Saggio,* 186 mit Anm. 2.

68   PETRUS DAMIANI: ep. I 14 (PL 144, 223).

dem Eingreifen Gottfrieds von Lothringen-Toskana die Auseinandersetzungen
in Rom unterbrochen und die beiden Gegner, Alexander II. und Cadalus, in
ihre Bistümer zurückgekehrt waren, sehen wir etwas klarer. Der kanonischen
Bestimmung Lucius' I. folgend, war er nicht allein von Rom nach Lucca
gereist; in seiner Begleitung befanden sich Mainard, der Nachfolger Humberts
im Bistum Silva Candida und im Bibliothekarsamt der römischen Kirche, ferner
Petrus von Tuskulum und Kardinal Stephan[69]. Während Hildebrand in Rom
als Statthalter zurückblieb, was er auch bei den folgenden, fast regelmäßigen
Lucca-Reisen des Papstes tat, hatten sich jene drei Mitglieder des Reformkreises dem Papst in kritischer Stunde zur Seite gestellt.

Im Pontifikat Alexanders treten Kardinalsunterschriften in Papsturkunden
merklich zurück. Es liegen lediglich zwei Diplome mit solchen vor[70]. Zwar ist
bei aller statistischen Auswertung von Urkundenmaterial Vorsicht geboten,
da die Zahl der Deperdita und deren Aussehen unbekannt ist, doch ist in
diesem Fall der feststellbare Unterschied zu den Papstvorgängern so kraß, daß
die Folgerung, in dieser Zeit seien die Kardinäle im Kirchenregiment wieder
etwas zurückgetreten, gezogen werden kann. Dabei ist nicht belanglos, daß
seit der Konsolidierung des Papsttums Alexanders II. die Verhältnisse im römischen Gebiet rasch in ruhigere Bahnen übergingen, in denen der Zwang zur
Zusammenfassung der Kräfte erheblich nachließ. Der entscheidende Grund
dürfte aber in der Führungsrolle Hildebrands zu suchen sein: In den wenigen
Unterschriftenlisten rückt er jetzt an die erste Stelle, die vorher meistens Bonifaz von Albano eingenommen hatte[71]. Hildebrand hatte die anderen führenden
Mitglieder der Reformgruppe um Leo IX. überlebt. Die starke Persönlichkeit
des dauernd in Rom anwesenden Archidiakons dürfte die später eingesetzten
Kardinalbischöfe zunehmend in den Hintergrund gedrängt haben. Auf den
Synoden sind sie freilich nach wie vor vertreten, so 1065, 1068, 1070[72]. Doch

---

69 Mainard in Lucca: JL 4489 (1062 Nov. 24); KEHR: *IP* V/2, 389 Nr. 2 (1062 Dez. 5);
KEHR: *IP* III, 440 Nr. 2 (1062 Dez. 12); ebd., 334 Nr. 17 (1062 Dez. 13); vgl. SANTIFALLER:
Saggio, 178 f. Stephan und Petrus von Tuskulum auf der Synode Lucca 1062 Dez. 12 (MANSI:
Collectio XIX, 1022, wo fälschlich Mainard »von Urbino« ergänzt ist). Zu Petrus auch KLE-
WITZ: *Reformpapsttum*, 117; sein Nachfolger war Johannes, zuerst am 6. Mai 1065 genannt
(JL 4565; von KLEWITZ, 118, übersehen).

70 JL 4494, 4630.

71 S. oben 144 mit Anm. 51.

72 1065 Mai 6 (JL 4565): Hildebrand, Desiderius von Montecassino, Bonifaz von Albano,
Johannes von Porto, Petrus Damiani von Ostia, Mainard von Silva Candida, Hubald von
Sabina, Johannes von Tuskulum, Johannes von Tivoli (PL 146, 1308). – 1068 Juni/Juli (JL
4651): Albano, Porto, Ostia, Silva Candida, Sabina, Tuskulum, Palestrina (CAPPELLETTI: *Le
chiese d'Italia* IV, 47). – 1070 Mai 15: Hildebrand, Ostia, Albano, Sutri (MANSI: *Collectio*
XIX, 998).

sonst scheint die Aufgabe, für die sie von der römischen Zentrale hauptsächlich eingesetzt wurden, die Legatentätigkeit gewesen zu sein.

Sobald der Papst nicht mehr selbst herumreiste, wie Leo IX. es tat, um auf Synoden den Reformgedanken, das heißt in erster Linie die moralische Erneuerung des klerikalen Lebens und die im kirchlichen Bereich normative Rolle des Papsttums, zu propagieren, wurde folgerichtig das Instrument der Legationen ausgebaut und entwickelt. Zumeist wurden Angehörige der römischen Kirche als Vertreter des Papstes entsandt und hatten in seinem Auftrag lokale Angelegenheiten anderer Bistümer, aber auch politische Aufträge an weltliche Machthaber zu erledigen. Von Petrus Damianis Legationsreisen vor 1061 war schon in anderem Zusammenhang die Rede[73]. Im Pontifikat Alexanders wurde er mit weiteren Gesandtschaften beauftragt trotz seines dringenden Wunsches, sich von den Geschäften aus Rom zurückziehen zu dürfen[74]. Ferner war es Mainard von Silva Candida, der zu Anfang des Jahres 1065 an den deutschen Hof ging, als Heinrich IV. seinen Romzug plante[75]. Im folgenden Jahr suchte er die dabei geknüpften Beziehungen auszunutzen, als er sich im Auftrag der übrigen Kardinäle an den König um Hilfe gegen die andrängenden Normannen wandte[76]. Ebenfalls 1066 hatte sich Leopert von Palestrina – offenbar in Begleitung der Kaiserin Agnes – nach Deutschland begeben[77]. Ferner suchte 1067 der Bischof von Silva Candida zusammen mit dem Kardinalpriester Johannes Minutus in Mailand zu vermitteln[78]. Der Ostienser Bischof Girald schließlich wurde gleich nach seiner Investitur 1070 auf die Reise nach Frankreich gesandt[79]. Von den Kardinalpriestern ist vor allem Stephan zu nennen, der wiederholt mit Aufträgen abgesandt wurde[80], dann Hugo Candidus, der für Spanien und Südfrankreich zuständig war[81]; sogar der Kanzleichef Petrus ging auf Legationsreise[82]. Wer dagegen den Papst bei seinen häufigen Aufenthalten in Lucca begleitet hat, ist außer für das Jahr 1062/63[83] und 1068, als Johannes

---

73 S. oben 64.
74 Vgl. DRESSLER: *Petrus Damiani*, 154, 170, 172.
75 SCHUMANN: *Legaten in Deutschland*, 9 ff.
76 Vgl. MEYER VON KNONAU: *Jahrbücher* I, 547.
77 SCHUMANN: *Legaten in Deutschland*, 11. Dazu KARES: *Kardinalbischöfe*, 22 mit Anm. 63; KLEWITZ: *Reformpapsttum*, 117.
78 GATTO: *Studi mainardeschi*, 97 ff.
79 SCHIEFFER: *Legaten in Frankreich*, 80. KLEWITZ: *Reformpapsttum*, 115.
80 SCHUMANN: *Legaten in Deutschland*, 5; SCHIEFFER: *Legaten in Frankreich*, 62, 76; KLEWITZ: *Reformpapsttum*, 64 Anm. 203.
81 LERNER: *Hugo Candidus*, 18 ff.
82 SCHIEFFER: *Legaten in Frankreich*, 72, zusammen mit dem Kardinal V (= Hugo?).
83 S. oben 147.

von Tuskulum mit dem Papst in Perugia genannt wird[84], nicht zu sehen.

Diese knapp zusammengestellten Daten machen den Wandel deutlich, der mit dem Pontifikat Alexanders erfolgte. Die Kardinäle treten nicht mehr als Gruppe im Umkreis des Papstes auf, ihn beratend und beeinflussend, wie das bei den Päpsten nach Leo IX. zu verzeichnen war, sondern einzeln und im »Außendienst«. Von einer Gruppe im eigentlichen Sinne kann man nun nicht mehr sprechen. Wie sich zeigen läßt, hat die Funktion der Reformgruppe Hildebrand übernommen, und parallel zu dieser Straffung des Kirchenregiments trat eine lokale Stabilisierung der päpstlichen Verwaltung ein[85]. Die Reisen Alexanders nach Lucca zogen offenbar nicht mehr einen ganzen Schwarm von Prälaten nach sich. Eine Folge dieser relativ ruhigen Jahre und der gewandelten Regierungsweise ist das Wiederaufleben der Registerführung im Pontifikat Alexanders II. [86].

2. Nichtkardinalizische römische Reformer

Der Reformgruppe schlossen sich nicht nur Stadtfremde an. Es kam auch vor, daß ein Angehöriger der ehemals herrschenden Adelskreise sich der neuen kirchlichen Richtung zur Verfügung stellte.

Odimund von S. Cosimato

Um die Mitte der sechziger Jahre erscheint Abt Odimund an der Spitze des trasteverinischen Klosters SS. Cosma e Damiano (S. Cosimato) als Nachfolger jenes Rainer, der von Benedikt X. für kurze Zeit zum Bischof von Palestrina erhoben worden war, unter Nikolaus II. aber wieder auf die Abtei beschränkt wurde[87]. Die Herkunft Odimunds ist nicht zweifelsfrei zu klären. Seine Grabschrift in S. Cosimato[88] liefert dazu einige Hinweise, gibt aber auch Fragen auf. In den für einen solchen Anlaß passenden Hexametern wird seine Abstammung aus angesehenem Geschlecht und seine Erziehung in Rom gerühmt,

---

84   JL 4657. S. auch unten 202 f.

85   Vgl. Karl Jordan: *Die päpstliche Verwaltung im Zeitalter Gregors VII.* In: Studi Gregoriani 1 (1947) 111–135.

86   Dazu im Anhang unten 220 ff.

87   S. oben 74.

88   Forcella: *Iscrizioni* X, 322 Nr. 541; Silvagni: *Monumenta epigraphica* I, Taf. 20, 4, mit den gegenüber Forcella korrigierten Daten.

die ihn für eine Stellung unter den ersten Männern Roms bestimmt hätte –
wenn er nicht zusammen mit seinem Vater in das Kloster von Farfa eingetreten
wäre. Im Oktober 1066 wird Odimund dann erstmalig als Abt von S. Cosimato
genannt[89]. Das sind die sicheren Anhaltspunkte, die genügen müssen, um die
Urkunden von Farfa nach einer sicher nicht alltäglichen Konversion eines
Vaters und seines Sohnes Odimund durchzusehen. Tatsächlich findet sich ein
solcher Fall erwähnt.

Das Registrum Farfense[90] enthält ein Stück, in dem Transmundus sich mit
seinem Sohn Odemundus dem Kloster aufträgt aus Reue darüber, daß sie
zusammen mit einigen Verwandten das einstmals dem Konvent geschenkte
Kastell Vivaro zurückgefordert haben; bei der Verbrennung der vom Abt von
Farfa ausgehändigten Schenkungsurkunde soll auch das Kastell ein Raub der
Flammen geworden sein[91]. In einem zweiten Instrument[92], mit dem die Genannten unter Zustimmung des sabinischen Creszentiers Oktavian Güter an
dasselbe Kloster schenken, wird dieser Sachverhalt bestätigt. Ildefonso Schuster
(† 1954), Abt und Historiograph Farfas, identifiziert in der Tat den hier
genannten Odimund mit dem Abt von S. Cosimato und bezeichnet zudem den
Vater Transmund als Grafen[93]. Diese Identifikation ist aber keineswegs gesichert. Denn das erste Farfenser Dokument wird von seinen Herausgebern auf
1066 oder 1077 datiert, das zweite auf 1084 oder 1085. Gegen diese Ansätze ist
nichts einzuwenden, da der genannte Creszentier Oktavian in dieser Zeit nach-
gewiesen werden kann[94].

Unter den Angehörigen des Konvents von Farfa tauchen wiederholt die

---

89 PIETRO FEDELE: *Carte del monastero dei Ss. Cosma e Damiano.* In: ASRom 21 (1898)
Abtsliste 494; ASRom 22 (1899) 387 Nr. 65.

90 IGNAZIO GIORGI – UGO BALZANI: *Il Regesto di Farfa compilato da Gregorio di Catino*
I–V. Rom 1879–1914. Zum Reg. Farf. HERBERT ZIELINSKI: *Studien zu den spoletinischen »Privaturkunden« des 8. Jhs. und ihrer Überlieferung im Regestum Farfense.* Tübingen 1972, bes.
Teil I; dazu WILHELM KURZE: *Zur Kopiertätigkeit Gregors von Catino.* In: QFIAB 53 (1973)
407–456.

91 *Reg. Farf.* V, 289 Nr. 1299.

92 *Reg. Farf.* V, 89 Nr. 1094: »... Propterea ut ego Transmundus et Odemundus filius
meus in tali placito vita nostra de ipso monasterio vivamus.« Oktavian wird auch in *Reg. Farf.*
V, 289 Nr. 1299, und 23 Nr. 1020, genannt.

93 ILDEFONSO SCHUSTER: *L'abbaye de Farfa.* In: Revue Bénédictine 24 (1907) 393 Anm. 2.
Zu den Grafen der Sabina vgl. HERMANN MÜLLER: *Topographische und genealogische Untersuchungen zur Geschichte des Herzogtums Spoleto und der Sabina von 800–1100.* Diss. Greifswald 1930, 12 ff. In Chieti gab es Grafen mit Namen Transmund (MÜLLER, 80 ff.), denen aber
Transmund von Farfa zuzuordnen kein Grund vorliegt.

94 Zuletzt 1106 als Rektor der Sabina, MÜLLER: *Untersuchungen,* 30; KÖLMEL: *Rom und
der Kirchenstaat,* 155 f.; SCHWARZMAIER: *Zur Familie Viktors IV.,* 71 f.

Namen Transmund und Odimund auf. So stehen in der Zeugenliste zu einem Legatenurteil Humberts von Silva Candida von 1060 Transmundus monachus und Odemundus presbiter et monachus an hervorragender Stelle unmittelbar nach den Dignitären des Klosters[95]. Dann werden in einem zwischen 1047 und 1089 nicht näher zu datierenden Stück ein pater Odimundus monachus und ein frater Transmundus clericus genannt; und schließlich erscheinen in einer Namensliste des Konvents von 1097: Odemundus diaconus et monachus, Transmundus conversus und Transmundus presbiter[96].

Den späteren Abt von S. Cosimato wird man hier am ehesten in dem Odimund von 1060 wiedererkennen können. Dabei tritt die Folge Transmund-Odimund nicht nur hier auf. 1052 wird eine Schenkungsurkunde für Farfa in praesentia domni Transmundi et Odimundi ausgestellt[97]. Alle diese Daten lassen sich jedoch nur gewaltsam in ein genealogisches Schema pressen. Über die Vermutung ist nicht hinauszukommen, daß Odimund von S. Cosimato jenem Familienkreis zuzurechnen ist, dem das sabinische Kastell Vivaro zusammen mit den Creszentiern gehörte[98]. Die Nähe zu diesen – der Gemeinschaftsbesitz wird auf verwandtschaftliche Beziehungen hinweisen[99] – mag immerhin der Hintergrund für jene Wendung der Grabschrift über die »magnates Palatinos neg ne primates« sein, unter denen der junge Odimund seinen Platz hätte finden können. Gleichwohl – das ist zuzugeben – bleibt es ein schwer glaubhaftes Phänomen, daß in kurzer Zeit gleich zweimal Väter gemeinsam mit ihren jeweils gleichnamigen Söhnen in das Kloster von Farfa eingetreten sein sollen, jedoch ist auf Grund des bekannten Quellenmaterials eine Identifizierung des 1075 gestorbenen Abtes Odimund von S. Cosimato mit dem gleichnamigen Sohn des Transmund von 1066/77 und 1084/85 nicht möglich.

Als Abt wird Odimund zuerst im Oktober 1066 genannt[100], doch kann er dieses Amt schon einige Zeit früher übernommen haben. Am 8. Dezember 1063

---

95 *Reg. Farf.* V, 294 Nr. 1307; Kehr: *IP* II, 67 Nr. 44.

96 *Reg. Farf.* V, 156 Nr. 1153.

97 *Reg. Farf.* IV, 231 Nr. 831. Odimundus auch in *Reg. Farf.* IV, 229 Nr. 829.

98 Vgl. auch *Reg. Farf.* III, 280 Nr. 573 (1032); V, 249 Nr. 1274 (1093). In den Anfangsversen der Grabschrift: »Spes quibus est mundi studeant meminisse Odimundi / coenobii patris Pauli Cosme et Damiani ...« ist mit Paulus gewiß nicht der Vater Odimunds gemeint (vgl. Fedele: *Carte del monastero dei Ss. Cosma e Damiani*. In: ASRom 21, 490 Anm. 2). Vermutungen, daß Odimund auch S. Paolo fuori le Mura verwaltet habe oder S. Cosimato Paulus als Nebenpatrozinium hatte, können nicht abgesichert werden.

99 Dazu vgl. *Reg. Farf.* V, 249 Nr. 1274 (1093 März 6), worin der Creszentier Oktavian den vierten Teil des »castrum bivarum« an Farfa schenkt »pro me et pro anima uxoris meae iulianae defunctae et filiorum meorum, et pro salute presentis mulieris meae mariae.«

100 S. oben Anm. 89.

aber war die Stelle wohl noch vakant, weil zu diesem Zeitpunkt der Prior des Klosters die Geschäfte führte[101]. Bis September 1074 ist Odimund dann urkundlich belegt; seine Grabschrift datiert seinen Tod auf den 10. Januar 1075, diesen Tag nennt auch das Nekrolog von Montecassino[102].

Aus den Jahren seines Abbatiats ist einiges über Odimund bekannt. Wie andernorts haben die ruhigen Jahre Alexanders II. auch hier die Restaurierung und Erweiterung der Kirchengebäude veranlaßt[103]. Davon legt eine Weiheinschrift noch heute Zeugnis ab, deren Datierung aber durch die gewaltsame Versifizierung bis zur Unauflöslichkeit verdunkelt wird[104]. Meistens wird das Jahr 1066 herausgelesen, in dem der Papst am 15. November den Neubau konsekriert haben soll; zu dieser Zeit ist Alexander jedoch in Lucca nachweisbar[105].

Dann beleuchtet ein Rechtshandel zwischen Farfa und S. Cosimato deren bis auf die Gründungszeit des römischen Klosters zurückreichende Beziehungen, die allerdings frühzeitig getrübt wurden durch den Streit um eine von beiden Seiten beanspruchte Kirche. Mit dem Abbatiat des Odimund in S. Cosimato war nun – so will es scheinen – die günstige Voraussetzung geschaffen, die langjährigen Auseinandersetzungen zu beenden[106]. Nicht unerheblich für Odimunds Einordnung unter die Reformanhänger ist schließlich, daß sein Todestag im Nekrolog von Montecassino verzeichnet ist[107]. Lassen sich seine Beziehungen zu dieser Abtei auch nicht rekonstruieren, wird doch dadurch seine Nähe zur Reformbewegung belegt, der der Kreis um Montecassino angehörte[108].

---

101 FEDELE: *Carte del monastero dei Ss. Cosma e Damiano.* In: ASRom 22, 386 Nr. 64; 387 Nr. 85.

102 FORCELLA: *Iscrizioni* X, 322 Nr. 541 (fehlerhaft); SILVAGNI: *Monumenta epigraphica* I, Taf. 20,4; MAURO INGUANEZ: *I necrologi cassinesi* I (FSI 83). Rom 1941, 51; HOFFMANN: *Der Kalender des Leo Marsicanus,* 142 mit Anm. 90. – Nachfolger Odimunds war Falco, 1072 noch diaconus et monachus in S. Cosimato (*Reg. Farf.* V, 9 ff. Nr. 1006; 16 Nr. 1013), November 1075 Kardinal von S. Maria in Trastevere und Rector et dispensator von S. Cosimato (FEDELE: *Carte del monastero.* In: ASRom 22, 411 Nr. 79); zum Titel des rector et dispensator s. oben Anm. 63.

103 Über weitere Neubauten der Zeit s. oben 38.

104 FORCELLA: *Iscrizioni* X, 323 Nr. 540; SILVAGNI: *Monumenta epigraphica* I, Taf. 19,5.

105 KEHR: *IP* III, 489 Appendix Nr. *13ª, 13ᵇ. Die Datierungen von JL 4596 (1066 Okt. 30) und 4597 (1066 Nov. 7) sind fehlerhaft.

106 *Reg. Farf.* V, 9 Nr. 1006 (1072 Okt. 8); 16 Nr. 1013 (1073 Dez. 10). Zu den Einzelheiten vgl. FEDELE: *Carte del monastero.* In: ASRom 21, 472 ff.

107 S. oben Anm. 102.

108 Etwas später sind Verbindungen zwischen Farfa und Montecassino greifbar mit einer wahrscheinlich Desiderius gewidmeten, dann aber nach Farfa gelangten Elfenbeinkassette; vgl. HERBERT BLOCH: *Montecassino.* In: Dumbarton Oaks Papers 3 (1946) 207 ff.

Petrus Lateranensis archipresbyter

Um die Jahreswende 1063/64 schrieb Petrus Damiani einen Brief an den Lateranensis canonicae archipresbyter Petrus[109]. Darin ruft er den im Kampf um die Erneuerung des kanonikalen Lebens schon bewährten Freund zu noch größerem Eifer auf; er spornt ihn zu schonungslosem Vorgehen gegen widerspenstige Kleriker an, um auch seinen Konvent auf die Seite der Reform herüberzuziehen. Damit wird der Archipresbyter Petrus als Mann der Reformbewegung charakterisiert, und mit ihm ist eine, wenn auch kleine Gruppe im lateranensischen Klerus anzunehmen, die eine Erneuerung des Kanonikerstandes, insbesondere den Zölibat, befürwortete. Erste Spuren einer derartigen Richtung lassen sich schon unter Leo IX. erkennen, der den Lateranensern eine Bestätigungsurkunde für ihren Besitz ausstellte[110] mit der Maßgabe, daß alles an den Papst zurückfallen soll, wenn die Kanoniker »ab eadem sancte canonice« regula declinaverint et ad secularem vitam reversi fuerint«[111]. Alexander II. versuchte dann weitere Schritte in dieser Richtung, doch scheiterten die Ansätze in den Wirren des Investiturstreits. Erst Paschalis II. und seine Nachfolger erzielten auf diesem Feld Erfolge, und zwar wohl deshalb, weil sie die Reform nicht von dem guten Willen der Lateranenser abhängig machten, sondern Kanoniker aus dem Luccheser Reformkonvent von S. Frediano nach Rom an den Lateran zogen[112].

Zur Beurteilung der Situation im Rom Alexanders II. ist die Tatsache wichtig, daß nach anfänglichem Widerstand sein Papsttum allgemein als legitim angesehen wurde. In den Privaturkunden wird von 1061 an nach Pontifikatsjahren Alexanders gerechnet und datiert; Unruhen werden in den Jahren dieses Papstes nicht mehr verzeichnet. Man hatte sich offenbar arrangiert. Das heißt aber nicht, daß sich die Reformtendenzen in breiter Front durchgesetzt hätten. Vielmehr ist bezeichnend, daß es auch weiterhin ein relativ kleiner, überschaubarer Personenkreis blieb, der im Dienst des Papsttums erscheint. Erheblich größer dürfte die Zahl derer gewesen sein, die zwar hohe kirchliche

---

109   PETRUS DAMIANI: op. 18 I (PL 145, 387–398). Wahrscheinlich an denselben Empfänger epp. V 3 und 4. Vgl. hierzu und zum folgenden SCHMIDT: *Kanonikerreform in Rom*, 208, 215. Zur Unschärfe der Einteilung der Damiani-Briefe nach Empfängergruppen durch Costantino Gaetani (PL 144) KURT REINDEL: *Petrus Damiani und seine Korrespondenten.* In: Studi Gregoriani 10 (1975) 206 ff.
110   JL 4320; KEHR: *IP* I, 25 Nr. 6 (PFLUGK-HARTTUNG: *Acta* II, 70 Nr. 105). Dazu auch oben 45.
111   Zur Echtheitsfrage PFLUGK-HARTTUNG: *Acta* II, 71 Anm., und KEHR: *Römische Analekten.* In: QFIAB 14 (1911) 3 f.
112   Vgl. SCHMIDT: *Kanonikerreform in Rom*, 220 f.

Stellen in der Stadt innehatten, sich aber – obwohl Gegner der Reformgruppe –
aus Apathie oder Vorsicht völlig zurückhielten und deshalb in den Quellen
nicht genannt werden.

3. Auswärtige Mitglieder der Reformgruppe

Von Anfang an hatten sich auswärtige Prälaten in den Dienst der seit Leo IX.
von Rom ausstrahlenden Reform gestellt. So war der Erzbischof Halinard
von Lyon einer der engsten Berater dieses Papstes gewesen[113]. Er hatte den
Papst auf seinen Reisen begleitet oder während dessen Abwesenheit in Rom
als sein Stellvertreter fungiert. Auch Anselm von Lucca hatte als auswärtiges
Mitglied des Reformkreises römische Aufträge ausgeführt und sich dadurch
schließlich für das höchste Kirchenamt qualifiziert. Die Zahl derer, die sich als
Auswärtige über einen längeren Zeitraum hin der Reformgruppe in Rom zur
Verfügung stellten, war nicht groß, und die wenigen sind erkennbar entweder
durch ihre intensive Reisetätigkeit vor allem als Legaten wie Anselm, Rainald
von Como[114] und Ermenfried von Sitten[115], oder dadurch, daß sie häufig in
der Umgebung des Papstes festzustellen sind.

---

113   Ernst Sackur: *Die Cluniacenser in ihrer kirchlichen und allgemeingeschichtlichen
Wirksamkeit bis zur Mitte des elften Jhs.* II. Halle/S. 1894, 273–276, 322–325; Mikoletzky:
Vorgeschichte, 258 f.

114   Rainald (1061/62–1084) stand als regelmäßiger Begleiter der Kaiserin Agnes auf deren
Reisen zwischen Deutschland und Italien mehr vermittelnd zwischen den Parteien, vgl. Goez:
Rainald von Como.

115   Ermenfried, Kanoniker in St-Maurice d'Agaune, Kanzler des Erzbischofs Hugo von
Besançon (1044, 1046), 1054/55 – 1087/91 Bischof von Sitten (Sion), war bis 1070 einer der
meistbeschäftigten päpstlichen Legaten, vor allem für England und die Normandie, bis er ab
1071 in der Umgebung Heinrichs IV. auftauchte und im Investiturstreit auf dessen Seite stand,
schließlich als Kanzler für Burgund; er zählt damit zu den mehr Alexander als Hildebrand
nahestehenden Prälaten, die in Zusammenarbeit mit dem Königtum die Kirche erneuern wollten. Die biographischen Daten bei Franz Joller: *Bischof Hermanfried von Sitten.* In: Katholische Schweizer Blätter für christliche Wissenschaft 6 (Luzern 1864) 365–369, 418–423; H. E. J.
Cowdrey: *Bishop Ermenfrid of Sion and the Penitential Ordinance following the Battle of
Hastings.* In: JEH 20 (1969) 225–242, sind zu ergänzen durch eine Nennung als Kanzler Hugos
von Besançon im Jahr 1046 (A. Bernard – A. Bruel: *Recueil des chartes de l'abbaye de Cluny*
IV, 160 f. Nr. 2962). Vgl. auch Theodor Schieffer: *Die Urkunden der burgundischen Rudol-
finger (888–1032)* (MG Diplomata). München 1977, bes. 66, zur Bedeutung von St-Maurice
für die burgundische Kanzlei.

a) Reformanhänger aus Florenz und Lucca

Gottfried von Perugia, Gerhard und Dodo von Roselle

Zur letzten Kategorie zählen drei Bischöfe, die bisher wenig Beachtung gefunden haben, obwohl sie wiederholt im römischen Reformerkreis erscheinen: Gottfried von Perugia (1059–1085), Gerhard (1050–1060) und Dodo von Roselle (1060–1079). Beide Bischofsstädte – Perugia in Umbrien, Roselle im südlichen Tuszien – lagen im Machtbereich der toskanischen Markgrafen, was auf die Besetzung der Bistümer und das Verhalten der Bischöfe nicht ohne Einfluß blieb. Gottfrieds Vorgänger Otger war wohl im Gefolge Leos IX. nach Italien gekommen und – wie so mancher andere aus diesem Kreis – nicht in der römischen Kirche, sondern im weiteren Umkreis der Stadt, in Perugia, als Bischof zur Verbreitung der Reformideen eingesetzt worden. Beides, seine Zugehörigkeit zum lothringischen Reformerkreis wie zum Machtbereich der lothringisch-toskanischen Fürstenfamilie, qualifizierte ihn, um von Friedrich von Montecassino, dem Bruder Herzog Gottfrieds, nach dem Tod Viktors II. im Sommer 1057 unter die fünf des Papstthrons würdigsten Prälaten gezählt zu werden[116]; wenig später dürfte Otger gestorben sein. Sein Nachfolger, Bischof Gottfried, wird zuerst am 13. April 1059 als Teilnehmer der Lateransynode Nikolaus' II. genannt[117]. Gelegentlich bezeichnet er sich auch nach der Bischofsweihe noch als Kanoniker der Florentiner Kirche[118]; damit steht fest, daß er von Florenz aus auf den Peruginer Bischofsstuhl befördert wurde. Ob das vor oder nach der Erhebung Gerhards von Florenz zum Papst Nikolaus II. geschah, spielt keine große Rolle – zu verdanken hat er das Bistum zweifellos ihm und dem Herrschaftsinteresse Herzog Gottfrieds.

Die Beziehungen der Bischöfe von Roselle, Gerhards und Dodos, zu Nikolaus II. reichen gleichfalls in die Zeit vor dessen Pontifikat zurück. Enge Verbindungen zwischen der südlichen Toskana und Florenz sind ohnehin zu belegen[119]. Im Jahr 1050 unterschrieb Gerhard von Roselle eine Urkunde seines Namensvetters und Amtsbruders aus Florenz in Gegenwart Leos IX.[120], und im

---

116 Leo Marsicanus: *Chronica Casinensis* II 94 (MG SS 7, 693). Schwartz: *Besetzung,* 288 f. S. auch oben 58 und 142.

117 MG Const. 1, Nr. 383. Schwartz: *Besetzung,* 289 f.

118 Im April 1085 unterschrieb er eine Urkunde Bischof Rainers von Florenz »Ego Godefridus s. Florentinae ecclesiae canonicus et indignus Perusinus episcopus« (Ughelli: *Italia sacra* III, 84); vgl. auch Davidsohn: *Geschichte von Florenz* I, 220 Anm. 2.

119 Schwarzmaier: *Lucca,* 216.

120 Renato Piattoli: *Le carte della canonica della cattedrale di Firenze (723–1149)* (Regesta Chartarum Italiae, 23). Rom 1938, 141 Nr. 53. Dazu die Bulle Leos IX. JL 4230

Winter 1059/60 trat er mit nahezu dem gesamten Reformerkreis in der Begleitung Nikolaus' II. erneut in Florenz auf und weihte dort am 16. Januar 1060 zusammen mit Gottfried von Perugia auf Geheiß des Papstes eine Kirche in Poggio vor den Mauern der Stadt[121]. Zwei Tage später gehörten Gerhard und Gottfried wiederum zum Gefolge Nikolaus' II., als der Papst den etwa zehn Kilometer südwestlich von Florenz gelegenen Kanonikerkonvent von Mosciano besuchte, dessen Besitz bestätigte und zwei Altäre von Humbert von Silva Candida konsekrieren ließ[122]. Nach Florenz zurückgekehrt, werden die Bischöfe von Perugia und Roselle am 20. Januar in einer Bulle, die Nikolaus II. nach der Weihe der Basilika von S. Lorenzo ausstellen ließ, neben der römischen Kardinalsgruppe als Zeugen verzeichnet[123]. Wie zwei unzertrennliche Brüder traten die beiden Bischöfe an der Seite des Heiligen Vaters auf, und als Gerhard von Roselle bald nach dem 20. Januar 1060 starb, folgte ihm Dodo nicht nur im Bischofsamt, sondern auch in der Rolle des Vertrauensmanns Nikolaus' II.

Da Dodo bereits an der Lateransynode am 15. April 1060 teilnahm[124], muß der Wechsel im Bistum zwischen dem 20. Januar und dem 15. April stattgefunden haben. Auf dieser Synode wie auch in der Zeugennotiz einer der letzten Urkunden Nikolaus' II. vom Mai 1061[125] stehen nun die Namen Gottfrieds und Dodos nebeneinander, und kurze Zeit später, im Juni desselben Jahres, wird Dodo als päpstlicher Vikar noch vor dem römischen Kanzler und Kardinalbischof Bernhard von Palestrina auf einer Provinzialsynode in Benevent genannt[126]. Der Bischof von Roselle war also mit der Fortführung der Ansätze

---

(PIATTOLI, Nr. 54). DAVIDSOHN: *Geschichte von Florenz* I, 189 f. VIOLANTE: *Il vescovo Gerardo,* 17–22.

121   JL 4426; KEHR: *IP* III, 24 Nr. 1 (PL 143, 1330). DAVIDSOHN: *Geschichte von Florenz* I, 217. Der an dieser Weihe und der von S. Lorenzo am 20. Januar (s. Anm. 123) beteiligte Bischof von Furcone dürfte schon der bei SCHWARTZ: *Besetzung,* 281, erst ab 1065 genannte Rainer sein; über ihn vgl. auch GIOVANNI LUCCHESI. In: Bibliotheca Sanctorum 11, 44. – Nikolaus II. war im Okt. 1059 über Perugia (vgl. JL 4413) nach Florenz gereist, wobei ihn Gottfried begleitet haben könnte, der am 18. Nov. 1059 in Florenz eine Schenkung an Passignano beurkunden ließ (DELLA RENA – CAMICI II/3, 97 Nr. 9).

122   JL 4428; KEHR: *IP* III, 49 Nr. 1 (PL 143, 1332). DAVIDSOHN: *Geschichte von Florenz* I, 218.

123   JL 4429; KEHR: *IP* III, 18 Nr. 2 (PL 143, 1334).

124   Seine Unterschrift in JL 4432 (PL 143, 1337). Am 28. April 1060 nahm Dodo in Rom an einer Gerichtssitzung im Streit zwischen den Creszentiern und dem Kloster Farfa teil, *Reg. Farf.* IV, 300 Nr. 906; KEHR: *IP* II, 66 Nr. 40. Dazu HOFFMANN: *Petrus Diaconus,* 5.

125   JL 4468; KEHR – HOLTZMANN: *IP* IX, 182 Nr. 4 (PFLUGK-HARTTUNG: *Acta* II, 93 f.).

126   KEHR – HOLTZMANN: *IP* IX, 84 Nr. 7 (MANSI: *Collectio* XIX, 935 f.); in den Akten der Beneventaner Synode von März/April 1075 wird an die Legation Dodos erinnert (KEHR – HOLTZMANN: *IP* IX, 84 Nr. 9; MANSI: *Collectio* XX, 445 ff.). Zu den Synoden vgl. H. W. KLE-

Nikolaus' II. zur Bistumsorganisation Campaniens beauftragt. Angesichts dieser Vertrauensstellung bei dem Florentiner Papst wäre es nicht verwunderlich, wenn der Rosellaner Bischof wie Gottfried von Perugia vor seinem Episkopat Kleriker in Florenz gewesen wäre, so daß ihre Nähe zu Nikolaus in derselben Herkunft aller drei ihre Erklärung fände. Dies ist tatsächlich so. Am 13. Juli 1050 unterschrieben nicht nur Gerhard von Roselle, sondern auch »Gottifredus subdiaconus et canonicus« und unmittelbar nach ihm »Dodus acolitus et canonicus« das Diplom des Florentiner Bischofs Gerhard, das dieser in Gegenwart Leos IX. für seine Kanoniker ausstellte[127]. Bereits hier begegnen die beiden in enger Nachbarschaft – dabei war Gottfried, der auch etwas früher sein Bistum erhielt, der ältere. Nimmt man zwei weitere Bischöfe hinzu, von denen nicht viel mehr als ihre Florentiner Herkunft bekannt ist und die ihre Stellung wohl gleichfalls Nikolaus II. zu verdanken haben: Rudolf von Todi[128], der Nachbardiözese Perugias, und Martin von Aquino[129], der in Montecassino Mönch gewesen war, so wird deutlich, daß dieser Papst Kleriker aus seinem Bistum in besonderem Maße gefördert und in seine Nähe gezogen hat. Seine Absicht dürfte dabei gewesen sein, dem starken römischen Element im Reformerkreis ein Gegengewicht und damit eigene Selbständigkeit entgegenzusetzen.

Diese Deutung der Rolle der Bischöfe Gottfried und Dodo wird gestützt

---

WITZ: *Zur Geschichte der Bistumsorganisation Campaniens und Apuliens im 10. und 11. Jh.* In: QFIAB 24 (1932/33) 14 (Nachdruck in: DERS.: *Ausgewählte Aufsätze zur Kirchen- und Geistesgeschichte des Mittelalters*, hg. von Gerd Tellenbach. Aalen 1971, 356). PETER HERDE: *Das Papsttum und die griechische Kirche in Süditalien vom 11. bis zum 13. Jh.* In: DA 26 (1970) 1 ff., und DERS.: *Il papato e la chiesa greca nell'Italia meridionale dall'XI al XIII secolo.* In: La chiesa greca in Italia dall'VIII al XVI secolo I (Italia sacra, 20). Padua 1973, 213 ff.

127 PIATTOLI, Nr. 53; s. auch oben Anm. 120. Auch Gerhard von Roselle könnte Florentiner Kleriker gewesen sein, womit seine Anwesenheit bei der Privilegierung der Kathedralkanoniker erklärt wäre; ein »Gerardus diaconus sancte Florentine aecclesie« bzw. »Gerardus diaconus et canonicus« unterschrieb Nov. 1036 und 23. Aug. 1038 Florentiner Bischofsurkunden (PIATTOLI, Nr. 38, 41). – Die Identifizierung Dodos von Roselle mit einem gleichnamigen Cassineser Mönch (so H. W. KLEWITZ: *Zum Leben und Werk Alberichs von Montecassino.* In: HVJS 29 [1934] 372) wurde zu Recht zurückgewiesen von ANSELMO LENTINI: *La ›vita S. Dominici‹ di Alberico Cassinese.* In: Benedictina 5 (1951) 68, DERS.: *Alberico di Montecassino nel quadro della Riforma Gregoriana.* In: Studi Gregoriani 4 (1952) 58 f., und von HERBERT BLOCH: *Monte Cassino's Teachers and Library in the High Middle Ages.* In: La scuola nell'occidente latino dell'alto medioevo (Atti della Settimana di studio del Centro italiano di studi sull'alto medioevo, 19). Spoleto 1971, 595 Anm. 96.

128 SCHWARTZ: *Besetzung*, 294.

129 LEO MARSICANUS: *Chronica Casinensis* III 14 (MG SS 7, 706); nach der Absetzung Angelus' von Aquino, der schon von Leo IX. exkommuniziert worden war, setzte Nikolaus II. 1059 Martin an seine Stelle. DAVIDSOHN: *Geschichte von Florenz* I, 220.

durch deren weiteres Schicksal. Denn nach dem Tod Nikolaus' II. verlieren ihre Beziehungen zum römischen Kreis rasch an Intensität. Nur noch in größeren Abständen werden sie genannt, wenn sie auch weiterhin zu einem äußeren Kreis zu zählen sind, der sich um das reformierte Papsttum gruppierte. Dodo von Roselle widerfuhr zunächst 1062 das Mißgeschick, von dem in seiner Diözese mächtigen Aldobrandesca-Grafen Hugo[130] gefangen genommen zu werden – eine ziemlich undurchsichtige Angelegenheit, in die der Bischof vielleicht nicht ganz ohne eigenes Verschulden hineingeraten war. Aus Rom folgte eine energische Reaktion: Alexander II. beauftragte den Nachbarbischof Tegrim von Massa Marittima, mit dem Interdikt gegen den Grafen und die auf seinen Besitzungen gelegenen Kirchen Druck auszuüben[131]. Die Intervention hatte offenbar Erfolg: Schon im Dezember desselben Jahres taucht Dodo am Hof des Papstes in Lucca auf[132]. Er war also freigelassen worden, scheint sich aber vorerst aus dem Umkreis des Grafen ferngehalten zu haben.

---

130   Im Gebiet der Diözesen Massa und Roselle begegnet seit 1053 wiederholt ein Graf Hugo, Radulfi comitis filius, mit seiner Frau Iulitta comitissa filia Guglielmi marchionis Corsice: 10. Juni 1053 (DELLA RENA – CAMICI III/3, 41 Nr. 3); 8./9. Jan. 1054 und 27. Mai 1056 (*Memorie e documenti* IV/2, Appendice 135; SCHWARZMAIER: *Lucca*, 216 Anm. 202, 255 Anm. 329); 1. Juni 1056 (*Memorie e documenti* IV/2, Appendice 135); 12. Mai 1081 (ebd., 154); 2. Jan. 1087 (A. GIORGETTI: *Il cartulario del monastero di san Quirico a Populonia*. In: ASI 3. ser. 20 [1874] 8); 4. Jan. 1089 (ebd., 8); 1. Sept. 1098 / 31. Aug. 1099 (UGHELLI: *Italia sacra* III, 710); 28. Dez. 1103 (ebd., 786); 20. Jan. 1105 (*Regestum Massanum*, Nr. 25, bearb. von HANS NIESE [Manuskript im Deutschen Historischen Institut in Rom]). Zu den Markgrafen von Korsika vgl. JULIUS JUNG: *Die Stadt Lucca und ihr Gebiet*. In: MIÖG 22 (1901) 219 f., 241. – Über die Besitzungen des Grafen Hugo im Val-di-Cornia mit Suvereto, Montepescali, Sticciano bei Roselle, sowie Güter bei Lucca vgl. SCHWARZMAIER: *Lucca*, 216 Anm. 202. Die Zugehörigkeit zu den Gherardeschi oder Aldobrandeschi ist bisher strittig – SCHWARZMAIER, a.a.O., hält den Namen Hugo für nicht der Aldobrandesca-Genealogie zugehörig; dagegen aber z. B. GASPERO CIACCI: *Gli Aldobrandeschi nella storia e nella ›Divina Commedia‹* II. Rom 1935, 50, 52, 54; DAVIDSOHN: *Forschungen* I, 262 mit Anm. 6; NIESE: *Regestum Massanum*, Nr. 19 Anm. 2. Die Kontinuität des Besitzes des Grafen Hugo bei den Aldobrandeschi läßt sich größtenteils nachweisen.

131   JL 4485; KEHR: *IP* III, 270 Nr. 3 (SAMUEL LÖWENFELD: *Epistolae Pontificum Romanorum ineditae*. Leipzig 1885, 41). Diese Angelegenheit wird in der Lit. kaum erwähnt, vgl. z. B. GIOACCHINO VOLPE: *Toscana medievale. Massa Marittima, Volterra, Sarzana* (Biblioteca storica Sansoni, N.S. 41). Florenz 1964, 16 f. – Zu Tegrim vgl. SCHWARTZ: *Besetzung*, 260 f.; ferner auch VINCENZO LUSINI: *L'abbadia all'Isola*. In: Bullettino senese di storia patria 4 (1897) 129 ff.; WILHELM KURZE: *Der Adel und das Kloster S. Salvatore all'Isola im 11. und 12. Jh.* In: QFIAB 47 (1967) 452 ff.; SCHWARZMAIER: *Lucca*, 122.

132   KEHR: *IP* III, 440 Nr. 2. Wie Dodo hatte sich auch Udalrich von Pavia bei Alexander eingefunden, da er in seiner Stadt nicht Fuß fassen konnte, vgl. SCHWARTZ: *Besetzung*, 143; ferner SAVIO: *Gli antichi vescovi* II/2, 412 f.; ERWIN HOFF: *Pavia und seine Bischöfe im Mittelalter*. Pavia 1943, 281 ff.

In den folgenden Jahren hat der Bischof nur noch selten die Reise zum Papst angetreten, und dann nur bei Anlässen, die auch zahlreiche andere Bischöfe an den päpstlichen Hof führten. So fanden sich Dodo von Roselle und Gottfried von Perugia im Sommer 1068 auf einer vor allem von mittelitalienischen Bischöfen besuchten Synode Alexanders[133] wie auch Anfang Oktober 1071 in Montecassino bei der Weihe des Basilikaneubaus ein[134]. Bei diesen Demonstrationen päpstlichen Glanzes traten die beiden Bischöfe nicht mehr in den Vordergrund. Dodo wird im Juni oder Juli in einem Placitum der Gräfin Beatrix zwischen zwei Kardinalbischöfen genannt[135]. In ihre lokalen Verhältnisse zurückgezogen, läßt im übrigen nichts mehr erkennen, daß sie einstmals für wenige Jahre, ja nur für Monate, zu den engsten Beratern eines Papstes gezählt haben.

Gottfried ist noch zweimal in Florenz, niemals dagegen in seiner Diözese Perugia nachzuweisen: Am 27. November 1073 und im April 1085 unterschrieb er Urkunden des Florentiner Bischofs Rainer[136]. Zeit seines Lebens hat er also die Anhänglichkeit an seine Heimatstadt bewahrt[137]. Von Dodo ist bekannt, daß er am 23. Juli 1072 eine Schenkung an die in seiner Diözese gelegene Abtei S. Bartolomeo di Sestinga gemacht hat[138]. Die letzten Lebensjahre des Bischofs von Roselle scheinen dann noch turbulent geworden zu sein. Zur Zeit Gregors VII. lebte im Jahr 1074 der alte Streit mit dem Grafen Hugo wieder auf; die Entscheidung überwies der Papst diesmal an die Fürstinnen Beatrix und Mat-

---

133   JL 4651; KEHR: *IP* V, 210 Nr. 9 (CAPPELLETTI: *Le chiese d'Italia* IV, 47). Dazu auch SCHWARTZ: *Besetzung*, 173.

134   LEO MARSICANUS: *Chronica Casinensis* III 29 (MG SS 7, 720).

135   *Memorie e documenti* IV/2, Appendice 108 Nr. 82. Die Datierung »octavo ... Iulii« auf den 8. Juli kann nicht stimmen, vielmehr ist in die Lücke zwischen octavo und Iulii einzufügen: idus, kalendas oder nonas, entsprechend den Datierungen in den benachbarten Stücken und CESARE MANARESI: *I placiti del »Regnum Italiae«* III (FSI 97). Rom 1960, Nr. 422 (11. Juli 1068, Lucca), gleichfalls ein Placitum der Gräfin Beatrix in Anwesenheit des Kardinalbischofs Hubald von Sabina.

136   UGHELLI: *Italia sacra* III, 77 D – 79 B; 84 A – 85 B. Zu Rainer vgl. SCHWARTZ: *Besetzung*, 210.

137   Dem Namen Gottfrieds und seines Bruders Albertus nach könnten sie zu den Florentiner Grafen Alberti gehören, die vor allem in Prato begütert waren. Zur Familie Gottfrieds von Perugia gibt die Urkunde über die Schenkung eines Landguts »in loco Prata Crisa« an das Vallombrosanerkloster Passignano Auskunft (DELLA RENA – CAMICI II/3, 97 Nr. 9). Zu Bischof Gottfried von Florenz (1114–1142/45), Sohn des Grafen Albert von Prato, SCHWARTZ: *Besetzung*, 210; DAVIDSOHN: *Geschichte von Florenz* I, 378 f., u. ö. Mit ENEA GULANDI: *Le origini dei conti da Panico*. In: Atti e memorie della R. Deputazione di storia patria per le provincie di Romagna, 3. ser. 26 (1908) 324–343, ist eine Verbindung nicht zu belegen.

138   CIACCI: *Gli Aldobrandeschi* II, 50 Nr. 145; von seinem Nachfolger Berard wird diese Schenkung erwähnt am 9. Aug. 1118 (CIACCI II, 60 Nr. 181). Vgl. KEHR: *IP* III, 263.

hilde von Tuszien als die zuständige Gerichtsinstanz[139]. Da Gregor dabei auf Bitten des Grafen reagierte und von einer »causa ipsius contra Rosellanum episcopum« spricht, ist anzunehmen, daß die Rechtsverletzung eher bei Dodo gelegen hat. Hintergrund und Ausgang dieses Prozesses bleiben im Dunkeln. Zwei Jahre später, 1076, befand Dodo sich mit dem benachbarten Bischof von Massa Marittima im Streit um nicht näher bekannte Investiturrechte, die Gregor, wie schon sein Vorgänger Silvester II., Roselle zusprach[140]. Schließlich machte Dodo noch einmal von sich reden, als er auf einer Romreise im Frühjahr 1079 das Opfer eines Überfalls Jordans von Capua wurde. Damit nicht genug, hat der Fürst seine Leute noch nach Montecassino geschickt, um eine vom Rosellaner Bischof dort hinterlegte Geldsumme an sich zu bringen[141]. Daß diese Aktionen Jordans völlig willkürlich geschahen, ist kaum anzunehmen; Gregor VII. hielt sich nämlich in seinem Brief an den Capuaner Fürsten mit Sanktionen ganz zurück und forderte ihn nur zur Rechtfertigung dieser und anderer Verfehlungen auf. Welches die Hintergründe der gewaltsamen Beitreibungen waren, ist aber nicht mehr zu erkennen – jedenfalls scheint Dodo kein sehr verträglicher Herr gewesen zu sein.

Luccheser Kanzleipersonal

Wenn sich für den Pontifikat Alexanders II. nachweisen läßt, daß bei der Herstellung der Diplome häufig Luccheser Palastskriniare und Notare verwendet wurden, so hat das seinen Grund darin, daß der Papst sich oft in Lucca aufhielt, wohin ihm die römischen Skriniare nicht folgten. Er mußte also auf die ihm in Lucca zur Verfügung stehenden Kräfte zurückgreifen, die ihrerseits gelegentlich mit nach Rom gingen[142]. Dabei ist davon auszugehen, daß es in

---

139 *Greg. Reg.* I 50 (CASPAR, 76). KEHR: *IP* III, 259 Nr. 3.

140 *Greg. Reg.* III 13 (CASPAR, 274). KEHR: *IP* III, 259 Nr. 4.

141 GUIDO VON MONTECASSINO: *Chronica Casinensis* III 46 (MG SS 7, 736); *Greg. Reg.* VI 37 (CASPAR, 453). Zum Fortsetzer der Chronik des Leo Marsicanus WILHELM SMIDT: *Guido von Monte Cassino und die »Fortsetzung« der Chronik Leos durch Petrus Diaconus*. In: Festschrift Albert Brackmann. Weimar 1931, 293–323; HARTMUT HOFFMANN: *Studien zur Chronik von Montecassino*. In: DA 29 (1973) 138 ff. – Der fiktive Bischof Dodo des Briefmusters des Codex Vallicellianus B 63 fol. 199ᵛ–200ᵛ (Nr. 10; H. HOFFMANN: *Die Briefmuster des Vallicellianus B 63 aus der Zeit Paschalis' II*. In: DA 19 [1963] 144 f.) soll nach HOFFMANN, 136, möglicherweise nach Dodo von Modena (1100–1134) benannt worden sein; zum Cod. Vall. B 63 vgl. den *Censimento dei codici dei secoli X–XII*. In: Studi Medievali, 3. ser. 11 (1970) 1032 f.

142 Vgl. PAUL KEHR: *Scrinium und Palatium. Zur Geschichte des päpstlichen Kanzleiwesens im XI. Jh.* In: MIÖG Erg.bd. 6 (1901) 93 ff.; REGINALD LANE POOLE: *Lectures on the History of the Papal Chancery down to the Time of Innocent III*. Cambridge 1915, 69 f.; PAUL RABIKAUSKAS: *Zur fehlenden und unvollständigen Skriptumzeile in den Papstprivilegien*

jener Zeit noch keine fest organisierte Kanzlei gab, die wenigstens teilweise mobil war und auf Reisen mitgenommen werden konnte. Die Schreiber waren vielmehr in aller Regel ortsansässig und wurden von Fall zu Fall mit Aufträgen versorgt. Santifaller[143] meint acht verschiedene Datare und Skriniare feststellen zu können, die als gebürtige Lucchesen außerhalb ihrer Stadt für den Papst gearbeitet haben. Am berühmtesten davon ist der Notar Rainer[144], der seit 1067 Alexanders vielbeschäftigter Schreiber war und von Gregor VII. übernommen wurde; von seiner Hand stammt ein Teil des Registers Gregors.

Welche Rolle der bereits vorgestellte, nur mit seiner Initiale P bekannte Neffe Alexanders am römischen Hof gespielt hat, ist nicht näher zu bestimmen. Die Mönche von St-Aubin in Angers wußten jedenfalls, daß er über einigen Einfluß beim Papst verfügte, und hatten sich deshalb wiederholt mit ihren Anliegen an ihn gewandt. Sicher hat Alexander seinen Nepoten nach Rom geholt und ihm die Vertrauensstellung an seiner Seite eingeräumt. Hier wird einer der frühesten Fälle des in späteren Jahrhunderten zu umfassender Machtfülle ausgebauten Instituts des Nepotismus wenigstens andeutungsweise erkennbar[145].

Damit sind auch schon die Notizen über Personen, die Alexander aus früherer Zeit bekannt waren und die er in Rom als Stützen seiner Herrschaft um sich versammelte, zusammengestellt. Bei der Einsetzung von Bischöfen zeichnet sich in seinem Pontifikat eine andere Tendenz ab, als sie unter Nikolaus II. zu beobachten war. Aus diesen Jahren sind keine Bischöfe Luccheser Herkunft bezeugt, bei denen eine Förderung durch den Papst zu vermuten wäre; dagegen gibt es mehrere Hinweise auf Hildebrands Einfluß bei Bischofskreationen.

b) Reformanhänger aus Montecassino und seinem Umkreis

Petrus von Anagni

Gemäß seiner Vita ist der Bischof Petrus von Anagni[146] von Hildebrand aus seinem zurückgezogenen Leben im Salernitaner Kloster S. Benedetto nach Rom

---

des 10. und 11. Jhs. In: Miscellanea Historiae Pontificiae, 21. Rom 1959, 91–116; SANTIFALLER: *Neugestaltung der Papstprivilegien,* 29 ff.

143   SANTIFALLER: *Saggio,* 182–196.

144   WILHELM M. PEITZ: *Das Originalregister Gregors VII. im Vatikanischen Archiv (Reg. Vat. 2).* Wien 1911, 92–104; SANTIFALLER: *Saggio,* 192; HARTMUT HOFFMANN: *Zum Register und zu den Briefen Papst Gregors VII.* In: DA 32 (1976) 92 ff.

145   S. dazu oben 28 mit Anm. 113.

146   BHL 6699; *Acta Sanctorum, mensis Augusti* I, 233 ff.; CAPPELLETTI: *Le chiese d'Italia* VI, 307 ff. Dazu I. FALASCA: *Vita s. Petri confessoris et episcopi Anagnini auctore s. Brunone episcopo Signino.* 1883; VINCENZO FENICCHIA: *Intorno agli atti di san Pietro da Salerno, ves-*

gerufen worden, hat dann einige Zeit unter den päpstlichen Kapellänen gedient, um schließlich von der Anagneser Bevölkerung anläßlich eines Aufenthalts des Papstes in ihrer Stadt zum Bischof postuliert zu werden; die Weihe soll er darauf vom Papst in Rom empfangen haben. Als Konsekrator ist Alexander II. anzunehmen, da Petrus bei seinem Tod 1105 dreiundvierzig Jahre lang Bischof gewesen sein soll, was für seine Weihe auf das Jahr 1062 führt. Die wenigen Nachrichten über Petrus von Anagni, die außerhalb der Vita überliefert sind, bestätigen diese Erzählung insoweit, als sie den Bischof als standhaften Anhänger des reformierten Papsttums charakterisieren. Nur knapp vier Jahre nach seinem Tod wurde er auf Betreiben seines Freundes Bruno von Segni von Paschalis II. kanonisiert [147].

Der Vita ist aber noch mehr an Information über diesen sonst wenig bekannten Bischof zu entnehmen. Eingangs heißt es dort, daß Petrus fürstlichem Salernitaner Stamme entsprossen sei; von seinem Vatersbruder Petrus, Abt von S. Benedetto in Salerno, erzogen, habe er nach dem frühen Tod seiner Eltern die Mönchsgelübde abgelegt, obwohl er als einziger Sohn eine reiche Erbschaft hätte antreten können. Die Zuverlässigkeit solcher Mitteilungen, die als hagiographische Topoi häufig Verwendung finden, ist im allgemeinen nicht sehr hoch zu veranschlagen. Individuelle historische Züge, die prosopographisch verwertet werden könnten, werden deshalb mit Recht selten in den Produkten der Hagiographie gesucht, und Ergebnisse, die hier gelegentlich gewonnen werden, sind dementsprechend kritisch einzuschätzen. In der Redaktion der Vita Petri, wie sie uns heute vorliegt, ist Material verarbeitet, das auf Bruno von Segni, den jüngeren Zeitgenossen des Petrus von Anagni, zurückgeht [148]. Bruno hatte offenbar für die Kanonisierung seines Anagneser Freundes ein Dossier erstellt, das später für den anonymen Vitenautor die Quelle abgab. Daraus folgt, daß historische Züge in die Vita eingeflossen sein dürften. Man kann sogar einen Schritt weitergehen und sagen, daß Brunos Material wohl in erster Linie in den konkret geschilderten Lebensdaten verwendet ist, da

---

covo di Anagni nel secolo XI. In: ASRom 67 (1944) 253; DERS.: Pietro, vescovo di Anagni. In: Bibliotheca Sanctorum 10. Rom 1968, 663–665; HARTMUT HOFFMANN: Bruno di Segni. In: Dizionario biografico degli Italiani 14. Rom 1972, 644 ff., mit Lit. zu Petrus und Bruno.

147   JL 6239; KEHR: IP II, 137 Nr. 8. Vgl. SCHWARTZ: Besetzung, 269, und BERNHARD GIGALSKI: Bruno, Bischof von Segni, Abt von Monte-Cassino (1049–1123). Sein Leben und seine Schriften (Kirchengeschichtliche Studien, 3/IV). Münster i. W. 1898, 133 f.; RÉGINALD GRÉGOIRE: Bruno de Segni, exégète médiévale et théologien monastique. Spoleto 1965, 112 ff.; ferner HOFFMANN (wie in Anm. 146).

148   Dazu die in der vorigen Anm. genannte Lit. und FENICCHIA: Atti di san Pietro da Salerno, 253 ff.

diese weniger als etwa Wundergeschichten Gegenstand volkstümlicher, die historischen Daten überformender Tradition sind.

Nehmen wir deshalb den Bericht über die Jugend des Bischofs Petrus im Salernitaner Kloster erst einmal hin und versuchen ihn zu überprüfen. Die Abtsreihe dieses von Montecassino abhängigen Klosters kennt tatsächlich einen Abt Petrus, der aber nur zweimal in das Licht der Überlieferung tritt, am deutlichsten in Leos Cassineser Chronik. In einer noch genauer zu behandelnden Liste verzeichnet Leo Angehörige der Abtei, die zu besonderen Ehren, zu Bischofs- oder Abtsrang, gelangt sind. Als letzten dieser Reihe nennt er »Petrus qui dicebatur Atenulfi patris cognomine de Capuanis nobilibus, qui postmodum Romae factus est cardinalis ad abbatiam s. Benedicti de Salerno ... rogatu Salernitani principis est transmissus«[149]. Der Kardinalat des Petrus ist sonst nicht bekannt[150], aber in Parallelität zu dem des Desiderius von Montecassino nicht ganz ausgeschlossen; es soll hier unberücksichtigt bleiben. Beachtenswert schien vielfach die Einordnung dieser Stelle im Werk des Marsicanus: Da im Umkreis Ereignisse des Jahres 1067 berichtet werden, hat man gemeint, die Promotion des Petrus sei ebenfalls um diese Zeit anzusetzen[151]. Dagegen ist aber zu bedenken, daß bei einigen der in vorliegender Liste aufgezählten Cassineser Geistlichen die Promotion für einen früheren Zeitpunkt als 1067 feststeht: Ambrosius von Terracina und Gerald von Siponto werden bereits vorher in ihren Ämtern genannt[152]. Allenfalls könnte der in der Liste an erster Stelle stehende Theodinus um das Jahr 1067 in den päpstlichen Dienst getreten sein[153]. In assoziativer Reihung hat Leo dann die übrigen Namen bedeutender Mönche an die chronologisch allein richtige Nennung des Theodinus angehängt. So viel wird jedenfalls klar, daß der Kontext nicht zur Datierung der übrigen von Leo aufgezählten Promotionen herangezogen werden darf. Das bedeutet im Falle des Capuaners Petrus, daß sein Abbatiat in Salerno mit Hilfe der Chronik nicht zu datieren ist.

---

149   Leo Marsicanus: *Chronica Casinensis* III 24 (MG SS 7, 715).

150   Etwas knapp Ganzer: *Auswärtiger Kardinalat*, 36 Nr. 7.

151   Erich Caspar: *Petrus Diaconus und die Monte Cassineser Fälschungen. Ein Beitrag zur Geschichte des italienischen Geisteslebens im Mittelalter*. Berlin 1909, 4; Kehr: *IP* VIII, 365 Nr. *4; Ganzer: *Auswärtiger Kardinalat*, 36; etwas weniger festgelegt Hoffmann: *Petrus Diaconus*, 143 Anm. 105.

152   Ambrosius von Terracina zuerst Okt. 1064, s. unten 169; Gerald von Siponto zuerst Mai 1064, s. unten 170.

153   In einem von Hartmut Hoffmann (*Chronik und Urkunde in Montecassino*. In: QFIAB 51 [1971] 199–201) abgedruckten Brief eines Wilhelm de Ponte Arcifredo an Desiderius von Montecassino, datiert 1066/67–1073, wird Theodinus »domnus vester monachus« genannt; 1076 römischer Archidiakon, *Greg. Reg.* III 17 (Caspar, 283). S. auch unten 168.

Für »Petrus qui Atenulfi de Capuanis nobilibus« gibt es noch einen weiteren Nachweis. Im Jahr 1052 schenkten »Landenolfus et Adenolfus germani hac filii quondam Petri et Petrus filius Atenolfi hac nepos eorum« ihre umfangreichen Besitzungen in Capua und den benachbarten Grafschaften von Calvi und Carinola an Montecassino »divina inspiratione compulsi« und traten selbst in dieses Kloster ein[154]. Damit wird eine Familie greifbar, die zu den Capuaner Fürsten und auch den Grafen von Carinola in verwandtschaftlichen Beziehungen stand, wie Bemerkungen der Schenkungsurkunde über entsprechenden Gemeinschaftsbesitz erkennen lassen. Die bewegten Zeitläufte um die Jahrhundertmitte hatten dieser Familie offenbar stark zugesetzt. Von der älteren Generation wird noch ein verstorbener Bruder Landenolfs und Adenolfs, Lando, genannt; die jüngere ist allein durch Petrus, den einzigen Erben, repräsentiert. Diese Situation mag die überlebenden Familienmitglieder bewogen haben, sich in das Kloster zurückzuziehen. Landenolf hat sich nach Petrus Diaconus dort auch literarisch betätigt[155].

Hier stellt sich nun die Frage, ob der spätere Bischof von Anagni den bei Leo Marsicanus genannten Abt Petrus als Onkel und Erzieher gehabt haben kann. Setzt man das Weihedatum des Bischofs um 1065 an[156], dürfte er gegen 1035 geboren sein. Zu jener Zeit hieß der Abt von S. Benedetto in Salerno Johannes (1032, 1042)[157]. Dessen Nachfolger war Basilius, ein griechisch-kalabrischer Mönch, den Fürst Waimar V. von Salerno (1018–1052) zuerst den Mönchen von Montecassino als Abt aufgedrängt und nach seiner Absetzung (1038) mit dem Salernitaner Benediktskloster entschädigt hatte[158]. Zu seinem Nachfolger wurde 1057 von Gisulf II. von Salerno (1042–1077) der Cassineser Mönch Alfanus ernannt, der aber schon im folgenden Jahr, am 15. März 1058, zum Erzbischof von Salerno geweiht wurde[159]. Erst für November 1063 ist

---

154 Kopie(?) der Schenkungsurkunde in Montecassino, TOMMASO LECCISOTTI: *I regesti dell'archivio dell'abbazia di Montecassino* II (Ministero dell'Interno. Pubblicazioni degli archivi di Stato, 56). Rom 1965, 67 Nr. 25. Zur Registerüberlieferung HOFFMANN: *Chronik und Urkunde,* 124 Nr. 336. LEO MARSICANUS II 83 (MG SS 7, 685). Herrn Prof. Hoffmann habe ich für die Überlassung eines Mikrofilms vom Register des Petrus Diaconus (Cod. Cas. Reg. 3) zu danken. – Adenolf und Landenolf sind auch im Kalender Leos verzeichnet, HOFFMANN: *Der Kalender des Leo Marsicanus,* 128 mit Anm. 6, 139 mit Anm. 106.

155 PETRUS DIACONUS: *De viris illustribus* c. 27 (PL 173, 1036).

156 Zum Weihedatum s. unten 167.

157 *Codex diplomaticus Cavensis* V, 217 Nr. 845; VI, 191 Nr. 996.

158 LEO MARSICANUS II 62 f., 69, 90 (MG SS 7, 669 ff., 678, 689). HARTMUT HOFFMANN: *Die älteren Abtslisten von Montecassino.* In: QFIAB 47 (1967) bes. 311–313.

159 ANSELMO LENTINI: *Alfano.* In: Dizionario biografico degli Italiani 2. Rom 1960, 254, mit Lit.

wieder ein Abt von S. Benedetto belegt namens Johannes[160], als dessen Nachfolger dann jener Petrus filius Atenulfi aus Capua, seit 1052 Mönch in Montecassino, angesehen wird, der auf Vorschlag Gisulfs II. von Papst Alexander eingesetzt worden sein soll. Da jedoch, wie oben gezeigt wurde, die Leostelle, an der diese Einsetzung erwähnt wird, keinen Anhaltspunkt für eine Datierung bietet, kann Abt Petrus auch unmittelbarer Nachfolger Alfans gewesen sein; er wäre dann zwischen diesen und Johannes, also zwischen 1058 und 1063 einzuschieben. Daß im übrigen Alexander II. an seiner Abtsweihe beteiligt gewesen sein soll, ist reine Vermutung, die aus der Leostelle ebensowenig wie das Weihedatum abgeleitet werden kann und zudem von der Sache her unwahrscheinlich ist[161]. Dagegen sind die expressis verbis von Leo überlieferten Details zuverlässig. Die Salernitaner Fürsten hatten sich tatsächlich das Recht, den Abt von S. Benedetto einzusetzen, angeeignet; bei Basilius und Alfanus ist seine Ausübung belegt. Ebenso ist die Abhängigkeit des Salernitaner Klosters von Montecassino[162] und die personelle Verflechtung beider Konvente bekannt: Die Äbte Basilius, Alfanus und Petrus kamen aus Montecassino.

Zur Abtszeit des Petrus – setzt man sie nun in den Jahren von 1058 bis 1063 oder später an – war der andere Petrus, der spätere Bischof von Anagni, aber kein Infantulus mehr. Außerdem wird er in der Vita als Salernitaner Adelssproß bezeichnet, der Abt Petrus dagegen stammte aus einer Capuaner Familie. Die Angaben der Vita zur Jugendzeit des Anagneser Bischofs können deshalb so, wie sie dort stehen, nicht stimmen.

Eine andere Lösungsmöglichkeit soll wenigstens angedeutet werden. Der Bischof Petrus der Vita und der 1052 in Montecassino eingetretene Petrus haben auffällige Lebensumstände gemeinsam: Beide verloren in jungen Jahren ihre Eltern und waren einzige Erben angesehener Familien. Legt man für den Anagneser Petrus ein Geburtsdatum um 1035 zugrunde, würde der Eintritt des »infantulus« (Vita) ins Kloster etwa in den Anfang der fünfziger Jahre zu setzen sein, genau zu der Zeit also, als die Schenkungsurkunde mit dem darauf folgenden Eintritt der Capuaner Familie ausgestellt wurde. Nach den aus der Urkunde zu erschließenden Familienverhältnissen stand der Capuaner Petrus gleichfalls noch in jugendlichem Alter; allein aus diesem Grunde kann er schwerlich der Vatersbruder und Erzieher des späteren Anagneser Bischofs ge-

---

160 *Codex diplomaticus Cavensis* VIII, 256 Nr. 1359.

161 Zu Gregor VII. stand Gisulf in enger Beziehung, vgl. AMATUS VON MONTECASSINO: *Historia Normannorum* VIII 7, 31 (FSI 76, 348, 371 f.); *Greg. Reg.* IX 27 (CASPAR, 610). Dazu DEÉR: *Papsttum und Normannen*, 98 f.

162 Von Stephan IX. und Nikolaus II. bestätigt, vgl. KEHR: *IP* VIII, 139 Nr. 81, 141 Nr. 88; vgl. auch ebd. 364 f.

wesen sein. Die so naheliegende Identifizierung beider scheitert aber an der unterschiedlich angegebenen Herkunft (Capua und Salerno) und den verschiedenen Klöstern, in die sie eingetreten sein sollen (Montecassino und S. Benedetto in Salerno). So kommen in jedem Fall mehrere unvereinbare Momente zusammen, die eine sichere Aussage unmöglich machen.

Die Salernitaner Lehrzeit des Petrus von Anagni spiegelt sich in einem bezeichnenden Zug wider, nämlich in medizinisch-therapeutischen Fähigkeiten, die aus der Vita Petri zu belegen sind. Zwar sind Krankenheilungen in Heiligenviten keineswegs selten, eher der Topos dieser Literaturgattung überhaupt. Die Petrusvita bietet aber einen darüber hinausgehenden Aspekt: sie rühmt von Petrus »erat enim infirmantium, prout opus exegerat, salubre consilium, medicinalis affectus«[163], eine Charakterisierung, die in ihrer konkreten Kürze auf Bruno von Segni zurückgehen könnte. Dazu fällt der häufig erwähnte medizinische Beistand auf, den der Bischof Kranken geboten hat: keine Wunderheilungen an seinem Grabe, die ihn wie so viele andere Heilige zur Ehre der Altäre gelangen ließen, sondern zu Lebzeiten, sei es bei dem byzantinischen Kaiser Michael VII. Dukas (1071–1078) anläßlich einer sonst nicht bekannten Legation im Auftrag Alexanders II.[164], sei es in den bemerkenswert zahlreichen und sorgfältig geschilderten Fällen, in denen der »medicinalis affectus« des Bischofs menschliches Leid lindern half, was der Zeit entsprechend natürlich nicht ärztlicher Kunst, sondern den von Petrus nach Anagni transferierten Reliquien des heiligen Magnus zugeschrieben wurde. Es kann kein Zweifel sein, daß Petrus zu der damals in ihrer ersten Blüte stehenden Salernitaner medizinischen Schule gehörte, deren berühmtester Vertreter gerade der Abt von St. Benedikt und spätere Erzbischof Alfanus war[165]. In diesem Zusammenhang bekommt auch die Überführung der Magnusreliquien in den von Petrus errichteten Neubau der Kathedrale ihren vollen Sinn: Dieser Heilige ist speziell für Krankenheilungen bekannt[166].

Kehren wir zu dem Ausgangspunkt unserer Überlegungen zurück. Petrus von Anagni ist eines der frühen Beispiele für die bei Hildebrand spürbare Tendenz, in besonderem Maße Mönche aus Montecassino und seinem Umkreis in den Dienst des Papsttums zu ziehen. Wann er allerdings Petrus aus Salerno

---

163　*Acta Sanctorum, mensis Augusti* I, 237 F; CAPPELLETTI: *Le chiese d'Italia* VI, 317.

164　S. unten 167 mit Anm. 175.

165　Vgl. PAUL OSKAR KRISTELLER: *The School of Salerno, its Development and its Contribution to the History of Learning.* In: Bulletin of the History of Medicine 17 (1945) 138–194, bes. 149 ff. zu Alfanus. Petrus' von Anagni Zugehörigkeit zur Salernitaner Schule ist bisher nicht erwähnt worden, vgl. die Lit. bei Kristeller und Lentini (wie Anm. 159).

166　VINCENZO FENICCHIA: *Magno, vescovo di Trani.* In: Bibliotheca Sanctorum 8. Rom 1967, 552–557.

mit nach Rom genommen hat, läßt sich nicht feststellen[167]. Auch dessen Tätigkeit als päpstlicher Kapellan hat in den Quellen keinen Niederschlag gefunden[168]. Ferner ist die Datierung seiner Bischofsweihe in das Jahr 1062[169] unglaubwürdig; in der Vita heißt es dazu lediglich, daß die Bewohner der Stadt ihn bei einem Aufenthalt des Papstes von diesem nach langer Vakanz zum Bischof postuliert hätten[170]. Ab Anfang Juni 1062 ist Alexander II. aber in Lucca nachweisbar, wohin er sich auf Geheiß Gottfrieds von Lothringen zurückgezogen hatte[171]; voraus gingen die kriegerischen Auseinandersetzungen mit Cadalus und seinen Anhängern, die mit ihrem Feldlager vor Tuskulum gerade die Richtung nach Anagni hin für Alexander versperrt hatten[172]. Für 1062 ist somit ein Aufenthalt in Anagni ausgeschlossen. Einen Anhaltspunkt für den päpstlichen Besuch in der Stadt hätte die Besitzbestätigung Alexanders für die Anagneser Kirche bieten können, vorausgesetzt, daß sie in Anagni beurkundet wurde; doch gibt es von diesem Diplom nichts außer einer Notiz in der Nachurkunde Urbans II.[173]

Bei der Kirchweihe in Montecassino am 1. Oktober 1071 wird Bischof Petrus dann erstmalig genannt[174], und wenig später ist seine Legation zu Kaiser Michael VII. Dukas (1071–1078) anzusetzen. Über ihren Auftrag ist im einzelnen nichts bekannt; der Vita zufolge müßte sie im Rahmen der Bemühungen zur Überwindung des Schismas von 1054 zu sehen sein[175]. Sie zeigt Petrus

---

167 Pietro Zappasodi: *Anagni attraverso i secoli.* Anagni 1908, 111, vermutet anläßlich der Süditalienreise Nikolaus' II. 1059; die Vita nennt Hildebrand aber »legationis officio praeditus« (*Acta Sanctorum, mensis Augusti* I, 234 C; Cappelletti: *Le chiese d'Italia* VI, 308), so daß er also nicht in der Begleitung des Papstes zu denken ist, als er Petrus nach Rom mitnahm.

168 Vgl. dagegen den Abt Petrus von S. Benedetto, der nach Leo Marsicanus Kardinal gewesen sein soll; s. oben 163.

169 So Gigalski: *Bruno von Segni,* 145 Anm. 5. Der angebliche Vorgänger Bernhard stammt aus einer Verwechslung mit Bernhard von Palestrina, Schwartz: *Besetzung,* 269 Anm. 1.

170 S. oben 162.

171 S. oben 117.

172 S. oben 116 f.

173 JL 5365; Kehr: *IP* II, 137 Nr. *4 und 7.

174 Leo Marsicanus III 29 (MG SS 7, 719). Schwartz: *Besetzung,* 269.

175 *Vita b. Petri episcopi* I 13 (*Acta Sanctorum, mensis Augusti* I, 235 D; Cappelletti: *Le chiese d'Italia* VI, 311): »pro concordia fidei et agendis ecclesiae (negotiis)« sei die Legation unternommen; Gigalski: *Bruno von Segni,* 147, 151 f., setzte die Legation zu 1072, was Grégoire: *Bruno de Segni,* 115, entgangen ist, der sie zu 1071 stellt; dazu die korrigierende Rezension von Daniel Stiernon. In: Rivista di Storia della Chiesa in Italia 21 (1967) 239. – Kritisch zur Historizität der Legation Walther Holtzmann: *Studien zur Orientpolitik des Reformpapsttums und zur Entstehung des ersten Kreuzzuges.* In: HVjS 22 (1924/25) 170 ff.; wiederabgedruckt in dess.: *Beiträge zur Reichs- und Papstgeschichte des hohen Mittelalters* (Bonner historische Forschungen, 8). Bonn 1957, 51; vgl. auch Georg Hofmann: *Papst Gre-*

jedenfalls dem Kreise derer zugehörig, die im Pontifikat Alexanders II. für Aufgaben im Dienst des Papsttums herangezogen wurden – dabei war es Hildebrand, der diese Karriere eingeleitet hatte.

Theodinus

»Suggerente pariter et instigante Hildebrando archidiacono«, so formuliert Leo Marsicanus in der oben erwähnten Liste[176], sei der marsische Grafensohn Theodinus von Montecassino von Alexander II. nach Rom gerufen und als Diakon am Lateranpalast angestellt worden, vermutlich gegen 1066/67[177]. Später wurde er dann Archidiakon der römischen Kirche und damit Nachfolger Hildebrands in diesem Amt. Nach den Worten Leos, die durch die Amtsübertragung durch Gregor VII. indirekt bestätigt werden, verdankte Theodinus seinen Werdegang Hildebrand-Gregor.

An derselben Stelle der Cassineser Chronik werden von Leo einige weitere Mönche genannt, die zu höheren Ehren aufgestiegen sind: Kardinal Aldemarius, Ambrosius von Terracina, Gerald von Siponto, Milo von Sessa Aurunca und Abt Petrus von S. Benedetto in Salerno. Doch wie weit das »suggerente pariter et instigante Hildebrando« hier noch gilt, ist nicht zu entscheiden; der Listencharakter spricht weder dafür noch dagegen[178]. Lediglich im Falle des zuletzt genannten Abtes Petrus ist die Sache klar: bei ihm wird eine Intervention des Salernitaner Fürsten mitgeteilt.

Kardinal Aldemarius

Auf Theodinus folgt in Leos Liste Aldemarius. Capuaner von Geburt, war er 1058 und 1059 Notar Richards von Capua, darauf Mönch in Montecassino und dort Lehrer Leos gewesen. Zum Abt in Sardinien ernannt, hat er die Insel doch nie betreten. Schließlich übernahm er in Rom die Leitung des Klosters

---

gor VII. und der christliche Osten. In: Studi Gregoriani 1 (1947) 170 f.; WILLIBALD M. PLÖCHL: Zur Aufhebung der Bannbullen von 1054 im Blickfeld der kirchlichen Rechtsgeschichte. In: ZRG Kan.Abt. 57 (1971) bes. 8.

176   LEO MARSICANUS III 24 (MG SS 7, 715).

177   Zu diesem Datum oben Anm. 153. Zu Theodinus ferner KARL JORDAN: Die päpstliche Verwaltung im Zeitalter Gregors VII. In: Studi Gregoriani 1 (1947) 125 f.; HOFFMANN: Der Kalender des Leo Marsicanus, 148 mit Anm. 129; DIETRICH LOHRMANN: Das Register Papst Johannes' VIII. (872–882). Tübingen 1968, 107 f.

178   CASPAR: Petrus Diaconus, 4, läßt alle sechs Prälaten gleichzeitig durch den Papst erhoben sein; dazu oben 163.

S. Lorenzo fuori le Mura und wurde zum Kardinal erhoben[179]. Als seine Titel-
kirche wird S. Prassede genannt, die zu den sieben der Patriarchalbasilika S.
Lorenzo zugeordneten Kardinalpresbyteraten gehörte. Im Jahr 1076 soll Aldemarius gestorben sein[180].

Ambrosius von Terracina

An dritter Stelle steht Ambrosius, ein gebürtiger Mailänder. Klug und gebildet wird er genannt: ein Reflex der berühmten Kathedralschule der lombardischen Metropole. Als Cassineser Mönch erhielt er von Alexander II. das
Bistum Terracina. Zum Oktober 1064 findet sich seine erste Erwähnung, und
wenig früher dürfte er die Bischofsweihe erhalten haben[181]. Wegen seiner Mailänder Herkunft steht zu vermuten, daß der Papst dabei kaum eines nach-
drücklichen Rates Hildebrands bedurfte – der einzige Fall im Pontifikat Alexanders II., der mit den bei Nikolaus II. beobachteten Ernennungen von ihm
aus vorpäpstlicher Zeit nahestehenden Klerikern verglichen werden kann. In
den folgenden Jahren ist Ambrosius wiederholt in der Nähe des Papstes zu
finden: Im Spätsommer 1067 begleitete er Alexander nach Süditalien und nahm
am 1. August an einer Synode in Melfi und wenig später an einer zweiten in
Salerno teil[182]. Dann war er Ende Juni 1068 auf einer weiteren Synode Alexanders zugegen und auch bei der Einweihung der Kirche seines früheren Klosters
in Montecassino am 1. Oktober 1071 anwesend[183]. Als Bischof der Grenzstadt

---

179 Leo Marsicanus III 24 (MG SS 7, 715); Wilhelm Wattenbach, ebd. 552. Hoffmann:
Der Kalender des Leo Marsicanus, 129 Anm. 11, datiert die Leostelle unbegründet auf »ca.
1063«.

180 Cassineser Nekrologeintrag zum 31. März, Hoffmann: *Der Kalender des Leo Marsicanus*, 129 mit Anm. 11. Zum Kardinaltitel Francesco Cristofori: *Storia dei cardinali di
santa Chiesa Romana*. Rom 1888, 61, und Klewitz: *Reformpapsttum*, 58. Ferner Lorenzo
Cardella: *Memorie storiche de'cardinali della santa Romana Chiesa* I. Rom 1792, 45, und
Hüls: *Kardinäle, Klerus und Kirchen Roms*. – Mit dem wibertinischen Kardinal Adelmarius
von 1099 Juli 29 (JL 5339; dazu Kehr: *Wibert von Ravenna*, 981; Klewitz: *Reformpapsttum*,
76) wird er nicht mehr identisch sein; für S. Prassede ist bereits am 18. Aug. 1091 Deodat als
Titelinhaber genannt (Pietro Fedele: *Tabularium S. Praxedis*. In: ASRom 27 [1904] 62
Nr. 10).

181 Gattula: *Historia abbatiae Cassinensis* I, 228; Ambrosius bestätigt eine Schenkung
der Grafen von Isernia. Sein Vorgänger Johannes nahm noch an der Lateransynode 1059 teil,
vgl. Schwartz: *Besetzung*, 272.

182 Zu beiden Synoden JL 4635; Kehr: *IP* VIII, 351 Nr. 23.

183 JL 4651 (Cappelletti: *Le chiese d'Italia* IV, 47). – Leo Marsicanus III 29 (MG SS
7, 719); *Narratio de consecratione et dedicatione ecclesiae Casinensis* (PL 173, 997), Facsimile
bei Tommaso Leccisotti: *Il racconto della dedicazione della basilica desideriana nel Codice
Cassinese 47* (Miscellanea Cassinese, 36). Montecassino 1973, 215 ff. – Dominicus Antonius

des Patrimonium Petri zu Süditalien fiel ihm natürlicherweise eine vermittelnde Rolle zwischen Papsttum und Normannen zu. Daß Alexander sich auf Ambrosius' Rat stützte, zeigt dessen Anwesenheit auf den genannten Synoden in Melfi und Salerno, auf denen vor allem die Salernitaner Kirche gegen Übergriffe normannischer Adliger verteidigt wurde[184].

Wie die Männer Nikolaus' II. nach dem Tod ihres Papstes aus dem römischen Reformerkreis verschwanden, so begegnet auch Ambrosius nach dem Tod Alexanders II. (1073) nur mehr in Terracina und dessen engerer Umgebung. Am 24. November 1074 weihte er seine Kathedrale, wovon das Protokoll überliefert ist[185]. Mit dem Neubau der Basilika reiht Ambrosius sich – wie auch Petrus von Anagni, der den Grundstein zu dem heute noch stehenden Bau legte – in die Zahl derjenigen Kirchenfürsten ein, die um jene Zeit ihre Kathedralen erneuerten – ein Indiz für den Aufbruch im kirchlich-religiösen Leben, der sich während der relativ ruhigen sechziger Jahre in der verstärkten Bautätigkeit auswirken konnte[186]. Die letzte Erwähnung zeigt Ambrosius wieder in seiner Cassineser Umgebung, und zwar als Zeugen einer Urkunde des Abtes Desiderius vom Oktober 1079[187].

Gerald von Siponto

Der Sipontiner Erzbischof Gerald war nach Auskunft der Cassineser Chronik deutscher Herkunft. Im Mai 1064 ist er zum ersten Mal als Erzbischof nachweisbar[188]. Vermutlich im Jahr 1067 hielt Alexander II. in Siponto am Adriatischen Meer im Rahmen der Neuordnung der Kirchen in den Norman-

---

CONTATOR: *De historia Terracinensi libri quinque*. Rom 1706, 411, berichtet mit Bezug auf Leo Marsicanus, daß Ambrosius den Altar der hl. Cecilie geweiht habe, wovon Leo aber nichts weiß; der ebenfalls von CONTATOR, a.a.O., dem Ambrosius zugeschriebene Brief an Remigius von Lincoln stammt in Wahrheit von Gregor VII. (*Greg. Reg.* I 34); die Ausstellung des Briefes in Terracina mag den Irrtum veranlaßt haben.

184   Vgl. LOTHAR VON HEINEMANN: *Geschichte der Normannen in Unteritalien und Sizilien.* Leipzig 1894, 250 f.; WALTHER HOLTZMANN: *Das Privileg Alexanders II. für S. Maria Mattina.* In: QFIAB 34 (1954) 67 f.

185   CONTATOR: *De historia Terracinensi*, 360 f.

186   S. auch oben 38.

187   In San Germano als »Frater Ambrosius episcopus et monachus« (*Codex diplomaticus Caietanus*, 124 Nr. 253). Sein Todestag, 21. Nov., im Cassineser Nekrolog, HOFFMANN: *Der Kalender des Leo Marsicanus*, 130 mit Anm. 17. Vgl. auch GIORGIO FALCO: *L'amministrazione papale nella campagna e nella marittima dalla caduta della dominazione bisantina al sorgere dei comuni.* In: ASRom 38 (1915) 699 ff.

188   LEO MARSICANUS III 24 (MG SS 7, 715). KLEWITZ: *Bistumsorganisation Campaniens*, 55 (= Ausgewählte Aufsätze, 397); G. ANTONUCCI: *L'arcivescovado di Siponto*. In: Samnium 10 (1937) 71–75. KEHR–HOLTZMANN: *IP* IX, 236 Nr. *14.

nenstaaten eine Synode ab[189]. Die Nachrichten darüber sind aber reichlich verschwommen; Gerald wird dabei nicht erwähnt. Zur Zeit Alexanders wird er nur noch bei der Kirchweihe in Montecassino 1071 genannt[190]; erst unter Gregor VII. ist er als Legat tätig[191], was nicht schlecht zu einer engeren Verbindung zwischen beiden und zu einer Intervention Hildebrands bei seiner Erhebung zum Erzbischof passen würde.

Milo von Sessa Aurunca

Nach Leos Bericht ist schließlich noch Bischof Milo von Sessa Aurunca aus dem Kreis um Montecassino hervorgegangen[192]. Vor seiner Bischofsweihe leitete er als Praepositus den von Montecassino abhängigen Capuaner Benediktskonvent. Es ist gut möglich, daß er ursprünglich Mönch im Cassineser Mutterkloster gewesen ist. Unwahrscheinlich ist dagegen, daß Hildebrand seine Hände mit im Spiel hatte, als Milo das unbedeutende Capuanische Suffraganbistum Sessa bekam.

Alle diese von Leo zusammengestellten Besetzungen betrafen Bistümer und Abteien, die in der Nähe Montecassinos und dessen Tochterklöster lagen. Nimmt man Desiderius hinzu, der wie schon sein Vorgänger Friedrich-Stephan IX. zum Kern der römischen Reformgruppe zählte, so wird die personelle Bedeutung der Abtei für die kirchliche Erneuerungsbewegung deutlich; sie bot ein Reservoir an Klerikern, die, an anderer Stelle eingesetzt, der römischen Kirche den Rückhalt bei ihrer allmählichen Durchdringung des geistlichen Lebens gaben. Bei Alexander II. selbst sind keine besonders ausgeprägten Bindungen an Montecassino erkennbar; allein die feierliche Kirchweihe 1071 gestaltete sich zu einem imposanten Aufmarsch von Bischöfen, Äbten und Fürsten der näheren und weiteren Umgebung. Eher scheint Hildebrand die treibende Kraft gewesen sein, wenn es darum ging, neue Mitarbeiter aus Montecassino heranzuziehen. Papst Alexander ist offenbar unter Verzicht auf eigene Personalpolitik weithin dem Rate anderer gefolgt.

Doch ist auch ein Fall bekannt, in dem er sich gegen eine ihm vorgeschlagene Bischofskreation gesträubt hat, vorgeschlagen auch diese von Hildebrand. Es ging dabei um Wibert, den Elekten von Ravenna und früheren Kanz-

---

189   KEHR – HOLTZMANN: *IP* IX, 204 Nr. 4; 228 Nr. 2; 229 Nr. 1.

190   LEO MARSICANUS III 29 (MG SS 7, 719).

191   Vgl. *Greg. Reg.* I 65 (CASPAR, 94 f.). KLEWITZ: *Bistumsorganisation Campaniens*, 55 (= Ausgewählte Aufsätze, 397); KEHR – HOLTZMANN: *IP* IX, 236 Nr. *14. Sein Todestag ist der 6. Febr. (Nekrolog des Cod. Cas. 47, hg. von MAURO INGUANEZ [FSI 83]. Rom 1941, 36).

192   LEO MARSICANUS III 24 (MG SS 7, 715). KEHR: *IP* VIII, 229 (Kloster S. Benedetto in Capua); 268 f. (Sessa Aurunca). In den Cassineser Nekrologien ist er nicht verzeichnet.

ler der Kaiserin Agnes für die italienischen Angelegenheiten. Der Papst wollte die im Frühjahr 1073 in Rom erbetene Weihe Wiberts verweigern in Erinnerung an dessen führende Rolle im Cadalus-Schisma. Doch vermochte er sich nicht durchzusetzen gegen seinen Archidiakon, der in pragmatischer Haltung dem Elekten zu seiner Anerkennung verhalf[193].

Ein Vergleich der in den beiden vorausgehenden Abschnitten behandelten unterschiedlichen Einstellungen der Päpste Nikolaus II. und Alexander II. zur römischen Reformgruppe kann die Eigenarten dieser Pontifikate in einigen Grundzügen deutlicher hervortreten lassen. Der Versuch Nikolaus' II., aus Florentiner Klerikern einen ihm vertrauten und ergebenen Kreis aufzubauen, der den Papst beraten und in der Kirchenregierung unterstützen sollte, mußte auf den Widerstand der römischen Reformgruppe um Humbert und Hildebrand stoßen. Daß die Florentiner nicht in diesen römischen Kreis integriert wurden, zeigte sich nach Nikolaus' kurzem Pontifikat: Die von ihm geförderten Männer traten mit dem Tod ihres Mentors sofort wieder aus der Kirchenregierung zurück. Alexander II. hat einen ähnlichen Versuch, das Regiment selbständig in die Hand zu nehmen, nicht unternommen; die Absicht, sich auf eigene Leute zu stützen, ist bei ihm – sieht man vielleicht von dem Mailänder Ambrosius von Terracina und dem nicht sehr einflußreichen Luccheser Kanzleipersonal ab – nicht zu erkennen. Die ausschlaggebende Rolle Hildebrands wird im Rahmen des gesamten Pontifikats Alexanders noch zu beleuchten sein.

In den Stellungnahmen der beiden Kirchenfürsten Gerhard von Florenz und Anselm von Lucca zum römischen Reformerkreis ist ihr unterschiedliches Verhalten als Päpste vorgezeichnet. Während Anselm sich – wie seine Legationsaufträge zeigen – dieser Gruppe bereits frühzeitig eingeordnet und ihrer Führung untergeordnet hatte, blieb Gerhard von ihr unabhängig. Sein Betätigungsfeld war seine Diözese. Gebürtig aus Burgund[194], woher auch andere Reformer kamen, war er ein Vertreter der frühen Kirchenreform, doch mit den im römischen Kreis entwickelten ekklesiologischen Ideen dürfte er nicht in so intensiven Kontakt gekommen sein, wie das für Anselm von Lucca zu belegen ist. Aus all dem läßt sich umgekehrt der Schluß ziehen, daß Gerhard von Florenz mehr der Kandidat Herzog Gottfrieds war, der dadurch, daß er den Bischof seiner toskanischen Hauptstadt zum Papst erheben ließ, den unter seinem Bruder Stephan IX. begründeten Einfluß seines Hauses auf das Papsttum wahrte;

---

193 Bonizo von Sutri: *Liber ad amicum* VI (MG Ldl 1, 600). Vgl. auch *Greg. Reg.* I 3 (Caspar, 5 f.); dazu Köhncke: *Wibert von Ravenna*, 16 f.; Schwartz: *Besetzung*, 158; Macdonald: *Hildebrand*, 83.
194 Vgl. Schwartz: *Besetzung*, 209.

andererseits hat Anselm mehr den Vorstellungen des römischen Kreises ent-
sprechen können, vor allem Hildebrands, der unter einem solchen Papst keine
Konkurrenz in der Kirchenleitung zu befürchten hatte. Wie als Bischof so hat
Anselm-Alexander sich auch als Papst ihm untergeordnet. Und wenn von
Alexander Bistümer oder Stellen in der römischen Kirche besetzt wurden, wa-
ren diese Erhebungen von Hildebrand inspiriert und damit die gregorianische
Herrschaft eingeleitet.

c) Landulf von Nonantola und Landulf von Pisa

Wenn persönliche Reminiszenzen bei Alexander II. auch keine personalpoli-
tische Relevanz gewinnen konnten, fehlen sie doch nicht völlig. Ambrosius
von Terracina wurde bereits erwähnt. Eine andere Erinnerung an die vor-
päpstliche Zeit Alexanders findet sich in einer im übrigen eine Vorurkunde
Leos IX. wiederholenden Bulle für die Abtei Nonantola[195]. In der Narratio
erinnert der Papst Abt Landulf daran, daß »in Mediolanensi ecclesia, naturali
videlicet matre nostra, unicam et specialem ab ipso primeve etatis tyrocinio
caritatem invicem servaverimus«. Landulf hatte den Papst in Lucca aufgesucht
und dabei wohl am 9. Juli 1068 unter Vorweisung der Leo-Urkunde die Besitzbestätigung für sein Kloster erhalten[196]. Mit dem zitierten Satz ist Landulf
als Mailänder gekennzeichnet, der mit Anselm zusammen einst der Ambrosia-

---

195   JL 4634; KEHR: *IP* V, 340 Nr. 19 (GIROLAMO TIRABOSCHI: *Storia dell'augusta badia
di s. Silvestro di Nonantola, aggiuntovi il codice diplomatico della medesima* II. Modena
1785, 196 Nr. 179; PL 146, 1333). Vorurkunde Leos IX. JL 4168; KEHR: *IP* V, 340 Nr. 18.

196   Die Urkunde wird bei JL, KEHR, SANTIFALLER: *Saggio*, 405, u. a. zu 1067 Juli 9 gestellt, obwohl ihre Datierung nicht einwandfrei ist: Pontifikatsjahr (1068) differiert mit Inkarnationsjahr und Indiktion (1067). Im Jahr 1067 ist Alexander II. am 22. Mai in Rom, am
1. Aug. in Melfi nachweisbar (JL 4631; KEHR: *IP* VIII, 351 Nr. *22); ein zwischengeschobener
Luccheser Aufenthalt wäre allein durch JL 4634 vom 9. Juli zu belegen, was aber durch den
raschen Ortswechsel ein bedenkliches Itinerar ergibt – eine direkte Reise von Rom nach Süditalien ist näherliegend. Im Jahr 1068 ist Alexander dagegen nachweislich zwischen dem
20. Juni und 11. Juli nach Lucca gereist (JL 4650 dürfte nicht in Lucca ausgestellt sein wie aber
KEHR: *IP* III, 388 Nr. 3). Der Skriptor von JL 4634, der Luccheser Palastnotar Rainer, hat in
beiden Jahren für Alexander gearbeitet (SANTIFALLER: *Saggio*, 192), so daß danach keine Entscheidung getroffen werden kann; aufgrund des Itinerars ist das Diplom aber nach 1068 einzuordnen entsprechend der Datierung nach Pontifikatsjahren. Vgl. den parallelen Fall im Diplom
für S. Maria Mattina, wo gleichfalls das Pontifikatsjahr gegen die übrigen Datierungen festzuhalten sein dürfte, s. oben 87 f.

nischen Kirche angehört hatte[197]. Von Februar 1060 bis Februar 1072 wird er als Abt in Nonantolaner Urkunden genannt[198].

Bei der Häufigkeit des Namens im langobardischen Gebiet dürfte es schwerfallen, den späteren Abt schon in Mailand aufzuspüren. Das bisher veröffentlichte Material läßt jedenfalls keine Identifikation zu[199]. Bereits einige Zeit vor Landulf war die Abtei von S. Silvestro, deren Blüte seit dem Ungarneinfall um 900 dahin war und die seitdem von den Bischöfen der Emilia wechselweise verwaltet wurde, unter Mailänder Einfluß gelangt. 1026 überließ Kaiser Konrad II. das Kloster Erzbischof Aribert, der damit auch die Einsetzung des Abtes in die Hand bekam. So heißt es, daß Abt Rudolf II. (1035–1053) von Aribert die Abtswürde erhalten habe[200]. Wie weit Ariberts Nachfolger in dessen Rechte über S. Silvestro eingetreten sind, ist nicht zu erkennen. Da aber mit Landulf wiederum ein Mailänder Kleriker die Leitung in Nonantola übernommen hat, muß an die Fortdauer enger Beziehungen gedacht werden.

Über Landulfs Haltung in den Mailänder Unruhen wie auch im Cadalus-Schisma ist nichts bekannt, doch dürfte die Kontaktaufnahme mit Alexander II. und dessen Erinnerung an die gemeinsame Mailänder Klerikerzeit ihn nicht gerade als Gegner des Papstes kennzeichnen. Hinzu kommt, daß Nonantola, zur Modeneser Grafschaft gehörig, im Machtbereich der tuszischen Markgrafen lag und damit wie diese zur Seite der Reformer tendiert haben dürfte[201]. Die Lokalhistorie nimmt an, daß Landulf nicht lange nach 1072, dem letzten für ihn gesicherten Datum, gestorben sei. Allerdings ist erst wieder zu 1089

---

197   S. auch oben 8.

198   Der Vorgänger Gottschalk zuletzt am 7. April 1058 (TIRABOSCHI: *Storia di Nonantola* II, 192 Nr. 172). Landulf dann am 21. Febr. 1060 (ebd., 193 Nr. 173); ferner Nr. 174, 176, 178–184, und zuletzt 6. Febr. 1072 (ebd., 205 Nr. 186).

199   Z. B. 5. Sept. 1053: Landulfus presbiter (MANARESI-SANTORO: *Gli atti privati* III, 45 Nr. 366); Okt. 1056/1066: Landulfus clericus (ebd., 92 Nr. 390); 1059: Landulphus subdiaconus subskribierte die Eidformel Widos von Mailand vor Petrus Damiani und Anselm von Lucca (MANSI: *Collectio* XIX, 892); Ende 1059/1060: Landulphus clericus et senatorii generis et peritiae litteralis nitore conspicuus, Empfänger von op. 42 I des Petrus Damiani (PL 145, 667; zur Datierung DRESSLER: *Petrus Damiani*, 240); April 1063 und 5. April 1070: Landulfus presbiter de ordine decomanorum sancte Mediolanensis ecclesie, officialis ecclesie sancti Ambrosii (MANARESI-SANTORO: *Gli atti privati* III, 183 Nr. 440; 320 Nr. 516).

200   *Catalogus abbatum Nonantulanorum saec. XI* (TIRABOSCHI: *Storia di Nonantola* II, 199 Nr. 181; MG SS rer. Langob., 570 f.). Vgl. auch AUGUSTO CORRADI: *Nonantola abbazia imperiale*. In: Rivista storica benedettina 4 (1909) 186 f.; HESSEL: *Geschichte der Stadt Bologna*, 65 f.; GINA FASOLI: *L'abbazia di Nonantola fra l'VIII e l'XI secolo nelle ricerche storiche* (Studi e documenti della Deputazione di Storia patria per l'Emilia e la Romagna, Sezione di Modena, N.S. 2). Modena 1943, 100 f.

201   ALFRED OVERMANN: *Gräfin Mathilde von Tuscien. Ihre Besitzungen. Geschichte ihres Gutes von 1115–1230 und ihre Regesten.* Innsbruck 1895, 10–15.

ein Abt belegt; für die Zwischenzeit sind die Archivbestände äußerst dürftig[202].

An dieser Stelle ist eine Bemerkung des rechtskundigen Heinrizianers Petrus Crassus anzuführen, die er in seiner 1084 verfaßten Defensio Heinrici IV regis über Nonantola macht. Darin wirft er Gregor VII. und seiner Partei unter zahlreichen anderen Rechtsbrüchen vor, daß sie »Nonantulensem autem ecclesiam contra divinam sua ea ipsa lege acephalam fecerant«[203]. Es ist weder bekannt, welches Ereignis Petrus hier im Auge hatte, noch ist die Stelle jemals beachtet worden[204]. Eine mögliche Einordnung der Behauptung in einen historischen Kontext sei hier versucht. Der zitierte Passus kann in zweierlei Weise interpretiert werden: Gregor VII. hat das Kloster Nonantola seines Hauptes beraubt, indem er den Abt abgesetzt hat – in diesem Fall wäre in dem Abt ein Anhänger der kaiserlichen Partei zu vermuten –, oder indem er den Abt als Anhänger der päpstlichen Seite auf einen anderen Posten transferiert hat. Angesichts der zahlreichen Suspensionen, die Gregor gegen Gegner seiner Richtung erlassen hat, wäre es merkwürdig, wenn Petrus Crassus zur Illustrierung des Suspensionseifers des Papstes gerade die eines Abtes ausgewählt hätte. Absetzungen von Bischöfen werden in gregorianischen Synodalakten mannigfach verzeichnet[205], wovon Petrus Crassus einen spektakulären Fall für seine Zwecke leicht hätte ausbeuten können. Vorausgesetzt, daß er die Absetzungspraxis des Papstes anprangern wollte, liegt für Nonantola kein einziges Anzeichen einer Absetzung wegen Gegnerschaft gegen das Reformpapsttum vor. Hier muß vielmehr ein anderes Ereignis gemeint sein. Die zweite Interpretationsmöglichkeit ist deshalb zu prüfen.

Gregor VII. war offenbar nur einmal in Nonantola, ein Aufenthalt, der durch eine dort am 28. April 1077 ausgestellte, erst neuerdings aufgefundene Urkunde des Papstes gesichert ist[206]. In Verbindung mit einer Äußerung Pauls von Bernried, die besagt, daß Gregor am Gründonnerstag desselben Jahres

---

202 Vgl. Tiraboschi: *Storia di Nonantola* I, 106 f.; II, 209 Nr. 196.

203 Petrus Crassus: *Defensio Heinrici IV. regis* c. 4 (MG Ldl 1, 439). Dazu Karl Jordan: *Der Kaisergedanke in Ravenna zur Zeit Heinrichs IV. Ein Beitrag zur Vorgeschichte der staufischen Reichsidee.* In: DA 2 (1938) 85–128, bes. 94 ff.

204 Vgl. z. B. Corradi: *Nonantola*, 187.

205 Synodalberichte *Greg. Reg.* I 85 a (Caspar, 123); II 52 a (ebd., 196); III 10 a (ebd., 268 f.); V 14 a (ebd., 368 f.); VI 5 b (ebd., 400 ff.); VI 17 a (ebd., 429); VII 14 a (ebd., 479 ff.); VIII 20 a (ebd., 543 f.).

206 Johannes Ramackers: *Analekten zur Geschichte des Papsttums im 11. Jh. Zum Itinerar Gregors VII. im Frühjahr 1077.* In: QFIAB 25 (1933/34) 56–60; Angelo Mercati: *Gregorio VII a Nonantola.* In: Studi Gregoriani 1 (1947) 413–416. Zimmermann: *Der Canossagang,* 41, behandelt den Aufenthalt nur summarisch.

in Nonantola unter wunderbaren Begleitumständen die Chrisamweihe vollzogen hätte[207], ist er dort vom 13. April (Gründonnerstag) bis 28. April 1077
nachzuweisen. Das Kloster, so stellt deshalb Ramackers mit Recht fest, stand
damals noch auf päpstlicher Seite. Die im folgenden zu prüfende These geht
nun dahin, daß Gregor in Nonantola noch den Abt Landulf angetroffen hat,
dem die Papsttreue des Klosters zu verdanken war; und ihn, den gebürtigen
Mailänder, hat Gregor für den seit dem 8. April 1076 vakanten Bischofssitz
von Pisa[208] vorgesehen. Diese Identifikation läßt sich durch einige Indizien
stützen, die vereinzelt vielleicht nicht sehr beweiskräftig erscheinen, zusammen-
genommen aber doch ein abgerundetes Bild der Ereignisse und damit einen
beachtlichen Grad an Wahrscheinlichkeit ergeben.

Der Pisaner Bischof Landulf taucht erstmals am 27. August 1077 in einer
Schenkungsurkunde der Markgräfin Mathilde auf[209], mit der sie der Kathedrale von Pisa eine Anzahl von Gütern vermacht mit der Bestimmung, daß die
Kleriker ein kanonisches Leben führen und das Jahrgedächtnis ihrer Mutter
Beatrix feiern, die am 18. April 1076 in Pisa gestorben und im dortigen Dom
beigesetzt war. In der Urkunde wird Landulf als kürzlich erst erwählter Bi-
schof bezeichnet[210]. Gleichfalls als Electus figuriert er in einem Brief Gregors
VII. an die Einwohner Korsikas vom 1. September 1077[211]. Dieser Brief sowie
ein am 16. September desselben Jahres folgendes zweites Schreiben an die
Korsen und schließlich ein päpstliches Diplom vom 30. November 1078[212],
das Pisa den apostolischen Vikariat über Korsika bestätigt, charakterisieren
Bischof Landulf als besonderen Vertrauten des Papstes. Die in dem Vikariats-

---

207   PAUL VON BERNRIED: *Vita Gregorii VII papae* c. 7 (WATTERICH: *Vitae* I, 477).

208   Der Todestag von Landulfs Vorgänger Wido nach den *Annales Pisani* (MG SS 19, 239;
RIS 6/II, 101). Dazu SCHWARTZ: *Besetzung*, 217; CINZIO VIOLANTE: *Cronotassi dei vescovi
e degli arcivescovi di Pisa* (Miscellanea Gilles Gerard Meersseman I = Italia sacra, 15). Padua
1970, 26 f.

209   UGHELLI: *Italia sacra* III, 362–364. OVERMANN: *Gräfin Mathilde*, 142, Reg. 31. Zum
Tod der Gräfin Beatrix DONIZO VON CANOSSA: *Vita Mathildis comitissae* I 20 (MG SS 12, 378);
OVERMANN: *Gräfin Mathilde*, 137, Reg. 25 a. Vgl. auch GIUSEPPE SCALIA: *Ancora intorno al-
l'epigrafe sulla fondazione del duomo pisano*. In: Studi Medievali 3. ser. 10/II (1969) bes. 506 ff.

210   Ausgestellt »in episcopio sanctae Mariae Pisanensis ecclesiae, ubi nunc D. Landulphus
dictae urbis episcopus praeesse videtur« (UGHELLI: *Italia sacra* III, 362 D); »... episcopus, qui
nunc est electus...« (ebd., 363 C).

211   *Greg. Reg.* V 2 (CASPAR, 349).

212   *Greg. Reg.* V 4 (CASPAR, 351); VI 12 (CASPAR, 414). – Zum korsischen Vikariat, der
hier unerörtert bleiben kann, vgl. ALFRED FELBINGER: *Die Primatialprivilegien für Italien*. In:
ZRG Kan.Abt. 37 (1951) 99 f.; CINZIO VIOLANTE: *Le concessioni pontificie alla chiesa di Pisa
riguardanti la Corsica alla fine del secolo XI*. In: BISI 75 (1963) 43 ff.; dazu VITO TIRELLI:
Note su recenti studi di storia pisana. In: Bollettino storico pisano 33–35 (1964/66) 669 ff.

privileg erwähnten Anfeindungen und Widerstände, die der Elekt erdulden mußte, erklären die auffällig lange Verzögerung der Weihe: Offenbar war Landulf nicht nach den in Pisa üblichen Formen erhoben worden. In einer späteren Äußerung Urbans II. heißt es dann auch, daß bei der Einsetzung der Pisaner Bischöfe seit Landulf die invasio tyrannica durch die electio canonica abgelöst worden sei[213], was im gregorianischen Sprachgebrauch bedeutet, daß an die Stelle laikaler Einsetzungspraxis die päpstliche Nominierung getreten ist[214].

Was war es, das Landulf dem Papst wertvoll machte? »Fidei et religionis tuę gratum in te fructum exuberare cognoscentes«, so schreibt Gregor, habe er ihn für das Vikariat in Korsika ausersehen, damit »vigilanti studio episcopos clericos populum eiusdem insulę doceas atque morum honestate confirmas«[215]. Bisher hat niemand gefragt, wer dieser Landulf, den Gregor mit einer derartigen Aufgabe betraut und dessen Glaubensfestigkeit er mit solchen Worten herausgestrichen hat, eigentlich war. Woher aber kannte der Papst ihn, woher kam dieser Mann? Die letzte Frage beantworten die Pisaner Annalen: Er war gebürtiger Mailänder[216]. Landulf stammte also aus einer Stadt, in der die Parteinahme für die päpstliche Seite zumindest im höheren Klerus etwas Ungewöhnliches war; noch dazu befinden wir uns jetzt in einer Zeit, da die Aus-

---

213   JL 5449; KEHR: *IP* III, 320 Nr. 7 (UGHELLI: *Italia sacra* III, 369): »... condonamus, ita videlicet, ut quamdiu eadem Pisana civitas episcopum non invasione tyrannica, sed cleri et populi electione canonica per Romani pontificis manus acceperit, quemadmodum Landulphum, Gerardum et te charissime frater Daiberte accepisse dignoscitur, et quamdiu in ea, quam hodie exhibet ecclesiae Romanae fidelitate perstiterit, huius nostrae donationis, locationisve gratia perfungatur.« Ähnlich auch JL 5464; KEHR: *IP* III, 321 Nr. 9. – Eine Bestätigung der Erhebung Landulfs durch die Hand des Papstes auch in *Greg. Reg.* VI 12 (CASPAR, 414): »Et quia Pisana ecclesia, quę in preficiendis sibi pastoribus a constitutionibus sanctorum patrum deviaverat, tandem pro restitutione antiquę libertatis suę salubre consilium matris suę sanctę Romanę ecclesię suscepit ita, ut te non aliunde sed per ostium, quod Christus est, intrantem gaudeat se nobis ordinantibus habere pastorem, indulgemus ...«

214   P. SCHMID: *Kanonische Wahl*, bes. 171 ff.; dazu AUGUST NITSCHKE: *Die Wirksamkeit Gottes in der Welt Gregors VII.* In: Studi Gregoriani 5 (1956) 174 f.; TELLENBACH: *Libertas*, 134 ff., 168 f. – VIOLANTE: *Cronotassi*, 27 Anm. 6, mißversteht Gregor VII. und Urban II. (s. vorige Anm.), wenn er bei Landulfs Vorgängern eine Irregularität sucht – Wido von Pisa (1061–1076) wurde als Legat Alexanders II. vom Papst als »noster karissimus filius de sinu Romanę ęcclesię« bezeichnet (JL 4716; JOHANNES RAMACKERS: *Analekten zur Geschichte des Papsttums und der Cluniazenser.* In: QFIAB 23 [1931/32] 35 f.; von Violante übersehen); ob Bischof Gerhard (1080–1085) Gregorianer war, wie man aufgrund der Äußerung Urbans II. annehmen möchte, ist durchaus nicht klar, s. zu Anm. 221.

215   *Greg. Reg.* VI 12 (CASPAR, 414).

216   *Annales Pisani* (RIS 6/II, 101): zu 1080 (Pisaner Stil) »Landulphus Pisanus episcopus Mediolanensis genere obiit VIII kal. Nov.«

einandersetzungen zwischen Papst und König die Fronten verhärtet hatten. Wenn Gregor VII. in den Jahren 1077 und 1078, kurz nach Canossa, einen toskanischen Bischof auffällig favorisiert und als seinen Mann hinstellt, dann muß dieser in der Tat ein entschiedener Anhänger des gregorianischen Papsttums gewesen sein.

Und damit ist die noch offengebliebene Lücke zu schließen. Gregor VII. hat in jenem für ihn höchst kritischen Jahr 1077 den Mailänder Landulf als Abt in Nonantola kennengelernt, wo der Papst das Osterfest verbrachte und sich mehr als zwei Wochen lang aufhielt. Unmittelbar vorausgegangen war das Zusammentreffen Gregors mit Heinrich IV. in Canossa, das mit einer diplomatischen Niederlage und einem politischen Sieg des Papstes geendet hatte, da dieser sich gezwungen sah, den exkommunizierten König in die Gemeinschaft wieder aufzunehmen, andererseits aber bewiesen hatte, »daß der Papst das Reich in der Hand halten könne«[217]. Nach den ereignisreichen Monaten des Frühjahrs wird Gregor die Gastfreundschaft des Abtes von Nonantola zu schätzen gewußt haben. Daß dessen dabei bewiesener Papsttreue das weitere Verdienst zuzuschreiben ist, die Abtei auf der gregorianischen Seite gehalten zu haben, macht den Gang der Nonantolaner Geschichte deutlich: Wenige Jahre später findet sie sich auf der kaiserlichen Seite, so daß Mathilde von Tuszien sich genötigt sah, sie 1083 oder 1084 zu belagern[218]. Dieser Parteiwechsel konnte deshalb geschehen, weil Gregor VII. Nonantola nach den Worten des Petrus Crassus »acephala« zurückgelassen hatte. Vom Papst wurde Landulf nach Pisa befördert, wo jener ihn wohl meinte besser verwenden zu können; die neuen Aufgaben waren ja auch tatsächlich weiterreichend als der Nonantolaner Abbatiat. Was der Königsjurist Petrus Crassus hier bekämpft, hatte Gregor VII. wenig zuvor im Dictatus papae als Recht des Papstes deklariert, nämlich die Transferierung eines Prälaten von einer Kirche zu einer an-

---

217 HERMANN HEIMPEL: *Goslar und Canossa*. In: Feier der Verleihung des Kulturpreises der Stadt Goslar für das Jahr 1958. Goslar 1960, 10–34, zit. nach ZIMMERMANN: *Der Canossagang*, 17, dort die weitere Lit., bes. 99 ff. Für die Monate nach Canossa vor allem WALTER SCHLESINGER: *Die Wahl Rudolfs von Schwaben zum Gegenkönig 1077 in Forchheim*. In: Vorträge und Forschungen, 17. Sigmaringen 1973, 61–85.

218 MEYER VON KNONAU: *Jahrbücher* III, 565 ff.; OVERMANN: *Gräfin Mathilde*, 151 Reg. 44 b. Später ist Nonantola wieder päpstlich, wie am Prior Placidus zu sehen ist, der diese Partei literarisch verteidigt, vgl. RUDOLF KAYSER: *Placidus von Nonantola: De honore ecclesiae. Ein Beitrag zur Geschichte des Investiturstreites*. Diss. Kiel 1888; KARL MIRBT: *Die Publizistik im Zeitalter Gregors VII.* Leipzig 1894, 76; ALOIS FAUSER: *Die Publizisten des Investiturstreites. Persönlichkeiten und Ideen*. Würzburg 1935, 76–78; ANGELO MERCATI: *Placido priore di Nonantola (prima metà del secolo XII)*. In: Miscellanea di studi nonantolani. Atti e memorie della Deputazione di Storia patria per le antiche provincie modenesi, 9. ser. 5 (1953) 127 ff.

deren, wenn Not oder Nutzen diesen Eingriff gerechtfertigt erscheinen lassen[219].

Damit fügen sich die Gestalten der beiden Mailänder Prälaten, Landulfs in Nonantola und Landulfs in Pisa, zu einer einzigen abgerundeten Persönlichkeit zusammen. In Mailand mit Anselm da Baggio zusammen aufgewachsen, haben sie beide, Anselm und Landulf, den Weg in den Dienst der römischen Kirchenreform gefunden. Nachdem letzterer sein Leben im Kloster mit dem eines Bischofs von Pisa vertauscht hatte, war er – wie die ihn betreffenden Briefe Gregors VII. und auch seine Teilnahme an der römischen Fastensynode des Jahres 1079 deutlich machen – eine der wichtigsten Stützen der gregorianischen Interessen im nordtoskanischen Raum.

Von den Widerständen, die Landulf bei Antritt des Bischofsamtes begegneten, war schon die Rede. Mit seiner Parteinahme für die Gregorianer vermochte er sich wohl noch durchzusetzen, doch nach seiner kurzen Regierung – Landulf starb am 25. Oktober 1079[220] – zeigte sich, daß er auf unsicherem Boden gestanden hatte: Stadt und Domkapitel neigten offen der kaiserlichen Seite zu[221]. Die Ereignisfolge von Nonantola: Parteiwechsel nach Landulfs Amtsende, wiederholte sich also in Pisa, und der Pisaner Umschwung steht in Parallele zur Vertreibung des Nachbarbischofs, des Gregorianers Anselm II., aus Lucca im Jahr 1081[222].

4. Petrus Damiani und Alexander II.

Die Chronologie zur Vita von Petrus Damiani ist anläßlich des 900. Anniversars seines Todestages in breiter Ausführlichkeit unter Hintanstellung der fast unüberschaubaren Literatur erörtert worden[223]. Mit Recht wird dabei im Jahr

---

219 Dictatus papae c. 13, *Greg. Reg.* II 55 a (Caspar, 204). Dazu Karl Hofmann: *Der »Dictatus Papae« Gregors VII. Eine rechtsgeschichtliche Erklärung* (Veröffentlichungen der Sektion für Rechts- und Staatswissenschaften der Görres-Gesellschaft, 63). Paderborn 1933, 112 ff. Die Lit. im übrigen bei Hubert Mordek: *Proprie auctoritates apostolice sedis. Ein zweiter Dictatus papae Gregors VII.?* In: DA 28 (1972) 105–132.

220 S. Anm. 216; 1080 mit calculus Pisanus = 1079. Vgl. Violante: *Cronotassi*, 27.

221 Pisa erhält 1081 und 1084 Diplome von Heinrich IV., DH IV 336 und 359.

222 1080/81 ging nahezu die ganze Toskana zur Königspartei über, vgl. Bonizo von Sutri: *Liber ad amicum* VIII (MG Ldl 1, 612); Meyer von Knonau: *Jahrbücher* III, 377 ff.

223 Giovanni Lucchesi: *Per una vita di San Pier Damiani. Componenti cronologiche e topografiche.* In: San Pier Damiano. Nel IX centenario della morte (1072–1972). Cesena 1972, Teil I, 13–161; Teil II, 13–160. Die neueste Lit. resümiert Kurt Reindel: *Neue Literatur zu Petrus Damiani.* In: DA 32 (1976) 405–443.

1061, also mit dem Pontifikatsbeginn Alexanders II., ein Einschnitt gelegt, der nicht nur äußerlich ist. Denn seitdem zog sich der Bischof von Ostia zunehmend länger von Rom zurück. Bereits unter Nikolaus II. hatte er sich mit dem Gedanken getragen, seine kirchlichen Ämter aufzugeben; er nahm aber doch immer noch regen Anteil an den Geschäften in Rom. An Alexander trug er die Bitte um Dispensierung erneut und mit nunmehr größerem Nachdruck heran[224].

Was man als Altersresignation anzunehmen geneigt ist, hat noch eine andere Seite: Kurz vor Nikolaus II. war Humbert von Silva Candida gestorben, der in der Reformgruppe der bedeutendste Kopf gewesen war. Damit war für Hildebrand, seit Herbst 1059 mit dem Amt des Archidiakons der römischen Kirche betraut, der Weg frei, sich an die Spitze der Kirchenleitung zu setzen. Der Rückzug Damianis wie der anderen Kardinäle, die zu dem unter Leo IX. konstituierten Kreis gehörten und von nun an sicher nicht zufällig nur noch selten genannt werden, ist die Folge von Hildebrands Aufstieg, in dessen Schatten die Gruppe der ersten Generation der Reformer offenbar nicht mehr existieren konnte. Freilich setzte Hildebrand sie weiterhin als Mitarbeiter ein und wollte deshalb auch dem Wunsche Damianis, seine Bischofspflichten abgeben zu dürfen, nicht entsprechen. Aus Damianis Briefen ist das rauhere Klima in Rom deutlich zu spüren: Die Klagen über den Archidiakon sind beredt genug[225].

Zum Papst selbst aber stand der Bischof von Ostia in einem besseren Verhältnis. Insgesamt neun Briefe an Alexander lassen die Freundschaft erkennen, die beide verband, und ihr Gedankenaustausch bewegte sich nicht allein im kirchenpolitischen Bereich. Der Beginn ihrer Beziehungen ist mit der Legation Damianis nach Mailand anzusetzen, auf der ihn Anselm als Bischof von Lucca begleitet hatte[226].

Der häufige Aufenthalt Damianis in seinem Heimatkloster Fonte Avellana bedeutete doch keineswegs einen Verzicht auf die der römischen Reform gewidmete Unterstützung. Für die erste große Lateransynode Alexanders II. im Frühjahr 1063, die jener seines Vorgängers von 1059 als eine zahlreich be-

---

224   Petrus Damiani: op. 19 *De abdicatione episcopatus* (PL 145, 423 ff.), und op. 20 *Apologeticus ob dimissum episcopatum* (ebd., 441 ff.); vgl. dazu Caron: *La rinuncia all'ufficio ecclesiastico*, 89 f. Daß op. 20 möglicherweise niemals seine Adressaten Nikolaus II. und Hildebrand erreicht hat (Lucchesi: *Per una vita* I, 115 f.; Reindel: *Petrus Damiani und seine Korrespondenten*, 216), spielt in unserem Zusammenhang keine Rolle. Op. 20 macht Kempf: *San Pier Damiani und das Papstwahldekret von 1059*, 73 ff., zum Ausgangspunkt seiner Analyse des bis dahin verkannten Einflusses Damianis auf das Papstwahldekret.

225   Die Äußerungen sind zusammengestellt bei Dressler: *Petrus Damiani*, 156 ff.

226   Dazu s. oben 64.

suchte Kirchenversammlung nach Überwindung gegenpäpstlicher Angriffe entspricht, ist Petrus Damianis Teilnahme nicht belegt[227]. In den folgenden Jahren reiste er wiederholt zu päpstlichen Synoden nach Rom[228]. Die Einschränkung seiner Aktivität im Dienste des Papsttums gelang ihm eben nicht in dem Maße, wie er es sich wünschen mochte. Sogar mit Legationen wurde der Kardinalbischof weiterhin betraut. Bald nach der Ostersynode von 1063 ging er nach Frankreich[229]; in dem Empfehlungsschreiben bedauert Alexander, daß er nicht selbst kommen könne, aber »talem vobis virum destinare curavimus, quo nimirum post nos maior in Romana ecclesia auctoritas non habetur, Petrum videlicet Damianum Ostiensem episcopum, qui nimirum et noster est oculus et apostolicae sedis immobile firmamentum«[230]. Die hier betonte auctoritas ist nicht allein Ausfluß des Bischofsamtes in Ostia, des ersten der suburbikarischen Bistümer[231], sondern Ergebnis seiner persönlichen Qualitäten. Schließlich hat sich Petrus im Herbst 1069 noch einmal nach Deutschland aufgemacht, um in der Scheidungsfrage Heinrichs IV. den römischen Standpunkt zu vertreten[232].

Neben diesen kirchenpolitischen Aufträgen des Bischofs von Ostia haben seine Beziehungen zu Alexander II. noch andere Seiten, die – wenn sie auch nur im Spiegel der Briefe Damianis an den Papst zu erkennen sind – auch Alexander charakterisieren. In den Briefen zeigt sich Petrus als Ratgeber des Papstes, der seinerseits die Schriftstellerei Damianis zu schätzen weiß. Mehrfach erging an Petrus die Aufforderung, sich zu bestimmten Themen zu äußern[233]. So war Alexander aufgefallen, daß kein Nachfolger des hl. Petrus dessen Regierungszeit von 25 Jahren erreicht habe, ja in jüngster Zeit es nur vier- oder höchstens fünfjährige Pontifikate gegeben habe. Offenbar war dies kurz in einem Gespräch berührt worden, als sie nach der Synode von Mantua, an der Petrus Damiani nicht teilgenommen hatte, zusammengetroffen wa-

227   HEFELE-LECLERCQ: *Histoire des conciles* IV/2, 1230 f.; LUCCHESI: *Per una vita* II, 30 ff.

228   S. unten 187 ff.

229   SCHIEFFER: *Legaten in Frankreich*, 66 ff.; LUCCHESI: *Per una vita* II, 39 ff.

230   JL 4516 (PL 146, 1295).

231   Nach EDUARD EICHMANN: *Studien zur Geschichte der abendländischen Kaiserkrönung.* In: HJb 39 (1919) 718, ist der Vorrang bis in die erste Hälfte des 4. Jhs. zu verfolgen. Übersehen wurde bisher eine Äußerung Roberts von Torrigni, der das Vorrecht des Ostienser Bischofs bei der Papstweihe aus einem Präzedenzfall im Jahr 259 (Dionysius I.) ableiten will (*Chronica* a. 1181; MG SS 6, 531) – soweit ich sehe, die einzige Erwähnung dieser Tradition.

232   SCHUMANN: *Legaten in Deutschland,* 12 f.; DRESSLER: *Petrus Damiani,* 170 f.; LUCCHESI: *Per una vita* II, 123 ff.

233   Z. B. PETRUS DAMIANI: *Vita sancti Rodulphi episcopi Eugubini,* Prolog (PL 144, 1009); ep. I 12 (ebd., 214). Vgl. auch die Bitte Bonifaz' von Albano um einen Brief, op. 22 (PL 145, 472). Dazu BLUM: *The Monitor of the Popes,* 471 ff.

ren[234]. Der Auftrag an Damiani, eine Abhandlung über den frühen Tod der Päpste zu verfassen[235], kann ganz persönlich motiviert sein, denn zu jener Zeit stand Alexander II. in seinem dritten Pontifikatsjahr und hatte seine unmittelbaren Vorgänger an Regierungsdauer bereits übertroffen. Wie Petrus Damiani die ihm gestellte Aufgabe gelöst hat, ist kurz zu betrachten. Im op. 23 De brevitate vitae pontificum Romanorum et divina providentia wird im frühen, das heißt nicht erwarteten Tod des Papstes ein pastoraler Sinn entdeckt, insofern als die Menschen durch das Erlebnis eines raschen Todes des Papstes, des »praecipuus hominum«, zeitlichen Ruhm und Glanz verachten lernen und, von Todesfurcht erschüttert, sich auf das eigene Ende vorbereiten. Ergänzend erörtert Damiani die Frage, warum manche Kaiser erheblich länger regiert haben als Päpste. Weltliche Fürsten gibt es viele auf der Erde und sie herrschen jeweils nur über begrenzte Gebiete; in anderen Gegenden kennt man sie kaum. Ihr Tod hat also auf entfernte Völker keinerlei Wirkung. Außerdem gehört es gleichsam zum Berufsrisiko des weltlichen Fürsten, der das Schwert zu führen hat, mit dem Schwert getötet zu werden. Dagegen wird die Kunde vom plötzlichen natürlichen Tod des Papstes durch die ganze Welt getragen und erschüttert die Gemüter aller, weil der Papst »allein an der Spitze der ganzen Welt steht« und »er allein der universale Bischof aller Kirchen ist«[236]. Aufgrund seiner herausgehobenen singulären Stellung soll er nach dem Willen Gottes noch mit seinem Tod den Völkern zum Heil dienen.

Die Lösung des Problems wird also über den auch andernorts von Damiani proklamierten Universalepiskopat des Papstes erreicht; eine für den unbefangenen Blick eher beiläufige Fragestellung wird damit aufgewertet und eingeordnet in die zentrale ekklesiologische Diskussion jener Zeit um den römischen Primat. Im plötzlichen Tod des Papstes wird ein providentieller, auf übernatürliche Mächte hindeutender Sinn erkannt. Dieses Ergebnis Damianis

---

234   Zur Situation LUCCHESI: *Per una vita* II, 65 f. REINDEL: *Petrus Damiani und seine Korrespondenten*, 217 f. Vgl. auch die Briefe Bernolds von Konstanz, die gleichfalls an Gespräche anknüpfen (MG Ldl 2, 7 ff.).

235   Op. 23 *De brevitate vitae pontificum Romanorum et divina providentia* (PL 145, 471–480). LUCCHESI: *Per una vita* II, 65; GIUSEPPE CACCIAMANI: *De brevitate vitae Pontificum Romanorum et divina providentia (Osservazioni storiche)*. In: Vita monastica 26 (1972) 226–242.

236   Op. 23 c. 1 (PL 145, 474 A, C): »... cum unus omni mundo papa praesideat«; »papa vero, quia solus est omnium Ecclesiarum universalis episcopus...« Ähnliche Formulierungen Damianis sind zusammengestellt bei DRESSLER: *Petrus Damiani*, 143 mit Anm. 265; vgl. auch im Dictatus Papae Gregors VII. c. 2 (Quod solus Romanus pontifex iure dicatur universalis), c. 11 (Quod hoc unicum est nomen in mundo) (CASPAR, 202, 204). Dazu HOFMANN: *Dictatus Papae*, 34 ff.; JULIA GAUSS: *Die Dictatus-Thesen Gregors VII. als Unionsforderungen*. In: ZRG Kan.Abt. 29 (1940) 44 ff.; MORDEK: *Proprie auctoritates*, 126 f. zum sog. Dictatus von Avranches c. 1 und 2.

liegt auf einer gänzlich anderen Ebene als der Vierzeiler, in dem er das römische Fieber für frühen Tod verantwortlich macht. Die spiritualistische Sinndeutung steht neben der Erkenntnis kausaler naturhafter Zusammenhänge[237].

Die Tatsache der relativ kurzen Pontifikate hat im Mittelalter und später kaum Anlaß zur Reflexion gegeben. Nach dem von Alexander angeregten Traktat Damianis war es noch Robert von Torrigni, der anläßlich des Todes Alexanders III. († 1181) sich darüber Gedanken machte, daß unter den 174 bis dahin regierenden römischen Bischöfen nur drei in die Nähe der 25 Jahre des hl. Petrus gekommen seien[238].

Die übrigen Briefe Damianis an Alexander sind hier nicht im einzelnen vorzustellen. Nur auf zwei Aspekte sei hingewiesen. Da ist einmal die wiederholte Mahnung des Kardinals an die Adresse des Papstes, die Strenge des Gesetzes zu mildern[239]. Es ist ein altes Motiv in der Rechtstheorie, daß der Herrscher die Aufgabe hat, dem rigor iustitiae die gratia oder misericordia entgegenzustellen, um so zu einer von der aequitas geleiteten perfecta iustitia zu gelangen[240]. Der Pflicht zur Milde als einer habituellen Herrschertugend unterliegt natürlich der Papst als Oberhaupt der auf dem christlichen Liebesgebot aufbauenden Kirche in besonderem Maße. Nun setzt gerade im 11. Jahrhundert

---

237 PETRUS DAMIANI: Carmen 163 (PL 145, 962 D) = op. 19 c. 5 (ebd., 432 D). Zu dem Nebeneinander von spiritualistischem und rationalistischem Naturverständnis im Mittelalter vgl. ROLF SPRANDEL: *Mentalitäten und Systeme.* Stuttgart 1972, bes. 96 ff. – Daß ähnlich wie bei Damiani auch noch von modernen Beobachtern eine einheitstiftende, die universale Geltung der Kirche bewußtmachende Wirkung des Papsttodes erkannt wird, zeigt Remigius Bäumer (AUGUST FRANZEN – REMIGIUS BÄUMER: *Papstgeschichte. Das Petrusamt in seiner Idee und in seiner geschichtlichen Verwirklichung in der Kirche.* Freiburg i. Br. 1974, 408, 418).

238 *Chronica* a. 1181 (MG SS 6, 531): Silvester I. regierte 23 Jahre (richtiger wohl 21: 314–335), Hadrian I. 23 Jahre (772–795), Alexander III. 22 Jahre (1159–1181). – Im 19. Jh. wurde dieser Gedanke aktualisiert, als Pius IX. (1846–1878) sein 25jähriges Regierungsjubiläum feierte und damit als erster Papst der angeblichen Regierungszeit des Apostelfürsten gleichkam. Zu den Gedenktafeln, die aus diesem Anlaß in einigen römischen Kirchen angebracht wurden, vgl. LUIGI HUETTER: *Iscrizioni della città di Roma dal 1871 al 1920* II. Rom 1959, 292, 295–298. Pius IX. soll auf die Vorhaltung, daß ein Nachfolger Petri nicht länger als dieser selbst regieren könne, geantwortet haben: Non est de fide; zur Geschichte dieses Dictums vgl. MARCO BESSO: *Roma e il Papa nei proverbi e nei modi di dire.* ²Florenz 1971, 322 ff.

239 Ep. I 7, I 11, u. ö. Die kirchenpolitische Vorstellungswelt Damianis, aus der diese Mahnungen zu verstehen sind, hat HEINZ LÖWE: *Petrus Damiani. Ein italienischer Reformer am Vorabend des Investiturstreites.* In: Geschichte in Wissenschaft und Unterricht 6 (1955) 65–79, dargestellt.

240 EUGEN WOHLHAUPTER: *Aequitas canonica. Eine Studie aus dem kanonischen Recht* (Veröffentlichungen der Sektion für Rechts- und Staatswissenschaften der Görres-Gesellschaft, 56). Paderborn 1931, bes. 42 ff.; PIER GIOVANNI CARON: *»Aequitas« Romana, »Misericordia« Patristica ed »Epicheia« Aristotelica nella dottrina dell' »Aequitas« Canonica.* Mailand 1971, bes. 11 ff.

eine Entwicklung in der Rechtstheorie ein, die auf die Veränderbarkeit des Rechts abzielte, und Petrus Damiani wird ein Platz in dieser Entwicklungslinie zugewiesen[241]. Die dispensatorische Gewalt des Papstes, die Petrus wiederholt anrief, gehörte zwar zur traditionellen Rechtsauffassung, doch erfuhr sie in dieser Zeit eine Erweiterung von solchen Fällen, in denen zum allgemeinen Nutzen der ganzen Kirche von der Strenge der Kanones dispensiert wurde, auf Dispensationen im Interesse individuellen Nutzens[242]. In einem Brief an den Papst bat Damiani für den Bischof Ardericus von Orléans, der wegen Simonie suspendiert worden war, Alexander möge so entscheiden, »ut et omnipotens Deus iudicio vestrae discretionis adgaudeat, et ille fusis super se sedis apostolicae tanquam maternae pietatis visceribus hilarescat«[243]. Das Moment individueller Rücksicht wird hier betont. Gelegentlich tragen Damianis Äußerungen geradezu den Charakter eines Plädoyers für maßvolle und den jeweiligen individuellen Umständen Rechnung tragende Handhabung des Rechts, eine Haltung, die sich vor allem in seiner Stellungnahme zum Problem der Simonie ausprägt, lag ihm doch gerade hier daran, die Schärfe des Gesetzes zu mildern, da er selbst seine Weihe von einem simonistischen Konsekrator empfangen hatte[244].

Ist die Intervention zugunsten des Bischofs von Orléans auch ganz individuell begründet, so steht dahinter doch die von Damiani klar erkannte Not, daß bei strikter Anwendung der Kanones über das Simonieverbot eine Vielzahl von Kirchen ihrer Leitung beraubt werden würde. In seinem Begrüßungsbrief an Nikolaus II. wird dieser auf die Allgemeinheit gerichtete Aspekt betont[245], und an anderer Stelle, bei einer ähnlichen Ausgangslage wie bei dem Bischof von Orléans, erklärt er, daß es nicht recht sei, wenn wegen eines schwachen Menschen Sünde eine Vielzahl anderer Menschen zugrunde gehe[246]. Die konse-

---

241 ROLF SPRANDEL: *Über das Problem neuen Rechts im früheren Mittelalter.* In: ZRG Kan.Abt. 48 (1962) 117–137; RICARDA WINTERSWYL: *Das neue Recht. Untersuchungen zur frühmittelalterlichen Rechtsphilosophie.* In: HJb 81 (1962) 58–79; HANS-MARTIN KLINKENBERG: *Die Theorie von der Veränderbarkeit des Rechts im frühen und hohen Mittelalter.* In: Miscellanea Mediaevalia, 6. Berlin 1969, 157–188.

242 MARIA ALBERT STIEGLER: *Dispensation und Dispensationswesen in ihrer geschichtlichen Entwicklung.* In: AkathKR 77 (1897) 253 f.

243 PETRUS DAMIANI: ep. I 11 (PL 144, 214).

244 Vgl. LUCCHESI: *Per una vita* I, 27; Petrus Damiani war von Erzbischof Gebhard von Ravenna geweiht worden, der seinerseits von Johannes XIX. konsekriert war, einem nach der Auffassung der Reformer unwürdigen Papst; vgl. HANS PETER LAQUA: *Traditionen und Leitbilder bei dem Ravennater Reformer Petrus Damiani, 1042–1052* (Münstersche Mittelalter-Schriften, 30). München 1976, bes. 341 f.

245 Ep. I 7 (PL 144, 212).

246 Ep. I 14 (PL 144, 224 C); in diesem Brief verwendete sich Damiani für den exkommunizierten Erzbischof Heinrich von Ravenna.

quente Forderung, die Petrus in einem seiner letzten Briefe an Alexander erhob, ist deshalb die Korrektur der Exkommunikationspraxis, wie sie schon auf der Lateransynode von 1060 approbiert, aber nicht immer befolgt worden war, nämlich von Simonisten gratis ordinierte Kleriker »intuitu misericordiae« anzuerkennen[247]. Der biographische Hintergrund dieses Appells ist wiederum deutlich. Unter den Reformern neigte Damiani wohl am stärksten dem Prinzip der misericordia zu, und seine Mahnung, »rigorem iustitiae temperare«, richtete sich außer an den Papst vor allem an Hildebrand, der wegen seiner Rigorosität bekannt und gefürchtet war und als Papst in einem seiner ersten Briefe Fürsprecher wie Damiani zurückwies mit dem Satz: »Neque enim liberum nobis est alicuius personali gratia legem Dei postponere aut a tramite rectitudinis pro humano favore recedere«[248].

Ein zweiter Aspekt sei aus den Briefen Damianis an Alexander herausgehoben. Von Alexander II. selbst liegt keine Probe eigener literarischer Produktion vor und in seinen Briefen persönliche Züge aufzuspüren, stößt auf unüberwindliche Schwierigkeiten, die darauf beruhen, daß nur in wenigen Fällen ein Eigendiktat vermutet werden kann, während in der Mehrzahl zwischen Kanzleistücken und persönlichen Briefen zu unterscheiden nicht möglich ist. Alexanders literarisches Interesse ist aber aus Bemerkungen Damianis zu erkennen, so wenn dieser sich beklagt, daß der Papst ihm ein Buch mit List abgenommen habe und nun nicht zurückgeben wolle[249], oder wenn er die Mahnung des Papstes sich vorhält, nichts Seichtes oder Abgeschmacktes zu produzieren[250]. Damit traut Damiani dem Papst literarisches Urteilsvermögen zu.

Im Spiegel weiterer Aussagen seiner Zeitgenossen erscheint Alexander nicht nur interessiert, sondern auch selbst befähigt zu literarischen und rhetorischen Künsten. Landulf von Mailand nennt ihn »in sermone potens«[251], Petrus Damiani lobt vor allem seinen Stil: »illic tot sunt eloquentiae flores, tot non

---

247   Ep. I 12 (PL 144, 214 f.). Zur Datierung August 1069 vgl. LUCCHESI: Per una vita II, 102 ff. und 149. Vgl. auch J. JOSEPH RYAN: Saint Peter Damiani and his Canonical Sources. A Preliminary Study in the Antecedents of the Gregorian Reform (Pontifical Institute of Mediaeval Studies. Studies and Texts, 2). Toronto 1956, 64 f. – Synodalakten zu 1060: Decretum contra simoniacos (MG Const. 1, 549 ff.).

248   Greg. Reg. I 9 (CASPAR, 15). Einschränkend später aus Opportunität: »anathematis sententiam ad tempus, prout possumus, oportune temperamus« (Greg. Reg. V 14 a; CASPAR, 372; und ähnlich I 77, II 50, V 13, V 17). Vgl. LEO F. J. MEULENBERG: Der Primat der römischen Kirche im Denken und Handeln Gregors VII. 's Gravenhage 1965, 106 f.

249   Ep. II 6 (PL 144, 270); dazu DRESSLER: Petrus Damiani, 154 mit Anm. 316.

250   Vita s. Rodulphi, Prolog (PL 144, 1009 A); DRESSLER: Petrus Damiani, 155.

251   LANDULF VON MAILAND: Historia Mediolanensis III 5 (MG SS 8, 76).

dicam herilis, sed paternae potius gratiae suavitates«[252]. Fraglos bewegt sich dieses Lob zu einem guten Teil im Rahmen der bei Damiani häufigen rhetorischen Gesten, wie er im Gegensatz dazu seine eigenen Produkte als »pedestres versiculos« oder »incultae disputationis sermonem« verkleinern will[253]. Bonizo von Sutri nennt den Papst einen »vir utraque scientia pollens«[254]. Das Studium der artes liberales, der mundana sapientia, war Voraussetzung für die Ausbildung in der Theologie oder mit Alexanders Worten: in der »sapientia, quae vera est«[255]. Und das dürfte die Ebene gewesen sein, auf der sich Alexander und Petrus Damiani getroffen haben.

Doch kündigt sich schließlich eine Entfremdung zwischen beiden an. Die letzten Briefe spiegeln die Distanz zur römischen Kirchenleitung wider[256]. Mit Bitterkeit wird die Klage über erlittenes Unrecht vorgetragen, das er angesichts seiner vielfältigen Verdienste um den Papst nicht verdient zu haben meint, für den er in Synoden als Sprecher aufgetreten sei, dessen Feinde er mit Wort und Schrift vernichtet und dem er manche Abhandlung gewidmet habe[257]. Diesen Klagen fügt Damiani dunkle Worte an: Er könne sich gezwungen sehen, ein Geheimnis aufzudecken, das er bisher mit Schweigen unterdrückt habe: »Das hat nämlich Rom weder mündlich noch schriftlich von mir erfahren, noch ist anderen bekannt geworden, was den Ruf Eurer Heiligkeit zugrunde richten würde«[258]. Der Kardinal hat dieses Geheimnis nicht enthüllt, der dunkle Fleck im Leben Alexanders II. bleibt verborgen. Den Schluß dieses letzten Briefes an den Papst blidet eine weitere Drohung: Mit dem Hinweis auf seine erkaltende Liebe zu Alexander versucht er diesen zu bestimmen, seiner Bitte um Wiedereinsetzung des wegen Simonie suspendierten Erzbischofs Heinrich von Ravenna nachzugeben. Die Rekonziliation des Erzbischofs wurde ihm zwar nicht zu-

---

252   Ep. I 15 (PL 144, 225).
253   Ep. I 15 (PL 144, 235 B); op. 24 (PL 145, 490 C). Vgl. auch ep. II 8 (PL 144, 273 B).
254   Bonizo von Sutri: *Liber ad amicum* VI (MG Ldl 1, 594).
255   JL 4669 (PL 146, 1353 Nr. 70), an Lanfrank; s. auch oben 21.
256   Ep. I 12, I 14 (PL 144, 214; 223); Lucchesi: *Per una vita* II, 102 ff., 132, 149.
257   Ep. I 14 (PL 144, 224 B).
258   Ep. I 14. – Zum Problem der Verborgenheit von Verfehlungen z. B. Alexander II. selbst: »De manifestis loquimur, secretorum autem cognitor et iudex Deus est« (JL 4575 [PL 146, 1406]), ein Dictum, das in der Collectio Britannica (Alexandri II ep. 33) und von Gratian (hier fälschlich Urban II. zugeschrieben: D. 32 c. 11) aufgenommen wurde. Vgl. auch Bernhard von Reichenau: ep. 2 c. 25 f. (MG Ldl 2, 39), und Bernold von Konstanz: ep. 3 c. 29 f. (ebd., 58); dazu Karl Mirbt: *Die Publizistik im Zeitalter Gregors VII.*, 381. Stephan Kuttner: *Ecclesia de occultis non iudicat. Problemata ex doctrina poenali decretistarum et decretalistarum a Gratiano usque ad Gregorium PP. IX.* In: Acta Congressus Iuridici internationalis, Romae 1934 III. Rom 1936, 225–246.

gestanden, doch konnte er nach dessen Tod seine Heimatstadt absolvieren, kurz bevor er selbst am 21./22. Februar 1072 starb[259].

Mit der freundschaftlichen Liebe hatte Damiani bei Alexander ein Thema angesprochen, das bei dem Papst viel galt. In einem Brief an Gervasius von Reims drohte Alexander seinerseits mit Freundschaftsentzug, falls der Erzbischof päpstliche Aufträge nicht ausführe[260]. Es ist anzunehmen, daß Hildebrand hier schärfer reagiert hätte. In einem Schreiben Gregors VII. an den Nachfolger des Gervasius, Manasse von Reims, werden dem ungehorsamen Prälaten apostolische Strenge und Zorn angekündigt[261]. Wie diese hildebrandische Strenge sich auch zwischen Alexander und Petrus Damiani schieben konnte, wird im letzten Abschnitt zu zeigen sein.

Exkurs:
Die Absetzung der Bischöfe von Trani und Ascoli Satriano

In seinen Eremus zurückgezogen und an den Kämpfen um den Papstthron nicht mehr unmittelbar beteiligt, schrieb Petrus Damiani an die Kardinalbischöfe einen Brief[262], in dem der alternde, aber mit ungebrochener Leidenschaft die Klerikerreform propagierende Bischof vor allem die Habgier und Prunksucht der Prälaten geißelt. Als negatives Beispiel dienten ihm zwei Bischöfe: »Nunquam certe vidisse me memini pontificales baculos tam continuo radiantis metalli nitore contectos, sicut erant qui ab Esculano atque Tranensi gestabantur episcopis. Uterque tamen alter in Apulis finibus, Nicolao praesidente, alter in Lateranensi ecclesia, coram Alexandro, Romanis scilicet pontificibus, sunt deiecti. Nec eis profuit, quod pontifices ligneis auratis usi sunt baculis, dum sacerdotii meritum non nitor efficiat vestium, sed spiritualium norma virtutum et non micantia margarita vel gemmae, sed mores aurei deceant

---

259 Vgl. Lucchesi: *Per una vita* II, 135 f.
260 JL 4603 (PL 146, 1319).
261 *Greg. Reg.* I 13 (Caspar, 22). Dazu auch Nitschke: *Wirksamkeit Gottes,* 149: »Gregor kannte weder familiäre Bindung noch ein Treueverhältnis, noch die Freundschaft als etwas Verpflichtendes an.«
262 Op. 31 *Contra philargyriam et munerum cupiditatem* (PL 145, 529–542). Die Datierung nach Dressler: *Petrus Damiani,* 240: 1063–1068; nicht überzeugend Lucchesi: *Per una vita* II, 159: wenig vor der Synode April 1063. Vgl. auch Reindel: *Petrus Damiani und seine Korrespondenten,* 215, der das Stück als »offenen Brief« charakterisiert, dessen Inhalt nicht speziell für die Kardinäle bestimmt war.

sacerdotem«[263]. Ihr prächtiges Auftreten also konnte die beiden Bischöfe nicht vor der Absetzung bewahren, da nicht ein glanzvoller Ornat, sondern geistliche Tugenden des Priesters zählen, und daran hatte es offenbar bei diesen Prälaten gemangelt. Damianis Philippika interessiert hier nicht unter dem kulturgeschichtlichen Aspekt – in seinen Beschreibungen sind sicherlich tatsächliche Gebräuche in der Ausstattung von Paramenten wiedergegeben –, sondern unter dem biographisch-chronologischen, nämlich welche Bischöfe zu welcher Zeit abgesetzt wurden.

Die bisher gefundenen Antworten lauten nahezu übereinstimmend: Nikolaus II. suspendierte den Bischof von Trani, der in jenen Jahren Johannes hieß, und Alexander II. den Bischof von Ascoli Satriano, dessen Name nicht überliefert ist[264]. Allein F. W. E. Roth und Giovanni Lucchesi ordnen die Namen vertauscht zu, so nämlich, daß zuerst der Bischof von Ascoli durch Nikolaus II., dann der von Trani durch Alexander II. abgesetzt worden sei[265]. Sie gehen also von einem parallelen Satzbau aus, während die communis opinio eine chiastische Stellung der Namen annimmt. Da Johannes von Trani in den Ereignissen um den Ausbruch des orientalischen Schismas von 1054 eine keineswegs unwichtige Rolle gespielt hat und da die in Frage stehenden Bistümer in der Berührungszone der griechischen mit der römischen Kirche lagen, ist eine Untersuchung der beiden Datierungsansätze von Interesse.

Nikolaus II. hielt sich nur einmal in Apulien auf, und zwar im Sommer 1059. Im Mittelpunkt dieser Reise stand eine Synode in Melfi in der zweiten Hälfte des August[266], die in der päpstlichen Politik die entscheidende Wende zum

---

263   Op. 31 c. 6 (PL 145, 538 D – 539 A).

264   Zuerst CAESAR BARONIUS: *Annales ecclesiastici* XI. Venedig 1712, 242 § 72, dem alle weiteren folgen: UGHELLI: *Italia sacra* VII, 894; CORNELIUS WILL: *Acta et scripta quae de controversiis ecclesiae graecae et latinae saeculo undecimo composita extant.* Leipzig 1861, 61 Anm. 2; CARL JOSEPH HEFELE: *Conciliengeschichte²* IV. Freiburg i. Br. 1897, 832, dessen ungenaue Übersetzung der Damiani-Stelle übernommen wurde von HEFELE – LECLERCQ: *Histoire des conciles* IV/2, 1186; VON HEINEMANN: *Geschichte der Normannen* I, 180; ERICH CASPAR: *Kritische Untersuchungen zu den älteren Papsturkunden für Apulien.* In: QFIAB 6 (1904) 264 f.; KLEWITZ: *Bistumsorganisation Campaniens,* 36 Anm. 5, 46 (= Ausgewählte Aufsätze, 378 Anm. 4, 388); WALTHER HOLTZMANN: *Papsttum, Normannen und griechische Kirche.* In: Miscellanea Bibliothecae Hertzianae. München 1961, 72; HERDE: *Papsttum und griechische Kirche,* 9; u. a.

265   FERDINAND WILHELM EMIL ROTH: *Der hl. Petrus Damiani O.S.B., Cardinalbischof von Ostia.* In: SMBC 7/I (1886) 368; LUCCHESI: *Per una vita* I, 135 Anm. 26. Zu dem fast vergessenen Roth vgl. HEINZ DUCHHARDT: *F. W. E. Roth (1853–1924). Ein Beitrag zur nassauischen Gelehrtengeschichte.* In: Nassauische Annalen 83 (1972) 147–172.

266   Am 22. Aug. 1059 als einem Sonntag wird der Beginn der Synode anzusetzen sein; der 23. Aug. war der erste Verhandlungstag, vgl. MEYER VON KNONAU: *Jahrbücher* I, 146; HEFELE – LECLERCQ: *Histoire des conciles* IV/2, 1180; DEÉR: *Papsttum und Normannen,* 30.

normannischen Süden Italiens dokumentiert. Neben der Entgegennahme des Lehnseides Robert Guiskards diente sie der kirchlichen Neuordnung in diesem Gebiet. So ist bekannt, daß die Bischöfe von Montepeloso und Tricarico in der Basilikata wegen Simonie und Nikolaitismus abgesetzt wurden [267]. Wilhelm von Apulien berichtet zudem, daß die Luxuria der Geistlichkeit vom Papst in Melfi besonders kritisiert worden sei [268]. Damit ist die erste von Damiani berichtete Deposition zeitlich klar zu fixieren: Sie muß im Sommer 1059 verfügt worden sein.

Aber welcher der beiden Bischöfe war es, der in Melfi abgesetzt wurde? Johannes von Trani zählte zu den Stützen des Griechentums in Unteritalien mit dem klangvollen Titel »Erzbischof von Trani und Siponto, päpstlicher und kaiserlich byzantinischer Synkellos« [269]. 1053 war er Adressat des im Auftrag des byzantinischen Patriarchen Michael Kerullarios verfaßten Sendschreibens an die lateinische Kirche, in dem die Aufgabe gewisser, in Byzanz als anstößig empfundener Riten gefordert wurde und das mit seinem temperamentvollen Ton die Zuspitzung des Konflikts zwischen Rom und Byzanz bis zur gegenseitigen Anathematisierung einleitete [270]. Es klingt unwahrscheinlich, daß schon 1059 in Melfi, als das Papsttum aufgrund des gerade geschlossenen Bündnisses mit den Normannen erstmalig in die kirchlichen Verhältnisse im normannischen Süditalien eingreifen konnte [271], Johannes von Trani abgesetzt worden sein soll, noch dazu da Trani noch nicht zum Machtbereich der Normannen gehörte wie Ascoli Satriano, das Melfi nördlich benachbarte Bistum.

Die zweite Deposition ist im Unterschied zur ersten chronologisch nicht zweifelsfrei einzuordnen, da Alexander II. mehrere Lateransynoden abgehalten hat. Nach Ansicht W. Holtzmanns soll der von Petrus Damiani genannte »episcopus Esculanus« auf der Lateransynode von 1067 oder 1068 abgesetzt worden sein [272]. Diese Datierung resultiert aus einer etwas komplizierten Über-

---

267 KEHR – HOLTZMANN: *IP* IX, 473 Nr. *1, 477 Nr. *1, jeweils mit den Anm.

268 GUILLERMUS APULIENSIS: *Gesta Roberti Wiscardi* II 395 ff., hg. von MARGUERITE MATHIEU (Istituto Siciliano di studi bizantini e neoellenici. Testi e monumenti. Testi 4). Palermo 1961, 152.

269 VERA VON FALKENHAUSEN: *Untersuchungen über die byzantinische Herrschaft in Süditalien vom 9. bis ins 11. Jh.* (Schriften zur Geistesgeschichte des östlichen Europa, 1). Wiesbaden 1967, 155 ff.

270 Vgl. HANS-GEORG BECK: *Die Ostkirche vom Anfang des 10. Jhs. bis Kerullarios.* In: Handbuch der Kirchengeschichte III/1. Freiburg i. Br. 1966, 472 f.

271 Vgl. HERDE: *Papsttum und griechische Kirche,* 6 f.; DIETER GIRGENSOHN: *Dall'episcopato greco all'episcopato latino nell'Italia meridionale.* In: La chiesa greca in Italia dall'VIII al XVI secolo I (Italia sacra, 20). Padua 1973, 25–43.

272 KEHR – HOLTZMANN: *IP* IX, 146 Nr. 1.

legung, der hier nachgegangen werden muß. Holtzmann kombiniert nämlich in seinem Regest über die Synodalsentenz die Notiz Damianis mit einem Stück der Collectio Britannica, das vier Bischöfe als von Alexander II. abgesetzt meldet: Lantius Nucerinus (= Lucerinus), Landolfus Tortibulensis, Benedictus Bicariensis und E. episcopus[273]; diesen zuletzt genannten E. episcopus identifiziert Holtzmann nun mit dem Damianischen Esculanus episcopus. Während P. Ewald, der Bearbeiter der Britischen Kanonessammlung, die Synodalsentenz gegen die vier Bischöfe – allerdings ohne sich festlegen zu wollen – auf 1066 oder 1067 datiert[274], stellt Holtzmann sie zu März 1068, weil für den 30. März 1068, nicht aber für das Vorjahr 1067, eine Lateransynode belegt ist[275]. Das Regest der Synodalsentenz richtet sich also in seiner Lokalisierung nach Damiani, in seiner Datierung nach der Collectio Britannica.

Unerörtert bleiben muß an dieser Stelle die Ewaldsche Datierungsmethode der Collectio-Britannica-Stücke[276]. Zu überprüfen aber ist die Frage, ob sich die Frühjahrssynode von 1068 mit unteritalienischen Angelegenheiten befaßt hat oder ob die Bischöfe von Lucera, Tertiveri und Biccari sowie jener nur mit der Initiale E. genannte Bischof vielleicht andernorts abgesetzt worden sein könnten. Ferner ist zu fragen, ob die Identifizierung des E. episcopus mit dem episcopus Esculanus zu Recht vorgenommen wurde.

Über die Agenda der Lateransynode von 1068 gibt es nur verstreute Nachrichten[277], die aber insgesamt erkennen lassen, daß sie sich wohl hauptsächlich mit disziplinären Fragen und – wie die Anwesenheit einer Legation Heinrichs IV. anzeigt – mit dem Verhältnis zum deutschen König beschäftigt hat. Anklagen wegen verschiedener Delikte wurden gegen die Bischöfe bzw. Erzbischöfe von Trier, Tortona, Ferrara, Florenz und Chiusi vorgetragen; die Teilnehmer – soweit sie aus den Subskriptionen des Urteils über die Ferrareser Kirche zu ersehen sind[278] – waren in erster Linie mittelitalienische Bischöfe.

---

273   Collectio Britannica, Alexandri II ep. 87 (MANSI: *Collectio* XIX, 978 C; LÖWENFELD: *Epistolae Pontificum Romanorum ineditae*, 58 Nr. 118). Dazu PAUL EWALD: *Die Papstbriefe der Brittischen Sammlung*. In: NA 5 (1880) 343 f. Zu Lanzo von Lucera vgl. KLEWITZ: *Bistumsorganisation Campaniens*, 49 f. (= Ausgewählte Aufsätze, 391 f.); KEHR – HOLTZMANN: *IP* IX, 156 f. Nr. *4, 5.

274   EWALD: *Papstbriefe der Brittischen Sammlung*, 347 ff.

275   Die Datierung desselben Ereignisses ist in der *Italia Pontificia* nicht einheitlich: »Siponto (1067)« *IP* VIII, 14 Nr. *24; *IP* IX, 228 Nr. 2; »(1067)« *IP* IX, 148 Nr. 1; »(Laterano 1068 mart.)« *IP* IX, 146 Nr. 1. Vgl. auch JL 4640 zu Siponto 1067?. HEFELE-LECLERCQ: *Histoire des conciles* IV/2, 1260 f., 1265 ff.

276   Dazu unten im Anhang 224 ff.

277   JL I, 583; HEFELE-LECLERCQ: *Histoire des conciles* IV/2, 1265 ff.; JENAL: *Anno von Köln*, 317–328, über die deutsche Legation.

278   JL 4651 (CAPPELLETTI: *Le chiese d'Italia* IV, 47).

Soweit erkennbar, hat die Lateransynode von 1068 sich also nicht mit süd-italienischen Fragen beschäftigt; diese waren vielmehr im Vorjahr (1067) be-handelt worden auf Synoden in Melfi und Siponto[279]. Allerdings ist die Sipon-tiner Versammlung für 1067 nicht ganz gesichert, doch spielt das Datum in unserem Zusammenhang keine entscheidende Rolle. Bedeutsam ist dagegen eine Nachricht, daß Bischof Benedikt von Biccari in Siponto abgesetzt worden sein soll[280]. Und da die Zuweisung der Diözese Biccari an Troia vom Papst am 9. September 1067 in Salerno bestätigt wurde[281], hat niemand daran gezweifelt, daß das Urteil gegen Benedikt von Biccari in dieselbe Zeit fällt. Wenn aber Bene-dikt nicht in Rom abgesetzt wurde, geschah dies auch nicht mit Landolf von Tertiveri, dem E. episcopus und Lanzo von Lucera, denn ihre Depositionen werden von der Epistola Alexandri II Nr. 87 der Collectio Britannica für ein und dieselbe Synode berichtet. Da Petrus Damiani die Verurteilung seines »episcopus Esculanus« auf einer Lateransynode miterlebt hat, kann die Identi-fikation mit dem E. episcopus nicht zutreffen.

Ein zweiter Weg führt zu demselben Ergebnis. Die Identifikation wird aus-geschlossen durch die Lebensumstände, in denen sich die beiden fraglichen Bischöfe befanden und die in den beiden Quellen recht genau geschildert werden. Bei Petrus Damiani ist der nach seinem Bischofssitz klar bezeichnete episcopus Esculanus Beispiel für einen im Überfluß lebenden und seinen Reich-tum auch im Ornat zur Schau stellenden Bischof. Der konkrete Absetzungs-grund interessiert Damiani in diesem thematischen Zusammenhang nicht. Doch da davon die Rede ist, daß das meritum sacerdotii, die norma spiritua-lium virtutum, die mores aurei, die den Priester zieren, durch prächtigen Ornat nicht ersetzt werden[282], ist anzunehmen, daß die übliche Anklage und Verur-teilung wegen Simonie zugrunde gelegen hat.

Das Collectio-Britannica-Stück bringt für seinen E. episcopus eine ganz andere Charakterisierung. Er wurde verurteilt, weil er »ab uno solum episcopo consecratus nullique ecclesie designatus, quia passim sede vagabatur incerta«[283]. Damit sind zwei präzise Urteilsgründe angegeben: 1) Er war nur von einem statt von drei Bischöfen, also unkanonisch geweiht worden; 2) er war für keine bestimmte Kirche, das heißt für kein Bistum ordiniert worden und ist deshalb ohne festen Sitz herumgewandert. Wäre nun mit E. der Bischofssitz, eben

---

279   JL I, 581; HEFELE-LECLERCQ: *Histoire des conciles* IV/2, 1264; KLEWITZ: *Bistums-organisation Campaniens*, 28 f. (= Ausgewählte Aufsätze, 370 f.).
280   KEHR-HOLTZMANN: *IP* IX, 228 Nr. 2 Anm. Vgl. auch 204 Nr. 4.
281   KEHR-HOLTZMANN: *IP* IX, 203 Nr. 3.
282   PETRUS DAMIANI: op. 31 c. 6 (PL 145, 539 A).
283   LÖWENFELD: *Epistolae Pontificum Romanorum ineditae*, 58.

Esculanus, abgekürzt, hätte die Sentenz nicht wegen einer sedes incerta, einer designatio nulli ecclesie facta ergehen können; mit anderen Worten: Bei einer Identifizierung der beiden in Rede stehenden Bischöfe wäre der E. episcopus, wenigstens was Punkt 2 betrifft, widerrechtlich verurteilt worden. Ehe man aber eine Rechtsbeugung durch die päpstliche Synode annimmt, müssen handfestere Belege dafür beigebracht werden. – Auf derselben Synode wurden Lanzo von Lucera und Landolf von Tertiveri aus Bischofsherrschaft und -amt vertrieben, Benedikt von Biccari abgesetzt[284]. Einen gewissen (quendam) E. episcopus hat die Synode aus den oben bezeichneten Gründen verurteilt (dampnavit)[285]. Diese Formulierung macht deutlich, daß man ihn nicht wie jene drei Diözesanbischöfe abgesetzt hat, ihn nicht hat absetzen können, da er eben keinen Bischofssitz hatte und es keine Kirche gab, die man ihm hätte entziehen können.

Wenige Jahre vor Alexanders II. Pontifikat hatte Humbert von Silva Candida in seinen Libri tres adversus simoniacos (1058) die vom Konzil von Chalkedon kanonisierte Lehre in Erinnerung gerufen, daß jeder Bischof ein bestimmtes Volk haben müsse, dessen Vorstand und Aufseher er sei, und daß seine Weihe durch die Konprovinzialen mit Zustimmung des Metropoliten zu geschehen habe[286]. Das Problem der unsteten Bischöfe mit absoluter Ordination erfährt an dieser Stelle zum ersten Mal eine eingehende Erörterung. Die praktische Anwendung von Humberts theoretischen Darlegungen findet sich in der

---

284   Coll. Brit. Al. II ep. 87: »Lantium Nucerinum episcopum ab episcopio deposui(t), quia accusatus est et convictus de fornicatione et simoniaca episcopatus adeptione, sacrorumque ordinum venditione. Landolfus quoque Tortibulensis episcopus, quod, deposito monastico habitu, simoniace et per ambicionem ab episcopali regimine et officio est absque spe restitutionis eiectus. Ibi quoque simili modo destituit Benedictum Bicariensem episcopum, quod interdictum sibi a Nicolao papa celebrare presumpsit officium« (Mansi: *Collectio* XIX, 978; Löwenfeld: *Epistolae Pontificum Romanorum inedite*, 58 Nr. 118. Kehr-Holtzmann: *IP* IX, 157 Nr. 6; 148 Nr. 1; 228 Nr. 2). – Weitere Beispiele: Ernolf von Saintes und Lanzo von Lucera »sunt synodali iudicio depositi«, Coll. Brit. Al. II ep. 67 (Löwenfeld: *Epistolae inedite*, 45 Nr. 87; Mansi: *Collectio* XIX, 978; Kehr-Holtzmann: *IP* IX, 156 Nr. 5); Michael von Pesaro »depositioni est sententia episcoporum addictus«, Coll. Brit. Al. II ep. 67 (Kehr: *IP* IV, 179 Nr. 4); ferner zum Wortgebrauch auch die Synodalberichte Gregors VII., *Reg.* II 52 a, V 14 a (Caspar, 196 f., 368 f.), u. a.

285   Coll. Brit. Al. II ep. 87: »Quendam etiam post hos E. episcopum, qui, ab uno solum episcopo consecratus nullique ecclesie designatus, quia passim sede vagabatur incerta, eadem condempnavit sententia« (Löwenfeld: *Epistolae inedite*, 58 Nr. 118).

286   Humbert von Silva Candida: *Libri tres adversus simoniacos*, bes. I 5 f. (MG Ldl 1, 108 f.). Dazu Vinzenz Fuchs: *Der Ordinationstitel von seiner Entstehung bis auf Innozenz III.* (Kanonistische Studien und Texte, 4). Bonn 1930, bes. 237 ff.; Robert L. Benson: *The Bishop-Elect. A Study in Medieval Ecclesiastical Office.* Princeton 1968, 23 ff.; zum Chorepiskopat bei Pseudoisidor vgl. Fuhrmann: *Einfluß* I, 41, 146 f.; II, 339 ff.

Verurteilung des E. episcopus durch Alexander II. Nun ist freilich zu fragen, ob jener Bischof absolut irregulär war, oder ob es nicht in seiner Zeit Formen gab, nach denen er rechtmäßig fungieren konnte, Bestimmungen eines Kirchenrechts, das vom Reformpapsttum nicht mehr anerkannt wurde.

Zu beachten ist, daß der Bischof im Grenzraum zwischen der süditalienisch-griechischen und der lateinischen Kirche gelebt hat, wo die hierarchische Organisation von byzantinischer wie römischer Seite beeinflußt war[287]. Jedenfalls ist hier mit griechischen Rechtsstrukturen zu rechnen. Bei Isidor von Sevilla findet sich die Bestimmung, daß die Weihe eines Chorbischofs durch den Stadtbischof allein erfolgt[288]. Waren dementsprechend die Chorbischöfe der frühen Kirche in Unterordnung unter den städtischen Oberhirten für genau abgegrenzte Landsprengel eingesetzt, so hatten sich bis zum 11. Jahrhundert diese festen Bindungen trotz der Verlautbarung des Konzils von Chalkedon zunehmend gelockert bis hin zur absoluten Ordination, der Weihe ohne Weihetitel[289]. Hier setzte die Reformbewegung an und bekämpfte unter Rückgriff auf die Kanones der alten Kirche diese einer straffen Hierarchisierung und Verrechtlichung der Kirchenstruktur widersprechenden Verhältnisse als irregulär. Nach den Anklagepunkten zu schließen, war Bischof E. ein Chorbischof: Er war von einem einzigen Bischof geweiht worden und besaß keinen Weihetitel. Im Bereich der griechischen Kirche konnte er damit keinen Anstoß erregen, beim Vordringen der lateinischen Kirche nach Süditalien aber wurde er ein Opfer von deren entschiedener Ablehnung des Chorepiskopats.

Oben war bereits festgestellt worden, daß mit dem Buchstaben E nicht der Bischofssitz abgekürzt worden ist. Dies war aus inneren Gründen ebenso wenig möglich wie nach den Kanzleigewohnheiten der Zeit. Da das Collectio-Britannica-Stück aus dem Register Alexanders II. stammt, dieses aber nicht erhalten ist, mag das Register Gregors VII. als Beleg herangezogen werden. Eine Überprüfung der darin auftauchenden Initialen ergibt, daß sie durchweg nur für Personennamen, niemals für Ortsnamen verwendet wurden[290]; dieser Gebrauch

287 HOLTZMANN: *Papsttum und Normannen*, 69 ff.; HERDE: *Papsttum und griechische Kirche*, 5 ff., 9.

288 ISIDOR VON SEVILLA: *De ecclesiasticis officiis* II 6 (PL 83, 786 D – 787 A).

289 Vgl. im einzelnen FRANZ GILLMANN: *Das Institut der Chorbischöfe im Orient. Historisch-kanonistische Studie* (Veröffentlichungen aus dem Kirchenhistorischen Seminar München, 2. Reihe Nr. 1). München 1903, bes. 70 f.; THEODOR GOTTLOB: *Der abendländische Chorepiskopat* (Kanonistische Studien und Texte, 1). Bonn 1928; dazu FRANZ GILLMANN. In: AkathKR 108 (1928) 712 ff.

290 Die Zunahme der Abkürzungen des Empfängernamens mit dem Initialbuchstaben im Register Gregors VII. entspricht ungefähr dem Nachlassen des regelmäßigen Registriergeschäfts, vgl. dazu ERICH CASPAR: *Studien zum Register Gregors VII*. In: NA 38 (1913) bes. 191 f., 210 f.

ist nicht auf die päpstliche Kanzlei beschränkt, sondern eine allgemeine Erscheinung, die auch aus der Sache selbst ohne weiteres erklärbar ist. Durch exakte Amts- und Ortsbezeichnung war eine Person ausreichend bestimmt, ein abgekürzter Ortsname dagegen mußte Verwirrung stiften, weil er vielerlei Möglichkeiten offenließ.

Aus drei Gründen ist somit die Kombination der Nachricht des Petrus Damiani über die Absetzung des »episcopus Esculanus« mit der Collectio-Britannica-Stelle abzulehnen. Damit entfällt auch jeder Anlaß, die Namen bei Damiani einander chiastisch zuzuordnen. Zwanglos ergibt sich dagegen aus dem Text die parallele Stellung, so daß Nikolaus II. in Apulien den Bischof von Ascoli, Alexander II. auf einer Lateransynode den Erzbischof von Trani abgesetzt hat. Von der Kirchengeschichte Tranis aus gesehen kann dieser Ansatz gestützt werden. Am 15. Mai 1063 stellte Alexander II. dem Erzbischof eine Bulle aus, die eine Sprengelbeschreibung enthielt und dem Metropoliten das Pallium verlieh; Adressat ist Erzbischof Bisantius[291]. Bisantius ist auch weiterhin in der Umgebung der Päpste zu finden: 1071 bei der Cassineser Kirchweihe und in den folgenden Jahren bis 1097/99[292]. Mit Bisantius war demnach Trani in die lateinische Bistumsorganisation eingegliedert. In Verbindung mit dem Damiani-Text über die Absetzung des Johannes von Trani beweist die Bulle von 1063, daß die Neuordnung der kirchlichen Verhältnisse Tranis im April 1063 geschah, als Alexander II. seine erste Lateransynode abhielt[293].

Zusammengefaßt ergibt sich folgendes Bild: Aus Gründen a) der parallelen Zuordnung der von Damiani genannten Papst- und Bischofsnamen und Synoden, b) der Überlegung, daß in Melfi 1059, der ersten süditalienischen Papstsynode, zuerst die nähergelegenen Bistümer neuorganisiert worden sein dürften und c) der nachweislichen Neugliederung des Tranenser Erzbistums mit Anschluß an die römische Kirche und Einsetzung eines Erzbischofs auf der Lateransynode von 1063 ist anzunehmen, daß Johannes von Trani auf eben dieser Synode 1063 in Rom abgesetzt wurde. Damit ist die von Klewitz nur mit einigem Bedenken verzeichnete Sedisvakanz des Tranenser Erzstuhls von

---

291   JL 4514; KEHR-HOLTZMANN: *IP* IX, 291 Nr. 3. Zu Bisantius vgl. KLEWITZ: *Bistumsorganisation Campaniens*, 60 (= Ausgewählte Aufsätze, 402); VON FALKENHAUSEN: *Byzantinische Herrschaft*, 157.

292   LEO MARSICANUS: *Chronica Casinensis* III 29 (MG SS 7, 719); KEHR-HOLTZMANN: *IP* IX, 291 f. Nr. 4, *5, 6.

293   Die Trani südlich benachbarte Erzdiözese Bari wurde gleichfalls auf der Lateransynode neu gegliedert, vgl. KEHR-HOLTZMANN: *IP* IX, 318 Nr. 4; KLEWITZ: *Bistumsorganisation Campaniens*, 29–37 (= Ausgewählte Aufsätze, 371–379).

vier Jahren – nämlich zwischen der bisher vermuteten Absetzung Johannes'
1059 und Bisantius' Nachfolge 1063 [294] – beseitigt.

Schließlich ist noch für die Biographie Petrus Damianis ein Ergebnis zu verzeichnen. Da er beteuert, die Pontifikalien der von den beiden Synoden abge-
setzten Bischöfe gesehen zu haben (vidisse me memini), dürfte er auch an diesen Versammlungen teilgenommen haben. In sein Itinerar fügen sich diese
Punkte jedenfalls widerspruchslos ein: Im April und Mai 1059 und dann
wieder im Oktober desselben Jahres ist er in Rom an der Seite Nikolaus' II.
nachweisbar, anschließend begleitete er den Papst nach Florenz [295]. Für die
Zwischenzeit der Sommermonate gibt es keine Belege außer dem Augenzeu-
genbericht von der Melfitaner Papstsynode vom August. Statt völlig unbegründet eine Reise Damianis nach Fonte Avellana zu vermuten, wie Lucchesi
es tut, ist anzunehmen, daß der Kardinalbischof den Papst zusammen mit der
übrigen Reformgruppe auf dessen Zug durch das normannische Unteritalien
begleitet hat. Für das Jahr 1063 ist dagegen das Itinerar Damianis so unklar [296],
daß seine Anwesenheit auf der Lateransynode gegen Ende April durch andere
Nachweise weder gestützt noch auch widerlegt werden kann.

5. HILDEBRAND UND ALEXANDER II.

Wie es nicht Absicht vorliegender Studie war, eine Darstellung des Pontifikats
Alexanders II. zu bieten, sowenig soll hier Hildebrands Tätigkeit als Archidiakon der römischen Kirche erschöpfend behandelt werden. Die knapp zwölf
Regierungsjahre Alexanders werden vielmehr abschließend unter der begrenzten Fragestellung betrachtet, in welcher Weise das Verhältnis zwischen Papst
und Archidiakon zu charakterisieren ist und wie beider Anteil an der kirchenpolitischen Praxis dieser Jahre gegeneinander abgewogen werden kann.

Im Jahr 1059 war Hildebrand von Papst Nikolaus II. zum Archidiakon erhoben worden [297]. Seine außergewöhnlichen Fähigkeiten waren schon früh erkannt und anerkannt worden. Mit dem Archidiakonat nahm er eine Stellung
ein, von der aus er – zumal die übrigen führenden Mitglieder des Reformkreises zu Anfang der sechziger Jahre des elften Jahrhunderts entweder star-
ben oder sich aus der Kirchenleitung zunehmend zurückzogen – als Stellver-

---

294 KLEWITZ: *Bistumsorganisation Campaniens,* 36 Anm. 5 (= Ausgewählte Aufsätze, 378).
295 LUCCHESI: *Per una vita* I, 135 f.
296 LUCCHESI: *Per una vita* II, 32 ff.
297 BORINO: *L'arcidiaconato di Ildebrando,* 483.

treter des Papstes die römische Politik lenken konnte. In den vorausgegangenen Sedisvakanzen hatte sein Einfluß schrittweise zugenommen – nicht zuletzt wegen seiner Verdienste um den Zusammenhalt der Reformgruppe in schwierigen Situationen.

Die Quellen stimmen darin überein, daß Hildebrand schließlich der päpstlichen Politik zumindest unter Papst Alexander die Richtung gegeben hat. Bernold von Konstanz lobt die Maßnahmen, die Alexander gegen Simonie und Nikolaitismus ergriffen hat, fügt aber erklärend hinzu: »Huius autem constitutionis maxime fuit auctor Hildebrandus, tunc Romanae ecclesiae archidiaconus, hereticis maxime infestus«[298]. Landulf von Mailand berichtet, daß Hildebrand und nicht der Papst den Patariaführer Ariald in Rom empfangen habe, und nach dessen Bericht über die Lage in Mailand soll der Archidiakon versichert haben, er werde dem Papst zu allem, was Ariald fordere, zuraten. Der Chronist fährt dann fort: »Was weiter? Alexander und Hildebrand stimmten in ihrer Meinung überein«[299]. Diese Rollenverteilung ist nicht zuletzt für Alexanders Stellung zur Pataria aufschlußreich. Nicht er ist der Adressat der patarenischen Botschaft, obwohl er als gebürtiger Mailänder, wenn auch nicht als Urheber dieser Bewegung, mit den dortigen Verhältnissen fraglos gut vertraut war: Hildebrand hat sogar auf einem Gebiet, auf dem der Papst als kompetent gelten konnte, die Führung übernommen. Das spiegelt sich auch in einer Bemerkung Arnulfs von Mailand zur Einsetzung Attos, des päpstlichen Kandidaten für den Erzstuhl, wider: »(Der Patariaführer Erlembald) neglectis omnibus et iuramento communi, solum Romani illius Ildeprandi auscultabat consultum«[300].

Wie entscheidend es war, Hildebrand auf seiner Seite zu haben, war über die italienischen Grenzen hinaus bekannt. Erzbischof Siegfried von Mainz dankte dem Archidiakon in einem Brief für die Freundschaft, mit der er die Mainzer Angelegenheiten beim Heiligen Stuhl zu allen Zeiten gefördert habe, und bot ihm dafür Geschenke an[301].

---

298 BERNOLD: *Chronicon* a. 1061 (MG SS 5, 428).

299 LANDULF: *Historia Mediolanensis* III 15 (MG SS 8, 83 f.).

300 ARNULF: *Gesta archiepiscoporum Mediolanensium* III 25 (MG SS 8, 25). Vgl. auch KELLER: *Pataria und Stadtverfassung*, 344 f.

301 *Codex Udalrici*, ep. 33 (PHILIPP JAFFÉ: *Bibliotheca rerum Germanicarum* V, 63); vgl. auch *Cod. Udal.*, ep. 40 (ebd., 84). Zur Sache MEYER VON KNONAU: *Jahrbücher* I, 501 ff.; GUSTAV SCHMIDT: *Erzbischof Siegfried I. von Mainz*. Diss. Königsberg 1917; RAINER RUDOLPH: *Erzbischof Siegfried von Mainz (1060–1084). Ein Beitrag zur Geschichte der Mainzer Erzbischöfe im Investiturstreit*. Diss. Frankfurt a. M. 1973; HEINRICH BÜTTNER: *Die Bischofsstädte von Basel bis Mainz in der Zeit des Investiturstreites*. In: Vorträge und Forschungen, 17. Sigmaringen 1973, 357.

Aus zahlreichen Stellen in Briefen Petrus Damianis, die hier nicht im einzelnen vorgeführt zu werden brauchen, ist Hildebrands maßgebliche Rolle erkennbar[302]. Augenfällig wird seine Stellung auch dadurch, daß er den Papst gewöhnlich nicht auf seinen Reisen begleitete, wie es die Reformgruppe als das hauptsächliche Beratergremium unter den früheren Päpsten zu tun pflegte. Zwar finden sich bei den Aufenthalten Alexanders in Lucca fast immer einige Kardinäle an seiner Seite[303], doch niemals ist Hildebrand darunter zu finden. Außerrömische Synoden fanden kaum mehr statt – nur für die in Melfi Anfang August 1067 ist Hildebrands Teilnahme belegt[304]. Während der Abwesenheit des Papstes aus Rom fungierte der Archidiakon als sein Vikar, so bei der Verhandlung eines Streitfalles zwischen der Abtei Farfa und dem stadtrömischen Kloster S. Cosimato[305]. Ein andermal wurden Unruhen zwischen der Bevölkerung und dem Kloster von Subiaco vom Papst unter Beiziehung Hildebrands geschlichtet[306], wie der Papst sich überhaupt gern dessen Rat anvertraut zu haben scheint: »suggerente pariter et instigante Hildebrando« wurden Geistliche für Kanzleiämter, für Bistümer und Abteien ausgewählt[307]. Gelegentlich ist sogar zu erkennen, daß der Archidiakon die politische Korrespondenz im eigenen Namen und nicht in dem seines Herrn erledigte[308].

a) Die Bronzetüren von S. Paolo fuori le Mura

In seinem Buch über die Entstehung des Kreuzzugsgedankens schreibt Carl Erdmann zur Stellung Hildebrands im Pontifikat Alexanders II.: »Daß unter diesem Papst der Archidiakon Hildebrand eine führende Stellung eingenommen hat, wird durch mannigfache Zeugnisse belegt; vielleicht das eindrucksvollste bieten die Bronzetüren von S. Paolo fuori le mura, die, in Konstantinopel gegossen, Hildebrand sogar in der Datierung mit nennen«, und erklärend fügt er hinzu: »Es ist zu beachten, daß Hildebrand der stellvertretende Leiter von S. Paolo war, was jedoch in der Inschrift nicht zum Ausdruck kommt«[309].

---

302   Vgl. DRESSLER: *Petrus Damiani*, 155 ff.
303   Zur kanonisch geforderten ständigen Begleitung eines Bischofs s. oben 137 Anm. 16.
304   Hildebrands Unterschrift in JL 4635; KEHR: *IP* VIII, 351 Nr. 23.
305   *Reg. Farf.* V, 9 Nr. 1006; KEHR: *IP* II, 67 Nr. 45.
306   *Chronicon Sublacense* (RIS 24/VI, 10 f.); KEHR: *IP* II, 93 Nr. *31.
307   LEO MARSICANUS: *Chronica Casinensis* III 24 (MS SS 7, 715). S. dazu oben 168 ff.
308   Brief Hildebrands an Lanfrank von Canterbury (PL 148, 734). Zur Sache MACDONALD: *Lanfranc*, 81 mit Anm. 2.
309   CARL ERDMANN: *Die Entstehung des Kreuzzugsgedankens* (Forschungen zur Kirchen- und Geistesgeschichte, 6). Stuttgart 1935, 137 mit Anm. 12.

Die hier von Erdmann herangezogene vielbeachtete Inschrift auf den Bronzetüren von S. Paolo hat folgenden Wortlaut[310]:

+ Anno millesimo septuagesimo ab incar[natione D(omi)ni] · temporibus
D(om)ni Alexandri sanctissimi p(a)p(e) quar[ti · et d(om)ni I]ldepran
di · venerabili monachi · et [archidiaconi]
constructe sunt porte iste in regia(m) urbe(m) Con(stantino)p(oli) ·

adiuvante d(om)no
Pantaleone [consuli qui]
ille fieri [iussit]

Die kunstgeschichtlichen wie kulturgeschichtlichen Fragen, die die Bronzetüren und diese wie andere auf ihnen angebrachte Inschriften aufwerfen, können hier beiseite gelassen werden. Dagegen soll ein Aspekt behandelt werden,
der bisher unproblematisch schien.

Die zitierte Inschrift, die das Werk datiert, den Ort seiner Herstellung und
seinen Stifter nennt, würde in unserem Rahmen – folgte man der Interpretation Erdmanns und den durchweg in dieselbe Richtung zielenden Äußerungen
anderer Kommentatoren – ein beträchtliches Gewicht erhalten. Denn gerade in
Datierungsformeln spiegeln sich, sofern sie Regenten nennen, Herrschaftsverhältnisse wider, die auf andere Weise vielfach weniger klar zu erkennen sind.
So wird es beispielsweise als Ausdruck des italisch-päpstlichen Unabhängigkeitsstrebens verstanden, wenn die römischen Bischöfe ihre Urkunden nicht
mehr nach byzantinischen Kaiserjahren, sondern nach den eigenen Pontifikatsjahren datieren[311]. Werde nun aber neben dem Papst auch noch der Archidia-

---

310   Die Wiedergabe folgt weitgehend dem Druck bei HERBERT BLOCH: *L'ordine dei panelli
della porta della basilica di s. Paolo*. In: Atti della Pontificia Accademia Romana di Archeologia. Serie 3: Rendiconti 43 (1971) 273 f., dort auch die ältere Lit., von der hier nur genannt
seien HARTMANN GRISAR: *Una memoria di s. Gregorio VII e del suo stato monastico in Roma*.
In: La Civiltà Cattolica, 16. serie 3 (1895) 205 ff.; ERNST F. KRAUSE: *Über einige Inschriften
auf den Erzthüren der Basilika di S. Paolo bei Rom und der Michaelskirche in Monte S. Angelo*.
In: RQ 16 (1902) 41 ff.; FRANZ J. LUTTOR: *Die Paulstür, ein Meisterwerk der byzantin. Kunst
aus dem XI. Jh*. In: RQ Supplementheft 20 (1913) 299; TH. PRESTON JR.: *The Bronze Doors of
the Abbey of Montecassino and of St Paul's Rome*. Diss. Princeton 1915; ENRICO JOSI: *La
porta bizantina di san Paolo*, a cura della Direzione generale dei monumenti, musei e gallerie
pontificie. Rom 1967.

311   Vgl. JOSEF DEÉR: *Die Vorrechte des Kaisers in Rom (772–800)*. In: Schweizer Beiträge
zur allgemeinen Geschichte 15 (1957) 5–63, bes. 8 ff.; DERS.: *Zum Patricius-Romanorum-Titel
Karls des Großen*. In: AHPont 3 (1965) 72 f.; beide Aufsätze sind wiederabgedruckt in: *Zum
Kaisertum Karls des Großen*, hg. von GUNTHER WOLF (Wege der Forschung, 38). Darmstadt
1972, 30–115 und 240–308. Ferner HEINRICH FICHTENAU: *Das Herrschertum des Frühmittel-
alters in den Datierungen von Urkunden*. In: Mediaevalia Bohemica 1 (1969) 5–20; DERS.:
»*Politische« Datierungen des frühen Mittelalters*. In: MIÖG Erg.bd. 24 (1973) bes. 487 ff.

kon in der Datierung genannt, dann sei damit – so meint man – dessen tatsächlicher Stellung in der römischen Kirche Rechnung getragen worden. Da Hildebrands maßgeblicher Einfluß in Rom aus zahlreichen anderen Quellen zu belegen ist, wird diese Inschrift gleichfalls als Ausdruck seiner machtvollen Position wie selbstverständlich hier eingereiht.

Nicht die Tatsache, daß nach Papst und Archidiakon datiert wird, hat die bis heute andauernde Diskussion um diesen Text verursacht, sondern eine Ligatur, die oben mit »quarti« aufgelöst wurde und damit zwar Alexander als den vierten Papst dieses Namens bezeichnet, gegenüber anderen Vorschlägen aber nach Herbert Bloch die dem epigraphischen Befund entsprechende korrekte Auflösung darstellt. »Quarti« ist fraglos das Produkt eines Irrtums, denn sowohl durch die Inkarnationsdatierung wie durch die auftretenden Namen Alexander, Hildebrand, Pantaleon wird der Text für den Pontifikat Alexanders II. gesichert[312]. Die gelegentlich geäußerte Vermutung, daß die Inschrift erst nach Alexanders Tod angebracht worden sei, da zu seinen Lebzeiten kaum der Archidiakon neben dem Papst genannt wäre[313], erkennt zwar die Eigenwilligkeit der gängigen Interpretation, weicht jedoch einer grundlegenden Kritik aus.

Es ist zu fragen, ob die von Erdmann, Bloch und anderen vertretene Deutung des Nebeneinanders von Papst und Archidiakon richtig ist. Wie Adolf Hofmeister festgestellt hat[314], taucht vereinzelt tatsächlich eine Datierung nach Hildebrand auf: In einer Urkunde des Erzbischofs Rostaing von Aix lautet die Datumsformel »post incarnationem divini verbi anno MLXXII, ind. X, regnante in ecclesia Romana papa Alexandro IX. anno ordinationis suae et Adebranno archidiacono«. Doch was man in Aix aus Devotion gegenüber den römischen Hierarchen für passend hielt, brauchte es noch immer nicht in Rom zu sein. Hierarchische Abstufungen und protokollarische Rechte waren hier fraglos bekannt und dürften sorgfältiger beachtet worden sein als im fernen Burgund; der Angehörige des Konvents von St. Paul, der den Text aufgesetzt hat, wird sich der herrschaftsrechtlich relevanten Prinzipien, nach denen eine Datumzeile zu formulieren war, bewußt gewesen sein.

Zum Kloster von St. Paul vor den Mauern stand Hildebrand in besonderen Beziehungen. Leo IX. hatte ihm die Leitung dieses in jener Zeit wohl stark

---

312   Zu Pantaleon vgl. ADOLF HOFMEISTER: *Der Übersetzer Johannes und das Geschlecht Comitis Mauronis in Amalfi.* In: HVjS 27 (1932) bes. 258 ff., 268.

313   KRAUSE: *Inschriften auf den Erzthüren,* 45.

314   ADOLF HOFMEISTER: *Deutschland und Burgund im früheren Mittelalter. Eine Studie über die Entstehung des arelatischen Reiches und seine politische Bedeutung.* Leipzig 1914, 59 Anm. 2; vgl. auch HALLER: *Papsttum* II², 364, 599.

verfallenen Konvents anvertraut[315], während Abt Airard glücklos versuchte, den ihm übertragenden Bischofsstuhl von Nantes in Besitz zu nehmen. Hildebrands Funktionsbezeichnung war Rektor, Provisor oder Ökonom, den Abtstitel hat er offiziell nicht geführt[316]. Dem Namen nach war er also nicht Abt, wenn er auch die Aufgaben eines Abtes erfüllt haben dürfte. Da er in erster Linie und hauptsächlich als Subdiakon, später als Archidiakon dem Palastklerus des Lateran angehörte[317], trug er in Hinblick auf S. Paolo nur einen Funktionstitel. Und diese Funktion, die er im Paulskloster innehatte, ließ seinen Namen in die Inschrift der Bronzetür gelangen. Denn seine Nennung ist nicht deshalb erfolgt, weil er in der römischen Kirche nächst dem Papst – oder sogar noch vor ihm – die bedeutendste Persönlichkeit war, sondern aus dem viel schlichteren Grund, daß es in Urkunden jeder Art – nicht nur in Bau- oder Dedikationsinschriften – üblich war, in hierarchischer Abstufung die jeweils zuständigen Herrschaftsträger zu nennen.

Aus der Fülle der Belege seien wenige Beispiele herausgegriffen.

Rom, Ss. Andrea e Gregorio al clivo di Scauro:

mense madio die undecimo anno Dni milles. centesimo sexto temporibus domni Pascalis secundi pp anno eius septimo et domni Gregorii huius monasterii abbatis VII. indictione quarta decima[318].

Pomposa:

Ann. D. MLXIII tempore domni Alexandri papae et Heinrici regis et Mai-

---

315   Vgl. JORDAN: *Die päpstliche Verwaltung*, 121 f.; BORINO: *L'arcidiaconato di Ildebrando*, 485. Zu Airard auch PIERRE IMBART DE LA TOUR: *Les élections épiscopales dans l'église de France du IXᵉ au XIIᵉ siècle. Étude sur la décadence du principe électif (814–1150)*. Paris 1890, 419; BARTHÉLÉMY-A. POCQUET DU HAUT-JUSSÉ: *La Bretagne a-t-elle été vassalle du Saint-Siège?* In: Studi Gregoriani 1 (1947) 192 ff.

316   Fälschlich ihm beigelegt von BASILIO TRIFONE: *Serie dei prepositi, rettori ed abbati di san Paolo di Roma*. In: Rivista storica benedettina 4 (1909) 247, aus JL 4594 (PL 146, 1313), das aber »archidiaconus atque coenobii Sancti Pauli oeconomus« und »archidiaconus ac Sancti Pauli rector« hat. In einem Florentiner Notariatsinstrument, ausgestellt am 1. Dez. 1059 in Gegenwart Nikolaus' II., Humberts von Silva Candida und Hildebrands, wird letzterer »abbas de monasterio sancti Pauli« genannt, doch stammt diese Bezeichnung vom beurkundenden Notar, der mit den römischen Verhältnissen nicht genau vertraut gewesen sein dürfte (KEHR: *IP* III, 283 Nr. 11).

317   Vgl. REINHARD ELZE: *Das »Sacrum Palatium Lateranense« im 10. und 11. Jh.* In: Studi Gregoriani 4 (1952) 40 ff.

318   Schlußsatz einer 1603 aufgedeckten Weiheinschrift am Marienaltar, ALBERTO GIBELLI: *L'antico monastero de' santi Andrea e Gregorio al clivo di Scauro sul monte Celio*. Faenza 1892, 60. Paschalis II. hatte die Kirche nach dem Normannensturm von 1084 wiederherstellen lassen, vgl. KEHR: *IP* I, 106 zu Nr. † 6.

nardi abb. atque Marci prioris, haec turris fundata e(st), quam construxit Atto cum uxore sua Willa sub indic. (I) . . .[319].

Cremona, Ss. Donnino e Carlo:
Pro communi et commoditate vicinorum ecclesie ista aedificata fuit in honorem divi Domnini martyris eorum propriis expensis anno a partu virginis MXXXII Johanne XIX. summo pontifice regnante et Valerio Scitio Cremonae episcopo gubernante[320].

Diese Reihe ließe sich mühelos verlängern[321]. Der Datierungsbrauch in der Epigraphik entspricht somit den Gewohnheiten in der Diplomatik: Im Datum werden die Herrschaftsinhaber genannt, hier wie dort. Für S. Paolo fuori le Mura war dies als erster der Papst als Herr der römischen Kirche und der Stadt Rom, dann als Oberer des Klosters der Archidiakon Hildebrand, natürlich nicht in seiner Archidiakonatsstellung, sondern als speziell eingesetzter Verwalter, und als solcher mußte er mit genannt werden. Das bisher obwaltende Mißverständnis liegt also in der Unschärfe der Formulierung begründet, die nicht den auf die Abtei, sondern den höheren auf die römische Kirche bezüglichen Titel Hildebrands verwendet. Diese sozusagen technische Verwendung und Nebeneinanderstellung der Namen sagt aber nichts aus über die Machtverteilung am päpstlichen Hof.

---

319 DANTE BALBONI: *La lapide del campanile.* In: Pomposia monasterium in Italia princeps. IX Centenario del campanile (1063–1963). Pomposa 1963, 7 f.; GATTO: *Studi mainardeschi*, 75 f.

320 FERDINANDUS UGHELLUS: *Cremonensium episcoporum series*, a Nicolao Coleto aliquantum aucta, nunc tandem a FRANCISCO ANTONIO ZACHARIA restituta. Mailand 1749, 105. Dazu SCHWARTZ: *Besetzung*, 111 Anm. 2, zu Bischof Valerius, »der natürlich nie existiert hat, trotz der angeblichen Grabschrift mit dem Todesdatum 15. Februar 1038«, ebenso CAPPELLETTI: *Le chiese d'Italia* XII, 163, ein apodiktisches Urteil, das dennoch falsch ist. Denn neben der Grabschrift (UGHELLI-ZACHARIA, a.a.O., 105; GIUSEPPE BRESCIANI: *Rose e viole della città di Cremona.* Cremona 1652, 48) nennt – was Schwartz entgangen ist – oben zitierte Weiheinschrift diesen Bischof. Valerius ist einzuordnen als von den Cremonesen gewählter Gegenbischof gegen die kaiserlichen Bischöfe Landulf (1007–1030) und Hubald (1031–1066), die beide einige Zeit aus Cremona vertrieben waren (HARRY BRESSLAU: *Jahrbücher Konrads II.* II. Leipzig 1884, 205); dazu paßt auch die lokale Überlieferung, daß Valerius vor seiner Bischofsweihe Cremonesischer Kleriker gewesen sei, BRESCIANI, 48.

321 Z.B. Rom, S. Biagio della Pagnotta (FORCELLA: *Iscrizioni* IX, 403 Nr. 818; SILVAGNI: *Monumenta epigraphica* I, Taf. 20, 1 und 2); dazu SCHMIDT: *Kanonikerreform in Rom*, 217 Anm. 58. – Rom, S. Pudenziana (FORCELLA: *Iscrizioni* XI, 135 f.). – Galeria, S. Andrea (ANNA MARIA RESPIGHI: *Galeria.* Rom 1956, 66 f.).

b) Alexander II. in Chiusi

Die von Rangerius von Lucca, dem Biographen des jüngeren Anselm, gepriesene Harmonie zwischen Papst und Archidiakon – Hildebrandus erat vox eius, ut illius ille[322] – hat es nicht immer gegeben. Offenbar unabhängig von seinem Archidiakon entschied Alexander in der Simoniefrage des Bischofs Lanfrank von Chiusi (JL 4657). Eine römische Synode hatte im Frühjahr 1068 den Fall kurz behandelt und das Urteil in den Grundzügen festgelegt, aber »quia plurimis et maximis ęcclesiasticis negotiis occupati eramus, pleniter diffinire nequivimus ac proinde ad nostram iterum audientiam eandem questionem deferendam statuimus tempore quo eam nobis liceret quietius perscrutari«[323]. Der Papst entschied nicht nur in Abwesenheit Hildebrands, sondern – was hier besondere Aufmerksamkeit verdient – entgegen dem Eindruck, den die Synode von dem Fall gewonnen hatte.

Es ging dabei um folgendes: Der Klerus von Chiusi hatte auf der Lateransynode seinem Bischof vorgeworfen, daß er für die Verteilung des Chrisam und die Verwaltung des Hirtenamtes zweimal im Jahr Geld einfordere. Obwohl die Synodalen über ein solches simonistisches Verbrechen entsetzt waren, wurde das Schlußurteil vertagt, um die Hintergründe der Anklage noch eingehender zu untersuchen. Das geschah, als Alexander im Sommer 1068 nach Lucca reiste und auf dem Wege Chiusi berührte. Doch zögerte er auch jetzt noch, das Urteil zu fällen; erst auf dem Rückweg, im Winter desselben Jahres, wurde die Sache von einer kleinen Synode abschließend geprüft und entschieden. Zwar verurteilte man das simonistische Gebahren des Bischofs, ohne aber eine Strafe zu verhängen. Damit erkannte Alexander die aus dem Verfall des kirchlichen Wirtschaftssystems entstandene Notlage als Entschuldigung an. Nicht Verurteilung, sondern konstruktive Sanierungsmaßnahmen und materielle Fundierung des Bistums waren hier erforderlich. Das unkanonische Einkommen des Bischofs wurde deshalb nicht ersatzlos gestrichen, vielmehr sollten an die Stelle der simonistischen Geldquelle in Zukunft die Anteile an Zehnten und Oblationen treten, die dem Bischof kanonisch zustanden. Der wirtschaftlichen Sicherung des Bistums diente ferner das Verbot des gleichsam erblich gewordenen Laienbesitzes am Kirchengut. In Perugia ist am 30. Dezember 1068 die

---

322   RANGERIUS VON LUCCA: *Vita Anselmi* I v. 133 (MG SS 30/II, 1160).

323   JL 4657; KEHR: *IP* III, 233 Nr. 9 (PFLUGK-HARTTUNG: *Acta* II, 108 Nr. 143). Die Anwesenheit Lanfranks von Chiusi auf der Synode wird durch seine Unterschrift in JL 4651 (CAPPELLETTI: *Le chiese d'Italia* IV, 47) belegt. Vgl. auch SCHWARTZ: *Besetzung*, 204; HARRY BRESSLAU: *Bemerkungen zu den Papstbriefen der Britischen Sammlung.* In: NA 15 (1890) 189 ff.

Schlußsentenz datiert, adressiert an die Kirche von Chiusi[324].

Unter der Voraussetzung, daß Verfügungen, die in einem von Alexander in Abwesenheit Hildebrands ausgestellten Dekret getroffen wurden[325], mit gewisser Wahrscheinlichkeit die Intentionen des Papstes selbst wiedergeben, kann JL 4657 zur Charakterisierung Alexanders benutzt werden. Zwei Punkte sind herauszuheben: zum einen der organisatorische Aspekt, das heißt Neuverteilung der kirchlichen Einkünfte und Verbot der Weitergabe von Kirchengut an Laien, für die frühe Reform typische Reorganisationsmaßnahmen, mit denen simonistische Einnahmequellen überflüssig gemacht werden sollten und die Alexander auch für Lucca dekretiert hat[326]. Als zweites ist die Haltung, die zu einem wie in Chiusi gefällten Urteil führte, zu bedenken[327]. Offensichtlich wurde der Bischof vom Papst mit größtmöglicher Schonung behandelt, obwohl die vorausgegangene Synode bereits deutlich eine rigorosere Haltung eingenommen hatte, und dies – die Vermutung liegt nahe – unter Hildebrands Führung. Auf sich allein gestellt, neigte der Papst eher zu einer konzilianten Erledigung des Falles; in seinen Augen war es die »antiqua consuetudo« im Bistum, die gewisse Auswüchse zugelassen hatte. Natürlich setzte auch Alexander der – schlechten – Gewohnheit die sacri canones entgegen[328], doch behielt die Solidarität mit dem bischöflichen Amtsbruder aus dem Verständnis für die wirtschaftliche Notlage die Oberhand; er fühlte sich ihm als einem Mitglied jenes Standes, aus dem er selbst an die Spitze der Kirche aufgestiegen war, aufs engste verbunden. Eine andere Einstellung hatte sich in den Absetzungssenten-

---

324 Coll. Brit. Al. II ep. 45 (LÖWENFELD: *Epistolae Pontificum Romanorum ineditae*, 48 Nr. 96) wird von Bresslau (wie vorige Anm.) mit aus »clero Mediolanensi« zu »clero Clusino« emendierter Adresse und gegenüber Ewald (*Papstbriefe der Brittischen Sammlung*, 347, zu 1063 oder 1065) korrigiertem Datum in diesen Zusammenhang des Jahres 1068 gezogen. Doch läßt sich der in dem Coll.-Brit.-Stück beschriebene Sachverhalt – Untersuchung des Papstes »de infamia fratris nostri Lanfranci«, Verweigerung des Geständnisses eines Verbrechens, Unmöglichkeit der Urteilsfällung lediglich aufgrund eines Verdachts, deshalb Reinigungseid und Rücksendung des Beschuldigten – nicht sinnvoll in den Chiusiner Prozeßablauf eingliedern. Hierbei fand die Untersuchung in Chiusi selbst statt, für Rücksendung und Reinigungseid des Infamierten ist kein Platz. Zur Unzuverlässigkeit der Coll. Brit. WALTER ULLMANN: *Law and Politics in the Middle Ages*. London 1975, 138 Anm. 1, mit Lit.

325 Auch der von Hildebrand geschätzte Kanzler Petrus war nicht zugegen, für ihn fungierte ein gleichnamiger Kleriker, vgl. SANTIFALLER: *Saggio*, 190.

326 S. oben 53 f.

327 Die Tesi di laurea von A. M. DE DONNO: *Alessandro II e i vescovi italiani*. Lecce 1968 (vgl. AHPont 10 [1972] 477) war mir nicht zugänglich.

328 Zu Gregors VII. Stellungnahme zum Verhältnis von consuetudo und göttlichem Recht vgl. JL 5277 an Bischof Wimund von Aversa, COWDREY: *Epistolae vagantes*, 151 Nr. 67; dazu GERHARD B. LADNER: *Two Gregorian Letters. On the Sources and Nature of Gregory VII' Reform Ideology*. In: Studi Gregoriani 5 (1956) 225–242.

zen gegen die süditalienischen Bischöfe von Lucera, Tertiveri, Biccari und Ascoli Satriano durchgesetzt, als gleichfalls simonistische Vergehen abzuurteilen waren. Damals war die ganze Schärfe der Reformforderungen zur Geltung gekommen, die man einem Humbert oder Hildebrand zuschreiben möchte. Nachsicht mit den Bischöfen, wie Alexander sie erkennen läßt [329], ist also kein Zeichen der Frühreform, sondern ein Zug dieses Papstes, den er mit jenen seiner Amtsbrüder gemeinsam hatte, die auf einer Synode im Florentiner Bischofsstreit zu entscheiden hatten.

c) Der Florentiner Bischofsstreit

Die im Chiusiner Prozeß zu vermutenden Differenzen zwischen Alexander und Hildebrand sind im Florentiner Bischofsstreit [330] deutlich erkennbar. In Florenz waren es nicht nur die Kleriker, sondern mit ihnen die Mönche von Vallombrosa, die gegen Bischof Petrus ein Simonieverfahren einleiteten und mit wachsender Leidenschaft vorantrieben. Nach dem Tod Nikolaus' II. (20. Juli 1061), der als Papst sein Florentiner Bistum beibehalten hatte, war Petrus Mezzabarba aus reicher Paveser Familie zu seinem Nachfolger in Florenz bestimmt worden. Hinter dieser Wahl stand offenbar die Partei der lombardischen Bischöfe, die gerade in Basel einen ihrer Parteigänger, Cadalus von Parma, der römischen Reformgruppe mit deutscher Hilfe als Papst entgegengestellt hatte. In Florenz ist zunächst keine Reaktion gegen den neuen Bischof festzustellen, obwohl er sein Amt simonistisch erworben haben soll. Erst als sich gegen Ende 1062 der Sieg Alexanders über Cadalus abzuzeichnen begann, nahmen das Domkapitel und vor allem die Mönche von Vallombrosa den Kampf gegen Petrus auf. Noch im Jahr 1062 schaltete sich Alexander in diese Angelegenheit ein mit einem Schreiben an den Praepositus der Florentiner Kathedrale [331]. Darin wird der Bischof scharf getadelt, weil er sich mit einigen Kanonikern an

---

329   Vgl. auch JL 4558; KEHR: IP VI/1, 400 Nr. 7 (LÖWENFELD: Epistolae Pontificum Romanorum ineditae, 47 Nr. 94), worin der Papst Rainald von Como zur Einstellung der Geldzahlungen für das Chrisam mahnt, auch hier ohne Strafandrohung, sondern unter Appell an die Einsicht des Bischofs und an seinen Gehorsam gegen die Vorschriften des apostolischen Stuhles; dazu GOEZ: Rainald von Como, 484.

330   Zum folgenden vgl. DAVIDSOHN: Geschichte von Florenz I, 225 f.; DERS.: Forschungen I, 47 ff.; GIOVANNI MICCOLI: Pietro Igneo. Studi sull'età Gregoriana (Istituto storico italiano per il medio evo. Studi storici, 40–41). Rom 1960, Kap. 1; WERNER GOEZ: Reformpapsttum, Adel und monastische Erneuerung in der Toskana. In: Vorträge und Forschungen, 17. Sigmaringen 1973, 233 ff.; DERS.: Rainald von Como, 484 ff.

331   JL 4540; KEHR: IP III, 8 Nr. 3 (EWALD: Papstbriefe, 340 Nr. 69).

den deutschen Hof begeben habe, um seine Lebensführung und Amtseinsetzung einer Prüfung unterziehen zu lassen. Keinem König oder Kaiser, so schreibt der Papst, sei es erlaubt, kirchliche Angelegenheiten zu entscheiden.

Ob Petrus sich vom König zugleich die Investitur hat erteilen lassen, sagt der Brief nicht, ist aber anzunehmen; dagegen richtete sich aber der Angriff des Papstes nicht, denn weder er noch Hildebrand hatten zu der Zeit bereits eine grundsätzlich ablehnende Haltung gegen die Investitur durch den weltlichen Herrscher eingenommen[332]. Davidsohn sieht die Absicht der Reise des Bischofs darin, daß er seine vor dem Staatsstreich von Kaiserswerth erfolgte Einsetzung von den neuen Machthabern in Deutschland habe bestätigt wissen wollen[333]. An dem simonistischen Erwerb des Bistums war nicht zu zweifeln; aber nicht das ist es, was dem Bischof vom Papst zum Vorwurf gemacht wurde, sondern daß er das Urteil über seine Einsetzung, das allein dem Heiligen Stuhl zustehe, einem Laien überlassen habe.

Die Agitation der Mönche unter Führung ihres Abtes Johannes Gualberti[334], des Gründers von Vallombrosa, nahm bald solche Ausmaße an, daß der Papst meinte, die Eiferer zurechtweisen zu müssen. Er verpflichtete sie auf das Prinzip der stabilitas und verbot ihnen die Volkspredigt[335]. Darin zeigte sich bereits, daß Alexander nicht auf der Seite der Mönche stand, obwohl er sich anfangs wie sie gegen den Bischof gewendet hatte. Nach blutigen Zusammenstößen zwischen Anhängern Herzog Gottfrieds, der den Bischof stützte[336], und den Mönchen wurde der Fall schließlich vor eine römische Synode gebracht.

Über die Synodalverhandlungen gibt es zwei Berichte jüngerer Zeitgenossen Gualbertis († 1073). Etwa zwanzig Jahre nach dessen Tod verfaßte Abt Andreas von Strumi († 1097)[337], ehemals Gefährte des Patareners Ariald, dann

---

332 Alexander II. schickte 1072/73 Anselm d. J. zum König »ut in honorem sublimaretur episcopatus« (*Vita Anselmi* c. 2 [MG SS 12, 13 f.]); Gregor VII. lehnte 1073 die königliche Investitur Anselms II. von Lucca nicht prinzipiell ab, sondern nur solange Heinrich IV. an seinen exkommunizierten Räten festhielt (*Reg.* I 21 [Caspar, 34 f.]). Vgl. dazu G. B. Borino: *L'investitura laica dal decreto di Nicolò al decreto di Gregorio VII.* In: Studi Gregoriani 5 (1956) 345–359, bes. 350; ders.: *Il monacato e l'investitura di Anselmo vescovo di Lucca.* Ebd., 361–374. Ferner Tellenbach: *Libertas*, 144 ff.; Nitschke: *Wirksamkeit Gottes*, 194 ff., 200; Giovanni Miccoli: *Le ordinazione simoniache nel pensiero di Gregorio VII. Un capitolo della dottrina del primato?* In: ders.: *Chiesa gregoriana. Ricerche sulla Riforma del secolo XI* (Storici antichi e moderni, N.S. 17). Florenz 1966, 169–201.

333 Davidsohn: *Geschichte von Florenz* I, 225 f.

334 Goez: *Reformpapsttum, Adel und monastische Erneuerung*, 229 ff.

335 JL 4552; Kehr: *IP* III, 35 Nr. 1.

336 R. Jung: *Gottfried der Bärtige*, 60 f.

337 Davidsohn: *Geschichte von Florenz* I, 291 f.; Walther Holtzmann. In: Wattenbach–Holtzmann–Schmale: *Deutschlands Geschichtsquellen im Mittelalter* III, 921, 933 f.

Mönch in Vallombrosa, eine Vita Gualbertis. Einige Zeit später entstand in Vallombrosa selbst eine zweite Vita, deren anonymer Autor sich als Schüler des großen Abtes bezeichnet. Das Werk des Andreas von Strumi war dem Anonymus bekannt, die Abfassungszeit der zweiten Vita dürfte zwischen 1115 und 1120 liegen[338].

Die jüngere Vita berichtet weniger knapp über die römische Synode als die ältere. Ihre Darstellung ist farbiger und mit einer Reihe von Einzelzügen ausgestattet, was auf den ersten Blick den Verdacht späterer phantasievoller Amplifikation hervorruft. Doch haben die Vitenautoren Andreas von Strumi und der Anonymus, beide Angehörige des Vallombrosaner Konventes, Rudolf von Moscheta, den Delegationsleiter der Mönche auf der römischen Synode und späteren Nachfolger Gualbertis im Abbatiat, noch gekannt; ihre Berichte haben damit eine große Nähe zu den beschriebenen Ereignissen, und der Anonymus ist durch seine trotz reicher Details klare, alle legendarischen Wundergeschichten vermeidende Darstellungsweise durchaus vertrauenerweckend. Die Viten dürften die dramatischen Ereignisse auf der römischen Synode einigermaßen zutreffend wiedergegeben haben.

Johannes Gualberti hatte Äbte und Mönche seiner Klosterfamilie zusammen mit Florentiner Geistlichen unter Führung des Priors Rudolf von der Badia di Moscheta nach Rom gesandt. Die Synode[339] nahm die Anklage, die auf Simonie und Häresie lautete, entgegen und verhandelte den Fall. Zahlreiche Konzilsteilnehmer stellten sich sofort gegen die Mönche. Von Petrus Damiani weiß der anonyme Vitenautor zu berichten, daß auch er ein Gegner der Mönchspartei war, was seiner Meinung nach angesichts der sonst bekannten Sympathie Damianis für das Mönchtum nur auf energisches Drängen der gegnerischen Seite zurückzuführen ist. Mit einer Bibelassonanz soll sich Damiani an den Papst gewendet haben: »Herr Vater, sie sind die Heuschrecken, die den grünen Wuchs der heiligen Kirche abfressen; wenn doch ein Sturm käme und sie ins Rote Meer triebe.« Dem Papst selbst wird von der Vallombrosaner Quelle eine vermittelnde Haltung zugeschrieben: »Jene Menschen sind nicht

---

338   Beide Viten sind hg. von FRIEDRICH BAETHGEN, MG SS 30/II, 1047–1110. Zu ihrer Datierung vgl. Baethgens Einleitung, ebd., 1047 f., 1067 ff.; DAVIDSOHN: *Forschungen* I, 50 ff.; SOFIA BOESCH GAJANO: *Storia e tradizione vallombrosane*. In: BISI 76 (1964) 142–181 zu Andreas, 181–194 zum Anonymus.

339   DAVIDSOHN: *Geschichte von Florenz* I, 231, setzt sie zu 1067, in welchem Jahr aber nach HEFELE-LECLERCQ: *Histoire des conciles* IV/2, 1257, die angesagte Ostersynode wegen normannischer Unruhen verhindert wurde. Sie ist jedenfalls zu trennen von der des Jahres 1068, da auf dieser Synode Petrus von Florenz nach Auskunft der Annalen von Niederaltaich (MG SS rer. Germ. in us. schol. 4², 74) bereits verurteilt wurde. Vgl. auch MICCOLI: *Pietro Igneo*, 21 mit Anm. 4; LUCCHESI: *Per una vita* II, 101.

nur zu tadeln, denn es sind gute Menschen und was sie vorbringen, sagen sie schlicht und in guter Absicht«[340]. Vor allem geriet Rainald von Como mit dem Prior Rudolf in heftigen Streit über den Wert der von nikolaitischen Priestern zelebrierten Messen[341]. Während der Bischof sie ihrem Werte nach abstufte, lehnte Rudolf ihre Gültigkeit mit der Rigorosität humbertischer Ansichten grundsätzlich ab, eine Haltung, die in dieser Versammlung von Bischöfen nicht akzeptiert werden konnte. Das Verhalten der Mönche, die gegen ihren Bischof die Waffen erhoben hatten, wurde scharf kritisiert.

In dieser Situation sahen die Mönche in der Intervention Hildebrands die Hand Gottes am Werk. Als zweiter Gamaliel[342] wird er bezeichnet, der spontan die Partei der Mönche ergriffen habe gegen die Mehrzahl der bischöflichen Synodalen. Diese Parteinahme Hildebrands wird auch von Andreas von Strumi bezeugt[343]; hierin stimmen beide Viten überein. Doch ist die Szene bei Andreas insofern etwas vereinfacht, als der Auftritt Damianis nicht erwähnt wird; hier stellt sich vielmehr der Papst selbst den Vallombrosanern entgegen, da er weder den Angeklagten absetzen noch die von den Mönchen zur Erhärtung ihrer Behauptungen angebotene Feuerprobe zulassen will[344]. Andreas kennt also nur die beiden konträren Positionen, vertreten durch Alexander und Hildebrand. Der Anonymus hatte Petrus Damiani dem Archidiakon entgegengestellt und dem Papst die Rolle des unentschiedenen, ausgleichenden Vermittlers zugeschoben.

Wie immer die Nuancen zu verteilen sind, Alexander stand auch hier wieder auf seiten der Bischöfe, die für ihre eigene Stellung fürchten mochten und sich deshalb soweit als möglich hinter ihren Florentiner Amtsbruder stellten gegen die revolutionäre populare Massenbewegung der mit dem fanatisierten Volk verbündeten Mönche. Doch die Synode spiegelte nicht mehr das tatsächliche Machtverhältnis wider. Wenn sich Hildebrand hier auch noch nicht gegen die

---

340 MG SS 30/II, 1107. Damiani verwendet Exod. 10,19.

341 Vgl. auch GOEZ: *Rainald von Como*, 485 f.

342 Gamaliel vermittelte als Jude zwischen jüdischem Synhedrium und Christengemeinde (Synode – Mönche), Ac. 5,34 ff.

343 MG SS 30/II, 1095. Vgl. auch Gregors VII. Brief an den Konvent von Vallombrosa anläßlich des Todes von Johannes Gualberti, JL 4814; KEHR: *IP* III, 88 Nr. 3 (COWDREY: *Epistolae vagantes*, 4 Nr. 2).

344 Alexander II. lehnte Ordalien grundsätzlich ab, weil sie kanonisch nicht sanktioniert seien und »quia fabricante haec sunt omnino facta invidia«, JL 4505, von der Kanonistik übernommen (Collectio Britannica, Al. II ep. 49; Ivo: *Decretum* X 15; *Panormia* V 7; GRATIAN, C. 2 qu. 5 c. 11). HERMANN NOTTARP: *Gottesurteilstudien* (Bamberger Abhandlungen und Forschungen, 2). München 1956, 344, 357 f., bestreitet Alexanders Selbständigkeit in dieser Entscheidung; vgl. auch CHARLOTTE LEITMAIER: *Die Kirche und die Gottesurteile. Eine rechtshistorische Studie* (Wiener rechtsgeschichtliche Arbeiten, 2). Wien 1953, 82 ff.

von ihrem Standesbewußtsein geleiteten Bischöfe durchsetzen konnte – er bewirkte lediglich, daß die Mönche unbehelligt in ihre Heimat abziehen konnten –, so gelang ihm auf der Ostersynode 1068 doch noch, seiner Richtung mit der Absetzung des Bischofs von Florenz zum Sieg zu verhelfen[345].

d) San Michele della Chiusa

Von einem ähnlichen Auftreten des Papstes und seines Archidiakons berichtet der Mönch Wilhelm von Chiusa († nach 1099) in seiner Vita Benedicti abbatis Clusensis, und zwar anläßlich einer Streitsache zwischen Bischof Kunibert von Turin und dem in seiner Diözese gelegenen Kloster San Michele della Chiusa (Val d'Aosta)[346]. Kunibert hatte gegen die Wahl des Abtes Benedikt II. (1066–1091) Einspruch erhoben und ein bischöfliches Einsetzungsrecht geltend gemacht. Daraufhin appellierte das Kloster an den Papst, der den Fall von einer Synode verhandeln ließ. Bischof Kunibert verteidigte dabei seinen Anspruch mit großer Redegewandtheit, auch er vertraute wohl mehr auf die bischöfliche Solidarität als auf konkrete Rechtstitel[347]. Die Haltlosigkeit des Anspruchs wurde jedoch sofort erkannt, und Hildebrand machte sich zum Sprecher der Versammlung, indem er den Bischof mit Fragen und Vorwürfen überschüttete: »Quid est, episcope, quod loqueris? Ubi est sapientia tua? Tuumne dicis abbatem, tuique solius fore iuris? Qua auctoritate quaeso, aut qua ratione tuum asseris? Num possessio tua aut servus tuus est? Itane sacri canones animo exciderunt tuo? An putas nos ignorare illius loci tutelam ad Romanae ecclesiae sedem solummodo pertinere? Fundator nimirum ipsius monasterii, Hugo nomine, eiusdem loci curam beato Petro apostolo eiusque vicariis in aeternum commisit, et apostolicis privilegiis locus inde muniri promeruit.« Auffallend freundlicher und sanfter, gleichwohl in dieselbe Richtung zielend, klingen die beschwörenden Worte des »pius papa Alexander«: »Esto

---

345   KEHR: *IP* III, 8 Nr. *6.

346   MG SS 12, 196–208. Dazu GERHARD SCHWARTZ – ELISABETH ABEGG: *Das Kloster San Michele della Chiusa und seine Geschichtsschreibung.* In: NA 45 (1924) 235 ff.; WALTHER HOLTZMANN. In: WATTENBACH–HOLTZMANN–SCHMALE: *Deutschlands Geschichtsquellen im Mittelalter* III, 922 f.; GIUSEPPE SERGI: *La produzione storiografica di S. Michele della Chiusa.* In: BISI 81 (1969) 115–172; 82 (1970) 173–242, zu Wilhelm bes. 200 ff.

347   Diese Verhandlung ist auch erwähnt *Greg. Reg.* II 69 (CASPAR, 226; an Kunibert von Turin, 9. April 1075). Gregor VII. setzte dem Streit durch ein Dekret vom 24. Nov. 1078 ein für den Bischof nicht ungünstiges Ende, *Reg.* VI 6 (CASPAR, 406). Vgl. auch GIOVANNI TABACCO: *Dalla Novalese a s. Michele della Chiusa.* In: Monasteri in alta Italia dopo le invasioni saracene e magiare (sec. X–XII). Turin 1966, bes. 508 ff.; ferner SCHWARTZ: *Besetzung,* 131 ff.; FR. BAIX: *Benoit II, abbé de Cluse.* In: DHGE 8. Paris 1935, 200–203.

pacificus, fili Cuniberte, esto benignus. Compesce mentem; turbatus est enim prae furore oculus tuus. Revoca animum ab indignatione, quam non decet aliquatenus residere in sacerdotis pectore. Iniustum certe nobis videtur et intolerabile, locum illum nostro tantum commissum praesidio ac dictioni, quamvis tuae sit diocesis, tam inique vexari. Quapropter monemus, ut abbati iure ac regulariter electo paternum animum et affectum, ut te decet, exhibeas, atque consecrationem benigne impertias«[348].

Beide Reden sind gewiß von dem Mönch Wilhelm stilisiert, der in leidenschaftlicher Parteinahme über jenen Streit berichtet[349]. Dennoch kann man dieser Stelle nicht jede Aussagekraft absprechen[350]. Die Zuteilung der Rollen erfolgte nicht von ungefähr in dieser Weise. Der Verfasser konnte kein Interesse daran haben, nach der ersten Rede, der Hildebrands, die so vollkommen seinem eigenen leidenschaftlichen Temperament zu entsprechen scheint, eine zweite Stellungnahme von sich aus dem Papst in den Mund zu legen; die pietas Alexanders II. ist keine Erfindung des Vitenautors – sie ist nicht nur hier zu spüren. Die geschilderte Szene trägt so individuelle Züge, die mit dem, was wir bisher über Alexander und Hildebrand gehört haben, gut übereinstimmen, so daß die Annahme eines tatsächlichen derartigen Handlungsablaufs berechtigt ist. Daß der Vitenautor als junger Mönch sogar zur Begleitung seines Abtes gehört hatte und diese Ereignisse nach eigenem Erleben schilderte, ist nicht ausgeschlossen[351].

Wiederum vertritt Hildebrand die Seite der Mönche, hier die Freiheit des Klosters von bischöflichen Eingriffen[352]. Der Papst folgte ihm darin, doch die leidenschaftliche Rhetorik eines Hildebrand war nicht seine Sache; Ermahnungen und Appelle an die Einsicht des Bischofs dienten auch hier als Mittel, um die Reformideen, in diesem Falle die freie Abtswahl durch die Mönche, durchzusetzen.

Die Differenzen zwischen Papst und Archidiakon erstrecken sich nicht nur auf das Temperament, sondern beruhen auch auf unterschiedlichen kirchen-

---

348   *Vita s. Benedicti abbatis Clusensis* c. 3 (MG SS 12, 198 f.).

349   Vgl. die ähnlich stilisierten Reden c. 2, 6, 10 (ebd., 198, 201 f., 204). Zum literarischen Genus HANS-HERMANN SCHEPERMANN: *Über den Aufbau längerer direkter Reden in der mittelalterlichen Historiographie bis zum Beginn des 12. Jhs.* Diss. (masch.schr.) Bonn 1951, bes. 44 ff. und 100 ff.

350   MEYER VON KNONAU: *Jahrbücher* II, 434 Anm. 178, hält die Biographie für wertlos, was ihm nicht in jeder Hinsicht zuzugeben ist.

351   Zu den Selbstzeugnissen Wilhelms über seine Bekanntschaft mit Abt Benedikt II. vgl. SERGI: *La produzione storiografica.* In: BISI 82 (1970) 179 ff.

352   Vgl. MEULENBERG: *Der Primat der römischen Kirche,* 110 ff.; TABACCO: *Dalla Novalese a s. Michele della Chiusa,* 516 ff.

politischen Einstellungen. In den drei Beispielen Chiusi, Florenz, S. Michele della Chiusa wurde das deutlich. Alexander, in der adligen Führungsschicht des laikalen wie geistlichen Bereichs verwurzelt, fühlte sich auch als Papst seinen Bischofskollegen solidarisch verbunden und suchte ihre Stellung bei der Durchführung der Kirchenreform zu schonen und so weit wie möglich gegen die von unten andrängenden Kräfte zu schützen. Volksbewegungen wie in Florenz oder Mailand konnte er nicht unterstützen, auch wenn es an sich um berechtigte Forderungen ging. Treffend bemerkt der Autor der zweiten Vita des Johannes Gualberti, daß die Bischöfe sich aus Furcht um ihre eigenen Positionen gegen die Vallombrosaner Mönche gestellt hätten[353], denn mit dem Angriff auf Petrus Mezzabarba sahen sie nicht so sehr den simonistischen Bischof getroffen als vielmehr die eigene Stellung in Gefahr.

Schon an den bisher vorgeführten Episoden ließen sich unterschiedliche Persönlichkeitsgrundzüge erkennen. Noch deutlicher treten sie in den beiden folgenden Situationen ans Licht.

e) Der Brief I 16 des Petrus Damiani

Petrus Damiani gesteht in einem Brief an Alexander und Hildebrand vom Frühjahr 1064, daß er ohne Wissen des päpstlichen Hofes den Erzbischof von Köln aufgefordert habe, zur endgültigen Beilegung des Cadalus-Schismas eine allgemeine Kirchenversammlung einzuberufen. Die Reaktion von Papst und Archidiakon auf die Hinterbringung dieses Schrittes war ganz unterschiedlich, aber jeweils aufschlußreich. Aus dem Entschuldigungsschreiben, dem Brief I 16[354], den Damiani wegen seines eigenmächtigen Vorgehens nach Rom richtete, ist die übereinstimmende Ablehnung seiner Initiative durch Alexander und Hildebrand ersichtlich. »Gleichwohl, scheint mir«, so schreibt Damiani, »hat der eine mich mit dem Zuspruch väterlicher Liebe umschmeichelt, der andere mit feindlichen Schmähungen mich schrecklich bedroht. Der eine von euch umstrahlt mich wie die Sonne mit dem Schimmer feurigen Glanzes, der andere bläst mich an mit stürmischem Hauch wie wütender Nordwind«[355]. Gleich der

---

353　Vita s. Johannis Gualberti c. 5 (MG SS 30/II, 1106).

354　PETRUS DAMIANI: ep. I 16 (PL 144, 235–237). Diesem Brief hatte Damiani das Schreiben an Anno von Köln beigelegt, ep. III 6 (PL 144, 293–295). Zur Datierung DRESSLER: Petrus Damiani, 238 (1064 März – April); LUCCHESI: Per una vita II, 59 ff., 149 (quaresima 1064). Zur Sache vgl. MEYER VON KNONAU: Jahrbücher I, 379 f.; HERBERHOLD: Die Beziehungen des Cadalus, 102; JENAL: Anno von Köln, 209, 243.

355　PL 144, 236 B.

Sonne und dem Sturmwind, die miteinander wetteifern, wer sich den Wanderer gefügig mache, hätten sie sich die Rollen zugeteilt. Damiani aber erkennt mit der Parabel der Sonne den Siegespreis zu.

Während Hildebrand also, aufgebracht über den eigenwilligen Schritt Damianis, diesen seinen Unwillen in schroffer Weise spüren ließ, reagierte Alexander liebenswürdiger. In sachlicher Hinsicht ist er zwar von der Linie des Archidiakons nicht abgewichen, doch hat er die Differenzen offenbar nicht betont, den Bischof von Ostia vielmehr in freundschaftlicher Weise ermahnt. So jedenfalls stellt der Brief, aus dem allein wir über diese Angelegenheit wissen, die Situation dar. Suchen wir nach Motiven der unterschiedlichen Reaktionen, so mögen sie darin zu finden sein, daß auf der einen Seite Hildebrand durch die Initiative Damianis sein kirchenpolitisches Konzept durchkreuzt sah[356] und sich als Leiter der päpstlichen Politik diese unwillkommene Einmischung von dritter Seite verbat, daß andererseits Alexander Damianis Konzilsplan im Grunde gar nicht so fern stand und deshalb, wenn er auch Hildebrand folgen mußte, über den Differenzen die Freundschaft und einen verbindlichen Ton dem bewährten Mitstreiter in der Reformgruppe bewahrte.

Daß in der hier angesprochenen Frage der Konzilsberufung und der Urteilskompetenz im Schisma, die an den Kern des hildebrandinisch-gregorianischen Kirchenverständnisses rührt, Alexander II. dem Bischof von Ostia näher stand als seinem Archidiakon, zeigt sein weiteres Verhalten. Wie Damiani, der schon mit seiner Disceptatio synodalis die Diskussion um die Doppelwahl auf dem Augsburger Hoftag im Oktober 1062 vorbereiten, nicht aber als unzulässig bekämpfen wollte, so hatte auch der Papst eine Synode als Forum zur Prüfung der Papstwahlen und zur Überwindung des Schismas akzeptiert. Bereits auf einer Volksversammlung in Rom, dort allerdings mehr gezwungenermaßen, hatte er sich bereit erklärt, sich vor dem König zu rechtfertigen[357], und 1064 ist er tatsächlich auf der von Anno von Köln organisierten Synode in Mantua erschienen. Damit waren noch einmal ältere, zuletzt in Sutri und Rom 1046 praktizierte Verfahren der synodalen Feststellung von Recht und Unrecht einer Papstwahl als legitim anerkannt. Hildebrand hat an der Synode in Mantua nicht teilgenommen und sich – außer in der Zurechtweisung Damianis – nicht dazu geäußert. Vielmehr heißt der 19. Satz seines Dictatus papae: »Quod a

---

356 Vgl. MEYER VON KNONAU: *Jahrbücher* I, 379. ALBERT HAUCK: *Kirchengeschichte Deutschlands* III⁴. Leipzig 1920, 721, nimmt eine unzulässige Gewichtsverschiebung vor, wenn er von Alexander sagt, er habe in dem Brief Damianis an Anno von Köln einen gegen seine Autorität gerichteten Schlag erblickt. Vielmehr haben Alexanders und Damianis kirchenpolitische Vorstellungen weitgehend übereingestimmt; zu Damiani vgl. LÖWE: *Petrus Damiani*, bes. 68 ff.

357 BENZO VON ALBA: *Ad Heinricum IV imp.* II 2 (MG 11, 612 f.).

nemine ipse iudicari debeat«[358]. Dieses prinzipiell unterschiedliche Verständnis von der Stellung des Papstes in der Welt findet seinen Reflex im Damianibrief.

f) Kapitel IV der Vita Gregorii VII Pauls von Bernried

Eine stadtrömische Episode, die das Verhältnis des Papstes zum Archidiakon auf einer anderen Ebene beleuchtet, hat Paul von Bernried in seiner Lebensbeschreibung Gregors VII. überliefert[359]. Vor Alexander II. beklagte sich einmal ein armer Mann, daß ihm »ab iniquissimo et metuendae potentiae viro« seine Erbschaft geraubt worden sei. Der Papst aber habe Unannehmlichkeiten für sich befürchtet und deshalb gezögert, einen gerechten Urteilsspruch ergehen zu lassen. Zuerst soll darauf der »iustus Hiltebrandus« den Papst zur Bestrafung des Übeltäters zu ermutigen versucht haben, vermochte ihn aber nicht von seinem Kleinmut zu befreien. Daher forderte er kurzerhand vom Papst, daß ihm stellvertretend das Werk der Barmherzigkeit und Wahrheit anvertraut werde. Die Erlaubnis dazu erhielt Hildebrand sofort, und so konnte er nun das Anathem über den Räuber verhängen. Der aber hatte entweder keine Furcht vor dem Urteil, oder er zeigte sie nicht. Als er drei Tage später ausgelassen und übermütiger als gewöhnlich die Milizsoldaten musterte, wurde er plötzlich vom Blitz erschlagen. Soweit Pauls Schilderung.

Der Hintergrund dieser Begebenheit ist nur in schwachen Umrissen zu erkennen. Watterich vermutet in dem Übeltäter den römischen Stadtpräfekten[360], was aber unwahrscheinlich ist. Dagegen spricht weniger, daß die Miliz nicht zum Amtsbereich des Präfekten gehörte – er hatte in erster Linie eine richterliche Funktion[361], könnte aber die Befugnis über das Militär usurpiert haben. Während des Pontifikats Alexanders II. sind nur Johannes Tiniosus und sein Sohn Cencius im Präfektenamt bezeugt, beide von Hildebrand eingesetzt und beide Parteigänger der päpstlichen Seite. Allerdings gibt es zwischen dem

---

358   *Greg. Reg.* II 55 a (CASPAR, 206).

359   PAUL VON BERNRIED: *Vita Gregorii VII papae* c. 4 (WATTERICH: *Vitae* I, 475), um ca. 1128. Dazu JOSEF GREVING: *Pauls von Bernried Vita Gregorii VII. papae. Ein Beitrag zur Kenntnis der Quellen und Anschauungen aus der Zeit des Gregorianischen Kirchenstreites* (Kirchengeschichtliche Studien, 2/I). Münster 1893, bes. 13; HORST FUHRMANN: *Zur Benutzung des Registers Gregors VII. durch Paul von Bernried.* In: Studi Gregoriani 5 (1956) 299–312; HUG: *Elemente der Biographie,* 199–218; WALTHER HOLTZMANN. In: WATTENBACH–HOLTZMANN–SCHMALE: *Deutschlands Geschichtsquellen im Mittelalter* III, 851 f.

360   WATTERICH: *Vitae* I, 475 Anm. 3.

361   HALPHEN: *L'administration de Rome,* 16 ff.; THEODOR HIRSCHFELD: *Das Gerichtswesen der Stadt Rom vom 8. bis 12. Jh.* In: AUF 4 (1912) 473 ff.

9. März 1065 und dem 25. Februar 1072 eine Nachrichtenlücke, in der ein Stadtpräfekt urkundlich nicht belegt ist[362].

Es besteht Grund zur Annahme, daß mit dem »iniquissimus et metuendae potentiae vir« ein anderer Cencius, und zwar der Sohn des ehemaligen Stadtpräfekten Stephan, gemeint ist. Paul nennt diesen Cencius an anderer Stelle einen »vir in urbe perditionis filius, omnium hominum sceleratissimus et iniquissimus«, worauf eine Reihe von Schimpfnamen folgt, die ihn als gewalttätig und skrupellos charakterisieren sollen[363]. Auch Bonizo von Sutri berichtet von der »ferocitas animi«, die Cencius bei seinen Mitbürgern unbeliebt gemacht habe und ihn nur zur Hoffnung aller schlechten Elemente in der Stadt habe werden lassen[364]. Bei Berthold von Reichenau heißt er »malefactorum omnium primicerius«[365]. In diesen Äußerungen spiegelt sich natürlich der Parteienhaß, aber ganz verfehlt sind die Bezeichnungen offenbar nicht. Als führender Kopf der Cadaluspartei in Rom war er auch nach der Flucht des Gegenpapstes und nach dem Verlust der lange Zeit von ihm besetzt gehaltenen Engelsburg einer der mächtigsten Männer der Stadt[366]. Seinen Einfluß suchte Cencius gegen den Papst zur Geltung zu bringen, als er sich in den letzten Pontifikatsjahren Alexanders II. – freilich vergeblich – um die Präfektur bewarb. Im Jahr 1075 faßte er dann seine Anhänger noch einmal zu einer Aktion gegen Gregor VII. zusammen, die am Weihnachtstag zu schweren Mißhandlungen des Papstes führte, von dem darüber erzürnten Volk aber schnell beendet wurde. 1077 starb Cencius in Pavia, nachdem er vorher noch bei Heinrich IV. sein Glück zu machen versucht hatte[367].

Nach den Epitheta, die ihm von Anhängern der päpstlichen Seite beigelegt werden, und nach seiner Rolle zu urteilen, die er in Rom spielte, kann Cencius mit dem »iniquissimus et metuendae potentiae vir« identifiziert werden.

---

362 HALPHEN: *L'administration de Rome*, 149 f.; BORINO: *Cencio del prefetto Stefano*, 411 f.

363 PAUL VON BERNRIED: *Vita Gregorii VII* c. 45 (WATTERICH: *Vitae* I, 498). Dazu HUG: *Elemente der Biographie*, 204, 215 f.

364 BONIZO VON SUTRI: *Liber ad amicum* VII (MG Ldl 1, 603). Über die Benutzung Bonizos durch Paul vgl. GREVING: *Pauls von Bernried Vita*, 43; LUDOVICO GATTO: *Bonizone di Sutri e il suo Liber ad Amicum. Ricerche sull'età gregoriana* (Collana di saggi e ricerche, 2). Pescara 1968.

365 BERTHOLD VON REICHENAU: *Annales* a. 1077 (MG SS 5, 304).

366 Vgl. CARLO CECCHELLI: *Castel S. Angelo al tempo di Gregorio VII*. In: Studi Gregoriani 2 (1947) 105, 115 f.; HERBERHOLD: *Die Angriffe des Cadalus*, 500 f. Über die nicht geklärte Zugehörigkeit des Cencius zu den Creszentiern vgl. BORINO: *Cencio del prefetto Stefano*, 411 mit Lit. Vgl. auch PAOLO BREZZI: *Roma e l'impero medioevale (774–1252)* (Storia di Roma, 10). Bologna 1947, 245 ff.

367 BORINO: *Cencio del prefetto Stefano*, 431 ff.

In den Kapiteln 45 und 46 erwähnt Paul von Bernried dann eine Anathematisierung des Cencius, die Hildebrand »una cum adhuc vivente papa Alexandro« vorgenommen habe; der Grund dazu war die Mordtat an einem Verwandten[368]. Die Parallelität der Ereignisse in Kap. 4 und 45/46 ist auffällig, gegen ihre Identifizierung scheinen jedoch das unterschiedliche Delikt und der unterschiedliche Ausgang der Tat zu sprechen. Erbschaftsraub und Verwandtenmord können aber ihrem Motiv nach eng beieinander liegen, so daß die Annahme von zwei Versionen derselben Geschichte naheliegt.

Wichtiger als die Frage nach dem Hintergrund der in Kap. 4 geschilderten Ereignisse ist in unserem Rahmen das von Paul dargestellte Verhalten Alexanders und Hildebrands. Der Archidiakon ist wiederum der Handelnde; er versucht den Papst zu energischem Einschreiten gegen die römischen Mächtigen fortzureißen. Den Papst aber hält die »pusillanimitas spiritus«, der Kleinmut, vor einem kühnen Schritt zurück. Er fürchtet die Repressalien des Mächtigen, mit denen dieser unweigerlich antworten wird. Der Gewalt opfert der Papst damit Gerechtigkeit und Barmherzigkeit. Dieser Zurückhaltung des Papstes steht die Aktivität Hildebrands gegenüber. Ohne Rücksicht auf tatsächliche Machtverhältnisse, die ihm möglicherweise gefährlich werden könnten, vertritt er den Anspruch des Papsttums auf richterliche Gewalt. Seinem Aktivismus will oder kann Alexander keine Zügel anlegen: Hildebrand erhält die Erlaubnis, mit Kirchenstrafen gegen den Übeltäter vorzugehen. Damit wird klar, daß die Zurückhaltung des Papstes nicht etwa prinzipiell begründet ist, sondern allein auf seiner Ängstlichkeit, der »pusillanimitas spiritus«, beruht. Freilich ist zu beachten, daß dem Archidiakon auch sonst die richterlichen Aufgaben zufielen, offenbar infolge einer gewissen »Ressort«-Einteilung.

Das Bild Alexanders, das Paul von Bernried hier bietet, könnte natürlich tendenziös gefärbt sein in der Absicht, Hildebrand-Gregor VII. gegenüber seinem Vorgänger herauszustreichen. Dafür lassen sich aber aus dem Kontext der Vita keine Belege beibringen. Wenn auch Gregor VII. in seiner Bedeutung ausgiebig hervorgehoben wird als der »vir beatus ad ecclesiarum directionem a domino papa (Alexandro) destinatus«[369] oder als der Überwinder des Simon Magus und der nach ihm benannten Simonie[370], so ist das doch nicht auf Kosten Alexanders geschehen[371]. Lediglich eine Sukzessionsnotiz könnte Anstoß erregen. Paul schreibt, Heinrich IV. habe »mortuo Nicolao papa subintroduc-

---

368   PAUL VON BERNRIED: *Vita Gregorii VII* c. 45 f. (WATTERICH: *Vitae* I, 498); dazu GREVING: *Pauls von Bernried Vita*, 43 ff.
369   PAUL VON BERNRIED: *Vita Gregorii VII* c. 23 (WATTERICH: *Vitae* I, 482).
370   C. 25 (WATTERICH: *Vitae* I, 484).
371   Farblose Erwähnungen in c. 21, 23, 26, 58, 61 (WATTERICH: *Vitae* I, 482, 484, 505, 507), Sukzession und Register Alexanders II. betreffend; s. dazu auch unten 227 ff.

toque sanctae memoriae Alexandro« in einer Wahnsinnstat Cadalus von Parma zum Papst erhoben[372]. Der Ausdruck »subintroductus« ist schon Greving aufgefallen, der aber mit Recht betont, daß hier schwerlich eine Verwendung im negativen Sinne vorliegt[373]. Durch die formelhafte, trotzdem nicht inhaltsleere sancta memoria wird die negative Wortbedeutung ausgeschlossen.

g) Gregors VII. Äußerungen über seine Vorgänger

In seinen Briefen erinnert Gregor VII. wiederholt an Entscheidungen, die zur Zeit Alexanders II. unter seinem Einfluß getroffen wurden[374]. Neben Übereinstimmung steht auch Kritik an seinen Vorgängern. Mehrmals taucht der Vorwurf der Nachlässigkeit (negligentia) auf, mit der frühere Päpste gewisse, zumeist am Rande des orbis latinus gelegene Landeskirchen behandelt hätten[375]. Gregor und seine Vorgänger zurück bis Clemens II. zielten mit ihrer Kritik nicht auf ganz bestimmte Päpste, sondern gewöhnlich auf die Zeiten politischen und moralischen Niedergangs und Tiefstandes des Papsttums und leiteten daraus die Berechtigung ab zur Kassierung von Privilegien einerseits, zur Proklamierung neuer Rechtstitel in Gebieten, die bis dahin etwas abseits gelegen hatten, andererseits[376].

---

372 C. 61 (Watterich: *Vitae* I, 507).

373 Greving: *Pauls von Bernried Vita*, 54 Anm. 3.

374 *Greg. Reg.* I 13, II 29, II 51, II 75, II 77, IV 1, VII 23 (Caspar, 21, 162, 192, 238, 240, 290, 499); JL 4999 (Cowdrey: *Epistolae vagantes*, 32 Nr. 14). Die Stellung eines Papstes zur Regierungstätigkeit seines Vorgängers ist für Innozenz III. untersucht von Volkert Pfaff: *Der Nachfolger: Das Wirken Coelestins III. aus der Sicht von Innozenz III.* In: ZRG Kan. Abt. 60 (1974) 121–167.

375 Z. B. *Greg. Reg.* I 17 (Caspar, 27): Böhmen; I 29 (Caspar, 46): Sardinien; IV 28 (Caspar, 343): Spanien; JL 5072 (Leo Santifaller: *Quellen und Forschungen zum Urkunden- und Kanzleiwesen Papst Gregors VII.* I [Studi e testi, 190]. Città del Vaticano 1957, 174 Nr. 153): Bretagne. Vgl. auch Erdmann: *Kreuzzugsgedanke*, 360 Anm. 13.

376 Z. B. Clemens II. an Abt Rohing von Fulda: »Nonnulli in hac summa sede pontifices, qui tyrannide pravorum coacti hoc (die Pontifikalien) indigne vestrę ac ceteris diversis concesserunt ęclesiis, quod sanctorum patrum sanctionibus constat esse diversum«, JL 4134; dazu Konrad Lübeck: *Die Fuldaer Äbte und Fürstäbte des Mittelalters* (31. Veröffentlichung des Fuldaer Geschichtsvereins). Fulda 1952, 95 f.; Ders.: *Das Kloster Fulda und die Päpste in den Jahren 1046–1075.* In: Studi Gregoriani 1 (1947) 461 ff. – Leo IX. für S. Maria in Perugia: »cassamus et evacuamus illa pręcepta, quę a Benedicto (IX) et Gregorio (VI) iniustis pontificibus Andreę episcopo Perusino collata sunt«, JL 4157. – Leo IX. für S. Sophia in Benevent, wo der Papst »iniuriam et superbiam Romanorum pontificum et dominorum imperatorum« kritisiert, JL 4276. – In JL 4425 Nikolaus' II. für S. Felicità in Florenz sind mit den Vorgän-

Gregor VII. hat – soweit erkennbar – in zwei Fällen von Alexander ausgestellte Privilegien zurückgenommen, aber beide Male wird die Verantwortlichkeit des Papstes für die anstößigen Erlasse verschleiert, dieser vielmehr als Opfer von Erschleichung und Täuschung hingestellt [377]. Alexander selbst mußte einmal bekennen, daß von ihm ein Diplom »suggestione quorundam« erschlichen sei [378]. Die Feststellung Gregors, sein Vorgänger habe sich gelegentlich durch äußere Einflüsse zur Erteilung unrechtmäßiger Privilegien bereitgefunden, läßt erkennen, daß Hildebrand nicht an allen Entscheidungen beteiligt war.

---

gern die Florentiner Bischöfe gemeint: »monasterium ... sanctae Felicitatis ..., quod nostra episcopalis simplex adhuc dispensatio quorumdam praedecessorum nostrorum negligentia destructum ... reaedificare curavit ex integro«.

377   *Greg. Reg.* VII 24 (CASPAR, 502): »Alexander contra sanctorum patrum statuta aliqua surreptione vel deceptione inductus«; zur Kassierung des Vogteiprivilegs für Hirsau vgl. BERNHARD MESSING: *Papst Gregors VII. Verhältnis zu den Klöstern.* Diss. Greifswald 1907, 7; HANS HIRSCH: *Studien über die Privilegien süddeutscher Klöster des 11. und 12. Jhs.* In: MIÖG Erg.bd. 7 (1907) 519 ff.; HERMANN JAKOBS: *Die Hirsauer. Ihre Ausbreitung und Rechtsstellung im Zeitalter des Investiturstreites* (Kölner historische Abhandlungen, 4). Köln 1961, 38, 93. – *Greg. Reg.* IX 19 (CASPAR, 599 f.): Vollmacht für einen Legaten, ein Privileg Alexanders zu kassieren, wenn es »contra iustitiam« erlassen sei, »quia prephato antecessori nostro a malitia quorumdam, sicut ipse nosti, nonnumquam subreptum est«, vgl. SCHIEFFER: *Legaten in Frankreich,* 136. – Dieselbe Entschuldigung findet Petrus Damiani für Leo IX.: »Et quid mirum, si Domino meo tantis oppresso negotiis versuta calliditas hominum subrepere potuit«, ep. I 4 (PL 144, 208); dazu DRESSLER: *Petrus Damiani,* 106.

378   JL 4575; KEHR: *IP* VII/2, 57 Nr. 96. Dazu PAUL KEHR: *Rom und Venedig bis ins XII. Jh.* In: QFIAB 19 (1927) 101 ff.

ZUSAMMENFASSUNG

Im Unterschied zu Gregor VII. hat Alexander II. die Phantasie von Mit- und Nachwelt kaum zur Legendenbildung angeregt. Allein drei Geschichtsschreiber des 11. und 12. Jahrhunderts, zwei in der Lombardei, einer im normannischen Bec, haben versucht, dem Bild dieses Papstes etwas Farbe zu verleihen. Für die Historiographie der Benzo von Alba und Landulf von Mailand ist mittlerweile geklärt, daß sie Anselms Verhältnis zur Pataria tendenziös zu einer Urheberschaft an der Mailänder Volksbewegung zugespitzt haben. Dieser Nachweis brauchte in vorliegender Studie zur Biographie Alexanders II. nicht erneut geführt zu werden; an verschiedenen Stellen war nur darauf hinzuweisen, wie wenig Anselm-Alexanders späteres Verhalten tatsächlich zu einem früheren Patariaführer paßt. Ausführlich zu behandeln war dagegen die Beccer Quelle über Anselms Schülerverhältnis zu Lanfrank. Was der normannische Mönch des 12. Jahrhunderts, Milo Crispinus, mit wenigen Worten ausdrückte, mußte in weitläufiger Argumentation geprüft werden, und die dazu heranzuziehenden zeitgenössischen Belege ließen erkennen, daß man in Bec keineswegs frei fabuliert hat, sondern daß eine Reihe von Tatsachen in realiter nicht vorhandene Beziehungen gebracht wurden. Diese von der Beccer Tradition geschaffenen Fehldeutungen waren aufzuklären, was zum Ergebnis hat, daß aus Alexanders Vita der normannische Aufenthalt zu streichen ist. Ein dritter Punkt schließlich, der königliche Kapellanat, ist das Ergebnis moderner Quelleninterpretation; bei genauerem Hinsehen ließ sich auch hier feststellen, daß die Mailänder Jahre Anselms weniger bewegt verlaufen sind, als bisher geglaubt wurde. Die Untersuchungen über Anselms Beziehungen zur Pataria, zur Klosterschule Lanfranks in Bec und zur deutschen Hofkapelle brachten also negative Ergebnisse, und damit fallen die wichtigsten Punkte aus, an denen eine Biographie des Papstes in seinen Jugendjahren hätte anknüpfen können. Erst als Bischof von Lucca erhält Anselm da Baggio deutlichere Konturen in der Überlieferung.

Seine Anfänge als Luccheser Bischof unterscheiden sich nicht merklich von denen vieler anderer Reichsbischöfe. Vom Kaiser erhielt er sein Bistum, vom Papst – möglicherweise – die Weihe; Herzog Gottfried, in dessen toskanischer Hauptstadt er residieren sollte, war an seiner Erhebung beteiligt. Mit behutsamen Maßnahmen betrieb Anselm in seiner Diözese die Reform des kirchlichen Lebens, und richtet man den Blick allein auf die Diözesanregierung, so unterscheidet er sich nicht von seinem Amtsvorgänger oder anderen Bischöfen seiner Zeit. Doch nicht in Lucca lag der Schwerpunkt seiner Tätigkeit. Ein schiefes Bild gewinnt, wer diese Jahre seines Lebens lediglich unter dem Luccheser Aspekt betrachtet. Einen Großteil seiner Zeit widmete Anselm mindestens im Anfang seines Episkopats nicht seinem Bistum, sondern der römischen Reformergruppe. Als Legat des Papstes an den deutschen Hof kam Anselm intensiv mit den aufbrechenden Konflikten zwischen beiden Mächten in Berührung. Seine Gabe zu vermitteln und auszugleichen tritt schon hier hervor; sie ließ ihn zum Vertreter derjenigen Männer werden, die in der Nachfolge Leos IX. in Zusammenarbeit mit dem Königtum die Kirche reformieren wollten.

Und hier liegt auch sein Papsttum begründet. Nicht Gegnerschaft zum deutschen Königtum führte zu seiner Wahl, sondern die Absicht, nach vorausgegangenen Zerwürfnissen wieder einzulenken. In diesem Sinne faßte er, Papst geworden, Amt und Berufung auf. Die Einzelheiten der Wahl und Inthronisation lassen erkennen, daß der Widerstand und die Unruhen, die Alexander II. in Rom empfingen, durchaus traditionell waren und im wesentlichen aus den Adelskreisen Roms und der Campagna kamen. Neu war im Herbst 1061, daß die römische, gegen das von Nichtrömern getragene Papsttum gerichtete Opposition aus ihrem städtischen Rahmen heraustrat und Verbündete suchte, vor allem im deutschen König, wobei die Römer den zurückliegenden Konflikt zwischen Königshof und Nikolaus II. für die eigenen Interessen auszumünzen trachteten. Die für italienische Angelegenheiten am Hof der Kaiserinwitwe Agnes maßgebliche Persönlichkeit war zu dieser Zeit der Kanzler Wibert, der mit der Wahl des Cadalus von Parma zum Papst lombardische und wohl auch eigene ehrgeizige Pläne verfolgte. Darin lag von Anfang an die Schwäche dieses Gegenpapsttums, daß es von den verschiedenen Seiten mit völlig unterschiedlichen Absichten begründet worden war. Hinzu kam, daß die Reformgruppe in Anselm von Lucca einen Kandidaten präsentieren konnte, der in Deutschland als Mann des Ausgleichs und einer königsfreundlichen Politik bekannt war.

Auf dem Erhebungsvorgang im weiteren Sinne, der bis zur endgültigen Anerkennung Alexanders II. auf der Synode von Mantua 1064 reicht, liegt ein Schwerpunkt vorliegender Studien. Die Inthronisierung in der Nacht vom 30. September auf den 1. Oktober 1061 war nicht nur Anlaß zum zeitgenössischen Vorwurf der unrechtmäßigen Besitzergreifung des Stuhles Petri, sondern auch zu unterschiedlichen Angaben über den Pontifikatsbeginn. Aus dem nicht einheitlichen Gebrauch von Tagesbeginn und -ende im kirchlichen und römischen Recht ist diese Divergenz zu erklären. Die Inthronisierungszeremonie selbst fand, ohne an eine bestimmte Kirche oder an einen bestimmten Thron gebunden zu sein, in S. Pietro in Vincoli statt, für welche Kirche sich allerdings im 11. Jahrhundert eine gewisse Tradition in dieser Hinsicht herausgebildet hatte. Seit Gregor V. (996–999) war der Namenswechsel der Päpste üblich geworden. Während in anderen Fällen Motive und Urheber der Namenswahl kaum erkennbar sind, läßt sich für Alexander II. eine Verehrung seines gleichnamigen Vorgängers bis in die Anfänge seiner Luccheser Bischofszeit zurückverfolgen; jedoch war diese Devotion nicht so stark ausgeprägt, daß sie zu einer weiteren Verbreitung eines Alexanderkultes geführt hätte.

Ein weiterer Schwerpunkt lag auf der Untersuchung des Verhältnisses zwischen Alexander und den Mitgliedern der Reformgruppe seiner Zeit. Dabei stellte sich zunächst heraus, daß dieser Papst kaum den Versuch gemacht hat, ihm von Lucca her vertraute Männer in der neuen Umgebung zu Regierungsaufgaben heranzuziehen und sich dadurch von der römischen Reformgruppe wenigstens in bescheidenem Maße unabhängig zu machen, wie das bei seinem Vorgänger Nikolaus II. festzustellen war, der Florentiner Geistliche als Stützen seiner Herrschaft eingesetzt hatte. Vielmehr setzte Anselm-Alexander als Papst sein bereits vorher entwickeltes, keineswegs auf selbständige Geltung abzielendes Verhalten gegenüber dem Reformkreis fort. Dabei ließ sich mit Beginn seines Pontifikats eine Änderung in der Struktur dieses Kreises erkennen. Die mehr von kollegialischem Verhalten geprägte Gruppe bildete sich um zu einem von Hildebrand geführten und in der Hauptsache nach seinen Intentionen ergänzten Regierungsorgan. In der abwägenden Gegenüberstellung des Papstes und seines Archidiakons war somit die Persönlichkeit Alexanders II. zu erfassen. Situationen, die sich zum Teil nur in der Auffassung einiger Zeitgenossen widerspiegeln, ließen Züge eines Persönlichkeitsbildes hervortreten, die in ihrer Parallelität trotz möglicher Unzuverlässigkeit der Berichterstatter als Reflexe tatsächlicher Mentalität verstanden werden können. Diese Belege für bestimmte Einstellungen der Umwelt gegenüber stammen alle aus der letzten Phase von Alexanders Leben. Entwicklungen waren daher nicht zu erwarten; dagegen ließen sich die Wurzeln der Verhaltensweisen aufzeigen.

Die beiden Gruppen, denen Anselm angehört hatte, der hohe Mailänder Adel und der italienische Reichsepiskopat, zählten soziologisch im wesentlichen zu derselben Schicht. Insofern hatte Anselm eine einheitliche Prägung erfahren, die sich in der Verteidigung spezifischer Gruppeninteressen auswirkte: Bei den zu seiner Zeit aufbrechenden Konflikten zwischen der Bischofskirche und den von der neuen Frömmigkeit geleiteten Mönchs- und Klerikergemeinschaften stellte er sich auf die Seite der Bischöfe. Gleichwohl der römischen Kirchenreform verpflichtet, sah er im Ausgleich extremer Forderungen und Standpunkte das reformerische Anliegen gesichert.

ANHANG:

DAS REGISTER ALEXANDERS II.

Die Kanzlei Alexanders II. hat mit Sicherheit ein Register geführt[1]. Seine Spuren sind, wenn auch nicht reichlich vorhanden, so doch deutlich genug zu erkennen. Einige Stücke daraus sind in Kanonessammlungen übergegangen; ihre Inskriptionen weisen auf die Herkunft aus dem Register Alexanders hin, andernorts wird das Register als Quelle der Historiographie benutzt. Im folgenden werden die Benutzer chronologisch vorgestellt.

Kardinal Deusdedit († 1098/99)

Die älteste Registerbenutzung findet sich in der Kanonessammlung des Kardinals Deusdedit[2]. Als Angehörigem des Reformkreises um Gregor VII. und Viktor III. († 16. September 1087), dem er sein Werk gewidmet hat, stand ihm das päpstliche Archiv zur Verfügung. Ob Deusdedit das Register Alexanders II. direkt benutzt hat, ist fraglich. Wahrscheinlicher ist, daß er die Alexanderstücke

---

1 Eine Übersicht über die erhaltenen Papstregister bei MARTINO GIUSTI: *Studi sui registri di bolle papali* (Collectanea Archivi Vaticani, 1). Città del Vaticano 1968, 19 ff., 133 ff.; Lit. 123 ff. Zum Problem des Registers Gregors VII. und der Registrierung überhaupt, auf das hier nicht einzugehen ist, vgl. WILHELM M. PEITZ: *Das Originalregister Gregors VII. im Vatikanischen Archiv (Reg. Vat. 2) nebst Beiträgen zur Kenntnis der Originalregister Innozenz' III. und Honorius' III.* Wien 1911; FRIEDRICH BOCK: *Annotationes zum Register Gregors VII.* In: Studi Gregoriani 1 (1947) 281–306; LEO SANTIFALLER: *Beiträge zur Geschichte der Beschreibstoffe im Mittelalter mit besonderer Berücksichtigung der päpstlichen Kanzlei I* (MIÖG Erg. bd. 16/I). Graz 1953, 38 ff., 94 ff.; F. BOCK: *Gregorio VII e Innocenzo III. Per un confronto dei Registri Vaticani 2 e 4–7 A.* In: Studi Gregoriani 5 (1956) 243–279; GIOVANNI BATTISTA BORINO: *Può il Reg. Vat. 2 (Registro di Gregorio VII) essere il registro della cancelleria?* In: Studi Gregoriani 5 und 6 (1956; 1959–61); dazu FRIEDRICH KEMPF. In: Handbuch der Kirchengeschichte III/1, 421, mit Lit.; ferner ALEXANDER MURRAY: *Pope Gregory VII and his Letters.* In: Traditio 22 (1966) 149 ff., und die kritische Rez. von HANS MARTIN SCHALLER. In: DA 24 (1968) 242; RUDOLF SCHIEFFER: *Tomus Gregorii papae. Bemerkungen zur Diskussion um das Register Gregors VII.* In: AfD 17 (1971) 169–184; HARTMUT HOFFMANN: *Zum Register und zu den Briefen Papst Gregors VII.* In: DA 32 (1976) 86–130.

2 Hg. von VICTOR WOLF VON GLANVELL. Paderborn 1905. Dazu mit der Lit. FUHRMANN: *Einfluß* II, 522 ff.

zusammen mit anderem Material aus einer von Theodor Sickel für 1083–1086 erschlossenen Privilegiensammlung übernommen hat, die Ernst Perels als »eine auf breiter Basis – wahrscheinlich vornehmlich auf Grund der päpstlichen Register – gefertigte grosse kanonistische Sammlung« bestimmt hat[3]. Deusdedit hat in seine Collectio canonum sechs Stücke aus dem Alexanderregister aufgenommen. Zwei davon, Deusd. III 268 und 269[4], sind Exzerpte aus Briefen an die Könige von Dänemark und England und betreffen den Lehnszins in deren Ländern. Von diesen Fragmenten durch ein Stück Gregors VII., gleichfalls an Wilhelm von England adressiert und mit demselben Thema, getrennt, folgt Deusd. III 271, das wiederum dem Register Alexanders II. entnommen ist; darin handelt es sich um die Auftragung zweier Kastelle des katalanischen Grafen Raimundus Guillelmi von Urgel an den hl. Petrus, die der Graf dann für sich und seine Erben gegen eine Zinszahlung als Lehen zurückerhielt[5].

Dem Register Alexanders ist ferner Deusd. III 64 entnommen, worin die Zehntpflicht der Christen behandelt wird[6]. Gegenüber der Parallelüberlieferung in der Collectio Britannica[7] und im Libellus contra invasores et symoniacos reliquos scismaticos[8] des Deusdedit zeigt Deusd. III 64 die für diese Sammlung typischen redaktionellen Eingriffe von Kürzungen und Wortumstellungen. Da der Libellus gegenüber der früher entstandenen Kanonessammlung eine

---

3 THEODOR SICKEL: *Das Privilegium Otto I. für die römische Kirche vom Jahre 962.* Innsbruck 1883, 77 ff.; ERNST PERELS: *Die Briefe Papst Nikolaus' I.* 2. Teil. In: NA 39 (1914) 85 Anm. 3; LOHRMANN: *Register Johannes' VIII.*, 114 Anm. 91; dazu mit der späteren Lit. FUHRMANN: *Einfluß* II, 517 f., 524.

4 WOLF VON GLANVELL, 378; sie stehen innerhalb der langen Reihe der Besitztitel der römischen Kirche. Zur Sache KARL JORDAN: *Das Eindringen des Lehnswesens in das Rechtsleben der römischen Kurie.* In: AUF 12 (1931) 56 f.; DERS.: *Das Reformpapsttum und die abendländische Staatenwelt.* In: Die Welt als Geschichte 18 (1958) 134 ff.

5 WOLF VON GLANVELL, 379. Die Reihung erfolgt also nach Adressaten und nicht nach Ausstellern. Zur Sache PAUL KEHR: *Das Papsttum und der katalanische Prinzipat bis zur Vereinigung mit Aragon* (Abhandlungen der Preuss. Akademie der Wissenschaften, Jg. 1926, Philos.-hist. Klasse Nr. 1). Berlin 1926, 28. Die Identifikation des Grafen Raimund stößt auf Schwierigkeiten, vgl. ebd., 29 Anm. 1; EWALD: *Papstbriefe*, 349, und PAUL FABRE: *Étude sur le Liber Censuum de l'église romaine.* Paris 1892, 118, korrigieren wortlos in Wilhelm Graf von Urgel; vgl. auch ODILO ENGELS: *Schutzgedanke und Landesherrschaft im östlichen Pyrenäenraum (9.–13. Jh.)* (Spanische Forschungen der Görresgesellschaft, 2. Reihe 14). Münster 1970, 234 f. mit Anm. 430.

6 WOLF VON GLANVELL, 294.

7 Coll. Brit. Al. II ep. 35 (EWALD: *Papstbriefe*, 335). Dieses ist übrigens das einzige Stück, das beide Sammlungen gemeinsam haben, was EWALD: *Papstbriefe*, 350, übersah. Die Britische Sammlung und der Libellus Deusdedits haben ferner gemeinsam Coll. Brit. Al. II ep. 34 (LÖWENFELD: *Epistolae ineditae*, 51 Nr. 102) = *Libellus* III 2 (verkürzt; MG Ldl 2, 343).

8 *Libellus* III 2 (MG Ldl 2, 342).

ausführlichere Fassung der Alexanderdekretale bietet, muß Deusdedit bei seiner Niederschrift noch einmal direkt auf jene Zwischensammlung zurück-gegriffen haben, die er schon für die Collectio canonum benutzt hatte, ohne aber die dort angewandte Kürzungstechnik zu übernehmen. – Am nächsten Stück, Deusd. IV 95, das der Libellus gleichlautend bringt[9], ist die komprimie-rende Exzerpierungsmethode ebenfalls zu erkennen, denn zu diesem Fragment ist das vollständige Mandat an Klerus und Volk der Luccheser Kirche im Origi-nal erhalten[10], und die Registerüberlieferung wird unabhängig von Deusdedit noch von Gratian repräsentiert[11]. – Schließlich trägt noch Deusd. IV 423[12] die Inskription »ex registro papę Alexandri«, und zwar ist dieses Stück der Eid, den Wibert von Ravenna 1073 dem Papst beim Empfang des Palliums in Rom geschworen hat. Der Text steht in einer Gruppe von sieben weiteren Eid-formeln, Deusd. IV 420–427, die – außer der ersten und letzten Formel – den In-skriptionen zufolge aus dem Register Gregors VII. stammen[13]. Wie im Gregor-register waren also auch im Register Alexanders II. Eidformeln aufgenommen.

Ein zweiter, Alexander geschworener Eid ist Deusd. III 288 verzeichnet. Auch dieses Formular steht in einer Gruppe von sechs Eiden und einer Investi-turformel (Deusd. III 283–289)[14], die bis auf das erste Stück, den Eid des Prokurators des Patrimonium Petri (Deusd. III 283), die päpstliche Lehnsherr-schaft über die Normannenfürsten Robert Guiskard sowie Richard und Jordan von Capua in Süditalien betreffen. Als Empfänger der Eide werden die Päpste Nikolaus II., Alexander II. und Gregor VII. genannt. Im Gegensatz zur Formel-gruppe des vierten Buches fehlen hier Inskriptionen, und es liegt tatsächlich keine Übernahme aus Papstregistern vor, wenn auch Deusd. III 286 und 287, der Vasalleneid Robert Guiskards vor Gregor VII. und die Investiturformel dieses Papstes für Robert, im Register Gregors VII.[15] verzeichnet sind. Daß Deusdedit die Formulare nicht aus dem Gregorregister übernommen hat, son-

---

9   Deusd. IV 95 (WOLF VON GLANVELL, 442) = *Libellus* II 19 (MG Ldl 2, 338).

10   Lucca, Archivio Capitolare. JL 4722; KEHR: *IP* III, 389 Nr. 7.

11   C. 1 qu. 3 c. 9 (FRIEDBERG I, 415 f.).

12   WOLF VON GLANVELL, 599. Dazu THEODOR GOTTLOB: *Der kirchliche Amtseid der Bi-schöfe* (Kanonistische Studien und Texte, 9). Bonn 1936, 42 ff.; DEÉR: *Papsttum und Norman-nen*, 65 ff.

13   Eine ausführliche Quellenanalyse der Coll. can. liegt noch nicht vor. PEITZ: *Original-register*, 133 ff., 246 ff.; CHARLES LEFEBVRE: *Deusdedit*. In: Dictionaire de Droit Canonique 4. Paris 1949, 1186–1191; ALPHONSUS M. STICKLER: *Historia iuris canonici latini* I. Turin 1950, 172 ff.; FUHRMANN: *Einfluß* II, 522 ff.

14   WOLF VON GLANVELL, 392–396, mit irreführenden Datierungen und Kennzeichnungen redaktioneller Eingriffe Deusdedits durch den Herausgeber, vgl. PEITZ: *Originalregister*, 136. Analyse der Normanneneide bei DEÉR: *Papsttum und Normannen*, 63 ff.

15   *Greg. Reg.* VIII 1 a und 1 b (CASPAR, 514–516).

dern aus einer Formelsammlung, die die Normanneneide seit 1059 zusammengestellt hatte, geht aus den übrigen Texten Deusdedits hervor, deren Adressaten Nikolaus II. und Alexander II. waren[16]. Soweit sich erkennen läßt, sind in die von Deusdedit benutzte Formelsammlung die Eide in der Form aufgenommen worden, in der sie erstmalig für die Fürstentümer Apulien und Capua geschworen wurden, also mit den Namen der 1059 und 1061 eidleistenden und eidempfangenen Personen. Eine Eidwiederholung bei Herrenfall wurde lediglich dann verzeichnet, wenn im Formular des Vasalleneides Änderungen vorgenommen waren, und auch nur diese Änderungen wurden notiert, während im übrigen mit dem üblichen »ut supra« auf den vorausgehenden Text verwiesen wurde[17]. Bei Eidwiederholung wegen Mannfall, was in unserer Zeit allein im Capuaner Fürstentum eintrat, als Jordan seinem Vater Richard nachfolgte, ist das Formular auf die Nennung des neuen Lehnsmannes und des eidempfangenden Papstes sowie die Actumzeile reduziert[18]. Das Register Gregors VII. hat die Eide, die in seiner Zeit abgelegt wurden, natürlich in der aktualisierten Form verzeichnet[19]. Daß die Normanneneide des Pontifikats Alexanders II. neben der erschlossenen Formelsammlung auch in das Register dieses Papstes eingetragen waren, ist in Analogie zum Gregorregister durchaus möglich.

Von den Briefregistern sind die von Deusdedit mehrfach benutzten »tomi carticii« zu unterscheiden[20], die unter verschiedenen Päpsten erworbene Besitztitel der römischen Kirche in knappster Form verzeichneten. Offenbar waren sie eine besondere Art von Registern, die unter Fortlassung aller formelhafter Bestandteile lediglich die rechtserheblichen Extrakte von Schenkungsurkunden, Verträgen und dergleichen aneinanderreihten und vermutlich bis ins 12. Jahrhundert von der päpstlichen Kanzlei geführt wurden. An einer Stelle hat

16   Deusd. III 284: Lehnszinsverpflichtung Robert Guiskards gegenüber Nikolaus II., Melfi August 1059. Deusd. III 285: Vasalleneid Robert Guiskards vor Nikolaus II., Melfi August 1059. Deusd. III 288: Vasalleneid Richards von Capua vor Alexander II., Lateran 2. Okt. 1061.

17   Deusd. III 286: Vasalleneid Robert Guiskards vor Gregor VII., Ceprano 29. Juni 1080; vollständige Fassung *Greg. Reg.* VIII 1 a. Vgl. auch JOSEF DEÉR: *Das Papsttum und die süditalienischen Normannenstaaten, 1053–1212* (Historische Texte. Mittelalter, 12). Göttingen 1969, 32.

18   Deusd. III 289: Vasalleneid Jordans von Capua vor Gregor VII., Ceprano 10. Juni 1080. Zum Datum PEITZ: *Originalregister*, 138 f.

19   *Greg. Reg.* I 21 a: Vasalleneid Richards von Capua vor Gregor VII., Capua 14. Sept. 1073; entspricht Deusd. III 288. *Greg. Reg.* VIII 1 a: dazu s. Anm. 15. *Greg. Reg.* VIII 1 c: Lehnszinsverpflichtung Robert Guiskards gegenüber Gregor VII., Ceprano 6. Juni 1080; entspricht Deusd. III 284.

20   R. SCHIEFFER: *Tomus Gregorii papae*, 169 ff.

Deusdedit den aus dem Pontifikat Alexanders II. stammenden »tomus carti-
cius« benutzt[21].

Collectio Britannica

Die größte zusammenhängende Zahl von Registerexzerpten bietet die Collectio
Britannica[22] mit 87 Stücken, die Paul Ewald in annähernd chronologischer
Abfolge auf die Jahre 1061 bis 1067 meinte verteilen zu können[23]. Die Fragmente sind allerdings nicht homogen. Zwischen Alexanderbriefen ist ein Schreiben an den Papst eingereiht, dessen Aufnahme sich aber aus dem engen sachlichen Zusammenhang mit dem unmittelbar folgenden Stück rechtfertigt[24]; die
Beamten Gregors VII. haben gleichfalls gelegentlich den Kanzleieinlauf registriert. Bei zwei Nummern, Coll. Brit. Al. II ep. 67 und 87[25], fehlt die sonst
übliche Adresse; sie verzeichnen unter der Inskription »ex registro eiusdem
(sc. Alexandri)« Depositionen von insgesamt sieben Bischöfen, wobei die
Namen der Betroffenen, die gegen sie erhobenen Anklagepunkte, das Urteil
und die Strafen registriert werden. Ewald hat erkannt, daß dies keine Briefe
sind, »sondern entweder ... Synodalacten oder noch wahrscheinlicher ...
Uebersichten der grossen Ereignisse«[26]. Er stellt sie in eine Reihe mit dem »Jahresschlußbericht« für das erste Pontifikatsjahr Gregors VII. und – wie er
meint – ähnlichen Eintragungen im Register Gregors I. sowie im Abschnitt
über Urban II. in der Collectio Britannica. Aus der Inskription der Fragmente
Coll. Brit. Al. II ep. 67 und 87 »ex registro eiusdem« meinte Ewald ferner
ihren Platz im Register Alexanders II. und ihre absolute Zeitstellung fixieren
zu können. Er behauptete nämlich, daß »ex registro«-Inskriptionen nur den

---

21   Deusd. III 203 (WOLF VON GLANVELL, 361 f.); dazu R. SCHIEFFER: *Tomus Gregorii
papae*, 179 f.

22   P. EWALD: *Die Papstbriefe der Brittischen Sammlung*. In: NA 5 (1880) 275–414, 505
bis 596. Die bis dahin nicht edierten Stücke sind hg. von S. LÖWENFELD: *Epistolae Pontificum
Romanorum ineditae*. Leipzig 1885. Vgl. auch EWALD: *Zu den Papstbriefen der Brittischen
Sammlung*. In: NA 6 (1881) 452–454; THEODOR MOMMSEN – HARRY BRESSLAU: *Bemerkungen
zu den Papstbriefen der Britischen Sammlung*. In: NA 15 (1890) 187–193; FOURNIER – LE BRAS:
Histoire des collections canoniques II, 155 ff.; STICKLER: *Historia iuris canonici latini* I, 175;
STEPHAN KUTTNER: *Urban II and the Doctrine of Interpretation*. In: Studia Gratiana 15
(1972) 55 ff., mit Zweifeln an der Zuverlässigkeit der Coll. Brit. bes. 74; vgl. auch ULLMANN:
Law and Politics, 138 Anm. 1 (Lit.).

23   EWALD: *Papstbriefe*, 326–352; dazu BRESSLAU. In: NA 15, 189.

24   Coll. Brit. Al. II ep. 29 (LÖWENFELD: *Epistolae ineditae*, 48 f.). Zu registerfremden
Stücken im Register Gregors VII. vgl. BOCK: *Annotationes*, 283 mit Anm. 4, 285 mit Anm. 8.

25   EWALD: *Papstbriefe*, 340, 343 (LÖWENFELD: *Epistolae ineditae*, 45 Nr. 87; 58 Nr. 118;
MANSI: *Collectio* XIX, 978). Zu diesen Stücken s. auch oben 190 ff.

26   EWALD: *Papstbriefe*, 348.

jeweils ersten Briefen der Registerbücher beigegeben sein könnten, da ein Kopist den Buchtitel, der das Wort »registrum« oder »ex registro« enthielt, mit dem Titel des ersten Briefes verschmolzen habe[27]. Diese Theorie wird ergänzt durch die Feststellung, daß der Beginn von Registerbuch und von Indiktion am 1. September zusammenfallen. Dadurch lassen sich nach Ewald die mit einer »ex registro«-Inskription versehenen Registerstücke der Collectio Britannica in die nächste Nähe des 1. September datieren[28].

Ewald hat seine Registerforschung bei dem Register Gregors I. begonnen[29], in dem Buch- und Indiktionsbeginn tatsächlich übereingestimmt haben, wie von Johannes Diaconus, dem Biographen Gregors des Großen, bezeugt wird[30]. Das Register Johannes' VIII. dürfte nach demselben Schema angelegt gewesen sein. Galt aber im 11. Jahrhundert, als im Pontifikat Alexanders II. nach über 150jähriger Pause die Registerführung wieder aufgenommen wurde, das Einteilungsprinzip nach Indiktionen immer noch? Das Register Gregors VII. und alle späteren bekannten Register sind jedenfalls nach Pontifikatsjahren gegliedert[31]. Da die Kontinuität des leitenden Kanzleipersonals unter Alexander II. und Gregor VII. feststeht[32], ist anzunehmen, daß die Registerführung unter Alexander II. denselben Grundsätzen folgte, die unter Gregor VII. zur Anwendung kamen. Die von Ewald allerdings nicht ausdrücklich angenommene Abfolge, daß die Kanzlei ihre Einteilungsmethoden zwischen Alexander II. und Gregor VII. von Indiktionen auf Pontifikatsjahre umgestellt habe und unter Urban II. noch einmal zum Indiktionsprinzip zurückgekehrt sei, um anschließend sich endgültig nach den Pontifikatsjahren zu richten, ist unbedenklich abzulehnen. Damit wird die Fixierung der »ex registro«-Stücke auf den Indiktionsbeginn hinfällig[33].

---

27 EWALD: *Papstbriefe*, 317 f.

28 EWALD: *Papstbriefe*, 348 f.

29 P. EWALD: *Studien zur Ausgabe des Registers Gregors I.* In: NA 3 (1878) 433–625. Dazu dann WILHELM M. PEITZ: *Das Register Gregors I.* Freiburg i. Br. 1917; vgl. auch LOHRMANN: *Register Johannes' VIII.*, bes. 95 ff.

30 JOHANNES DIACONUS: *Vita Gregorii Magni* IV 71 (PL 75, 223); dazu LOHRMANN: *Register Johannes' VIII.*, 185 f.

31 JULIUS VON PFLUGK-HARTTUNG: *Über Archiv und Register der Päpste.* In: ZKG 12 (1891) 274; BRESSLAU: *Handbuch der Urkundenlehre²* I, 108; WALTHER HOLTZMANN: *Die Register Papst Alexanders III. in den Händen der Kanonisten.* In: QFIAB 30 (1940) 38 f., u. ö. Zu BOCKS These (*Gregorio VII e Innocenzo III*, 243), daß das Register Nikolaus' I. Gregor VII. als Modell gedient habe, wie dessen Register wiederum Innozenz III. vgl. KEMPF. In: Handbuch der Kirchengeschichte III/1, 421.

32 Vgl. SANTIFALLER: *Saggio*, 183 ff. (Bibliothekar Petrus), 192 f. (Notar und Skriniar Rainer). Vgl. auch LOHRMANN: *Register Johannes' VIII.*, 106 f.; HOFFMANN: *Zum Register*, 92 ff.

33 So auch LOHRMANN: *Register Johannes' VIII.*, 161 Anm. 21.

Ist Ewalds andere These, daß diese Stücke jeweils am Anfang eines Registerbuches standen, haltbar? Wiederum geht Ewald von seinen Beobachtungen am
Register Gregors I. aus [34]. Darin gibt es tatsächlich Additamenta, die keine
Briefe sind, und zwar Reg. II 1, VIII 36 (Schlußkapitel), XIII 1 [35]. Allenfalls
ließe sich die erste Nummer als Depositionsnotiz mit den beiden Alexander-
stücken vergleichen. Ereignisübersichten sind sie aber alle nicht; Reg. VIII 36
steht nicht einmal in zeitlichem Zusammenhang mit seiner Umgebung. Die
Herausgeber des Registers Gregors I. halten die beiden letzten Stücke VIII 36
und XIII 1 für spätere, in das Register eingefügte chronikalische Zusätze. Die
Urbanexzerpte der Coll. Brit. sind gleichfalls mit Stücken narrativen Inhalts
vermischt, die eng zu den jeweils folgenden Briefen gehören und deren Materie
erläutern [36]. Die Zusammenstellung und kanonistische Verarbeitung von Decreta und Gesta, das heißt Auszügen aus Papstbriefen und dem Liber Pontificalis, findet sich seit der Zeit Gregors VII. mehrfach [37]; von »Uebersichten der
grossen Ereignisse« kann auch hier keine Rede sein. Die fraglichen Alexanderstücke sind vielmehr Synodalprotokolle, die den Prozeßgang vom Anklage-
punkt bis zum »synodale iudicium« in aller Kürze zusammenfassen. In Anlage
und Inhalt entsprechen sie also den Synodalnotizen im Register Gregors VII. [38],
die nach ihrem Datum eingereiht und nicht erst am Jahresende oder gar am
Jahresanfang eingetragen sind. Die »ex registro«-Inskriptionen finden somit
ihre einfache Erklärung darin, daß sie ohne jeden weiteren Anspruch statt der
sonst üblichen, hier aber aus dem Charakter der Stücke nicht möglichen Brief-
adressen vom Exzerptor gesetzt sind [39].

Ivo von Chartres

Hier soll nicht die Überlieferung der Alexanderbriefe in den kanonistischen
Sammlungen verfolgt werden. So viel ist seit langem bekannt, daß eine oder
wahrscheinlich mehr als eine Materialsammlung existiert hat, die – vergleich-

---

34   EWALD: *Studien zur Ausgabe des Registers Gregors I.*, 597 ff., u. ö.
35   Ed. P. EWALD – L. M. HARTMANN. MG Epp. 1, 101; Epp. 2, 38 f., 364 f., mit den Anm.
36   Coll. Brit. Urb. II ep. 8, 11, 17, 28, 44 (EWALD: *Papstbriefe*, 354 ff.).
37   Beispiele bei HORST FUHRMANN: *Ein Papst Ideo (zu Collectio Lipsensis, tit. 27,5).* In:
Études d'Histoire du Droit Canonique dédiées à Gabriel Le Bras I. Paris 1965, 90 f. Zur Auf-
arbeitung des Archivmaterials durch die gregorianischen Kanonisten vgl. PAUL FOURNIER: *Un
tournant de l'histoire du droit (1060–1140).* In: Nouv. Revue d'Hist. de Droit français et
étranger 41 (1917) 129–180, bes. 142 ff.
38   *Greg. VII Reg.* II 52 a, VI 17 a § 5, VIII 20 a; in subjektiver Form III 10 a, V 14 a,
VII 14 a. Der »Jahresschlußbericht« *Reg.* I 85 a ist natürlich kein Synodalprotokoll wie die beiden Alexanderstücke der Coll. Brit.
39   Vgl. auch schon VON PFLUGK-HARTTUNG: *Archiv und Register*, 274 f.

bar der Collectio Britannica, aber wohl umfangreicher als diese – aus dem päpstlichen Archiv und damit auch aus dem Register Alexanders direkt schöpfen konnten[40]. Eine derartige Zwischenquelle hat Ivo von Chartres reiches Alexandermaterial vermittelt, das jedoch nicht über den Bestand der Collectio Britannica hinausgeht[41]. Näheren Aufschluß über das Aussehen des Registers erhalten wir bei Ivo nicht. Unzutreffend ist Ewalds Bestimmung des Alexanderexzerpts Decretum IX 10, das hier den Zusatz »cap. 103« trägt, als »103. Brief des liber II« des Registers Alexanders II.[42]. Wenn im Register Gregors VII. nicht einmal in den friedlichen Anfangsjahren seines Pontifikats eine derartig hohe Zahl von Ausgängen auch nur annähernd erreicht wurde, kann sie allein doch noch keinen Verdacht erwecken, da die Jahresleistung der gregorianischen Kanzlei fraglos höher lag, als im Register dokumentiert ist[43].

Aus dem Zusatz »cap. 103« bei Ivo, Decr. IX 10 Vermutungen über den Umfang des entsprechenden Registerbuches Alexanders II. abzuleiten, ist nicht angängig. Wie auch an anderen Stellen im Dekret Ivos[44] ist diese Zahl aus einer Zwischenquelle eingeflossen, in der das Stück diese Numerierung trug.

Paul von Bernried und das Register am Monte Soratte

Über den Verbleib des Registers Alexanders II. ist kaum etwas Sicheres festzustellen. Paul von Bernried, der 1122/23 in Rom weilte und Material für seine Vita Gregorii VII sammelte, nennt das »registrum« bzw. die »libri Alexandri« unter seinen Quellen[45]. Diese Nachricht muß aber konfrontiert werden mit

---

40 FOURNIER – LE BRAS: *Histoire des collections canoniques* II, 46.
41 Vgl. EWALD: *Papstbriefe*, 350. Zu Ivo mit der Lit. FUHRMANN: *Einfluß* II, 542 ff.
42 EWALD: *Papstbriefe*, 349 mit Anm. 1.
43 Die höchste Zahl wird in Buch II mit 77 Nummern erreicht; Buch I mit 85 Nummern reicht über vierzehn Monate. Zu MURRAY: *Pope Gregory VII and his Letters*, bes. 153 ff., der die Zahl der nicht in das Register aufgenommenen Briefe sicher zu niedrig schätzt, vgl. die Rez. von H. M. SCHALLER. In: DA 24 (1968) 242, und die ausführliche Kritik bei HOFFMANN: *Zum Register*, 110 ff.
44 IVO: *Decr.* IX 6, mit dem Zusatz »cap. 55«, der auf *Panormia* VII 55 hinweist, vgl. EWALD: *Papstbriefe*, 349 Anm. 1. In den Kanonessammlungen finden sich dazu zahlose Parallelen.
45 C. 58 (WATTERICH: *Vitae* I, 505): »sicut in registro Alexandri papae scriptum reperitur«; c. 61 (ebd., 507): »eiusdem patris Alexandri libri testantur«. Vgl. auch FUHRMANN: *Zur Benutzung des Registers Gregors VII. durch Paul von Bernried*, 301 Anm. 7. Zum Datum von Pauls Romaufenthalt J. MAY: *Leben Pauls von Bernried*. In: NA 12 (1886) 340 f.; WALTER WACHE: *Eine Sammlung von Originalbriefen des 12. Jhs. im Kapitelarchiv von S. Ambrogio in Mailand*. In: MÖIG 50 (1936) 302. Ferner BORINO: *Può il Reg. Vat. 2 ...* In: Studi Gregoriani 6 (1959–61) 364 f.; DERS.: *Il Registro della cancelleria di Gregorio VII era costituito dalla trascrizione delle lettere in volume*. In: Studi Gregoriani 6, 390.

einer Notiz, die die Phantasie schon vieler Forscher angeregt hat. Denn offenbar zur selben Zeit, als Paul von Bernried das Register in Rom benutzen
konnte, soll es in einem Prozeß an der Kurie als Beweismittel eine Rolle gespielt
haben.

In einem Zeugenverhör, das gegen Ende der siebziger Jahre des 12. Jahrhunderts vor dem kanonistisch gebildeten Kardinallegaten Laborans[46] in der
mehrhundertjährigen Streitsache der Bischöfe von Arezzo und Siena um die
von beiden beanspruchten Investiturrechte an einigen Pfarrbezirken stattfand[47],
berichteten mehrere Zeugen über hier interessierende Einzelheiten einer früheren Prozeßetappe, und zwar des Jahres 1125. Den Aussagen[48] zufolge habe der
damalige Bischof Guido von Arezzo (1114/15 – ca. 1128)[49] von einem Manne,
in dem er den Titelheiligen seiner Kathedrale S. Donato zu erkennen meinte,
den Rat bekommen, für seine Beweisführung vor Papst Honorius II. (1124–
1130) ein Buch anzufordern, das am Monte Soratte aufbewahrt werde[50] und
in dem die »diffinitiva sententia super controversia« enthalten sei. Von den
acht Zeugen, die von dieser Episode Kenntnis hatten, bezeichneten zwei (3, 13)
das Buch vom Monte Soratte als »registrum«; der eine davon, Baccalarinus
(13), erinnerte sich sogar, daß es das »registrum pape Alexandri« war, in dem
sich das Placitum zugunsten der Aretiner Kirche gefunden habe.

Drei Zeugen (3, 4, 24) wollen die Geschichte von Bischof Guido selbst so-

---

46   JOHANN FRIEDRICH VON SCHULTE: *Die Geschichte der Quellen und Literatur des cano-
nischen Rechts* I. Stuttgart 1875, 148 f.; STEPHAN KUTTNER: *Repertorium der Kanonistik*
(Studi e testi, 71). Città del Vaticano 1937, 267 f.; ELFRIEDE KARTUSCH: *Das Kardinalskollegium in der Zeit von 1181–1227*. Diss. Wien 1949, 269 ff.

47   UBALDO PASQUI: *Documenti per la storia della città di Arezzo nel medio evo* I (Documenti di storia italiana, 11). Florenz 1899, 519–573 Nr. 389; KEHR: *IP* III, 156 Nr. 58, zu
1178–1181. Zur Sache DAVIDSOHN: *Geschichte von Florenz* I, 399 ff. S. auch oben 56 ff.

48   Im ganzen sind 87 Protokolle erhalten; aber nur in acht ist von dem Verfahren von
1125 die Rede: Zeugenaussagen in S. Quirico d'Orcia (Diöz. Arezzo; REPETTI: *Dizionario* V,
112 ff.): Homodei de Romena, Priester (Zeuge 3, PASQUI, 524 f.); Petrus de Monte Gerlone,
Priester (Z. 4, PASQUI, 525 f.); Zeugenaussagen in Arezzo: Baccalarinus, Bürger in Arezzo
(Z. 13, PASQUI, 533 f.); Mannus, Eisenschmied und Bürger in Arezzo (Z. 18, PASQUI, 536 f.);
Aldibrandinus de Civitella (Z. 24, PASQUI, 539 f.); Rolandi Fraga, Priester (Z. 25, PASQUI,
540 f.); Grundulus de Teguleto (Z. 30, PASQUI, 542 f.); Urso de Balbo (Z. 55, PASQUI, 555).
Tegoleto und Civitella im Val-di-Chiana liegen 11 bzw. 18 Kilometer sw. von Arezzo;
S. Quirico d'Orcia gehörte mit zu den umstrittenen Pfarreien. Bei PAUL MARIA BAUMGARTEN
(*Zum Register Alexanders II*. In: RQ 9 [1895] 183 f.) und seiner Vorlage (ANGELUS LAUREN-
TIUS GRAZINI: *Vindiciae SS. Martyrum Arretinorum dissertatio*. Rom 1755, 72 f.) ist die Aus-
sage des Baccalarinus (13) mit der des Aldibrandinus (24) verschmolzen.

49   SCHWARTZ: *Besetzung*, 203; vgl. auch KEHR: *IP* III, 152–154 Nr. 31–40.

50   Z. 3: »in ecclesia post altare«; Z. 18: »intra cancellos ad manum dexteram super unum
legium«.

gleich nach dessen Rückkehr aus Rom erfahren haben, drei weitere (13, 25, 30) nennen einen Begleiter des Bischofs, der an der Buchbeschaffung unmittelbar beteiligt gewesen war, als ihren Gewährsmann; in einem Fall (18) ist noch ein Zwischenträger eingeschaltet, und vom Hörensagen kennt ein letzter Zeuge (55) die Geschichte. Über den Transport des Codex nach Rom gehen die Zeugenaussagen auseinander: Entweder war der Bischof selbst zum Monte Soratte geritten und hat das Buch unter Hinterlegung eines Pfandes erhalten (3, 24), oder er hat einen Boten beauftragt, seinen Familiaren Guilelminus (13, 25), den Vater des Zeugen Baccalarinus, der allerdings in einer Aussage (18) nur den Zwischenträger des ganzen Berichtes spielte. Den Zeugen 13 und 25 zufolge hatte der Bischof einen Freund aus Capranica bei Sutri, Gualfredus de Papa[51], gebeten, ihm das Register zu verschaffen. Der Zeuge Baccalarinus (13) behauptete nun, daß sein Vater Guilelminus, der »litteratus« gewesen sei, in dem Buch das entscheidende »capitulum prefate sententie« gefunden habe. Honorius II. soll diese Sentenz dann bestätigt haben, worauf der im Streit mit Siena obsiegende Aretiner Bischof Guido das Register mit nach Hause genommen habe, um auf einer Synode seinem Klerus das Beweisstück vorlesen (3) und anschließend eine Abschrift des Codex anfertigen zu lassen (4, 25 mit Abschrift schon in Rom). Dann erst wurde das Register zum Soraktekloster zurückgeschickt.

Diese Erzählung gibt zwei Fragen auf. Einmal: Wieweit ist sie glaubhaft? Und dann: Was hat man sich unter dem Registrum Alexandri, das in einem der Klöster am Sorakte aufbewahrt wurde, vorzustellen? Vorausgeschickt sei, daß die Nachricht von diesem Aufbewahrungsort vielfach Glauben gefunden hat. Bresslau und andere sehen es als gesichert an, daß »damals gewisse päpstliche Archivalien, insbesondere ein Band der Register Alexanders II., sich gar nicht in Rom befanden, sondern am Berge Soracte, wie man vermuten darf, in dem hier befindlichen St. Silvesterkloster verwahrt wurden; man hat dieselben jedenfalls in den stürmischen Zeiten des Investiturstreits hierher gebracht«[52] – eine phantasievolle Kombination, die aus dem einen Band gleich einen ganzen Fonds macht und auch den Anlaß zur Einrichtung der Dependenz des päpstlichen Archivs zu bestimmen weiß. Kehrs Stellungnahme in der Italia Ponti-

---

51 Capranica an der Via Cassia wurde von Bischof Guido auf dem Rückweg von Rom nach Arezzo als Zwischenstation benutzt; offenbar stand er in guten Beziehungen zu Gualfredus de Papa, vgl. Zeugenaussage 54 (PASQUI, 554).

52 BRESSLAU: *Handbuch der Urkundenlehre*[2] I, 155, mit der Lit. So auch schon GIOVANNI BATTISTA DE ROSSI: *La biblioteca della Sede Apostolica ed i cataloghi dei suoi manoscritti*. In: Studi e documenti di storia e diritto 5 (1884) 344 f.; FRIEDRICH THANER: *Zur rechtlichen Bedeutung der päpstlichen Register*. In: MIÖG 9 (1888) 411 f.

ficia ist nicht voll zu erkennen; er scheint nicht so recht an diese »fabella«, wie er sie nennt, glauben zu wollen[53].

Das Urteil Honorius' II. vom 5. Mai 1125 liegt in JL 7210 vor[54]. Danach fanden kurz hintereinander zwei Gerichtssitzungen statt. Zum ersten Termin am 8. März 1125[55] hatten beide Parteien, Guido von Arezzo und Gualfred von Siena, ihre Beweismittel vorgelegt. Gualfred berief sich vornehmlich auf ein Versäumnisurteil Papst Nikolaus' II. von 1059 gegen den Aretiner Bischof, das ihn in den Besitz der strittigen Pfarreien eingewiesen hatte[56] und das nach einem Jahr in ein Sachurteil übergegangen sei, da die Gegenpartei innerhalb dieser Frist eine Wiederaufnahme des Verfahrens nicht beantragt hatte. Guido von Arezzo dagegen wies eine Reihe von Papst- und Königsurkunden vor, darunter ein Diplom Alexanders II., die die fraglichen Pfarreien seiner Kirche zusprachen. In der Verhandlung vom 8. März 1125 ging es dann vor allem um die Frage, ob der Bischof von Siena nach dem Kontumazialurteil von 1059 rechtskräftig mit den Pfarrbezirken investiert worden sei[57]. Als das mit Hilfe justinianischer Rechtssätze bestätigt war, wurde Gualfred der Besitz erneut zugesprochen.

An dieser Stelle liegt nun der Einschnitt im Verfahren. Guido von Arezzo muß neues Material herangeschafft haben, denn zwei Monate später, am 5. Mai 1125, konnte er eine Revision des Urteils erwirken[58]. Nicht vor dem Konsistorium wie im März, sondern vor delegierten Richtern fand die zweite Gerichtssitzung statt, in der die Aretiner Advokaten in bemerkenswerter Distinktion erklärten, daß die Kirche als Rechtsperson nicht für ein Versäumnis ihres Bischofs haftbar gemacht werden könne. Der Bischof wird also nicht als der Herr der Kirche, sondern als ihr Prokurator, als Geschäftsführer hingestellt, und insofern sind zum Schaden des Auftraggebers, hier der Kirche und ihres Patrons, ausgeführte Rechtsgeschäfte und natürlich auch zum Schaden des Herrn unterlassene Rechtsgeschäfte und daraus sich ergebende Folgen nichtig[59]. Von dieser Argumentation überzeugt, änderte das Richterkollegium den frühe-

53   KEHR: *IP* III, 144, Anm. zu Nr. *38.

54   KEHR: *IP* III, 154 Nr. 40; PASQUI, 438 f. Nr. 322. Zum folgenden vgl. VINCENZO LUSINI: *I confini storici del vescovado di Siena.* In: Bullettino senese di storia patria 8 (1901) 195 ff.

55   KEHR: *IP* III, 154 Nr. *39.

56   KEHR: *IP* III, 151 Nr. 25; PASQUI, 265 Nr. 186.

57   ENRICO BESTA: *Il diritto romano nella contesa tra i vescovi di Siena e d'Arezzo.* In: ASI 5. ser. 37 (1906) 71 ff., zur »investitura salva querela«.

58   JL 7210; KEHR: *IP* III, 154 Nr. 40.

59   Codex Iustinianus 7, 32, 12. In den Drucken von JL 7210 (KEHR: *IP* III, 154 Nr. 40) ist die Inskription der Lex falsch aufgelöst zu »Imperator Iustinus Augustus Iohanni Pape« statt richtig: »Imperator Iustinianus Augustus Iohanni prefecto pretorio«. Vgl. auch BESTA: *Il diritto romano,* 72 ff., 77 Anm. 1 (mit falschen Identifikationen der Leges; richtig so: C. 7,

ren Spruch zugunsten der Aretiner Kirche ab und ließ das neue Urteil im Konsistorium bestätigen.

Aus diesem von JL 7210 berichteten und hier etwas abgekürzt wiedergegebenen Prozeßverlauf ergibt sich folgendes: Es fand eine Prozeßunterbrechung statt, und es gab neue wirksame Einwendungen der Aretiner Partei, die in der Zwischenzeit beigebracht werden konnten; aufgrund der neuen Argumente erfuhr das Verfahren eine Wendung zugunsten der Kirche von Arezzo. Die Aretiner Advokaten haben ihre Argumente nicht aus dem Bereich des formellen, sondern dem des materiellen Rechts bezogen. Das ist zu beachten, wenn man nach der Art des neuen Materials fragt. Sie haben die schon vorher benutzten justinianischen Pandekten und den Codex erneut herangezogen und darin für sie brauchbare Rechtssätze gefunden, an die sie ihre Deduktion, daß die Kirche nicht für Versäumnisse ihres Bischofs haftet, anhängen konnten.

Nach den Zeugenaussagen stellt sich der Prozeßverlauf erheblich anders dar. Danach wäre man formalrechtlich vorgegangen, indem die Aretiner eine frühere »sententia definitiva« vorgelegt hätten, mit der die Causa im Grunde schon früher rechtskräftig abgeschlossen war. Viktor II. und erneut Alexander II. hatten entsprechend ihrem für Arezzo positiven Schlußurteil der Sieneser Kirche ein Wiederaufnahmeverfahren verboten[60]. Hier liegt die Bedeutung des Alexanderdiploms für Bischof Guido, die auch von seinem geheimnisvollen Ratgeber erkannt war. Somit traf der Zeuge Baccalarinus völlig das Richtige,

---

50, 1; C. 7, 52, 1; C. 7, 50, 3; C. 8, 4, 7; Dig. 4, 2, 13; Dig. 41, 2, 3, 3; Dig. 41, 2, 23 Javolenus statt Celsus; Dig. 41, 2, 1, 21; Dig. 41, 2, 3, 1; C. 7, 39, 8, 3; C. 7, 32, 12). – Zu den Beziehungen Gualfreds von Siena zum römischen Recht vgl. HERMANN FITTING: *Pepo in Bologna.* In: ZRG Rom.Abt. 23 (1902) 33; für Arezzo vgl. BESTA: *Il diritto romano,* 61 ff., und G. SANTINI: *Ricerche sulle »Exceptiones legum romanorum«. Contributo alla storia dei »Libri legales« e delle »scuole giuridiche« di età preirneriana* (Pubblicazioni del Seminario Giuridico della Università di Bologna, 53). Mailand 1969, 120 f., u. ö.; verwandtschaftliche Beziehungen zu dem Bologneser Rechtslehrer und Hofrichter Lothars III., Walfred († 1146/51; JOHANNES FRIED: *Die Entstehung des Juristenstandes im 12. Jh.* [Forschungen zur neueren Privatrechtsgeschichte, 21]. Köln 1974, 89), erscheinen erwägenswert; zu Bischof Gualfreds literarischer Tätigkeit SCHWARZMAIER: *Lucca,* 339 ff. Vgl. auch HORST FUHRMANN: *Das Reformpapsttum und die Rechtswissenschaft.* In: Vorträge und Forschungen, 17. Sigmaringen 1973, bes. 193 f. – Die Diskussion der hier anklingenden Korporationslehre wurde erst von der Kanonistik des 13. Jhs. in ganzer Breite aufgenommen, vgl. PIERRE GILLET: *La personnalité juridique en droit ecclésiastique spécialement chez les Décrétistes et les Décrétalistes et dans le Code de droit canonique.* Malines 1927; ferner WALTER ULLMANN: *The Delictal Responsibility of Medieval Corporations.* In: The Law Quarterly Review 64 (1948) 77–96; BRIAN TIERNEY: *Foundations of the Conciliar Theory.* Cambridge 1955, bes. 117 ff.

60 Zu Viktor II. (JL 4370; KEHR: *IP* III, 150 Nr. 21) s. oben 56 f. Alexanders II. Urteil ist enthalten in JL 4676; KEHR: *IP* III, 151 Nr. 27; zur Echtheit KEHR, a.a.O., Anm., und SANTIFALLER: *Saggio,* 411, gegen LUSINI: *I confini storici.* In: Bullettino senese di storia patria 7 (1900) 450 ff., und BESTA: *Il diritto romano,* 74 mit Anm. 4.

als er gerade das Register Alexanders als Beweismittel nannte. Ein späterer Papst hat kein Schlußurteil mehr gefällt; von Paschalis II. stammt lediglich eine allgemeine Besitzbestätigung[61]. Dreierlei ist aber an den Zeugenaussagen verdächtig: 1) Die Urkunde Alexanders II. (JL 4676), übrigens auch die Paschalis' II., ist noch heute als Original im Aretiner Kommunal- bzw. Kapitelarchiv zu finden. Ihretwegen hätte man nicht zum Sorakte schicken müssen. 2) JL 4676 lag nach dem Bericht Honorius' II. schon in der ersten Prozeßphase im März 1125 dem Papst vor; sie kann also nicht das prozeßentscheidende Stück gewesen sein, das man am Sorakte gefunden haben will. Bei den im März 1125 vorgewiesenen Aretiner Dokumenten rangiert sie unauffällig in der Reihe der sonstigen Papstprivilegien. 3) Formalrechtlich hätte man das Wiederaufnahmeverfahren Bischof Gualfreds von Siena schon unter Papst Calixt II.[62] mit der Alexanderurkunde entscheiden können, als der dann erst unter Honorius II. abgeschlossene Prozeß seinen Anfang nahm. Es erstaunt also, daß die Alexanderurkunde erst 1125 hervorgezogen wurde und daß Bischof Guido von ihrer Existenz vorher nichts gewußt haben soll.

Diese Unstimmigkeiten ergeben sich aus der Konfrontierung der Zeugenaussagen mit dem Prozeßbericht in JL 7210 Honorius' II. Doch die Zeugenaussagen, weit voneinander entfernt in Arezzo und in S. Quirico d'Orcia abgegeben, stimmen in gewissem Sinne erstaunlich gut zusammen, so daß eine legendarische Ausschmückung des bezeugten Vorganges nicht leicht anzunehmen ist. Die Wendung in der zweiten Phase des Prozesses war offenbar kaum noch erwartet worden; die Produzierung des neuen Beweismaterials und dessen positive Würdigung durch die delegierten Richter hatte etwas Überraschendes, Unerklärliches, Zufälliges an sich, so daß die Aretiner ihren Ortsheiligen Donatus dafür verantwortlich machten. Für sich genommen ist das, wie auch der Hinweis auf die »sententia definitiva« des Alexanderdiploms, dessen Bedeutung bereits erörtert wurde, durchaus sinnvoll und verständlich. Deshalb sei das angebliche »registrum Alexandri« noch kurz betrachtet. Wenn das Silvesterkloster am Sorakte tatsächlich einen Registerband der Kanzlei Papst Alexanders II. besessen haben sollte, ergeben sich daraus – läßt man einmal die Problematik der Registrierung von Privilegien[63] außer acht – verschiedene Fragen, die gestellt werden müssen, sich aber kaum befriedigend klären

---

61   JL 6477; Kehr: *IP* III, 152 Nr. 30.
62   Vgl. Kehr: *IP* III, 152 f. Nr. 31–37.
63   Vgl. Klewitz: *Das »Privilegienregister« Gregors VII.* In: AUF 16 (1939) 413 ff. (wiederabgedruckt in dess.: *Ausgewählte Aufsätze zur Kirchen- und Geistesgeschichte des Mittelalters.* Aalen 1971, 331 ff.); Borino: *Può il Reg. Vat. 2 (Registro di Gregorio VII) essere il registro della cancelleria?* In: Studi Gregoriani 5 (1956) bes. 394 ff.; Lohrmann: *Register Johannes' VIII.*, 166 ff.; Hoffmann: *Zum Register*, 98 ff.

lassen. War der Codex tatsächlich Teil eines ausgelagerten Fonds, wie Bresslau meinte[64], oder ein Einzelstück, vielleicht eine Abschrift, nach römischer Vorlage von den Mönchen aus bestimmter Absicht gefertigt, so, wie Guido von Arezzo davon wieder eine Kopie genommen haben soll?

Wegen seiner geographischen Lage und seiner Abhängigkeit vom stadtrömischen Kloster S. Paolo fuori le Mura[65] wäre das Silvesterkloster als Auslagerungsort für in Rom gefährdete Archivalien – etwa zur Zeit des Normannensturmes in den achtziger Jahren des 11. Jahrhunderts – sicher geeignet gewesen, wenn man überhaupt unterstellen will, daß es derartige konservatorische Absichten damals gegeben hat. Es läßt sich sonst kein einziger Beleg dafür beibringen, daß irgendwelche Archivalien aus Sicherheitsgründen aus Rom ausgelagert worden wären; in der Stadt freilich wurden sie gelegentlich an festen Plätzen verwahrt[66], im allgemeinen aber gingen sie bei städtischen Katastrophen mit ihren üblichen Aufbewahrungsstätten zugrunde. Bresslaus Vermutung ist also abzulehnen.

Wenn der Codex von S. Silvestro aber eine Kopie des Alexanderregisters gewesen ist, wie etwa Montecassino eine Abschrift des Registers Johannes' VIII. besaß[67], hätte man 1125 das Original in Rom einsehen können und nicht zum Sorakte schicken müssen. Denn das römische Register dürfte erst am Anfang des 13. Jahrhunderts mit dem päpstlichen Archiv zusammen untergegangen sein.

Diese Ungereimtheiten ergeben sich allein aus den Zeugenaussagen und verstärken jene Verdachtsmomente, die sich bei der Konfrontierung der Zeugenaussagen mit dem Prozeßbericht Honorius' II. eingestellt hatten. Abschließend ist festzuhalten, daß die Nachricht vom Register Alexanders II. auf dem Monte Soratte, von einem Zeugen allein als solches bezeichnet, trotz einzelner situationsgerechter Züge kein großes Vertrauen verdient. Paul von Bernried ist also zu glauben, wenn er versichert, zur fraglichen Zeit, das heißt in den Jahren 1122/23, das Register Alexanders in Rom benutzt zu haben.

Transsumpt Honorius' III.

Die Existenz von Registerbänden des 11./12. Jahrhunderts ist in Rom bis in das erste Drittel des folgenden Jahrhunderts zu verfolgen[68]; Alexanders II.

---

64 S. oben 229. Dagegen schon FRANZ EHRLE: *Die Frangipani und der Untergang des Archivs und der Bibliothek der Päpste am Anfang des 13. Jhs.* In: Mélanges Émile Chatelain. Paris 1910, 451 f.

65 Vgl. KEHR: *IP* II, 189.

66 Zur turris cartularia am Palatin R. SCHIEFFER: *Tomus Gregorii papae*, 175, mit der Lit.

67 Vgl. LOHRMANN: *Register Johannes' VIII.*, bes. Kap. III, 95 ff.; HOFFMANN: *Zum Register*, 101 ff.

68 BRESSLAU: *Urkundenlehre* [2]I, 109 mit Anm. 2, mit Lit.

Register wird in der Literatur nicht zu diesen Archivbeständen gezählt. Die Bezugnahme auf das Register dieses Papstes findet sich aber in einem im Original erhaltenen Transsumpt Honorius' III. (1216–1227) für St. Stephan in Caen[69], worin das Gründungsprivileg Alexanders II. für dieses Kloster (JL 4644) inseriert ist. In der Narratio der als littera cum filo canapis abgefaßten, also einen Verwaltungsakt enthaltenden Honoriusurkunde heißt es dazu, daß der Papst auf Bitten von Abt und Konvent und mit Zustimmung der Kardinäle das Privileg Alexanders II. »sicut in eius prospeximus contineri regesto« »de verbo ad verbum« nachstehend wiedergeben lasse, was einschließlich Intitulatio und Inscriptio geschehen ist. Da die inserierte Urkunde Abt Lanfrank als Adressaten nennt, ist der ausstellende Papst richtig bezeichnet und nicht etwa mit Alexander III. verwechselt worden.

Das Pergament trägt die seit Clemens III. in päpstlichen Briefen übliche Datierung mit Angabe von Ort, Monatstag und Pontifikatsjahr, wobei die letzten vier Worte »pontificatus nostri anno sexto« dem Kanzleigebrauch entsprechend auf die letzte Zeile verteilt sind[70]. Sicher gehört die Datierung zur Mantelurkunde Honorius' III., die ja nicht undatiert ausgeliefert sein kann, und ist mit 14. Januar 1222 aufzulösen; für die inserierte Alexanderurkunde ist kein Datum genannt[71]. Dies zu betonen, ist nicht überflüssig, da die Kanzlei Eugens IV. über zweihundert Jahre später die Honoriusdatierung als Bestandteil der Alexanderurkunde mißverstanden hat und sie in einem neuerlichen, dem Cadomenser Abt Hugo von Juvigny am 15. Mai 1445 ausgestellten Transsumpt von JL 4644 dessen Text unmittelbar anhängte, und zwar ohne irgendeinen Hinweis auf die Art der Vorurkunde[72]. Obwohl deshalb die For-

69   POTTH. –. Original in Caen, Archives Départementales du Calvados, H 1841; das Stück weist einige Eigentümlichkeiten auf: Bullierung oben rechts, Linierungslöcher am oberen Rand; fehlt im Register Honorius' III. (P. PRESSUTTI: *Regesta Honorii Papae III*, 2 Bde. Rom 1888/95) und bei C. A. HOROY: *Honorii III opera omnia* III. Paris 1879. Drucke des Transsumpts: *Lanfranci opera* (D'ACHERY, 27 = GILES I, 381 f.). PL 150, wo sonst d'Achery nachgedruckt wird, ist 74 das Stück unter Verweis auf PL 146 ausgelassen; PL 146, 1339, findet sich aber lediglich das Insert JL 4644. Ein Fragment von JL 4644 bei MABILLON: *Annales ordinis S. Benedicti* IV, 590 = PL 146, 1299. – Diese Registerbenutzung ist bisher übersehen worden – erst ab Urban II. stellte man Transsumierungen Honorius' III. fest, vgl. PAUL MARIA BAUMGARTEN: *Die transsumierende Tätigkeit der apostolischen Kanzlei.* In: RQ 28 (1914) 213–219; BRESSLAU: *Urkundenlehre²* I, 109 mit Anm. 2, 307. Zum Cadomenser Archiv und den Abschriften des 19. Jhs. (Paris, Bibliothèque Nationale, Ms. lat. nouv. acqu. 1406 und 1407) RAMACKERS: *Papsturkunden in Frankreich* N.F. 2, 29. – Zum Inhalt von JL 4644 s. oben 22.
70   Vgl. WILHELM DIEKAMP: *Zum päpstlichen Urkundenwesen des XI., XII. und der ersten Hälfte des XIII. Jhs.* In: MIÖG 3 (1882) 589; BRESSLAU: *Urkundenlehre²* II, 472.
71   Danach sind die Angaben bei JL 4644 zu verbessern; s. auch oben 22 mit Anm. 91.
72   Registerüberlieferung: Archivio Segreto Vaticano, Reg. Lat. 416 (Lib. I de regularibus a. XV), fol. 7; KEHR: *Aeltere Papsturkunden in den päpstlichen Registern* III. In: NGG 1902,

mulierung des Eugentranssumpts den Eindruck erwecken könnte, daß Hugo
von Caen nicht das Honoriustranssumpt, sondern das originale Alexanderdiplom Eugen IV. zur Bestätigung vorgelegt hatte, beweist doch das dem Insert
beigegebene Honoriusdatum, daß das Alexanderdiplom nur in der 1222 transs-
sumierten Form als Vorlage gedient haben kann. Wie das Original im Jahr
1445 nicht zur Verfügung stand, so auch schon 1222 nicht mehr. Andernfalls
hätten die Kanzleibeamten Honorius' III. nicht im Register Alexanders II. zu
suchen brauchen[73].

Franz Ehrle hat das Schicksal des päpstlichen Archivs im 13. Jahrhundert
aufgeklärt[74]. Wie er feststellt, dürften die Bestände unter Honorius' III. Nachfolger, Gregor IX. (1227–1241), in den Adelskämpfen der dreißiger Jahre zu-
grundegegangen sein.

Aufgrund des Honoriustranssumpts ergibt sich für das Register Alexanders II., daß es kein reines Briefregister war, sondern auch Privilegien enthielt.
Das im Transsumpt fehlende Datum des inserierten Stückes läßt nicht den
Schluß zu, daß den einzelnen Nummern des Alexanderregisters keine Daten
beigegeben gewesen wären. Eine Durchsicht der Register Honorius' III.[75] ergibt, daß nur zuweilen die aus älteren Papstregistern transsumierten Urkunden
mit Datierungen versehen wurden.

---

504. Empfängerüberlieferung: Caen, Archives Départementales du Calvados, H 1825 Nr. 133,
Vidimus des Offizials von Rouen vom 20. Nov. 1445 mit dem inserierten Eugen-Transsumpt;
ungenau RAMACKERS: *Papsturkunden in Frankreich* N.F. 2, 29.

73   Das Alexanderprivileg für das Kloster St-Pierre de Maillezais (Diöz. Poitiers; KEHR:
Aeltere Papsturkunden I. In: NGG 1902, 418 ff.) wurde von Honorius III. am 14. Mai 1225
aus dem vom Abt des Klosters vorgelegten Original wegen der Altertümlichkeit der Schrift und
des altersschwachen Zustandes des Pergaments transsumiert und bestätigt »non obstante, quod
in ipso privilegio in multis locis est in latinitate peccatum.« In einem anderen Fall (Reg. Vat. 9,
lib. II ep. 795, fol. 190v–192v; PRESSUTTI: *Regesta* I, 165 Nr. 979) transsumierte Honorius III.
aus älteren Registern »munimenta ecclesie Toletane«, »ne regestis ... casu fortuito aut
vetustate consumptis ius ecclesie contingat ... deperire.« – Die Mönche von Caen hatten
bereits am 11. Juni 1221 ein im Register Alexanders III. enthaltenes Privileg für ihr
Kloster bestätigen lassen (HOROY II, 849 Nr. 427); offenbar war das Klosterarchiv zum
Teil verlorengegangen. Vgl. auch die Behauptung des Bischofs von Bayeux im Jahr 1221,
daß das Kloster überhaupt kein Exemptionsprivileg besitze oder zumindest seit über vierzig
Jahren keines geltend mache (HOROY IV, 27 Nr. 31). Auf den Exemptionsstreit zwischen Kloster und Bischof am Anfang des 13. Jhs. ist hier nicht näher einzugehen.

74   EHRLE: *Die Frangipani und der Untergang des Archivs*, 476 ff.

75   Archivio Segreto Vaticano, Reg. Vat. 9–13.

ABKÜRZUNGEN

AfD	Archiv für Diplomatik
AHPont	Archivum Historiae Pontificiae
AkathKR	Archiv für katholisches Kirchenrecht
AKG	Archiv für Kulturgeschichte
ASI	Archivio storico italiano
ASL	Archivio storico lombardo
ASRom	Archivio della Società romana di storia patria
AUF	Archiv für Urkundenforschung
BHL	Bibliotheca hagiographica latina, 3 Bde. Brüssel 1898–1911
BISI	Bullettino dell'Istituto storico italiano per il Medio Evo
DA	Deutsches Archiv für Erforschung des Mittelalters
DHGE	Dictionaire d'Histoire et de Géographie ecclésiastique
EHR	The English Historical Review
FdG	Forschungen zur deutschen Geschichte
FSI	Fonti per la storia d'Italia
HJb	Historisches Jahrbuch
HVjS	Historische Vierteljahrschrift
HZ	Historische Zeitschrift
JE	Jaffé-Ewald ⎫ Regesta Pontificum Romanorum
JL	Jaffé-Löwenfeld ⎬ (s. Quellenverzeichnis)
JEH	The Journal of Ecclesiastical History
MG(h)	Monumenta Germaniae historica
Const.	Constitutiones
DD	Diplomata
Epp.	Epistolae in quarto
Ldl	Libelli de lite
SS	Scriptores in folio
SS rer. Germ. in us. schol.	Scriptores rerum Germanicarum in usum scholarum
SS rer. Langob.	Scriptores rerum Langobardicarum
MIÖG	Mitteilungen des Instituts für Österreichische Geschichtsforschung (1923–1943: MÖIG)
Erg.bd.	Ergänzungsband
NA	Neues Archiv der Gesellschaft für ältere deutsche Geschichtskunde
N.F.	Neue Folge
NGG	Nachrichten von der Gesellschaft der Wissenschaften zu Göttingen
N.S.	Nova Series, Nuova Serie
PL	Patrologia latina, hg. von J.-P. Migne
Potth.	Potthast, August: *Regesta Pontificum Romanorum inde ab a. post Christum natum MCXCVIII ad a. MCCCIV*, 2 Bde. Berlin 1874–1875.
QFIAB	Quellen und Forschungen aus italienischen Archiven und Bibliotheken
RHE	Revue d'Histoire Ecclésiastique
RIS	Rerum Italicarum Scriptores. Ludovico Antonio Muratori, 2. Aufl.

RQ	Römische Quartalschrift
RS	Rolls Series. Rerum Britannicarum medii aevi Scriptores
SMBC	Studien und Mitteilungen zur Geschichte des Benedictiner- und Cistercienserordens
VSWG	Vierteljahrschrift für Sozial- und Wirtschaftsgeschichte
ZKG	Zeitschrift für Kirchengeschichte
ZRG	Zeitschrift der Savigny-Stiftung für Rechtsgeschichte
Kan.Abt.	Kanonistische Abteilung
Rom.Abt.	Romanistische Abteilung

QUELLEN- UND LITERATURVERZEICHNIS

I. QUELLEN

Acta Sanctorum. Antwerpen 1643 ff., Brüssel–Paris–Rom 1845 ff.

ALBERTUS MILIOLI: *Liber de temporibus,* hg. von OSWALD HOLDER-EGGER (MG SS 31). Hannover 1903, 336–579.

ALEXANDER II.: *Epistolae et Diplomata* (PL 146). Paris 1884, 1279–1430.

AMATUS VON MONTECASSINO: *Historia Normannorum,* hg. von VINCENZO DE BARTHOLOMAEIS (FSI 76). Rom 1935.

ANDREAS VON STRUMI: *Vita s. Johannis Gualberti,* hg. von FRIEDRICH BAETHGEN (MG SS 30/II). Leipzig 1934, 1076–1104.

ANDRIEU, MICHEL: *Le Pontifical Romain au moyen âge,* 4 Bde. (Studi et testi, 86–88, 99). Città del Vaticano 1938–1941.

Annales Altahenses maiores, 2. Aufl. hg. von EDMUND L. B. VON OEFELE (MG SS rer. Germ. in us. schol. 4). Hannover 1891.

Annales Augustani, hg. von GEORG HEINRICH PERTZ (MG SS 3). Hannover 1839, 123–136.

Annales Romani, hg. von GEORG HEINRICH PERTZ (MG SS 5). Hannover 1844, 468–480.

ANSELM VON BESATE (der Peripatetiker): *Rhetorimachia,* hg. von KARL MANITIUS (MG Quellen zur Geistesgeschichte des Mittelalters, 2). Weimar 1958, 61–183.

ANSELM VON CANTERBURY: *Opera omnia,* 6 Bde. hg. von FRANZISKUS SALESIUS SCHMITT. Edinburgh 1938–1961.

ARNULF VON MAILAND: *Gesta archiepiscoporum Mediolanensium,* hg. von LUDWIG CONRAD BETHMANN und WILHELM WATTENBACH (MG SS 8). Hannover 1848, 1–31.

BALUZE, ETIENNE: *Miscellanea* II. Paris 1679. 2. Aufl. hg. von GIOVANNI DOMENICO MANSI, III. Lucca 1762.

BENO: *Contra Gregorium VII et Urbanum II scripta,* hg. von KUNO FRANCKE (MG Ldl 2). Hannover 1892, 366–422.

BENZO VON ALBA: *Ad Heinricum IV imperatorem libri VII,* hg. von KARL PERTZ (MG SS 11). Hannover 1854, 591–681.

BERNHARD VON PORTO: *Ordo officiorum ecclesiae Lateranensis,* hg. von LUDWIG FISCHER (Historische Forschungen und Quellen, 2–3). München 1916.

BERTHOLD VON REICHENAU: *Annales,* hg. von GEORG HEINRICH PERTZ (MG SS 5). Hannover 1844, 264–326.

BÖHMER, JOHANN FRIEDRICH – MÜHLBACHER, ENGELBERT: *Regesta Imperii I. Die Regesten des Kaiserreichs unter den Karolingern,* 2. Aufl. hg. von J. LECHNER. Innsbruck 1908.

BÖHMER, JOHANN FRIEDRICH – ZIMMERMANN, HARALD: *Regesta Imperii II. Sächsische Zeit, 5: Papstregesten von 911–1024.* Wien 1969.

BONIZO VON SUTRI: *Liber ad amicum,* hg. von ERNST DÜMMLER (MG Ldl 1). Hannover 1891, 568–620.

BRESSLAU, HARRY – KEHR, PAUL: *Die Urkunden Heinrichs III.* (MG DD regum et imperatorum Germaniae, 5). Berlin 1931.

Codex diplomaticus Caietanus, ed. cura et studio monachorum s. Benedicti archicoenobii Montis Casini, 2 Bde. Montecassino 1887–1891.

Codex diplomaticus Cavensis, hg. von MICHELE MORCALDI u. a., 8 Bde. Neapel 1873–1893.

Codex diplomaticus Langobardiae (Historiae patriae monumenta edita iussu regis Caroli Alberti, 13). Turin 1873.

Codex Udalrici, hg. von PHILIPP JAFFÉ (*Bibliotheca rerum Germanicarum* V). Berlin 1868, 1–469.

DEÉR, JOSEF: *Das Papsttum und die süditalienischen Normannenstaaten* (Historische Texte. Mittelalter, 12). Göttingen 1969.

DELLA RENA, COSIMO – CAMICI, IPPOLITO: *Serie cronologico-diplomatico degli antichi duchi e marchesi di Toscana.* 6 Bde. Florenz 1789.

DEUSDEDIT: *Collectio canonum,* hg. von VICTOR WOLF VON GLANVELL: *Die Kanonessammlung des Kardinals Deusdedit* I. Paderborn 1905.

EADMER VON CANTERBURY: *Historia novorum in Anglia,* hg. von MARTIN RULE (RS 81). London 1884.

FEDELE, PIETRO: *Carte del monastero dei Ss. Cosma e Damiano in Mica Aurea.* In: ASRom 21 (1898) 459–534; 22 (1899) 25–107, 383–447.

– *Tabularium S. Mariae Novae (982–1200).* Rom 1903 (vorher in mehreren Abschnitten in ASRom 23–26 [1900–1903]).

– *Tabularium S. Praxedis.* In: ASRom 27 (1904) 27–78; 28 (1905) 41–114.

FORCELLA, VINCENZO: *Iscrizioni delle chiese e d'altri edificii di Roma dal secolo XI fino ai giorni nostri,* 13 Bde. Rom 1869–1884.

GIORGETTI, A.: *Il cartulario del monastero di san Quirico a Populonia.* In: ASI serie terza 17 (1873) 397–415; 18 (1873) 208–224; 20 (1874) 3–18.

VON GLADISS, DIETRICH: *Die Urkunden Heinrichs IV.* 2 Teile (MG DD regum et imperatorum Germaniae, 6). Köln 1941–1959.

GREGOR I.: *Registrum epistolarum,* hg. von PAUL EWALD und LUDO MORITZ HARTMANN (MG Epp. 1–2). Berlin 1891–1899.

GREGOR VII.: *Register,* hg. von ERICH CASPAR, 2 Teile (MG Epistolae selectae 2/I–II). Berlin 1920–1923.

– *Epistolae vagantes,* hg. von HERBERT EDWARD JOHN COWDREY: *The Epistolae vagantes of Pope Gregory VII* (Oxford Medieval Texts). Oxford 1972.

GUIDI, PIETRO – PARENTI, ORESTE: *Regesto del capitolo di Lucca,* 3 Bde. (Regesta Chartarum Italiae, 6, 9, 18). Rom 1910–1939.

GUIDI, PIETRO – PELLEGRINETTI, ERMENEGILDO: *Inventari del vescovado, della cattedrale e di altre chiese di Lucca,* fasc. 1° (Studi e testi, 34). Rom 1921.

GUNDEKAR VON EICHSTÄTT: *Liber pontificalis Eichstetensis,* hg. von LUDWIG CONRAD BETHMANN (MG SS 7). Hannover 1846, 242–250.

HARTMANN, LUDO MORITZ: *Ecclesiae S. Mariae in Via Lata tabularium,* 3 Bde. Wien 1895 bis 1913.

HEIDINGSFELDER, FRANZ: *Die Regesten der Bischöfe von Eichstätt* (Veröffentlichungen der Gesellschaft für fränkische Geschichte, 6. Reihe). Erlangen 1938.

HERMANN VON REICHENAU: *Chronicon,* hg. von GEORG HEINRICH PERTZ (MG SS 5). Hannover 1844, 67–133.

HIERONYMUS: *Liber interpretationis hebraicorum nominum,* hg. von PAUL ANTON DE LAGARDE: *Onomastica sacra,* 2. Aufl. Göttingen 1887 (abgedruckt in: Corpus Christianorum, Series latina, 72. Turnhout 1959).

HINSCHIUS, PAUL: *Decretales pseudo-isidorianae et Capitula Angilramni.* Leipzig 1863.

HOROY, CÉSAR-AUGUSTE: *Honorii III opera omnia quae exstant*, 4 Bde. (Medii aevi Bibliotheca Patristica, Series I). Paris 1879–1880.

JACOB VON VORAGINE: *Legenda aurea*, hg. von THEODOR GRAESSE, 3. Aufl. Regensburg 1890.

JAFFÉ, PHILIPP: *Regesta Pontificum Romanorum*, 2 Bde. 2. Aufl. hg. von SAMUEL LÖWENFELD, FERDINAND KALTENBRUNNER, PAUL EWALD. Leipzig 1885–1888.

KEHR, PAUL FRIDOLIN: *Papsturkunden in Rom* (NGG 1900, Heft 2). Berlin 1900.

– *Regesta Pontificum Romanorum. Italia Pontificia*, Bd. 1–8. Berlin 1906–1935. Bd. 9 hg. von WALTHER HOLTZMANN. Berlin 1962 (zit. KEHR bzw. KEHR-HOLTZMANN: *IP*).

– *Papsturkunden in Spanien. Vorarbeiten zur Hispania Pontificia* II: *Navarra und Aragon* (Abhandlungen der Gesellschaft der Wissenschaften zu Göttingen. Philol.-hist. Klasse, N.F. 22/I). Berlin 1928.

KEHR, PAUL – BRACKMANN, AUGUST: *Regesta Pontificum Romanorum. Germania Pontificia*, 3 Bde. Berlin 1910–1935 (zit. KEHR-BRACKMANN: *GP*).

LAMPERT VON HERSFELD: *Opera*, hg. von OSWALD HOLDER-EGGER (MG SS rer. Germ. in us. schol. 38). Hannover 1894.

LANDULF VON MAILAND: *Historia Mediolanensis*, hg. von LUDWIG CONRAD BETHMANN und WILHELM WATTENBACH (MG SS 8). Hannover 1848, 32–100; hg. von ALESSANDRO CUTOLO (RIS 4/II). Bologna 1942.

LANDULF D. JÜNGERE (von S. PAOLO): *Historia Mediolanensis*, hg. von CARLO CASTIGLIONI (RIS 5/III). Bologna 1934.

LANFRANK VON CANTERBURY: *Opera omnia*, hg. von LUC D'ACHERY. Paris 1684; hg. von J. A. GILES, 2 Bde. (Patres Ecclesiae Anglicanae, 6). Oxford 1844.

LEO MARSICANUS: *Chronica monasterii Casinensis*, hg. von WILHELM WATTENBACH (MG SS 7). Hannover 1846, 551–844.

Liber Censuum S. Romanae Ecclesiae, 3 Bde., hg. von PAUL FABRE, LOUIS DUCHESNE, GUILLAUME MOLLAT (Bibliothèque des Écoles françaises d'Athènes et de Rome, 2e série). Paris 1910–1952.

Liber largitorius vel notarius monasterii Pharphensis, 2 Bde., hg. von GIUSEPPE ZUCCHETTI (Regesta Chartarum Italiae, 11, 17). Rom 1913–1932.

Liber Pontificalis, hg. von LOUIS DUCHESNE – CYRILLE VOGEL, 3 Bde. (Bibliothèque des Écoles françaises d'Athènes et de Rome, 2e série). Paris 1886–1957; hg. von THEODOR MOMMSEN (MG Gesta Pontificum Romanorum, 1). Berlin 1898.

Liber Pontificalis Dertusensis, hg. von JOSEPH-MARIE MARCH. Barcelona 1925.

LÖWENFELD, SAMUEL: *Epistolae Pontificum Romanorum ineditae*. Leipzig 1885.

MANARESI, CESARE: *I placiti del »Regnum Italiae«*, 3 Bde. (FSI 92, 96, 97). Rom 1955–1960.

MANARESI, CESARE – SANTORO, CATERINA: *Gli atti privati milanesi e comaschi del secolo XI* (Bibliotheca Historica Italica, 2. serie 5). Mailand 1965.

MANSI, GIOVANNI DOMENICO: *Sacrorum conciliorum nova et amplissima collectio*. Florenz–Venedig 1759–1798. Paris 1901 ff.

MATTHAEUS PARIS: *Gesta abbatum s. Albani*, hg. von HENRY THOMAS RILEY (RS 28/4/I). London 1867; hg. von FELIX LIEBERMANN (MG SS 28). Hannover 1888, 434–440.

Memorie e documenti per servire alla storia di Lucca. Lucca 1813 ff.

MIGNE, JEAN-PAUL: *Patrologiae cursus completus*. Series latina. Paris 1844 ff.

MILO CRISPINUS: *Vita Lanfranci Cantuariensium archiepiscopi*, hg. von LUC D'ACHERY (PL 150). 29–58.

MONACI, ANGELO: *Regesto dell'abbazia di Sant'Alessio all'Aventino*. In: ASRom 27 (1904) 351–398.

ORDERICUS VITALIS: *Historia ecclesiastica*, hg. von MARJORIE CHIBNALL. Oxford 1969–1975.

PASQUI, UBALDO: *Documenti per la storia della città di Arezzo nel medio evo* I (Documenti di Storia Italiana, 11). Florenz 1899.

PAUL VON BERNRIED: *Vita Gregorii VII Papae*, hg. von JOHANN MATTHIAS WATTERICH: *Pontificum Romanorum vitae* I. Leipzig 1862, 474–546.

PETRUS DAMIANI: *Opera* (PL 144–145). Paris 1853.

– *Disceptatio synodalis*, hg. von LOTHAR VON HEINEMANN (MG Ldl 1). Hannover 1891, 76–94.

VON PFLUGK-HARTTUNG, JULIUS: *Acta Pontificum Romanorum inedita*, 3 Bde. Tübingen 1881 bis 1886.

PIATTOLI, RENATO: *Le carte della canonica della cattedrale di Firenze (723–1149)* (Regesta Chartarum Italiae, 23). Rom 1938.

PRESSUTTI, PIETRO: *Regesta Honorii Papae III*, 2 Bde. Rom 1888–1895.

RAMACKERS, JOHANNES: *Papsturkunden in Frankreich*. N.F. 2: Normandie (Abhandlungen der Gesellschaft der Wissenschaften zu Göttingen. Philol.-hist. Klasse, 3. Folge, Nr. 21). Göttingen 1937.

– *Papsturkunden in Frankreich*. N.F. 6: Orléanais (Abhandlungen der Gesellschaft der Wissenschaften zu Göttingen. Philol.-hist. Klasse, 3. Folge, Nr. 41). Göttingen 1958.

RANGERIUS VON LUCCA: *Vita metrica s. Anselmi Lucensis episcopi*, hg. von ERNST SACKUR u. a. (MG SS 30/II). Leipzig 1934, 1152–1307.

Registrum Farfense, hg. von IGNAZIO GIORGI und UGO BALZANI: *Il regesto di Farfa*, 5 Bde. Rom 1914.

Registrum Sublacense, hg. von L. ALLODI und G. LEVI: *Il regesto Sublacense del secolo XI*. Rom 1885.

SAMARITANI, ANTONIO: *Regesta Pomposiae* I (aa. 874–1199) (Deputazione provinciale ferrarese di storia patria. Serie Monumenti, 5). Rovigo 1963.

SANTIFALLER, LEO: *Quellen und Forschungen zum Urkunden- und Kanzleiwesen Papst Gregors VII*. 1. Teil: Quellen (Studi e testi, 190). Città del Vaticano 1957.

SCHIAPARELLI, LUIGI: *Le carte antiche dell'archivio capitolare di s. Pietro in Vaticano*. In: ASRom 24 (1901) 393–496; 25 (1902) 273–394.

SCHNEIDER, FEDOR: *Regestum Senense*. Regesten der Urkunden von Siena I (Regesta Chartarum Italiae, 8). Rom 1911.

SILVAGNI, ANGELO: *Monumenta epigraphica christiana saeculo XIII antiquiora quae in Italiae finibus adhuc exstant* I (Pontificium Institutum Archaeologiae Christianae). Rom 1943.

THANER, FRIEDRICH: *Papstbriefe*. In: NA 4 (1879) 401–406.

TOLOMEO VON LUCCA: *Annalen*, hg. von BERNHARD SCHMEIDLER (MG SS rer. Germ., N.S. 8). Berlin 1930.

– *Historia ecclesiastica* (LUDOVICO ANTONIO MURATORI: *Rerum Italicarum Scriptores*, 11). Mailand 1727, 743–1242.

Vita Anselmi episcopi Lucensis, hg. von ROGER WILMANS (MG SS 12). Hannover 1856, 1–35.

VOGEL, CYRILLE – ELZE, REINHARD: *Le Pontifical Romano-Germanique du dixième siècle*, 3 Bde. (Studi e testi, 226, 227, 269). Città del Vaticano 1963–1972.

WATTERICH, JOHANN MATTHIAS: *Pontificum Romanorum qui fuerunt inde ab exeunte saeculo IX usque ad finem saeculi XIII vitae* I. Leipzig 1862.

WILHELM VON CHIUSA: *Vita Benedicti abbatis Clusensis*, hg. von LUDWIG CONRAD BETHMANN (MG SS 12). Hannover 1856, 197–208.

WILHELM VON MALMESBURY: *De gestis pontificum Anglorum libri V*, hg. von N. E. S. A. HAMILTON (RS 52). London 1870.

II. LITERATUR

ANTON, HANS HUBERT: *Bonifaz von Canossa, Markgraf von Tuszien, und die Italienpolitik der frühen Salier.* In: HZ 214 (1972) 529–556.

ARMELLINI, MICHELE: *Le chiese di Roma dal secolo IV al XIX,* nuova edizione a cura di CARLO CECCHELLI. Rom 1942.

BALBONI, DANTE: *Le fonti storiche di Pomposa.* In: Analecta Pomposiana 1 (1965) 331–353.

BARLOW, FRANK: *A View of Archbishop Lanfranc.* In: JEH 16 (1965) 163–177.

BARONIO, CESARE: *Annales ecclesiastici* XI. Venedig 1712.

BARSOCCHINI, DOMENICO: *Dei vescovi lucchesi del secolo XI.* (Memorie e documenti per servire all'istoria di Lucca, 5/I). Lucca 1844.

BARTOLONI, FRANCO: *Additiones Kehrianae.* In: QFIAB 34 (1954) 31–64.

BAUMGARTEN, PAUL MARIA: *Zum Register Alexanders II.* In: RQ 9 (1895) 183–184.

BECKER, ALFONS: *Studien zum Investiturproblem in Frankreich. Papsttum, Königtum und Episkopat im Zeitalter der gregorianischen Kirchenreform (1049–1119)* (Schriften der Universität des Saarlandes). Saarbrücken 1955.

– *Papst Urban II. (1088–1099).* Teil 1 (Schriften der MGh, 19/I). Stuttgart 1964.

BERTOLINI, OTTORINO: *Il »Liber Pontificalis«.* In: La storiografia altomedievale (Atti della settimana di Studio del Centro italiano di studi sull'alto medioevo, 17/I). Spoleto 1970, 387–455.

BESTA, ENRICO: *Il diritto romano nella contesa tra i vescovi di Siena e d'Arezzo.* In: ASI serie quinta 37 (1906) 61–92.

BEUMANN, HELMUT: *Die Bedeutung Lotharingiens für die ottonische Missionspolitik im Osten.* In: Rheinische Vierteljahrsblätter 33 (1968) 14–46; wiederabgedruckt in DERS.: *Wissenschaft vom Mittelalter. Ausgewählte Aufsätze.* Köln 1972, 377–409.

Bibliotheca Sanctorum, hg. vom Istituto Giovanni XXIII nella Pontificia Università Lateranense, 13 Bde. Rom 1961–1970.

BLAUL, OTTO: *Studien zum Register Gregors VII.* In: AUF 4 (1912) 113–228.

BLOCH, HERBERT: *L'ordine dei pannelli nella porta della basilica di s. Paolo.* In: Atti della Pontificia Accademia Romana di Archeologia. Serie III, Rendiconti, 43. Città del Vaticano 1971, 267–281.

BLUM, OWEN J.: *The Monitor of the Popes St. Peter Damian.* In: Studi Gregoriani 2 (1947) 459–476.

– *St. Peter Damian: His Teaching on the Spiritual Life* (The Catholic University of America. Studies in Mediaeval History, N.S. 10). Washington 1947.

BOCK, FRIEDRICH: *Annotationes zum Register Gregors VII.* In: Studi Gregoriani 1 (1947) 281–306.

– *Gregorio VII e Innocenzo III. Per un confronto dei Registri Vaticani 2 e 4–7 A.* In: Studi Gregoriani 5 (1956) 243–279.

BÖHMER, HEINRICH: *Kirche und Staat in England und in der Normandie im XI. und XII. Jahrhundert.* Leipzig 1899.

– *Die Fälschungen Lanfranks von Canterbury* (Studien zur Geschichte der Theologie und der Kirche, 8/I). Leipzig 1902.

BORINO, GIOVANNI BATTISTA: *L'elezione e la depositione di Gregorio VI.* In: ASRom 39 (1916) 141–252, 295–410.

– *»Invitus ultra montes cum domno papa Gregorio abii«.* In: Studi Gregoriani 1 (1947) 3–46.

– *L'arcidiaconato di Ildebrando.* In: Studi Gregoriani 3 (1948) 463–516.

BORINO, GIOVANNI BATTISTA: *Cencio del prefetto Stefano, l'attentatore di Gregorio VII*. In: Studi Gregoriani 4 (1952) 373–440.

– *Perchè Gregorio VII non annunziò la sua elezione ad Enrico IV e non ne richiese il consenso.* In: Studi Gregoriani 5 (1956) 313–343.

– *L'investitura laica dal decreto di Nicolò II al decreto di Gregorio VII.* In: Studi Gregoriani 5 (1956) 345–359.

– *Il monacato e l'investitura di Anselmo vescovo di Lucca.* In: Studi Gregoriani 5 (1956) 361 bis 374.

– *Può il Reg. Vat. 2 (Registro di Gregorio VII) essere il registro della cancelleria?* In: Studi Gregoriani 5 (1956) 391–402; 6 (1959/61) 363–389.

BOSSI, GAETANO: *I Crescenzi di Sabina, Stefaniani e Ottaviani (dal 1012 al 1106).* In: ASRom 41 (1918) 111–170.

BRESSLAU, HARRY: *Handbuch der Urkundenlehre für Deutschland und Italien*, 3 Bde. 2. Aufl. Leipzig–Berlin 1912–1958.

BREZZI, PAOLO: *Roma e l'impero medioevale (774–1252)* (Storia di Roma, 10). Bologna 1947.

BROOKE, CHRISTOPHER N. L.: *Archbishop Lanfranc, the English Bishops and the Council of London of 1075.* In: Studia Gratiana 12 (1967) 39–59.

BULST-THIELE, MARIE LUISE: *Kaiserin Agnes* (Beiträge zur Kulturgeschichte des Mittelalters und der Renaissance, 52). Leipzig 1933.

CAPITANI, OVIDIO: *Immunità vescovili ed ecclesiologia in età »pregregoriana« e »gregoriana«. L'avvio alla »restaurazione«.* (Biblioteca degli »Studi Medievali«, 3). Spoleto 1966.

CAPPELLETTI, GIUSEPPE: *Le chiese d'Italia.* 21 Bde. Venedig 1840 ff.

CARON, PIER GIOVANNI: *La rinuncia all'ufficio ecclesiastico nella storia del diritto canonico dalla età apostolica alla riforma cattolica* (Università Cattolica del Sacro Cuore. Saggi e ricerche, N.S. 2). Mailand 1946.

CASPAR, ERICH: *Kritische Untersuchungen zu den älteren Papsturkunden für Apulien.* In: QFIAB 6 (1907) 235–271.

– *Petrus Diaconus und die Monte Casineser Fälschungen. Ein Beitrag zur Geschichte des italienischen Geisteslebens im Mittelalter.* Berlin 1909.

CAVAZZI, EUGENIO: *Vescovi e arcivescovi di Milano.* Mailand 1955.

CAVAZZI, LUIGI: *La diaconia di s. Maria in Vita lata e il monastero di s. Ciriaco. Memorie storiche.* Rom 1908.

CECCHELLI, CARLO: *Il Campidoglio nel medioevo e nella Rinascita.* In: ASRom 67 (1944) 209–232.

– *Roma medioevale.* In: Topografica e urbanistica di Roma (Storia di Roma, 22). Bologna 1958.

CIACCI, GASPERO: *Gli Aldobrandeschi nella storia e nella »Divina Commedia«*, 2 Bde. (Biblioteca storica di fonti e documenti, 1). Rom 1935.

CLAXTON, JAMES H.: *On the Name of Urban II.* In: Traditio 23 (1967) 489–495.

CLOVER, HELEN: *Alexander II's Letter ›Accepimus a quibusdam‹ ant ils Relationship with the Canterbury Forgeries.* In: La Normandie bénédictine au temps de Guillaume le Conquérant (XIe siècle). Lille 1967, 417–442.

CONGAR, YVES MARIE-JOSEPH: *Der Platz des Papsttums in der Kirchenfrömmigkeit der Reformer des 11. Jahrhunderts.* In: Sentire Ecclesiam. Festschrift Hugo Rahner. Freiburg i. Br. 1961, 196–217.

CONTATORE, DOMENICO ANTONIO: *De historia Terracinensi libri quinque.* Rom 1706.

CORRADI, AUGUSTO: *Nonantola, abbazia imperiale.* In: Rivista storica benedettina 4 (1909) 181–189.

CORSI, MARIA LUISA: *Note sulla famiglia da Baggio (secoli IX–XIII).* In: Raccolta di studi in memoria di Giovanni Soranzo I. (Pubblicazioni dell'Università Cattolica del Sacro Cuore. Contributi serie terza, Scienze storiche 10). Mailand 1968, 166–205.

COWDREY, HERBERT EDWARD JOHN: *Archbishop Aribert II of Milan*. In: History 51 (1966) 1–15.

– *Bishop Ermenfrid of Sion and the Penitential Ordinance following the Battle of Hastings*. In: JEH 20 (1969) 225–242.

– *Anselm of Besate and some North-Italian Scholars of the Eleventh Century*. In: JEH 23 (1972) 115–124.

– *Pope Gregory VII and the Anglo-Norman Church and Kingdom*. In: Studi Gregoriani 9 (1972) 79–114.

DAVIDSOHN, ROBERT: *Geschichte von Florenz I*. Berlin 1896.

– *Forschungen zur älteren Geschichte von Florenz I*. Berlin 1896.

DEÉR, JOSEF: *Papsttum und Normannen. Untersuchungen zu ihren lehnsrechtlichen und kirchenpolitischen Beziehungen* (Studien und Quellen zur Welt Kaiser Friedrichs II., 1). Köln 1972.

DE MONTCLOS, JEAN: *Lanfranc et Bérenger. La controverse eucharistique du XIe siècle* (Spicilegium Sacrum Lovaniense. Études et documents, 37). Löwen 1971.

DILCHER, GERHARD: *Die Entstehung der lombardischen Stadtkommune. Eine rechtsgeschichtliche Untersuchung* (Untersuchungen zur deutschen Staats- und Rechtsgeschichte, N.F. 7). Aalen 1967.

DRESSLER, FRIDOLIN: *Petrus Damiani, Leben und Werk* (Studia Anselmiana, 34). Rom 1954.

DUCHESNE, LOUIS: *Serge III et Jean XI*. In: Mélanges d'Archéologie et d'Histoire 33 (1913) 25–64.

– *Le »Liber Pontificalis« aux mains des Guibertistes et des Pierléonistes*. In: Mélanges d'Archéologie et d'Histoire 38 (1920) 165–193.

DUEBALL, MARGARETE: *Der Suprematstreit zwischen den Erzdiözesen Canterbury und York 1070–1126* (Historische Studien, 184). Berlin 1929.

DUPRÉEL, EUGÈNE: *Histoire critique de Godefroid le barbu duc de Lotharingie, marquis de Toscane* (Université libre de Bruxelles. Faculté de Philosophie et Lettres). Uccle 1904.

EHRLE, FRANZ: *Die Frangipani und der Untergang des Archivs und der Bibliothek der Päpste am Anfang des 13. Jahrhunderts*. In: Mélanges Émile Chatelain. Paris 1910, 448–485.

ELZE, REINHARD: *Das »Sacrum Palatium Lateranense« im 10. und 11. Jahrhundert*. In: Studi Gregoriani 4 (1952) 27–54.

ENDRES, ROBERT: *Das Kirchengut im Bistum Lucca vom 8. bis 10. Jahrhundert*. In: VSWG 14 (1918) 240–292.

ERDMANN, CARL: *Die Entstehung des Kreuzzugsgedankens* (Forschungen zur Kirchen- und Geistesgeschichte, 6). Stuttgart 1935.

EWALD, PAUL: *Studien zur Ausgabe des Registers Gregors I*. In: NA 3 (1878) 433–625.

– *Die Papstbriefe der Brittischen Sammlung*. In: NA 5 (1880) 275–414, 505–596.

VON FALKENHAUSEN, VERA: *Untersuchungen über die byzantinische Herrschaft in Süditalien vom 9. bis ins 11. Jahrhundert* (Schriften zur Geistesgeschichte des östlichen Europa, 1). Wiesbaden 1967.

FEINE, HANS ERICH: *Studien zum langobardisch-italischen Eigenkirchenrecht*. In: ZRG Kan. Abt. 30 (1941) 1–95; 31 (1942) 1–105; 32 (1943) 64–190.

– *Kirchenreform und Niederkirchenwesen. Rechtsgeschichtliche Beiträge zur Reformfrage vornehmlich im Bistum Lucca im 11. Jahrhundert*. In: Studi Gregoriani 2 (1947) 505–524.

– *Kirchleihe und kirchliches Benefizium nach italischen Rechtsquellen des frühen Mittelalters*. In: HJb 72 (1952) 101–111; wiederabgedruckt in DERS.: *Reich und Kirche. Ausgewählte Abhandlungen zur deutschen und kirchlichen Rechtsgeschichte*. Aalen 1966, 171–181.

FEINE, HANS ERICH: *Kirchliche Rechtsgeschichte. Die katholische Kirche.* 4. Aufl. Köln 1964.

FELBINGER, ALFRED: *Die Primatialprivilegien für Italien von Gregor VII. bis Innocenz III. (Pisa, Grado und Salerno).* In: ZRG Kan.Abt. 37 (1951) 95–163.

FENICCHIA, VINCENZO: *Intorno agli atti di san Pietro da Salerno, vescovo di Anagni nel secolo XI contenuti nel Cod. Chigiano C. VIII. 235.* In: ASRom 67 (1944) 253–267.

FERRARI, GUY: *Early Roman Monasteries* (Studi di antichità cristiana, 23). Rom 1957.

FETZER, CARL ADOLF: *Voruntersuchungen zu einer Geschichte des Pontifikats Alexander II.* Diss. Straßburg 1887.

FICHTENAU, HEINRICH: *Arenga. Spätantike und Mittelalter im Spiegel von Urkundenformeln* (MIÖG Erg.bd. 18). Graz 1957.

FISCHER, EUGEN: *Der Patriziat Heinrichs III. und Heinrichs IV.* Diss. Berlin 1908.

FLECKENSTEIN, JOSEF: *Die Hofkapelle der deutschen Könige,* 2 Teile (Schriften der MGh, 16/ I–II). Stuttgart 1959–1966.

FLICHE, AUGUSTIN: *La réforme grégorienne* I: *La formation des idées grégoriennes* (Spicilegium Sacrum Lovaniense. Études et documents, 6). Löwen 1924.

FOREVILLE, RAYMONDE: *L'école du Bec et le »studium« de Canterbury aux XIe et XIIe siècles.* In: Bulletin philologique et historique du Comité des travaux historiques et scientifiques 1955/56. Paris 1957, 357–374.

FOURNIER, PAUL – LE BRAS, GABRIEL: *Histoire des collections canoniques en occident depuis les fausses décrétales jusqu'au décret de Gratien,* 2 Bde. Paris 1931–1932.

FÜRST, CARL GEROLD: *Cardinalis. Prolegomena zu einer Rechtsgeschichte des römischen Kardinalskollegiums.* München 1967.

FUHRMANN, HORST: *Zur Benutzung des Registers Gregors VII. durch Paul von Bernried.* In: Studi Gregoriani 5 (1956) 299–312.

– *Einfluß und Verbreitung der pseudoisidorischen Fälschungen. Von ihrem Auftauchen bis in in die neuere Zeit,* 3 Teile (Schriften der MGh, 24/I–III). Stuttgart 1972–1974.

GANZER, KLAUS: *Die Entwicklung des auswärtigen Kardinalats im hohen Mittelalter. Ein Beitrag zur Geschichte des Kardinalkollegiums vom 11. bis 13. Jahrhundert* (Bibliothek des Deutschen Historischen Instituts in Rom, 26). Tübingen 1963.

GATTO, LUDOVICO: *Bonizone di Sutri e il suo Liber ad Amicum. Ricerche sull'età gregoriana* (Collana di saggi e ricerche, 2). Pescara 1968.

– *Studi mainardeschi e pomposiani* (Collana di saggi e ricerche, 4). Pescara 1969.

GATTOLA, ERASMO: *Historia abbatiae Cassinensis,* 2 Bde. Venedig 1733.

GIBELLI, ALBERTO: *L'antico monastero de'santi Andrea e Gregorio al clivo di Scauro sul Monte Celio. I suoi abati, i castelli e le chiese dipendenti dal medesimo.* Faenza 1892.

GIGALSKI, BERNHARD: *Bruno, Bischof von Segni, Abt von Monte-Cassino (1049–1123), sein Leben und seine Schriften* (Kirchengeschichtliche Studien, 3–4). Münster i. W. 1898.

GIORGI, IGNAZIO: *Appunti intorno ad alcuni manoscritti del »Liber Pontificalis«.* In: ASRom 20 (1897) 247–312.

– *Biografie farfensi di papi del X e dell' XI secolo.* In: ASRom 39 (1916) 513–536.

– *Ancora delle biografie farfensi di papi del X e dell' XI secolo.* In: ASRom 44 (1921) 257–262.

GIULINI, GIORGIO: *Memorie spettanti alla storia, al governo ed alla descrizione della città e della campagna di Milano ne' secoli bassi,* 7 Bde. ²Mailand 1854–1857.

GIUSTI, MARTINO: *L'ordo officiorum della cattedrale di Lucca.* In: Miscellanea Giovanni Mercati II (Studi e testi, 122). Rom 1946, 523–566.

– *Le canoniche della città e diocesi di Lucca al tempo della Riforma gregoriana.* In: Studi Gregoriani 3 (1948) 321–367.

GLAESENER, HENRI: *Les démêlés de Godefroid le barbu avec Henri III et d'évêque Wazon*. In: RHE 40 (1944/45) 141–170.

– *Un mariage fertile en conséquences (Godefroid le barbu et Béatrice de Toscane)*. In: RHE 42 (1947) 379–416.

GÖRLITZ, SIEGFRIED: *Beiträge zur Geschichte der königlichen Hofkapelle im Zeitalter der Ottonen und Salier bis zum Beginn des Investiturstreits* (Historisch-diplomatische Forschungen, 1). Weimar 1936.

GOETZ, JOSEPH: *Kritische Beiträge zur Geschichte der Pataria*. In: AKG 12 (1916) 17–55, 164–184.

GOEZ, WERNER: *Zur Erhebung und ersten Absetzung Papst Gregors VII*. In: RQ 63 (1968) 117–144.

– *Papa qui et episcopus. Zum Selbstverständnis des Reformpapsttums im 11. Jahrhundert*. In: AHPont 8 (1970) 27–59.

– *Reformpapsttum, Adel und monastische Erneuerung in der Toskana*. In: Investiturstreit und Reichsverfassung (Vorträge und Forschungen, 17). Sigmaringen 1973, 205–239.

– *Rainald von Como. Ein Bischof des 11. Jahrhunderts zwischen Kurie und Krone*. In: Historische Forschungen für Walter Schlesinger. Köln 1974, 462–494.

GRÉGOIRE, RÉGINALD: *Bruno de Segni, exégète médiévale et théologien monastique*. Spoleto 1965.

GREGOROVIUS, FERDINAND: *Geschichte der Stadt Rom im Mittelalter. Vom V. bis zum XVI. Jahrhundert* IV, 5. Aufl. Stuttgart 1906.

GREVING, JOSEF: *Pauls von Bernried Vita Gregorii VII. papae. Ein Beitrag zur Kenntnis der Quellen und Anschauungen aus der Zeit des Gregorianischen Kirchenstreites* (Kirchengeschichtliche Studien, 2/II). Münster i. W. 1893.

GROTEFEND, HERMANN: *Zeitrechnung des deutschen Mittelalters und der Neuzeit* I, 5. Aufl. Stuttgart 1906.

GUERRA, ALMERICO: *Compendio di storia ecclesiastica lucchese dalle origini a tutto il secolo XII*. Opera postuma, con appendici e note di PIETRO GUIDI. Lucca 1924.

GUIDI, PIETRO: *Per la storia della cattedrale e del Volto santo (Note critiche)*. In: Bollettino storico lucchese 4 (1932) 169–186.

VON HACKE, CURT-BOGISLAW: *Die Palliumsverleihungen bis 1143*. Diss. Göttingen 1898.

HÄGERMANN, DIETER: *Zur Vorgeschichte des Pontifikats Nikolaus' II*. In: ZKG 81 (1970) 352–361.

– *Untersuchungen zum Papstwahldekret von 1059*. In: ZRG Kan.Abt. 56 (1970) 157–193.

HALLER, JOHANNES: *Das Papsttum. Idee und Wirklichkeit* II, 2. Aufl. Stuttgart 1951.

HALPHEN, LOUIS: *Le comté d'Anjou au XIᵉ siècle*. Paris 1906.

– *Études sur l'administration de Rome au moyen âge (751–1252)* (Bibliothèque de l'École des Hautes Études, 166). Paris 1907.

HAUCK, ALBERT: *Kirchengeschichte Deutschlands* III, 3./4. Aufl. Leipzig 1920.

HEFELE, CARL JOSEPH – LECLERCQ, HENRI: *Histoire des conciles* IV. Paris 1911.

VON HEINEMANN, LOTHAR: *Geschichte der Normannen in Unteritalien und Sizilien* I. Leipzig 1894.

HERBERHOLD, FRANZ: *Die Beziehungen des Cadalus von Parma (Gegenpapst Honorius II.) zu Deutschland*. In: HJb 54 (1934) 84–104.

– *Die Angriffe des Cadalus von Parma (Gegenpapst Honorius II.) auf Rom in den Jahren 1062 und 1063*. In: Studi Gregoriani 2 (1947) 477–503.

HERDE, PETER: *Das Papsttum und die griechische Kirche in Süditalien vom 11. bis zum 13. Jahrhundert*. In: DA 26 (1970) 1–46.

HERRMANN, KLAUS-JÜRGEN: *Das Tuskulanerpapsttum (1012–1046). Benedikt VIII., Johannes XIX., Benedikt IX.* (Päpste und Papsttum, 4). Stuttgart 1973.

HESSEL, ALFRED: *Geschichte der Stadt Bologna von 1116 bis 1280* (Historische Studien, 76). Berlin 1910.

HINSCHIUS, PAUL: *System des katholischen Kirchenrechts* I. Berlin 1869.

HOFFMANN, HARTMUT: *Von Cluny zum Investiturstreit.* In: AKG 45 (1963) 165–209; wiederabgedruckt mit einem Nachtrag in: Cluny. Beiträge zu Gestalt und Wirkung der cluniazensischen Reform, hg. von HELMUT RICHTER (Wege der Forschung, 241). Darmstadt 1975, 319–370.

– *Der Kalender des Leo Marsicanus.* In: DA 21 (1965) 82–149.

– *Die älteren Abtslisten von Montecassino.* In: QFIAB 47 (1967) 224–354.

– *Chronik und Urkunde in Montecassino.* In: QFIAB 51 (1971) 93–206.

– *Petrus Diaconus, die Herren von Tuskulum und der Sturz Oderisius' II. von Montecassino.* In: DA 27 (1971) 1–109.

– *Studien zur Chronik von Montecassino.* In: DA 29 (1973) 59–162.

– *Zum Register und zu den Briefen Papst Gregors VII.* In: DA 32 (1976) 86–130.

HOFMANN, KARL: *Der »Dictatus Papae« Gregors VII. Eine rechtsgeschichtliche Erklärung* (Veröffentlichungen der Sektion für Rechts- und Staatswissenschaften der Görres-Gesellschaft, 63). Paderborn 1933.

HOLTZMANN, WALTHER: *Studien zur Orientpolitik des Reformpapsttums und des ersten Kreuzzuges.* In: HVjS 22 (1924/25) 167–199; wiederabgedruckt in DERS.: *Beiträge zur Reichs- und Papstgeschichte des hohen Mittelalters* (Bonner historische Forschungen, 8). Bonn 1957, 51–78.

– *Zur Geschichte des Investiturstreites. Englische Analekten* II. In: NA 50 (1935) 246–319.

– *Papsturkunden in England* III (Abhandlungen der Akademie der Wissenschaften in Göttingen. Philol.-hist. Klasse, 3. Folge 33). Göttingen 1952.

– *Das Privileg Alexanders II. für S. Maria Mattina.* In: QFIAB 34 (1954) 65–87.

– *Papsttum, Normannen und griechische Kirche.* In: Miscellanea Bibliothecae Hertzianae. München 1961, 69–76.

HORTAL SANCHEZ, JESUS: *De initio potestatis primatialis Romani pontificis. Investigatio historico-iuridica a tempore Sancti Gregorii Magni usque ad tempus Clementis V* (Analecta Gregoriana, 167 = Series Facultatis Iuris Canonici, Sectio B, 24). Rom 1968.

HUELSEN, CHRISTIAN: *Le chiese di Roma nel Medio Evo.* Florenz 1927.

HUG, WOLFGANG: *Elemente der Biographie im Hochmittelalter. Untersuchungen zu Darstellungsform und Geschichtsbild der Viten vom Ausgang der Ottonen- bis in die Anfänge der Stauferzeit.* Diss. (masch.schr.) München 1957.

JENAL, GEORG: *Erzbischof Anno II. von Köln (1056–75) und sein politisches Wirken. Ein Beitrag zur Geschichte der Reichs- und Territorialpolitik im 11. Jahrhundert*, 2 Teile (Monographien zur Geschichte des Mittelalters, 8). Stuttgart 1974–1975.

JORDAN, KARL: *Die päpstliche Verwaltung im Zeitalter Gregors VII.* In: Studi Gregoriani 1 (1947) 111–135.

JUNG, JULIUS: *Das Itinerar des Erzbischofs Sigeric von Canterbury und die Strasse von Rom über Siena nach Lucca.* In: MIÖG 25 (1904) 1–90.

JUNG, RUDOLF: *Herzog Gottfried der Bärtige unter Heinrich IV. Ein Beitrag zur Geschichte des deutschen Reichs und besonders Italiens im elften Jahrhundert.* Marburg 1884.

KAEMMERER, WALTER: *Die Papstnamen von Johann XII. bis Hadrian IV. in ihrer Bedeutung für die Zeitgeschichte.* Diss. (masch.schr.) München 1921.

KARES, OTTO: *Chronologie der Kardinalbischöfe im elften Jahrhundert* (Festschrift des Gymnasiums am Burgplatz in Essen). Essen 1924, 19–29.

KEHR, PAUL FRIDOLIN: *Scrinium und Palatium. Zur Geschichte des päpstlichen Kanzleiwesens im XI. Jahrhundert.* In: MIÖG Erg.bd. 6 (1901) 70–112.

- *Aeltere Papsturkunden in den päpstlichen Registern.* In: NGG 1902, 393–441, 442–495, 496–558.

- *Römische Analekten.* In: QFIAB 14 (1911) 1–37.

- *Zur Geschichte Wiberts von Ravenna (Clemens III.).* In: Sitzungsberichte der Preussischen Akademie der Wissenschaften, Jg. 1921. Philos.-hist. Klasse. Berlin 1921, 355–368, 973–988.

- *Vier Kapitel aus der Geschichte Kaiser Heinrichs III.* (Abhandlungen der Preussischen Akademie der Wissenschaften, Jg. 1930. Philos.-hist. Klasse, 3). Berlin 1931.

KELLER, HAGEN: *Die soziale und politische Verfassung Mailands in den Anfängen des kommunalen Lebens.* In: HZ 211 (1970) 34–64.

- *Pataria und Stadtverfassung, Stadtgemeinde und Reform: Mailand im »Investiturstreit«.* In: Investiturstreit und Reichsverfassung (Vorträge und Forschungen, 17). Sigmaringen 1973, 321–350.

KEMPF, FRIEDRICH: *Pier Damiani und das Papstwahldekret von 1059.* In: AHPont 2 (1964) 73–89.

- *Die gregorianische Reform (1046–1124).* In: Handbuch der Kirchengeschichte, hg. von HUBERT JEDIN III/1. Freiburg i. Br. 1966, 401–461.

KITTEL, ERICH: *Der Kampf um die Reform des Domkapitels in Lucca im 11. Jahrhundert.* In: Festschrift Albert Brackmann. Weimar 1931, 207–247.

KLEWITZ, HANS WALTER: *Zur Geschichte der Bistumsorganisation Campaniens und Apuliens im 10. und 11. Jahrhundert.* In: QFIAB 24 (1932/33) 1–61; wiederabgedruckt in DERS.: *Ausgewählte Aufsätze zur Kirchen- und Geistesgeschichte des Mittelalters,* hg.von GERD TELLENBACH. Aalen 1971, 343–403.

- *Die Entstehung des Kardinalkollegiums.* In: ZRG Kan.Abt. 25 (1936) 115–221; wiederabgedruckt in DERS.: *Reformpapsttum und Kardinalkolleg.* Darmstadt 1957, 11–134 (zit. KLEWITZ: *Reformpapsttum*).

- *Das »Privilegienregister« Gregors VII.* In: AUF 16 (1939) 413–424; wiederabgedruckt in DERS.: *Ausgewählte Aufsätze zur Kirchen- und Geistesgeschichte des Mittelalters,* hg. von GERD TELLENBACH. Aalen 1971, 331–342.

- *Reformpapsttum und Kardinalkolleg.* Darmstadt 1957.

KNOWLES, DAVID: *The Monastic Order in England,* 2. Aufl. Cambridge 1966.

KNOWLES, DAVID – HADCOCK, R. NEVILLE: *Medieval Religious Houses. England and Wales,* 3. Aufl. London 1971.

KÖHNCKE, OTTO: *Wibert von Ravenna (Papst Clemens III.). Ein Beitrag zur Papstgeschichte.* Leipzig 1888.

KÖLMEL, WILLI: *Rom und der Kirchenstaat im 10. und 11. Jahrhundert bis in die Anfänge der Reform. Politik, Verwaltung. Rom und Italien* (Abhandlungen zur mittleren und neueren Geschichte, 78). Berlin 1935.

KOPCZYNSKI, MARIA: *Die Arengen der Papsturkunden nach ihrer Bedeutung und Verwendung bis zu Gregor VII.* Diss. Berlin 1936.

KRÄMER, FRIEDRICH: *Über die Anfänge und Beweggründe der Papstnamenänderungen im Mittelalter.* In: RQ 51 (1956) 148–188.

KRAUSE, ERNST F.: *Über einige Inschriften auf den Erzthüren der Basilika di S. Paolo bei Rom und der Michaelskirche in Monte S. Angelo.* In: RQ 16 (1902) 41–50.

KRAUSE, HANS-GEORG: *Das Papstwahldekret von 1059 und seine Rolle im Investiturstreit* (Studi Gregoriani, 7). Rom 1960.

KRÜGER, A.: *Die Pataria in Mailand,* 2 Teile (Jahresberichte des kgl. Friedrichs-Gymnasiums zu Breslau). Breslau 1873–1874.

KURZE, WILHELM: *Der Adel und das Kloster S. Salvatore all'Isola im 11. und 12. Jahrhundert.* In: QFIAB 47 (1967) 446–573.

KUTTNER, STEPHAN: *Cardinalis: The History of a Canonical Concept.* In: Traditio 3 (1945) 129–214.

LADNER, GERHARD: *Theologie und Politik vor dem Investiturstreit. Abendmahlstreit, Kirchenreform, Cluni und Heinrich III.* (Veröffentlichungen des Österreichischen Instituts für Geschichtsforschung, 2). Baden bei Wien 1936.

LEJAY, PAUL: *Notes latin 5. B.N. Lat. 7530.* In: Revue de philologie de littérature et d'histoire anciennes, N.S. 18 (1894) 42–52.

LEMARIGNIER, JEAN-FRANÇOIS: *Étude sur les privilèges d'exemption et de juridiction ecclésiastique des abbayes normandes depuis les origines jusqu'en 1140* (Archives de la France monastique, 44). Paris 1937.

LERNER, FRANZ: *Kardinal Hugo Candidus* (Historische Zeitschrift. Beiheft 22). München 1931.

LESNE, ÉMILE: *Les écoles de la fin du VIIIe siècle à la fin du XIIe (Histoire de la propriété ecclésiastique en France V).* Lille 1940.

LEWALD, URSULA: *Domkapitel und Custodie in Arezzo.* In: Studi di storia e diritto in onore di Carlo Calisse II. Mailand 1940, 447–482.

LOEW, ELIAS AVERY: *Die ältesten Kalendarien aus Monte Cassino* (Quellen und Untersuchungen zur lateinischen Philologie des Mittelalters, 3/III). München 1908.

LÖWE, HEINZ: *Petrus Damiani. Ein italienischer Reformer am Vorabend des Investiturstreites.* In: Geschichte in Wissenschaft und Unterricht 6 (1955) 65–79; wiederabgedruckt in DERS.: *Von Cassiodor zu Dante. Ausgewählte Aufsätze zur Geschichtschreibung und politischen Ideenwelt des Mittelalters.* Berlin 1973, 260–276.

LOHRMANN, DIETRICH: *Das Register Papst Johannes' VIII. (872–882). Neue Studien zur Abschrift Reg. Vat. 1, zum verlorenen Originalregister und zum Diktat der Briefe* (Bibliothek des Deutschen Historischen Instituts in Rom, 30). Tübingen 1968.

LUCCHESI, GIOVANNI: *Per una vita di San Pier Damiani. Componenti cronologiche e topografiche,* 2 Teile. In: San Pier Damiano. Nel IX centenario della morte (1072–1972). Cesena 1972, I, 13–179; II, 13–160.

LUDWIG, FRIEDRICH: *Untersuchungen über die Reise- und Marschgeschwindigkeit im XII. und XIII. Jahrhundert.* Berlin 1897.

LUSINI, VINCENZO: *I confini storici del vescovado di Siena.* In: Bullettino senese di storia patria 5 (1898) 333–357; 7 (1900) 59–82, 418–467; 8 (1901) 195–273.

MABILLON, JEAN: *Annales ordinis s. Benedicti,* 6 Bde., 2. Aufl. Lucca 1739–1745.

MACCARRONE, MICHELE: *La storia della Cattedra.* In: La cattedra lignea di S. Pietro in Vaticano (Atti della Pontificia Accademia Romana di Archeologia. Serie terza, Memorie, 10). Città del Vaticano 1971, 3–70.

MACDONALD, ALLAN JOHN: *Eadmer and the Canterbury Privileges.* In: The Journal of Theological Studies 32 (1931) 39–55.

– *Hildebrand. A Life of Gregory VII.* London 1932.

– *Lanfranc. A Study of his Life, Work and Writing,* 2. Aufl. London 1944.

MANITIUS, MAX: *Geschichte der lateinischen Literatur des Mittelalters* III (Handbuch der Altertumswissenschaft, 9/2/III). München 1931.

MARTENS, WILHELM: *Die Besetzung des päpstlichen Stuhls unter den Kaisern Heinrich III. und Heinrich IV.* Freiburg i. Br. 1887.

MAY, J.: *Leben Pauls von Bernried.* In: NA 12 (1886) 333–352.

MAZE, THIBAUD: *L'abbaye du Bec au XIᵉ siècle.* In: La Normandie bénédictine au temps de Guillaume le Conquérant (XIᵉ siècle). Lille 1967, 229–247.

MERCATI, GIOVANNI: *Il catalogo della biblioteca di Pomposa.* In: Studi e documenti di storia e diritto 17 (1896) 143–177; wiederabgedruckt in DERS.: *Opere minori I (1891–1897)* (Studi e testi, 76). Città del Vaticano 1937, 358–388.

MEULENBERG, LEO F. J.: *Der Primat der römischen Kirche im Denken und Handeln Gregors VII* (Mededelingen van het Nederlands Historisch Instituut te Rome, 33/II). 's Gravenhage 1965.

MEYER VON KNONAU, GEROLD: *Jahrbücher des Deutschen Reiches unter Heinrich IV. und Heinrich V.,* 7 Bde. Leipzig 1890–1909.

MICCOLI, GIOVANNI: *Il problema delle ordinazioni simoniache e le sinodi lateranensi del 1060 e 1061.* In: Studi Gregoriani 5 (1956) 33–81.

– *Per la storia della pataria milanese.* In: BISI 70 (1958) 43–123; wiederabgedruckt in DERS.: *Chiesa gregoriana. Ricerche sulla Riforma del secolo XI* (Storici antichi e moderni, N.S. 17). Florenz 1966, 101–160.

– *Pietro Igneo. Studi sull'età gregoriana* (Istituto storico italiano per il medio evo. Studi storici, 40–41). Rom 1960.

– *Le ordinazioni simoniache nel pensiero di Gregorio VII. Un capitolo della dottrina del primato?* In: Studi Medievali, serie terza 4 (1963) 104–135; wiederabgedruckt in DERS.: *Chiesa gregoriana. Ricerche sulla Riforma del secolo XI* (Storici antichi e moderni, N.S. 17). Florenz 1966, 169–201.

MICHEL, ANTON: *Papstwahl und Königsrecht oder das Papstwahl-Konkordat von 1059.* München 1936.

– *Humbert und Hildebrand bei Nikolaus II. (1059/61).* In: HJb 72 (1952) 133–161.

MIKOLETZKY, HANNS LEO: *Bemerkungen zu einer Vorgeschichte des Investiturstreits.* In: Studi Gregoriani 3 (1948) 233–285.

MIRBT, KARL: *Die Publizistik im Zeitalter Gregors VII.* Leipzig 1894.

MORDEK, HUBERT: *Proprie auctoritates apostolice sedis. Ein zweiter Dictatus papae Gregors VII.?* In: DA 28 (1972) 105–132.

MÜLLER, ERNST: *Das Itinerar Kaiser Heinrichs III. (1039 bis 1056) mit besonderer Berücksichtigung seiner Urkunden* (Historische Studien, 26). Berlin 1901.

MÜLLER, HERMANN: *Topographische und genealogische Untersuchungen zur Geschichte des Herzogtums Spoleto und der Sabina von 800–1100.* Diss. Greifswald 1930.

MURRAY, ALEXANDER: *Pope Gregory VII and his Letters.* In: Traditio 22 (1966) 149–202.

NANNI, LUIGI: *La parrocchia studiata nei documenti lucchesi dei secoli VIII–XIII* (Analecta Gregoriana, 47). Rom 1948.

NITSCHKE, AUGUST: *Die Wirksamkeit Gottes in der Welt Gregors VII. Eine Untersuchung über die religiösen Äußerungen und politischen Handlungen des Papstes.* In: Studi Gregoriani 5 (1956) 115–219.

NORTIER, GENEVIÈVE: *Les bibliothèques médiévales des abbayes bénédictines de Normandie. Fécamp, Le Bec, Le Mont Saint-Michel, Saint-Évroul, Lyre, Jumièges, Saint-Wandrille, Saint-Ouen* (Bibliothèque d'Histoire et d'Archéologie chretiennes, 9). Paris 1971.

OVERMANN, ALFRED: *Gräfin Mathilde von Tuszien. Ihre Besitzungen. Geschichte ihres Gebietes von 1115–1230 und ihre Regesten.* Innsbruck 1895.

PAECH, HUGO: *Die Pataria in Mailand 1056–1077.* Sondershausen 1872.

PÁSZTOR, EDITH: *San Pier Damiani, il cardinalato e la formazione della Curia Romana*. In: Studi Gregoriani 10 (1975) 319–339.

PAULUS, NIKOLAUS: *Geschichte des Ablasses im Mittelalter*, 2 Bde. Paderborn 1922–1923.

PEITZ, WILHELM MARIA: *Das Originalregister Gregors VII. im Vatikanischen Archiv (Reg. Vat. 2) nebst Beiträgen zur Kenntnis der Originalregister Innozenz' III. und Honorius' III. (Reg. Vat. 4–11)* (Sitzungsberichte der ksl. Akademie der Wissenschaften in Wien. Philos.-hist. Klasse, 165/V). Wien 1911.

PETERSOHN, JÜRGEN: *Normannische Bildungsreform im hochmittelalterlichen England*. In: HZ 213 (1971) 265–295.

VON PFLUGK-HARTTUNG, JULIUS: *Über Archiv und Register der Päpste*. In: ZKG 12 (1891) 248–278.

PORÉE, CHARLES: *Histoire de l'abbaye du Bec*, 2 Bde. Evreux 1901.

POSCHMANN, BERNHARD: *Der Ablass im Lichte der Bussgeschichte* (Theophaneia. Beiträge zur Religions- und Kirchengeschichte des Altertums, 4). Bonn 1948.

RAMACKERS, JOHANNES: *Analekten zur Geschichte des Reformpapsttums und der Cluniazenser*. In: QFIAB 23 (1931/32) 22–52.

– *Analekten zur Geschichte des Papsttums im 11. Jahrhundert*. In: QFIAB 25 (1933/34) 49–60.

REINDEL, KURT: *Petrus Damiani und seine Korrespondenten*. In: Studi Gregoriani 10 (1975) 205–219.

REINHARD, WOLFGANG: *Papa Pius. Prolegomena zu einer Sozialgeschichte des Papsttums*. In: Von Konstanz nach Trient. Festgabe für August Franzen. München 1972, 261–299.

REPETTI, EMANUELE: *Dizionario geografico fisico storico della Toscana*, 6 Bde. Florenz 1833–1846.

ROBINSON, J. ARMITAGE: *Gilbert Crispin abbot of Westminster* (Notes and Documents, 3). London 1911.

SANTIFALLER, LEO: *Saggio di un elenco dei funzionari, impiegati e scrittori della cancelleria Pontificia dall'inizio all' anno 1099* (BISI, 56). Rom 1940.

– *Über die Neugestaltung der äußeren Form der Papstprivilegien unter Leo IX*. In: Festschrift Hermann Wiesflecker. Graz 1973, 29–38.

SAVIO, FEDELE: *Gli antichi vescovi d'Italia dalle origini al 1300, descritti per regioni* I: Il Piemonte. Turin 1899; II/1: La Lombardia. Florenz 1913.

SCHIEFFER, RUDOLF: *Tomus Gregorii papae. Bemerkungen zur Diskussion um das Register Gregors VII*. In: AfD 17 (1971) 169–184.

SCHIEFFER, THEODOR: *Die päpstlichen Legaten in Frankreich vom Vertrag von Meersen (870) bis zum Schisma von 1130* (Historische Studien, 263). Berlin 1935.

SCHMID, PAUL: *Der Begriff der kanonischen Wahl in den Anfängen des Investiturstreits*. Stuttgart 1926.

SCHMIDT, TILMANN: *Die Kanonikerreform in Rom und Papst Alexander II (1061–1073)*. In: Studi Gregoriani 9 (1972) 199–221.

– *Zu Hildebrands Eid vor Kaiser Heinrich III*. In: AHPont 11 (1973) 374–386.

– *Hildebrand, Kaiserin Agnes und Gandersheim*. In: Niedersächsisches Jahrbuch für Landesgeschichte 46/47 (1974/75) 299–309.

SCHNEIDER, FEDOR: *Rom und Romgedanke im Mittelalter. Die geistigen Grundlagen der Renaissance*. München 1926.

SCHRAMM, PERCY ERNST: *Kaiser, Rom und Renovatio. Studien zur Geschichte des römischen Erneuerungsgedankens vom Ende des karolingischen Reiches bis zum Investiturstreit* (Studien der Bibliothek Warburg, 17). Leipzig 1929.

SCHROD, KONRAD: *Reichsstrassen und Reichsverwaltung im Königreich Italien (754–1197)* (VSWG. Beiheft 25). Stuttgart 1931.

SCHUMANN, OTTO: *Die päpstlichen Legaten in Deutschland zur Zeit Heinrichs IV. und Heinrichs V. (1056–1125)*. Marburg 1912.

SCHWARTZ, GERHARD: *Die Besetzung der Bistümer Reichsitaliens unter den sächsischen und salischen Kaisern mit den Listen der Bischöfe 951–1122*. Leipzig 1913.

SCHWARZMAIER, HANSMARTIN: *Zur Familie Viktors IV. in der Sabina*. In: QFIAB 48 (1968) 64–79.

– *Das Kloster St. Georg in Lucca und der Ausgriff Montecassinos in die Toskana*. In: QFIAB 49 (1969) 145–185.

– *Lucca und das Reich bis zum Ende des 11. Jahrhunderts. Studien zur Sozialstruktur einer Herzogstadt in der Toskana* (Bibliothek des Deutschen Historischen Instituts in Rom, 41). Tübingen 1972.

SERGI, GIUSEPPE: *La produzione storiografica di S. Michele della Chiusa*. In: BISI 81 (1969) 115–172; 82 (1970) 173–242.

SILVESTRELLI, GIULIO: *Città, castelli e terre della regione romana. Ricerche di storia medioevale e moderna sino all'anno 1800*, 2. Aufl. Rom 1940.

SMIDT, WILHELM: *Deutsches Königtum und deutscher Staat des Hochmittelalters während und unter dem Einfluß der italienischen Heerfahrten. Ein zweihundertjähriger Gelehrtenstreit im Lichte der historischen Methode zur Erneuerung der abendländischen Kaiserwürde durch Otto I.* Wiesbaden 1964.

STICKLER, ALPHONS MARIA: *Historia iuris canonici latini. Institutiones academicae* I: Historia fontium (Pontificium Athenaeum Salesianum, Facultas iuris canonici). Turin 1950.

SOMERVILLE, ROBERT: *The Case against Berengar of Tours. A new Text*. In: Studi Gregoriani 9 (1972) 55–75.

SOMIGLI, COSTANZO: *San Pier Damiano e la pataria*. In: San Pier Damiano. Nel IX centenario della morte (1072–1972) III. Cesena 1973, 193–206.

SOUTHERN, RICHARD WILLIAM: *The Canterbury Forgeries*. In: EHR 73 (1958) 193–226.

– *Saint Anselm and his Biographer. A Study of Monastic Life and Thought 1059 – c. 1130*. Cambridge 1963.

STEINDORFF, ERNST: *Jahrbücher des Deutschen Reichs unter Heinrich III.*, 2 Bde. Leipzig 1874–1881.

TABACCO, GIOVANNI: *Dalla Novalese a S. Michele della Chiusa*. In: Monasteri in alta Italia dopo le invasioni saracene e magiare (sec. X–XII). Relazioni e comunicazioni presentate al XXXII Congresso storico subalpino. Pinerolo 6–9 settembre 1964 (Deputazione subalpina di storia patria). Turin 1966, 481–526.

TELLENBACH, GERD: *Libertas. Kirche und Weltordnung im Zeitalter des Investiturstreites* (Forschungen zur Kirchen- und Geistesgeschichte, 7). Stuttgart 1936.

THIEL, MATTHIAS: *Grundlagen und Gestalt der Hebräischkenntnisse des frühen Mittelalters* (Biblioteca degli »Studi Medievali«, 4). Spoleto 1973.

TILLMANN, HELENE: *Legaten in England bis zur Beendigung der Legation Gualas (1217)*. Diss. Bonn 1926.

TIRABOSCHI, GIROLAMO: *Storia dell'augusta badia di s. Silvestro di Nonantola, aggiuntovi il codice diplomatico della medesima*, 2 Bde. Modena 1784–1785.

TOMASSETTI, GIUSEPPE: *La campagna romana antica, medioevale e moderna*, 4 Bde. Rom 1910–1926.

TRIFONE, BASILIO: *Serie dei prepositi, rettori ed abbati di s. Paolo di Roma*. In: Rivista storica benedettina 4 (1909) 101–113, 246–264.

UGHELLI, FERDINANDO – COLETI, NICOLA: *Italia sacra*, 2. Aufl. 10 Bde. Venedig 1717–1722.

VASINA, AUGUSTO: *Lineamenti di vita comune del clero presso la cattedrale ravennate nei secoli XI e XII*. In: La vita comune del clero nei secoli XI e XII (Atti della settimana di studio, Mendola, settembre 1959, II = Miscellanea del Centro di studi medioevali, 3 = Pubblicazioni dell'Università Cattolica del Sacro Cuore, serie terza, Scienze storiche, 3). Mailand 1962, 199–227.

VEHSE, OTTO: *Die päpstliche Herrschaft in der Sabina bis zur Mitte des 12. Jahrhunderts*. In: QFIAB 21 (1929/30) 120–175.

VIOLANTE, CINZIO: *La società milanese nell'età precomunale* (Istituto italiano per gli studi storici in Napoli). Bari 1953.

– *La pataria milanese e la riforma ecclesiastica* I: Le premesse (1045–1057) (Istituto storico italiano per il medio evo. Studi storici, 11–13). Rom 1955.

– *Alessandro II*. In: Dizionario biografico degli Italiani 2. Rom 1960, 176–183.

– *Le concessioni pontificie alla chiesa di Pisa riguardanti la Corsica alla fine del secolo XI*. In: BISI 75 (1963) 43–56.

– *Cronotassi dei vescovi e degli arcivescovi di Pisa dalle origini all'inizio del secolo XIII. Primo contributo a una nuova »Italia sacra«*. In: Miscellanea Gilles Gerard Meersseman I (Italia sacra, 15). Padua 1970, 3–56.

– *Il vescovo Gerardo – Papa Nicolò II e le comunità canonicali di pieve nella diocesi di Firenze*. In: Bollettino storico pisano 40/41 (1971/72) 17–22.

VOGEL, CYRILLE: *La Descriptio Lateranensis du diacre Jean. Histoire du texte manuscript*. In: Mélanges en l'honneur de Msgr. Michel Andrieu. Straßburg 1956, 457–476.

VOLLRATH, HANNA: *Kaisertum und Patriziat in den Anfängen des Investiturstreits*. In: ZKG 85 (1974) 11–44.

WATTENBACH, WILHELM – HOLTZMANN, ROBERT: *Deutschlands Geschichtsquellen im Mittelalter. Die Zeit der Sachsen und Salier*, 3 Teile, hg. von FRANZ-JOSEF SCHMALE. Darmstadt 1971.

WILL, CORNELIUS: *Die Anfänge der Restauration der Kirche im elften Jahrhundert*, 2 Teile. Marburg 1859–1864.

WOLLASCH, JOACHIM: *Die Wahl des Papstes Nikolaus II*. In: Festschrift Gerd Tellenbach. Freiburg i. Br. 1968, 205–220.

ZEMA, DEMETRIUS B.: *The Houses of Tuscany and of Pierleone in the Crisis of Rome in the Eleventh Century*. In: Traditio 2 (1944) 155–175.

ZIMMERMANN, HARALD: *Papstabsetzungen des Mittelalters*. Graz 1968.

– *Der Canossagang von 1077. Wirkungen und Wirklichkeit* (Abhandlungen der Akademie der Wissenschaften und Literatur Mainz. Geistes- und Sozialwissensch. Klasse, Jg. 1975, Nr. 5). Wiesbaden 1975.

ZÖPFFEL, RICHARD: *Die Papstwahlen und die mit ihnen im nächsten Zusammenhange stehenden Ceremonien in ihrer Entwicklung vom 11. bis zum 14. Jahrhundert*. Göttingen 1871.

ZUCCHETTI, GIUSEPPE: *Il ›Liber largitorius vel notarius monasterii Pharphensis‹*. In: BISI 44 (1927) 1–259.

REGISTER DER PERSONEN UND ORTE

Alexander II., Papst, und Anselm I. von Lucca, Bischof, sind nicht aufgenommen.

PÄPSTE UND PAPSTTUM

In der 1971 von dem Kirchenhistoriker Prof. Dr. Georg Denzler begründeten Serie erscheinen *Biographien von Päpsten in Einzeldarstellungen* und *Monographien zum Thema Papsttum*. Bei den Biographien genießen jene Päpste den Vorrang, deren Leben bisher noch keine hinreichend kritische Beschreibung gefunden hat oder deren Lebensbild aufgrund neuer Forschungsergebnisse revidiert werden muß; gegebenenfalls werden mehrere Päpste in einem Band abgehandelt. Die speziellen und übergreifenden Sachthemen der Monographien beziehen sich auf die Institution des Papsttums.

Folgende Bände sind erschienen:

1 *Marschall*, Werner: Karthago und Rom. Die Stellung der nordafrikanischen Kirche zum Apostolischen Stuhl in Rom. 1971. IX, 240 Seiten. Leinenband. ISBN 3-7772-7117-9.

2 *Moehs*, Teta E.: Gregorius V. (996–999). A biographical study. [In English Language.] 1972. X, 114 Seiten und 1 Stammtafel. Leinenband. ISBN 3-7772-7214-0.

3 *Joannou*, Perikles-Petros (†): Die Ostkirche und die Cathedra Petri im 4. Jahrhundert. Bearbeitet von Georg Denzler. 1972. IX, 309 Seiten. Leinenband. ISBN 3-7772-7226-4.

4 *Herrmann*, Klaus-Jürgen: Das Tuskulanerpapsttum (1012–1046). Benedikt VIII., Johannes XIX., Benedikt IX. 1973. VIII, 220 Seiten. Leinenband. ISBN 3-7772-7306-6.

5 *Denzler*, Georg: Das Papsttum und der Amtszölibat. 2 Bände. 1973–1976. 500 Seiten. ISBN 3-7772-7324-4.
Teil 1: Die Zeit bis zur Reformation. 1973. XII, 180 Seiten. Leinenband. ISBN 3-7772-7325-2.
Teil 2: Von der Reformation bis in die Gegenwart. 1976. VI, 302 Seiten. Leinenband. ISBN 3-7772-7602-2.

6 *Reinhard*, Wolfgang: Papstfinanz und Nepotismus unter Paul V. (1605–1621). Studien und Quellen zur Struktur und zu quantitativen Aspekten des päpstlichen Herrschaftssystems. 2 Bände. 1974. 432 Seiten. ISBN 3-7772-7418-6.
Teil 1: Studien. 1974. XV, 160 Seiten. Leinenband. ISBN 3-7772-7419-4.
Teil 2: Quellen. 1974. V, 249 Seiten. Leinenband. ISBN 3-7772-7426-7.

7 *Wermelinger*, Otto: Rom und Pelagius. Die theologische Position der römischen Bischöfe im Pelagianischen Streit in den Jahren 411 bis 432. 1975. XI, 340 Seiten. Leinenband. ISBN 3-7772-7516-6.

8 *Kreuzer*, Georg: Die Honoriusfrage im Mittelalter und in der Neuzeit. 1975. XI, 260 Seiten. Leinenband. ISBN 3-7772-7518-2.

9 *Cheney*, Christopher R.: Pope Innocent III (1198–1216) and England. [In English Language.] 1976. XII, 433 Seiten. Leinenband. ISBN 3-7772-7623-5.

10 *Santifaller*, Leo (†): Liber Diurnus. Studien und Forschungen. Herausgegeben von Harald Zimmermann. 1976. XIII, 260 Seiten. Leinenband. ISBN 3-7772-7612-X.

11 *Schmidt*, Tilmann: Alexander II. (1061–1073) und die römische Reformgruppe seiner Zeit. 1977. IX, 262 Seiten. Leinenband. ISBN 3-7772-7704-5.

Als nächste Bände erscheinen:

12 *Hasler*, August Bernhard: Pius IX. (1846–1878), päpstliche Unfehlbarkeit und 1. Vatikanisches Konzil. Dogmatisierung und Durchsetzung einer Ideologie. 1977. Etwa 600 Seiten.

13 *Weber*, Christoph: Kardinäle und Prälaten in den letzten Jahrzehnten des Kirchenstaates. Elite-Rekrutierung, Karriere-Muster und soziale Zusammensetzung der kurialen Führungsschicht zur Zeit Pius IX. (1846–1878). Etwa 450 Seiten mit 50 Stammtafeln.

In Vorbereitung:

Bosl, Karl: Gesellschaftsgeschichte des Papsttums in der Zeit von Konstantin d. Gr. bis Karl d. Gr.

Bylina, Stanislaw: Das Papsttum und die Ketzer im Mittelalter.

Favier, Jean: Die päpstlichen Finanzen und der kirchliche Fiskalismus vom 13. bis 15. Jahrhundert.

Fogarty, Gerald: The Vatican and The American Church since 1870.

Foreville, Raymonde: Innocent III et la France.

Frank, Isnard: Das Mönchtum als Stütze des mittelalterlichen Papsttums.

Hägermann, Dieter: Die Päpste Stephan IX. (1057–1058), Benedikt X. (1058–1059) und Nikolaus II. (1058–1061).

Hennesey, James: The American Church and The Holy See 1780–1870.

Herde, Peter: Papst Cölestin V. (1294).

Kaminsky, Hans H.: Die Päpste Damasus II. (1048), Leo IX. (1049–1054) und Viktor II. (1055–1057).

Lenzenweger, Josef: Die Päpste Clemens VI. (1342–1352), Innozenz VI. (1352–1362), Urban V. (1362–1370) und Gregor XI. (1370–1378).

Maccarrone, Michele: Innocenzo III e l'Italia.

Meinhold, Peter: Die Päpste Julius III. (1550–1555) und Paul IV. (1555–1559).

– Die Päpste Pius IV. (1559–1565) und Pius V. (1566–1572).

Melville, Gert: Bedeutung und Verwendung des Liber Pontificalis im Mittelalter.

Neundorfer, Bruno: Die Päpste Gregor VI. (1045–1046) und Clemens II. (1046–1047).

Peri, Vittorio: Papst Leo III. (795–816).

Pesch, Rudolf: Apostel Petrus.

Peterfi, William O.: United States – Vatican Diplomacy in Modern Times (since 1914). A mission for Peace.

– The Vatican and International Organization.

Raab, Heribert: Die Päpste Clemens XIII. (1758–1769) und Clemens XIV. (1769–1774). Das Papsttum im Kampf mit der Spätaufklärung und dem Staatskirchentum.
– Papst Pius VI. (1775–1799).
Schlaich, Heinz-Wolf: Papsttum und Deutsche Einigung.
Schnith, Karl: Papst Hadrian IV. (1154–1159).
Servatius, Carlo: Papst Paschalis II. (1099–1118).
Strnad, Alfred A.: Die Päpste Pius II. (1458–1464) und Pius III. (1503).
Weinzierl, Erika: Papst Pius X. (1903–1914).
Ziese, Jürgen: Papst Martin IV. (1281–1285).
– Gegenpapst Clemens III. (1080–1100).

MONOGRAPHIEN ZUR GESCHICHTE DES MITTELALTERS
ISSN 0026-9832

In Verbindung mit Friedrich Prinz herausgegeben von Karl Bosl

Diese neue, seit Herbst 1970 erscheinende Serie wissenschaftlicher Monographien ist ein breites Sammelbecken für die Veröffentlichung der Ergebnisse deutscher Mittelalterforschung. Sie bringt Untersuchungen zur Verfassungs-, Wirtschafts-, Finanz-, Geld- und Gesellschaftsgeschichte, der Geistes- und »Mentalité«-Geschichte, der Formen- und Strukturforschung, der vergleichenden Landesgeschichte, der Rechtsgeschichte und auch der politischen Geschichte im breitesten Umfang der Thematik und des Horizontes, national und europäisch. – Die in rascher Entwicklung begriffene Serie hat bereits mit ihren ersten Bänden internationale Beachtung gefunden. Sie konzentriert sich auch künftig auf Arbeiten, die den Gesamtbereich menschlichen Lebens, Denkens, Handelns und Leidens, des individuellen wie des gesellschaftlichen, umfassen und die Zeit vom Übergang von der Antike zum Mittelalter (5./6. Jahrhundert) bis zum Ende des 15. Jahrhunderts umgreifen.

Bisher sind folgende Bände erschienen:

1 *Haverkamp*, Alfred: Herrschaftsformen der Frühstaufer in Reichsitalien. 2 Teilbände. – 1970/71. 813 Seiten. Mit 5 Karten. Leinen. ISBN 3-7772-7020-2.

2 *Prinz*, Friedrich: Klerus und Krieg im früheren Mittelalter. Untersuchungen zur Rolle der Kirche beim Aufbau der Königsherrschaft. – 1971. XXIV, 216 Seiten. Leinen. ISBN 3-7772-7116-0.

3 *Schneider*, Reinhard: Königswahl und Königserhebung im Frühmittelalter. Untersuchungen zur Herrschaftsnachfolge bei den Langobarden und Merowingern. – 1972. XVI, 272 Seiten. Leinen. ISBN 3-7772-7203-5.

4 *Bosl*, Karl: Die Grundlagen der modernen Gesellschaft im Mittelalter. Eine deutsche Gesellschaftsgeschichte des Mittelalters. Zwei Teilbände. – 1972. XVI, 418 Seiten. Leinen. ISBN 3-7772-7219-1.

5 *Wellmer*, Hansjörg: Persönliches Memento im deutschen Mittelalter. – 1973. XII, 148 Seiten. Leinen. ISBN 3-7772-7305-8.

6 *Störmer*, Wilhelm: Früher Adel. Studien zur politischen Führungsschicht im fränkisch-deutschen Reich vom 8. bis 11. Jahrhundert. Zwei Teilbände. – 1973. XIV, 572 Seiten. ISBN 3-7772-7307-4.

7 *Schnith*, Karl: England in einer sich wandelnden Welt (1189–1259). Studien zu Roger Wendover und Matthäus Paris. – 1974. X, 238 Seiten. Leinen. ISBN 3-7772-7404-6.

8 *Jenal*, Georg: Erzbischof Anno II. von Köln (1056–75) und sein politisches Wirken. Ein Beitrag zur Geschichte der Reichs- und Territorialpolitik im 11. Jahrhundert. Zwei Teilbände. – 1974/75. XXXIV, 428 Seiten. Leinen. ISBN 3-7772-7422-4.

9 *Kienast*, Walther: Deutschland und Frankreich in der Kaiserzeit (900–1270). Weltkaiser und Einzelkönige. 2., völlig neu bearbeitete und stark erweiterte Auflage der Ausgabe von 1943. Drei Teilbände. – 1974/75. 931 Seiten. Leinen. ISBN 3-7772-7427-5.

10 *Sprandel*, Rolf: Das mittelalterliche Zahlungssystem nach hansisch-nordischen Quellen des 13.–15. Jahrhunderts. – 1975. VII, 226 Seiten. Mit 4 Karten. Leinen. ISBN 3-77772-7513-1.

11 *Gesellschaft, Kultur, Literatur*. Rezeption und Originalität im Wachsen einer europäischen Literatur und Geistigkeit. *Beiträge Luitpold Wallach gewidmet*. Herausgegeben von Karl Bosl. – 1975. IX, 309 Seiten. Leinen. ISBN 3-7772-7519-0.
Festgabe zum 65. Geburtstag von Prof. Dr. Luitpold Wallach, Professor of the Classics, University of Illinois, Urbana. – Inhalt: *A. O. Aldridge:* Shaftesbury and the classics. – *K. Bosl:* Die ältesten sogenannten germanischen Volksrechte und die Gesellschaftsstruktur der Unterschichten. – *P. Courcelle:* L'Interprétation evhémériste des Sirènes-courtisanes jusqu'au XIIe siècle. – *D. Daube:* King Arthur's Round Table. – *H. Fichtenau:* Bayerns älteste Urkunden. – *F.-L. Ganshof:* L'empire carolingien. Essence et culture. – *M. Marcovich:* One hundred Hippolytean emendations. – *R. Montano:* Realtà e simbolo in Dante. – *P. Munz:* History and Sociology. – *R. P. Oliver:* Interpolated Lines in Ovid. – *A. C. Pegis:* The second conversion of St. Augustine. – *F. Prinz:* Aristocracy and Christianity in Merovingian Gaul. – *J. Szövérffy:* Bruch mit der Tradition: »Subjektivierende« Tendenzen in der Epik des 13. Jahrhunderts. – *J. B. Trahern jr.:* Caesarius, Chrodegang and the Old English Vainglory. – *Barbara Wallach:* Lucretius and the Diatribe De rerum natura II. 1–61. – *H. Zimmermann:* Valentin Ernst Löscher, das finstere Mittelalter und dessen Saeculum obscurum. – Bibliographie Luitpold Wallach.

12 *Lotter*, Friedrich: Severinus von Noricum. Legende und historische Wirklichkeit. Untersuchungen zur Phase des Übergangs von spätantiken zu mittelalterlichen Denk- und Lebensformen. – 1976. VIII, 328 Seiten. Leinen. ISBN 3-7772-7604-9.

13 *Staats*, Reinhart: Theologie der Reichskrone. Ottonische »Renovatio Imperii« im Spiegel einer Insignie. – 1976. VII, 188 Seiten und 21 Abbildungen. Leinen. ISBN 3-7772-7611-1.

14 *Goy*, Rudolf: Die Überlieferung der Werke Hugos von St. Viktor. Ein Beitrag zur Kommunikationsgeschichte des Mittelalters. – 1976. XIV, 634 Seiten. Mit 3 Abbildungen und 1 Karte. Leinen. ISBN 3-7772-7627-8.

15 *Schwinges*, Rainer Christoph: Kreuzzugsideologie und Toleranz. Studien zu Wilhelm von Tyrus. – 1977. X, 329 Seiten. Leinen. ISBN 3-7772-7705-3.

Weitere Bände befinden sich in Planung
Ausführlichere Informationen und Prospekte auf Wunsch vom Verlag Anton Hiersemann,
Postfach 723, D-7000 Stuttgart 1 (W.-Germany).

DATE DUE

GAYLORD			PRINTED IN U.S.A.